CHARLOTTE LINK
Im Tal des Fuchses

D1545711

Charlotte Link

Im Tal des Fuchses

blanvalet

Verlagsgruppe Random House FSC® N001967
Das FSC®-zertifizierte Papier *Holmen Book Cream*
für dieses Buch liefert Holmen Paper, Hallstavik, Schweden

1. Auflage
Taschenbuchausgabe Dezember 2013 bei Blanvalet,
einem Unternehmen der Verlagsgruppe Random House GmbH, München
Copyright © 2012 by Blanvalet Verlag, München,
in der Verlagsgruppe Random House GmbH
Umschlaggestaltung: © bürosüd, München
Umschlagmotiv: © Corbis / Julian Calverley
Lektorat: NB
Herstellung: sam
Druck und Einband: GGP Media GmbH, Pößneck
Printed in Germany
ISBN: 978-3-442-38259-0

www.blanvalet.de

OKTOBER 1987

Der Junge war nicht sicher, ob er wirklich einen Fuchs gesehen hatte oder ob es ein anderes Tier gewesen war, aber er beschloss schließlich einfach, dass es sich um einen Fuchs gehandelt haben müsste, denn dieser Gedanke gefiel ihm am besten. Als flacher, dunkler Schatten war er durch das kleine Tal geglitten, zwischen den Gräsern, den niedrigen Büschen, den Steinen hindurch, und als er die andere Seite erreicht hatte, die einzige Seite, an der das Tal nicht durch sanft ansteigende Wiesenhänge, sondern durch eine schroffe Felswand begrenzt wurde, tauchte er zwischen dem Gestein unter und war verschwunden. Von einer Sekunde zur anderen schien ihn die Wand verschluckt zu haben.

Der Junge schaute fasziniert zu. Es hatte so ausgesehen, als gebe es in dem Felsen einen Eingang, eine Spalte, die ausreichte, dass ein nicht allzu kleines Tier, immerhin ein Fuchs, ohne jede Mühe einfach hineinhuschen konnte. Er wollte dem Geheimnis auf den Grund gehen. Er ließ sein Fahrrad ins Gras fallen und rannte den Hügel hinab. Er kannte sich gut aus in der Gegend, er kam oft zu dem kleinen stillen Tal, obwohl er über fünf Meilen mit dem Fahrrad zurücklegen musste. Das Tal war schwer zu finden, weil es keine Wege gab, die dorthin führten. Aber darum war man hier auch so ungestört. Man konnte in der Sonne liegen oder auf einem Stein sitzen, in den Himmel blicken und einfach seinen Gedanken nachhängen.

Der Junge erreichte die Stelle, an der der Fuchs verschwunden war. Vor allem als er noch jünger gewesen war,

war er an der Felswand oft hinauf- oder hinabgeklettert und hatte sich vorgestellt, er besteige den Mount Everest. Inzwischen war er zehn, und solche Spiele erschienen ihm kindisch, aber er entsann sich noch gut der abenteuerlichen Gefühle, die der Steilhang in ihm ausgelöst hatte. Allerdings hatte er dabei nie etwas entdeckt, das ihn hätte vermuten lassen, es könnte eine Art Öffnung in der Wand geben.

Sein Herz klopfte schnell, als er zwischen dem hohen Farn, der hier in dicken Büscheln wuchs und noch tropfend nass war vom Regen der vergangenen Nacht, nach einem Eingang suchte. Er war sich ganz sicher, dass der Fuchs genau hier, an dieser Stelle, verschwunden war. Mit dem Fuß stieß der Junge gegen den Felsen. Ein paar Steine bröckelten ab und rollten in den Farn.

Vor ihm lag die Felsspalte. Er hatte sie nie zuvor sehen können, weil der Farn sie verdeckte, aber es handelte sich um eine deutliche Öffnung in der Wand. Groß genug auf jeden Fall für einen Fuchs. Der Junge schnaufte vor Aufregung. Er steckte seinen Arm in den Spalt, fürchtete, sofort wieder gegen eine Begrenzung zu stoßen, aber tatsächlich schien es einen Hohlraum im Felsen zu geben.

Er zog den Arm zurück und trat erneut, diesmal erheblich kräftiger, gegen den Fels. Wieder bröckelten Steine, darunter auch dickere Brocken, zu Boden. Jetzt war die Öffnung schon um einiges größer. Der Junge kniete nieder und schaufelte die Steine beiseite. Er hatte nie zuvor bemerkt, dass die Felsbrocken an dieser Stelle ziemlich locker waren. Hatte jemand sie aufeinandergeschichtet? Er blickte nach oben. Vielleicht hatte es hier vor langer Zeit einmal einen Erdrutsch gegeben, Teile des Felsens waren abgesplittert und hinuntergestürzt. Sie hatten den Eingang in den Berg verschlossen.

Er hatte jetzt genug Steine beiseitegeräumt, um einen Höhleneingang freizulegen, der groß genug für ihn war. Einen Moment lang ruhte er sich schwer atmend aus. Obwohl der Tag kalt und feucht war, war der Junge inzwischen vollkommen verschwitzt. Es war anstrengend gewesen, die zum Teil ziemlich großen und schweren Steine zu bewegen. Hinzu kam die Aufregung. Er zitterte am ganzen Körper.

Dann kroch er in die Öffnung hinein.

Kaum hatte er den Eingang hinter sich gelassen, konnte er sich zu seiner vollen Größe aufrichten. Ein erwachsener Mensch würde hier womöglich nur mit eingezogenem Kopf stehen können, aber für einen Jungen seines Alters gab es sogar noch Platz. Er folgte einem kurzen Gang, der sich bald darauf zu einer Art Höhle verbreiterte. Das Tageslicht reichte hier nur noch schwach hin, der Junge konnte kaum etwas erkennen. Was er undeutlich wahrnahm, waren Wände, teils felsig, teils aus Erde, Wurzeln, die von der niedrigen Decke hingen, dünne Rinnsale von Wasser, die zu Boden tropften und dort zwischen Geröll und Lehm versickerten. Er wagte kaum zu atmen vor Spannung, vor Entzücken. Er hatte eine Höhle entdeckt. Eine Höhle in einem Felsen, zugänglich durch einen Geheimgang, den offenbar niemand vorher je gefunden hatte.

Er drehte sich um und zwängte sich zwischen den engen Wänden hindurch wieder zurück zum Eingang. Von dem Fuchs hatte er keine Spur mehr gesehen, aber vielleicht hatte er ihn in der Dunkelheit auch einfach nicht entdecken können. Er musste jetzt unbedingt sofort nach Hause radeln und eine Taschenlampe holen, dann würde er zurückkommen und die Höhle ganz genau erforschen. Er würde auch ein paar Sachen mitbringen – Buntstifte, Briefmarken, einen Plastikbecher – und sie im Inneren der Höhle deponieren. Das würde sein Test sein. Er würde jeden Tag kommen und die Sachen kontrollieren. Wenn alles unverändert blieb, hatte er irgendwann den Beweis, dass wirklich nur er von der Existenz dieses geheimen Ortes wusste.

Draußen angekommen wäre er am liebsten sofort zu seinem Fahrrad gerannt, aber er beherrschte sich und machte sich zunächst die Mühe, alle Steine wieder aufeinanderzuschichten und den Eingang sorgfältig zu verschließen. Er holte sogar feuchte Erde von weiter her und schmierte sie in die Ritzen, damit niemand sehen konnte, dass hier Geröll nur locker übereinanderlag. So gut er konnte, richtete er den niedergetretenen Farn auf. In Zukunft musste er besser aufpassen, er musste sich vorsichtig und geschmeidig bewegen, damit er nicht einen deutlich sichtbaren Trampelpfad hinterließ, der direkt zum Eingang führte. Die Höhle sollte sein Geheimnis bleiben, niemand sonst durfte sie entdecken. Er würde niemanden einweihen, seine Mutter und seinen Stiefvater schon gar nicht, aber auch nicht seine Freunde in der Schule. Er hatte auch nie jemandem etwas von diesem Platz erzählt, zu dem er so gerne kam, und nun hatte der Ort eine viel größere Bedeutung bekommen.

Mein Tal, dachte er, meine Höhle.

Der Fuchs hatte ihm den Weg gezeigt, und so schoss ihm der Name durch den Kopf, den er diesem Flecken Erde, der nur ihm gehörte, geben wollte:

Fox Valley.

Das Tal des Fuchses.

Das hörte sich geheimnisvoll an, fand er, und irgendwie besonders.

Das Tal des Fuchses.

Zufrieden betrachtete er seine Arbeit. Niemand konnte erkennen, dass es hier eine Öffnung im Felsen gab. Niemand würde sein Versteck jemals finden. Und er würde viel

Zeit hier verbringen und den Gang vielleicht noch etwas vergrößern und die Höhle befestigen und sich einen wunderbaren Zufluchtsort für alle Zeiten schaffen.

Er lief zu seinem Fahrrad.

»Ich bin bald wieder da«, flüsterte er.

AUGUST 2009

1

Auf der ganzen Fahrt aus dem Norden von Wales hinunter in den Süden hatten sie wieder die lange, entnervende und fruchtlose Diskussion geführt, in die sie sich während der vergangenen Wochen ständig verstrickten. Als sie den Pembrokeshire Coast National Park verließen und Fishguard erreichten, stritten sie sogar richtig. Vielleicht wäre sonst alles ganz anders gekommen. Hätten sie bloß das Thema friedlich zu klären versucht, wäre nur einer von ihnen auf die Idee gekommen zu sagen: »Jetzt lass uns den schönen Tag nicht verderben. Reden wir über etwas anderes. Heute Abend setzen wir uns in Ruhe zusammen, trinken ein Glas Wein und besprechen das alles.«

Aber sie waren aus der Spirale, in der sie sich verfangen hatten, nicht herausgekommen, und alles mündete in eine Tragödie, aber das hatte niemand voraussehen können. Der Streit schwelte seit Langem und ging, wie Vanessa fand, im Grunde um ... *gar nichts*. Matthew, ihr Mann, arbeitete in einer Firma in Swansea, die Computersoftware entwickelte und über viele Jahre extrem erfolgreich gewesen war. In der jüngsten Zeit hatte sich die Situation verschlechtert, die Konkurrenz war stärker geworden, der Markt härter und schneller, und in der Firma wurden Umstrukturierungsmaßnahmen diskutiert, die im Kern darauf hinausliefen, dass man erwog, jüngere Mitarbeiter an anderen Stellen abzuwerben und gegen die eigenen Leute, die sich als nicht mehr wirklich konkurrenzfähig erwiesen, einzutauschen. Matthew war überzeugt – Vanessa bezeichnete es als *fixe Idee* –, dass man ihn entlassen würde. Zumindest sah er die Möglichkeit. Und da er ein Angebot aus London bekommen hatte, dort in einer anderen Firma einzusteigen, sah er nicht ein, weshalb er der drohenden Gefahr nicht zuvorkommen, kündigen und nach London gehen sollte.

»Weil du dann zum Beispiel keine Abfindung bekommst«, hatte Vanessa entgegengehalten.

»Okay. Aber was nützt mir die Abfindung, wenn die Stelle in London dann besetzt ist und ich arbeitslos bin?«

»Dann findest du etwas anderes!«

»Und wenn nicht?«

Das Problem war natürlich ein anderes, das Problem war London. Vanessa arbeitete als Dozentin für Literatur an der Universität Swansea. Sie sah nicht ein, dass sie ihre Stelle, ihre Studenten, ihr gesamtes Umfeld aufgeben und ihrem Mann nach London folgen sollte, nur weil dieser einer Kündigung zuvorkommen wollte, die bislang ausschließlich in seiner Phantasie existierte.

»Du verhältst dich wie ein Pascha aus dem vorletzten Jahrhundert«, sagte sie wütend. »Du bestimmst, und ich gehe brav mit dir, wo immer du hinmöchtest. Aber so funktionieren Partnerschaften heutzutage nicht mehr. Ich gehe nicht nach London, Matthew. Und wenn du dich auf den Kopf stellst!«

Er seufzte.

»Nach fünfzehn Jahren Swansea«, sagte er, »wäre da eine Veränderung so schlecht?«

»Nein. Aber nicht ausgerechnet jetzt. Und nicht nur, weil es dir gerade in den Kram passt!«

Max, der große, langhaarige Schäferhund, der auf dem

Rücksitz lag, hob den Kopf und winselte. Matthew warf einen Blick in den Rückspiegel. »Ich fürchte, Max muss raus. Bis wir daheim sind, hält er nicht durch.«

Vanessa erwiderte nichts. Sie presste die Lippen so fest aufeinander, dass sie zu einem weißen Strich wurden. Kurz entschlossen bog Matthew bei der nächsten Gelegenheit von der Hauptstraße ab und folgte der Landstraße, die sie wieder zum Coast Park hinführte. Der Abend brach herein, die Sonne stand schon tief. Ein warmer, klarer, wunderbarer Augustabend. Rotgoldenes Licht lag über den Feldern ringsum. Sie bemerkten einen einsamen Wanderer, der gerade über ein Weidengatter kletterte, aber ansonsten war keine Menschenseele zu sehen. Der Nationalpark, der sich über viele Meilen direkt am Meer entlangzog, sich aber auch tief ins Landesinnere erstreckte, war ein Touristenmagnet. Im Sommer waren hier ständig Menschen unterwegs, zu Fuß, zu Pferd oder auf dem Mountainbike, dies jedoch vor allem in der Gegend direkt an der Küste. Abseits vom Meer hingegen konnte man stundenlang wandern, manchmal ohne einem anderen Menschen zu begegnen.

Sie kamen an einem kleinen Parkplatz vorbei, der ein Stück unterhalb der Straße lag und einen schönen Ausblick über die Landschaft bot. Es gab einen Picknicktisch mit zwei Bänken und einen Abfallkorb aus Metall. Der Abfallkorb war völlig leer, offenbar kamen selten Menschen hierher.

Matthew hielt an. »Komm«, sagte er, »lass uns ein Stück mit Max laufen. Das wird uns guttun.«

Vanessa schüttelte den Kopf. »Geh du allein. Ich brauche ein bisschen Abstand. Ich möchte nachdenken. Ich warte hier.«

»Sicher?«

»Ja. Sicher.«

Sie stiegen aus. Warme Luft schlug ihnen entgegen. Die Klimaanlage im Wagen hatten sie auf zwanzig Grad gestellt, draußen mussten es noch an die vierundzwanzig Grad sein. Es gab keine einzige Wolke am lichtblauen Himmel. Es war einer jener Sommertage, von denen man den ganzen Winter über träumen konnte.

Weißt du noch, dieser herrliche Augustsonntag? Dieser einsame Rastplatz am Ende der Welt... Nichts als Ruhe und Wärme...

Nein, so würden sie nicht sprechen, dachte Vanessa. Jenen Sonntag würden sie wohl stets nur mit ihrem Streit in Verbindung bringen. Wie auch immer sich die Dinge am Ende entschieden, sie würden sich an eine lange Fahrt von Holyhead hinunter nach Swansea erinnern und daran, dass sie die meiste Zeit über debattiert hatten. Und dass Matthew schließlich allein eine Runde mit Max gedreht hatte, während sie, Vanessa, am Auto blieb, weil sie so zornig auf ihn war, dass sie nicht mitgehen mochte.

Es gab einen Trampelpfad, der zunächst ein kleines Stück in ein Tal hinunterführte, dann jedoch einen scharfen Bogen nach links um den Hügel herum schlug und von dort an vom Parkplatz aus nicht mehr zu sehen war. Vanessa blickte Matthew und Max nach, wie sie um die Ecke verschwanden; Max, der sich noch ein paar Mal unruhig nach seinem Frauchen umgesehen hatte, schließlich in großen Sprüngen vorneweg, Matthew langsamer hinterher. An Matthews sehr geraden Schultern konnte sie ablesen, wie verärgert auch er noch war. Klar, er fühlte sich unverstanden. Brachte aber selbst keinerlei Verständnis auf. Wahrscheinlich würde er nun ziemlich lange mit dem Hund unterwegs sein. Matthew brauchte immer Bewegung, wenn er Stress hatte, meistens kam er dann aber viel gelöster und ausgeglichener zurück.

Sie schlenderte langsam vom Auto zu dem Picknicktisch hinüber, setzte sich auf die Bank, deren Holz warm war von der Sonne. Das Abendlicht war so sanft, dass es nicht mehr blendete. Sie blickte über das flache Tal, das weit war, wellig und sehr grün. Eine Steinmauer zog sich an seiner Nordseite entlang, dann schloss sich eine kleine Baumgruppe an. Ansonsten gab es nur flache Ginsterbüsche, die jetzt von einem etwas verstaubten Grün waren. Im April, wenn sie blühten, musste die Gegend wie überschwemmt sein von gelben Farbklecksen.

Wie schön es hier war! Vanessa überlegte, dass sie viel öfter hierherkommen sollten. Die einzelnen Gebiete des Nationalparks lagen gar nicht so weit von Swansea entfernt, aber sie konnte es an einer Hand abzählen, wie oft sie und Matthew in den vergangenen fünfzehn Jahren den Weg dorthin gefunden hatten. Und dann hatte es sie immer an die Küste zum Schwimmen gezogen. Vielleicht sollten sie für den Herbst ein Wanderwochenende planen. Auch Max würde sich freuen, er ging so gerne spazieren. Na ja, vielleicht bereiteten sie da auch schon ihren Umzug nach London vor.

London.

Ich will nicht weg von allem, was ich kenne, dachte sie, und ich will auch keine Wochenendbeziehung, Matthew in London und ich in Swansea ... Das ist nicht das, was ich mir vorgestellt habe ...

Gleichzeitig fragte sie sich, ob dieses Festhalten am Vertrauten die richtige Einstellung war für eine siebenunddreißigjährige Frau. Musste man in ihrem Alter nicht noch beweglicher sein? Flexibler? Erlebnishungriger?

Neugieriger?

Sie war so sehr in ihre Gedanken vertieft, dass sie kaum merkte, wie die Zeit verstrich. Zwei- oder dreimal hörte sie ein Auto oben auf der Landstraße vorbeifahren, sonst blieb alles ruhig. Gerade als sie endlich auf die Uhr schaute und feststellte, dass Matthew und Max nun schon seit fast zwanzig Minuten fort waren, hörte sie erneut ein Auto kommen. Es wurde langsamer, als es die Höhe des Rastplatzes erreicht hatte, beschleunigte dann, bremste jedoch ein Stück weiter schon wieder ab. Vanessa wandte sich um, sah aber nichts. Eine mit Hecken bewachsene kleine Anhöhe trennte den Rastplatz von der Straße, erst wenn ein Auto um eine weitere Biegung gefahren war, konnte man es von hier aus sehen. In diesem Moment tauchte es auf. Ein weißer Kastenwagen mit irgendeiner Aufschrift an der Seite, die sie aber auf diese Entfernung nicht lesen konnte. Vanessa erkannte, dass der Wagen sehr langsam fuhr. Jetzt wendete der Fahrer mitten auf der Straße und kam wieder zurück. Er verließ Vanessas Sichtfeld, aber sie hörte ihn noch immer. Der Wagen schien am Rastplatz geradezu vorüberzuschleichen, beschleunigte dann. Bremste wieder. Vanessa runzelte die Stirn. Wendete er erneut? Wieso fuhr dieses Auto dort oben ständig auf und ab? Und handelte es sich um dasselbe Fahrzeug, das sie schon vorher einige Male gehört, aber nicht weiter beachtet hatte? Sie hörte es schon wieder näher kommen, langsamer werden. Diesmal jedoch bog es offenbar auf den Parkplatz ein. Vanessa drehte sich wieder um, konnte aber nichts sehen. Sie hörte, dass eine Autotür schlug. Anscheinend hatte das Auto in der Auffahrt geparkt, war nicht bis auf den eigentlichen Rastplatz gefahren. Vielleicht jemand, der nur rasch pinkeln wollte und gesehen hatte, dass eine Frau auf der Picknickbank saß.

Sie versuchte die Unruhe, die sich ihrer bemächtigen wollte, zu ignorieren und schaute über das Tal.

Matthew könnte wirklich langsam zurückkommen, dachte sie.

Sie wünschte, Max würde bellend um die Ecke schießen. Sie hätte den großen Hund jetzt gerne an ihrer Seite gehabt. Gleichzeitig nannte sie sich hysterisch. Nur weil ein Auto ein paarmal hin und her fuhr ... Nur weil sie sich hier mit einem Mal so mutterseelenallein vorkam ...

Obwohl sie keinen Laut vernommen hatte, zwang sie eine plötzliche Nervosität, sich ruckartig umzuwenden. Es war ein unerklärbares Gefühl von Bedrohung gewesen, es hatte ihre Härchen am Körper aufgestellt und ihr trotz der Wärme ein Frösteln über beide Arme gejagt.

Ein Mann stand direkt hinter ihr.

Keine zwei Schritte von ihr entfernt. Er war geräuschlos herangekommen.

Sie sprang auf. Sie war nicht ganz sicher, ob sie dabei auch einen Schrei ausstieß, aber sie hielt es für möglich.

Der Typ war *absolut unheimlich.*

Es ging ihm anscheinend darum, sein Gesicht zu verbergen, denn trotz des noch sehr warmen Abends trug er eine schwarze Baseballkappe, die er sich tief in die Stirn gezogen hatte, eine völlig undurchsichtige kohlschwarze Sonnenbrille, ein schwarzes Halstuch, das er so hochgeschoben hatte, dass es fast den Mund bedeckte. Vanessa konnte eigentlich nur seine Nase sehen. Sein Körper steckte in einer schwarzen Jogginghose und einem schwarzen Rollkragenpullover. Er hatte Handschuhe an.

Sie schluckte trocken.

»Was ...?«, begann sie.

In der nächsten Sekunde hatte der Mann eine blitzschnelle Bewegung auf sie zugemacht. So unvermittelt, dass Vanessa keine Chance zur Gegenwehr oder gar zum Ausweichen blieb. Etwas Nasses wurde gegen ihr Gesicht gepresst, ein stechender Geruch umfing sie, reizte ihre Bronchien zu heftigem Husten. Der Geruch verursachte ihr

Schmerzen und Übelkeit und raubte ihr dann von einem Moment zum nächsten die Sinne. Sie fuchtelte kraftlos mit den Armen wie eine schlaffe Gummipuppe, die an Fäden aufgehängt ist, und dann verlor sie auch schon das Bewusstsein.

Sie stürzte in völlige Finsternis.

In eine endlose Nacht.

2

Er war schweißgebadet. Obwohl er sich längst des dicken Pullovers, der Mütze, des Halstuches und der Handschuhe entledigt und die Sachen irgendwo nach hinten in den Wagen geworfen hatte. Er trug nur noch die Jogginghose, dazu ein weißes Muskelshirt. Seine ausgelatschten Turnschuhe.

Aber er schwitzte so, dass er spürte, wie ihm das Wasser den Rücken hinunterrann.

Er merkte, dass er zu schnell fuhr, und nahm hastig den Fuß vom Gas. Es hätte ihm noch gefehlt, ausgerechnet jetzt einer Polizeistreife aufzufallen. Zwar war er nicht alkoholisiert, aber vielleicht hätte man ihn gefragt, weshalb er an diesem Abend zwischen der Westküste und Swansea unterwegs war. Obwohl dies an sich nicht verdächtig war. Und nicht verboten.

Entspann dich, Ryan, sagte er zu sich selbst. Du hast den Sonntag am Meer verbracht und bist nun auf dem Heimweg. Daran ist nichts Seltsames.

Trotzdem fuhr er langsamer. Und trotz der eigenen beschwichtigenden Gedanken hörte er nicht auf zu schwitzen, und auch sein schneller, harter Herzschlag beruhigte sich nicht.

Seit Tagen versuchte er, seine mahnende, warnende innere Stimme zu überhören, die Stimme, die ihm unaufhörlich zuraunte, dass er sich mit seinem Vorhaben vollkommen übernahm. Dass Entführung und Erpressung nicht nur eine Nummer, sondern mindestens zehn Nummern zu groß für ihn waren. Ryan Lee war bei Gott kein unbeschriebenes Blatt, bestens polizeibekannt und zweifach vorbestraft wegen Einbruch und Körperverletzung. Er hatte zwar immer wieder probiert, seinen Lebensunterhalt durch redliche Arbeit zu verdienen, war aber jedes Mal auf irgendeine Art gescheitert; meist daran, dass es ihm nicht gelang, dauerhaft pünktlich morgens aus dem Bett und an seinen Arbeitsplatz zu kommen. Dann folgte die Kündigung, und er geriet wieder einmal auf die schiefe Bahn. Insofern war ihm ein Leben außerhalb oder höchstens am Rande der Legalität nur zu bekannt.

Aber es gab schiefe Bahnen und schiefe Bahnen.

Es war eine Sache, ein paar Computer aus einem Elektrofachgeschäft zu klauen, ein Auto zu knacken, einer alten Dame die Handtasche zu entwenden oder eine deftige Schlägerei vom Zaun zu brechen.

Eine andere Sache war es, eine Frau zu überfallen, zu betäuben, zu verschleppen und zu verstecken, um von ihrem Ehemann hunderttausend Pfund Lösegeld zu verlangen.

Dabei konnte so vieles danebengehen, dass ihm, wenn er sich seinen Ängsten auch nur eine Sekunde lang hingab, ganz schwindelig wurde. Zum Beispiel würde er den Ehemann natürlich als Erstes warnen: Keine Polizei! Aber vieles sprach dafür, dass dieser sich dennoch sofort mit den Bullen in Verbindung setzte. Dann hatte er, Ryan, nicht einen einzelnen Mann gegen sich, der noch dazu geschockt und verstört war, sondern den ganzen Polizeiapparat der Region. Die Geldübergabe würde unter diesen Umständen der gefährlichste Moment sein, denn es war klar, dass sie genau dabei versuchen würden, ihn zu schnappen. Sein einziger Trumpf war die Geisel. Diese würde man nicht gefährden wollen.

Er merkte, dass er inzwischen zu langsam fuhr, auffallend langsam, und steigerte das Tempo wieder. Seine Hände waren so nass, dass sie am Lenkrad abzurutschen drohten. Er musste an die Frau denken. Vanessa hieß sie. Dr. Vanessa Willard. Dozentin an der Universität Swansea. Sie hatte ihm bereitwillig ihren Namen und ihren Beruf genannt, den Namen ihres Mannes, die gemeinsame Wohnadresse in Mumbles, einem Vorort von Swansea. Die Telefonnummer. Alles, was er wissen wollte. Ihr war noch übel gewesen vom Chloroform, das er ihr mithilfe eines Tuches ins Gesicht gepresst und das dafür gesorgt hatte, dass sie eine ganze Stunde fest schlief. Er hatte sie einigermaßen problemlos in sein Auto schleifen und etliche Meilen weit in eine andere Gegend transportieren können, *einigermaßen* nur deshalb, weil er drei Tage zuvor, am Donnerstagabend, in eine sehr heftige Kneipenschlägerei verwickelt gewesen war, von der ihm noch immer der rechte Arm höllisch wehtat. Trotzdem hatte er die Frau das letzte Stück bis zu der Höhle getragen. Der schwierigste Part war dann gewesen, sie durch den flachen Gang in das Innere des Felsens zu schaffen. Er konnte sich nur geduckt vorwärtsbewegen, und zudem war es inzwischen auch draußen dämmrig geworden, sodass fast kein Schimmer Tageslicht mehr ins Innere drang. Er hatte zwar eine Taschenlampe dabei, aber er hatte keine Hand frei, sie zu halten. Erster Fehler. Ein Stirnband mit Glühbirne zu besorgen, wie es

Bergarbeiter verwendeten, hätte unbedingt zu seinen Vorbereitungen gehören müssen.

Er hatte schnell erkannt, dass die Sache mit der Beleuchtung bei Weitem nicht der einzige Fehler gewesen war. Denn schließlich war die Frau aufgewacht, und nachdem sie sich übergeben hatte – was vom Chloroform herrührte –, hatte sie nach ihrem Mann gerufen, und er hatte herausgefunden, dass der Mann vorhin ganz in der Nähe des Rastplatzes gewesen war. Er hatte nur den Hund, einen Schäferhund, ausgeführt, sie hatte ihn jeden Moment zurückerwartet. Ihm war ganz kalt und gleich darauf heiß vor Entsetzen geworden. Nachdem er bei seinem ziellosen Herumfahren die einsame Frau auf dem Rastplatz entdeckt hatte, war er mehrfach die Landstraße auf und ab gefahren und hatte überprüft, dass sich sonst niemand in der Gegend aufhielt. Außerdem hatte er gecheckt, ob sie tatsächlich das geeignete Objekt für seinen Plan darstellte. Der große teure BMW hatte ihn überzeugt, zudem die Art, wie die Frau gekleidet war: lässig zwar in Jeans und T-Shirt, aber es schien sich um jene gekonnte Schlichtheit zu handeln, für die man eine ordentliche Stange Geld hinlegen musste. Er brauchte keine Millionäre, nicht bei hunderttausend Pfund, aber an Sozialhilfeempfänger durfte er auch nicht aus Versehen geraten.

Sie war perfekt, absolut perfekt, hatte er entschieden.

Um dann zu erfahren, dass er fast von einem Mann und einem Schäferhund überrascht worden wäre. Wenn er genau überlegte, hatte es in diesem Moment mit den Schweißausbrüchen angefangen, die bis jetzt nicht aufhören wollten.

Du hättest vorsichtiger sein müssen, sagte er sich ständig, viel aufmerksamer. Viel misstrauischer. Viel sorgfältiger.

Vanessa hatte in dem Felsenloch gekauert, immer noch mit ihrem Brechreiz kämpfend und völlig unter Schock stehend, sodass er es gewagt hatte, sie loszulassen und die Taschenlampe einzuschalten. Sein Halstuch hatte er vor Mund und Nase gezogen. Vanessa sah sich um, erkannte, dass sie sich unter der Erde befand, sah die längliche Holzkiste mit dem aufgeklappten Deckel und drehte durch. Auf allen vieren versuchte sie, den Gang nach draußen zu erreichen, während sie mörderisch schrie und wie eine Raubkatze um sich schlug, als er sie an ihrem rechten Bein zu packen bekam. Er wusste, dass sich hier weit und breit kein Mensch aufhielt und daher niemand sie hören konnte, trotzdem machte ihn ihr Gebrüll nervös. Er war sehr stark dank des Muskeltrainings, das er regelmäßig betrieb, daher hatte die Frau, die zudem noch unter den Nachwirkungen der Betäubung litt, keine Chance. Dennoch lieferte sie ihm einen beachtlichen Kampf. Sie wehrte sich wie eine Rasende, kratzte, biss und schlug, und er war nur froh über seine Maskerade, die es verhinderte, dass man später Blutspuren an ihm finden konnte. Mit einem gezielten Faustschlag hätte er sie sofort außer Gefecht setzen können, aber zu diesem Zeitpunkt kannte er ihren Namen und ihre Adresse noch nicht; er brauchte diese Informationen und hätte sie von einer Bewusstlosen nicht bekommen. Auch mochte er ihr nicht wehtun. Sie tat ihm leid, und für sie wie für sich hoffte er, die ganze Geschichte werde schnell und reibungslos über die Bühne gehen.

Es war ihm gelungen, ihre Handgelenke zu umklammern und sie dadurch ruhigzustellen. Im selben Moment fiel sie wie ein Häufchen Elend in sich zusammen. In ihren weit aufgerissenen, flackernden Augen stand namenloses Entsetzen.

»Ich will Geld«, sagte er zu ihr. Seine Stimme klang für ihn selbst dumpf und ungewohnt unter dem dicken Tuch. »Nur das. Wenn deine Angehörigen gezahlt haben, hole ich dich sofort hier raus. Gehört das Auto, mit dem du unterwegs warst, dir?«

Sie konnte nur leise krächzen. »Meinem Mann und mir.«

Es war wirklich ein Glück, dass es diesen Ehemann gab. Ryan hätte sich sonst mit Eltern oder Geschwistern, die womöglich über ganz Großbritannien verstreut lebten, auseinandersetzen müssen. Mit der Existenz eines Ehemanns war zumindest die Zuständigkeit geklärt. Und auf jeden Fall war nicht die schlimmste Variante eingetreten: dass sie nämlich völlig allein war und es niemanden gab, den man erpressen konnte. Diese Möglichkeit hatte Ryan am meisten gefürchtet.

»Wie heißt dein Mann?«, fragte er.

Sie machte zwei vergebliche Anläufe, ehe ihre Stimme ihr erneut gehorchte. Sie hatte so sehr geschrien, dass sie völlig heiser war.

»Matthew«, brachte sie schließlich hervor, »Matthew Willard.«

»Und du bist?«

»Vanessa. Dr. Vanessa Willard. Ich bin Dozentin an der Universität Swansea. Ich verdiene nicht besonders viel Geld.«

»Wo wohnt ihr?«

Sie nannte ihm die Adresse und die Telefonnummer. Er speicherte das alles in seinem Gedächtnis. Aufschreiben erschien ihm zu gefährlich.

»Wir ... sind wirklich keine Millionäre«, sagte sie. »Sie ... müssen mich verwechseln.«

Er schüttelte den Kopf. »Ich will hunderttausend Pfund. Die wird dein Mann beschaffen können.«

Sie schien verwirrt. Sicher hatte sie mit einer Millionenforderung gerechnet. Aber woher sollte sie auch alle Hintergründe und Umstände kennen?

Der schwierigste Moment kam, als er ihr klarmachte, dass sie sich in die Kiste legen musste und er den Deckel verschließen würde. Diesmal versuchte sie nicht zu fliehen, aber sie begann zu hyperventilieren, und zwar so heftig, dass er im ersten Moment glaubte, sie habe einen Asthmaanfall.

»Bitte«, stieß sie schließlich hervor. »Bitte nicht! Bitte, tun Sie mir das nicht an, bitte! Bitte!«

Er versicherte ihr, dass sie es gut haben würde. »Es gibt genug Luftlöcher. Du hast eine Taschenlampe. Ich habe Zeitschriften dort hineingelegt. Genügend Wasser und Essen. Und vielleicht zahlt dein Mann schon morgen. Dann bist du sofort draußen.«

»Ich bin doch hier in einer Höhle unter der Erde. Warum reicht das nicht? Warum …?«

Er erklärte ihr, dass er die Höhle mit Steinen verschließen würde, dass sie aber durchaus in der Lage wäre, diese Steine in geduldiger Arbeit beiseitezuschaffen, und dass er das nicht geschehen lassen konnte. »Ich werde jeden Tag nach dir sehen«, versprach er. Das war eine Lüge. Die Strecke war von Swansea aus zu weit, und er würde das Risiko aufzufallen nicht eingehen. Da konnte er ja gleich die Polizei zu dem Versteck führen. Aber für den Moment war es ratsam gewesen, ihr irgendetwas Tröstliches zu erzählen.

Sie hatte geweint, als sie sich in die Kiste legte, und dabei gezittert wie Espenlaub. Er hatte sie schluchzen gehört, als er den Deckel an sechs Stellen mit Schrauben, deren Gewinde er vorgebohrt hatte, verschloss. Zum Glück hatte sie nicht mehr sehen können, dass auch er dabei zitterte. Es hätte sie noch mehr beunruhigt zu erkennen, dass er sich selbst der ganzen Geschichte keineswegs nervlich gewachsen fühlte.

Er erreichte jetzt die ersten Ausläufer von Swansea und schaltete einen Gang zurück. Der Wagen gehörte zu einer Wäschereikette, für die er seit einem halben Jahr arbeitete. Endlich wieder einmal ein Job, aber einer, der anstrengend war und wenig einbrachte. Seine Aufgabe war es, die Wäsche in verschiedenen Hotels und Restaurants in Swansea und der weiteren Umgebung einzusammeln und später gewaschen und gebügelt wieder auszuteilen. Dafür hatte man ihm den weißen Kastenwagen mit der Aufschrift *Clean!* zur Verfügung gestellt. Das war der einzige Vorteil, den diese Arbeit ihm brachte: ein Auto in seinem Besitz zu haben. Zwar durfte er es eigentlich nicht für private Fahrten nutzen – und die Entführung und Verschleppung einer Frau zählten ganz klar zur privaten Nutzung –, aber bis jetzt hatte es noch niemand kontrolliert, und er füllte immer wieder den Tank nach seinen Spitztouren auf und hoffte, dass er nicht erwischt werden würde.

In Swansea herrschte an diesem Sonntagabend um kurz vor halb zehn wenig Verkehr, und Ryan gelangte ohne Probleme in die Stadt. Wie so oft in seinem Leben hatte er gerade keine eigene Wohnung, lebte mal hier, mal dort, zurzeit bei Debbie, einer Freundin, mit der er einige Jahre lang eine Beziehung gehabt hatte, ehe sie sich wegen seiner permanenten Kollisionen mit dem Gesetz von ihm getrennt hatte. Dennoch standen sie einander nahe, daher hatte sie ihn aufgenommen, als er keine Bleibe fand. Debbie arbeitete im Schichtdienst für ein Gebäudereinigungsunternehmen und war selten zu Hause.

Ryan wusste, dass Debbie auch jetzt nicht daheim sein würde, weil sie an diesem Wochenende für die Arbeit in einem größeren Gebäudekomplex eingeteilt war, der vor allem Kinos und Fast-Food-Läden beherbergte. Er würde schnell duschen und ein Bier trinken, und hoffentlich würde der Alkohol seine Anspannung, seine auf der Lauer liegende Panik auflösen. Sodann würde er eine Telefonzelle aufsuchen und Matthew Willard anrufen. Natürlich musste er damit rechnen, dass Willard bereits die Polizei verständigt hatte, als er Vanessa nicht mehr auf dem Parkplatz angetroffen hatte, aber er vermutete, dass die Beamten nach so kurzer Zeit noch nicht wirklich in die Gänge gekommen waren. Ging man Vermisstenmeldungen bei Erwachsenen nicht erst vierundzwanzig Stunden später nach? Oder sogar achtundvierzig? Oder war das nur ein Gerücht, das sich hartnäckig hielt?

Sein Herzschlag, der gerade dabei gewesen war, sich ein klein wenig zu beruhigen, begann schon wieder in einem wirren und unregelmäßigen Rhythmus zu galoppieren. Er hatte so viele Dinge nicht bedacht, er war absolut dilettantisch an die Umsetzung seines Planes herangegangen. Wenn die Polizei nun doch schon bei Willard daheim war? Wenn eine Fangschaltung installiert worden war?

Er musste unbedingt daran denken, das Gespräch so kurz wie möglich zu halten. Die durften die Telefonzelle, aus der er anrief, keinesfalls identifizieren.

Ihm wurde schwindelig, als ihm aufging, in welchen Wahnsinn er sich gestürzt hatte.

Aber er hatte geglaubt, keine andere Wahl zu haben. Genau genommen hatte er auch keine, nachdem ihm Damon zweimal die Nachricht hatte zukommen lassen, er wolle sofort die zwanzigtausend Pfund zurückhaben, die Ryan ihm schuldete. Danach hatte er ein paar Schlägertypen geschickt, die Ryan noch auf andere Art erinnern sollten – nach diesem Besuch hatte er sich für zehn Tage krankmelden müssen, weil er sich kaum mehr hatte bewegen können. Er kannte Damon: Er würde nicht lockerlassen. Und irgendwann in nicht allzu ferner Zukunft würde Ryan mit dem Gesicht nach unten im Hafenbecken von Swansea treiben, das war so sicher wie das Amen in der Kirche. Er war realistisch genug zu wissen, dass er Damon nicht entkommen konnte. Er würde ihn aufspüren, überall auf der Welt. Damon war mächtig, skrupellos und gerissen. Er kannte keine Moral, kein Mitleid. Er war unfähig, eine Niederlage hinzunehmen.

Damon war hochgradig gefährlich, und Ryan hatte begriffen: Er musste zwanzigtausend Pfund auftreiben, darin bestand seine einzige Chance.

Genauso gut hätte er eine Million Pfund anstreben können. Der eine wie der andere Betrag war völlig abwegig für ihn.

So war der Plan der Entführung entstanden. Er hatte sich der Höhle im Fox Valley entsonnen, die er als Kind entdeckt, seit fast zwanzig Jahren aber nicht mehr aufgesucht hatte. Als er nun wieder dort hinkam, stellte er fest, dass offenbar tatsächlich niemand außer ihm von ihrer Existenz wusste. Es gab nicht die geringsten Spuren anderer Menschen. Mit zusätzlichen Steinen, die er mühsam heranschleppte, hatte er damals den Eingang absolut perfekt getarnt – natürlich nicht in der Absicht, dort einmal ein Versteck für ein Entführungsopfer einzurichten. Es war eher so gewesen, dass ihm der Gedanke gefiel, einen Ort auf der Welt zu haben, den niemand kannte, der ihm allein gehörte.

Aus alldem war jetzt eine Situation entstanden, die mit seiner einst kindlichen Freude an einem Geheimnis nichts mehr zu tun hatte. Wenn etwas schiefging, saß er für viele Jahre im Knast, so viel stand fest. Ryan hatte es bislang stets geschafft, mit Bewährungsstrafen davonzukommen. Er hatte eine höllische Angst vor dem Gefängnis. Aber ihm war klar, dass seine spezielle Lebensweise ihn irgendwann genau dorthin bringen würde, und daher hatte er auch beschlossen, nicht nur zwanzigtausend Pfund zu erpressen, sondern hunderttausend. Zwanzig, um sich Damon, den Kredithai, mit dem er sich leichtsinnigerweise eingelassen hatte, ein für alle Mal vom Hals zu schaffen. Und achtzig, um damit fortzugehen und sich irgendwo ein neues Leben aufzubauen. Eines, in dem es keine Schlägereien, keine Diebstähle, keine Betrügereien mehr gab. Was genau er machen wollte, wusste er noch nicht. Aber die wahnsinnige Vorstellung, *achtzigtausend Pfund* sein Eigen zu nennen, verlieh ihm ein überwältigendes Gefühl völliger Unangreifbarkeit. Mit so viel Geld war man sicher. Da stellte man etwas auf die Beine, irgendetwas. Darüber brauchte er sich im Vorfeld nicht den Kopf zu zerbrechen. Im Moment gab es Wichtigeres, worauf er sich konzentrieren musste.

Direkt vor Debbies Wohnung fand man selten einen Parkplatz, daher stellte Ryan das Auto in der Glanmorgan Street ab und machte sich auf den Weg die Paxton Street hinunter. Er mochte die Gegend, in der Debbie wohnte, nicht besonders, manchmal fand er es dort richtig trostlos. Aber es war ohnehin klar, dass er in der Wohnung seiner ehemaligen Lebensgefährtin nicht ewig würde bleiben können. Sosehr er Debbie noch immer mochte.

Er spürte sofort, dass etwas nicht stimmte, aber da es nicht einen einzigen konkreten Anhaltspunkt für sein ungutes Gefühl gab, sagte er sich, dass er an einer Einbildung litt. Seine Nerven waren ziemlich angespannt, kein Wunder, nach allem, was an diesem Tag geschehen war. Vermutlich würde jeder in seiner Situation die Flöhe husten hören. Dennoch war es merkwürdig. Dunkel und verlassen lag die Straße vor ihm. In einigen der Häuser ringsum brannte noch Licht. Aber kein Mensch ließ sich blicken, alles war friedlich, wie ausgestorben, absolut ruhig. *Zu ruhig* für einen so warmen Abend? Er hob den Kopf, als nehme er Witterung auf wie ein Tier auf der Jagd.

Verdammt, Ryan, bleib cool, sagte er zu sich, du hast ein paar teuflisch anstrengende Tage vor dir, und wenn du dabei andauernd durchdrehst, kannst du die ganze Nummer am besten gleich vergessen!

Er zwang sich, näher auf das Haus, in dem Debbie wohnte, zuzugehen.

In all den Jahren, in denen er sich nun schon stets am Rande des Gesetzes – und oft genug sogar *jenseits* des Gesetzes – bewegte, hatte er ein Gespür für Bullen entwickelt. Er roch es förmlich, wenn sie in der Nähe waren. Ganz selten einmal hatte er sich in diesem Punkt getäuscht. Er sagte sich jedoch, dass es diesmal ganz sicher nicht sein konnte. Er hatte etwas Schlimmes getan, aber es war einfach unmöglich, dass die Polizei ihm auf der Spur war. Selbst wenn Willard seine Frau schon als vermisst gemeldet und ein riesiges Theater veranstaltet hatte, war es unwahrscheinlich, dass man dort bereits von einer Entführung ausging. Würde man nicht eher glauben, Vanessa Willard habe ihren Mann verlassen? Sich vielleicht mit einem Liebhaber auf und davon gemacht?

Er blieb jäh stehen, als ihm eine erschreckende Möglichkeit durch den Kopf schoss: Was, wenn er gesehen worden war? Wenn irgendjemand ihn beobachtet hatte, wie er die bewusstlose Frau in sein Auto schleifte?

Unmöglich, dachte er. Er hatte sich immer wieder umgeblickt, die Straße, die Landschaft zu jeder Sekunde im Visier gehabt. Da war weit und breit niemand gewesen. Andererseits hatte er sich auch eingebildet, im Vorfeld der Entführung alles genauestens abgecheckt zu haben, und ihm war glatt entgangen, dass Matthew Willard und sein Hund in der Nähe herumstreiften.

Trotzdem. Es war ein abwegiger Gedanke, dass sie an ihm dran sein sollten. Es war seine Nervosität, die ihm gerade einen Streich spielte.

Er ging weiter. Er hatte das Auto, das gegenüber dem Haus parkte, in dem sich eine Obdachlosenunterkunft befand, nicht beachtet, obwohl es im Halteverbot stand, aber nun plötzlich befiel ihn genau deshalb eine seltsame Unruhe. Er wandte sich noch einmal um und sah, dass das Auto nicht leer war wie die vielen anderen Wagen, die entlang der Straße auf den regulären Parkplätzen standen. Da saßen zwei Typen drin, und in dieser Sekunde wusste Ryan, dass ihn das Gefühl einer lauernden Gefahr nicht getrogen hatte.

Er drehte auf dem Absatz um und rannte die Straße hinunter. Er konnte eine Autotür knallen hören und dann den Ruf: »Halt! Stehen bleiben! Polizei!«

Er scherte sich nicht darum. Er rannte weiter, vernahm Schritte hinter sich. Sie folgten ihm. Mal sehen, wer sich besser in der Gegend auskannte.

Am Ende der Straße bog er nach links in die Oystermouth Road ab, wusste aber, dass er ihr nicht lange folgen konnte, da es kaum Möglichkeiten zum Untertauchen gab. Er würde auch nicht auf die andere Seite wechseln, denn dort begannen die großen Parkplätze, an die sich dann die Marina anschloss, und dort hatte er weites, offenes Gelände vor sich, ehe er den Hafen erreichte. Er musste versuchen, sich vom Wasser fort in Richtung Innenstadt zu bewegen und dort ein Versteck zu finden. Er war schnell, das wusste er, oft genug hatte er selbst hartnäckige Verfolger schließlich abgehängt. Weil er eine tolle Kondition hatte, weil er Haken schlagen konnte wie ein Hase, weil er Swansea wie seine Westentasche kannte. Allerdings war ihm der verdammte Polizist ungewöhnlich dicht auf den Fersen, obwohl er erst noch aus dem Auto hatte springen müssen und obwohl Ryan einen beachtlichen Vorsprung gehabt hatte. Ebendieser Vorsprung war beängstigend stark geschmolzen.

Ryan erhöhte sein Tempo. Er keuchte ein wenig, aber noch nicht zu sehr. Sein Arm, der bei der Schlägerei neulich so viel abbekommen hatte, schmerzte höllisch, aber darum kümmerte er sich nicht. Er konzentrierte sich jetzt vollständig auf seine Flucht, kannte sich mit der Situation gut genug aus, um zu wissen, dass er jetzt keine Energien auf die Frage verwenden durfte, was eigentlich passiert war, aber dennoch bohrte sie in seinem Hinterkopf, beharrlich und nicht zum Verstummen zu bringen: *Wie konnte das geschehen? Wie konnte das geschehen?*

Es gelang ihm nicht, einen komfortablen Abstand zwischen sich und seinen Verfolger zu bringen, im Gegenteil, fast hatte es den Anschein, als werde der Polizist immer schneller. Welchen verfluchten Sprinter hatten die da bloß ausgegraben? Und wo war eigentlich der zweite Bulle geblieben? Es hatten zwei Personen in dem Auto gesessen. Wahrscheinlich hatten sie den längst abgehängt.

Mit einem zackigen Haken, den er durch nichts vorher in seinen Bewegungen angekündigt hatte, bog Ryan nach links, setzte mit einem Hechtsprung über ein Absperrgitter und gelangte in die Recorder Street, die die Häuser und kleinen Gärten hinter dem Haus, in dem Debbie wohnte, zusammen mit der Oystermouth Road in einem Karree umschloss. Keine optimale Variante, und er hätte sie nie gewählt, wäre der andere nicht so nah gewesen. Rechterhand, jenseits des West Way, befand sich der große *Tesco*-Parkplatz, der zu dieser Stunde am Sonntagabend ziemlich leer war und keine Möglichkeit zum Untertauchen bot. Er musste jetzt schnell einen Hinterhof finden und dann versuchen, über Mauern, Schuppendächer und Gartenhäuschen zu turnen, in der Hoffnung, dass er darin wenigstens dem Bullen überlegen war. Wenn er ihn los war, galt es, ein Versteck zu finden, dann konnte er weiter überlegen. Die Entführung musste er abbrechen, ganz klar, Vanessa Willard schnellstmöglich befreien und dann…

Der Schatten tauchte so unvermittelt vor ihm auf, dass Ryan weder stehen bleiben noch ausweichen konnte. Er knallte frontal mit der Person zusammen, die aus einem schmalen Durchgang zwischen den Häusern auf einmal erschienen war, und während sie beide zu Boden gingen und er die Stimme des anderen hörte, die »Polizei!« sagte, wurde Ryan bewusst, dass er diesmal seine Gegner gründlich unterschätzt hatte und dass dies sein allerdümmster Fehler während der letzten zwölf Stunden gewesen war. Der eine konnte schneller rennen als gedacht, und der andere kannte sich offenbar bestens aus, hatte sogar gewusst, dass es durch die Gärten hinter Debbies Haus eine Möglichkeit gab, direkt in die Recorder Street zu gelangen. Gemeinsam hatten sie ihn genau in die Falle getrieben, in der er jetzt steckte. Jemand drehte seinen Arm auf den Rücken und zog ihn langsam auf die Füße. Handschellen schlossen sich um seine Gelenke.

»Ryan Lee, Sie sind vorläufig festgenommen. Wegen des Verdachts der schweren Körperverletzung.«

Wie bitte?

In welchem idiotischen Film war er denn jetzt gelandet?

3

Die Antwort auf diese Frage bekam er auf dem Polizeirevier.

Die Kneipenschlägerei vom vergangenen Donnerstag. Der Typ, den er gar nicht näher kannte, der irgendwelchen Stuss von sich gegeben und ihn so wütend gemacht hatte. Er hatte dem Idioten ganz schön zugesetzt, dessen entsann er sich dunkel, aber doch nicht so, dass daraus eine *schwere Körperverletzung* wurde. Der ganze Abend mit seinen Geschehnissen, Bildern und Eindrücken wogte nur dunkel durch seine Erinnerungen, denn er hatte extrem viel getrunken, war nach der Schlägerei nach Hause gewankt, hatte dort weitergetrunken und zu später Stunde einen völligen Filmriss gehabt, aber das alles konnte doch nicht... so wild gewesen sein, wie die es jetzt darstellten?

»Ist es... ist es denn wirklich so schlimm?«, fragte er ungläubig. Die paar Kinnhaken...

Einer der beiden Polizisten, die ihn festgenommen hatten, nickte nachdrücklich. »Oh ja. Abgesehen von etlichen ausgeschlagenen Zähnen und einer gebrochenen Nase hat er eine schwere Gehirnerschütterung und einen Schädelbasisbruch erlitten. Nicht gerade eine Bagatelle, würde ich sagen.«

»Schädelbruch?«

»Er ist mit dem Hinterkopf auf eine Tischkante gekracht. Nachdem Sie ihn niedergeschlagen haben.«

»Das wollte ich nicht«, beteuerte Ryan. »Es war eine ganz normale Schlägerei, und ich habe auch eine Menge abbekommen...« Zum Beweis zeigte er seinen in allen Variationen von Lila schimmernden Oberarm, aber natürlich kam er damit nicht gegen einen Schädelbruch an.

»Er hat mich provoziert«, fügte er schwach hinzu.

Niemanden interessierte das besonders. Provokation hin oder her, er hatte einen jungen Mann krankenhausreif geschlagen, und es war noch nicht sicher, welche Schäden letzten Endes bei dem Opfer zurückbleiben würden. Es gab jede Menge Zeugen, denn die Kneipe war überfüllt gewesen. Durch geduldiges Befragen der Gäste hatten die Beamten sehr bald Ryans Namen und schließlich auch seinen Aufenthaltsort in Debbies Wohnung herausgefunden. Dass er sich seiner Festnahme durch Flucht hatte entziehen wollen, machte seine Lage noch prekärer.

Er steckte, wie ihm selbst klar war, bis zum Hals in der Scheiße.

Man hatte ihn über seine Rechte belehrt. Unter anderem hätte er einen Angehörigen oder Bekannten draußen über seine Festnahme informieren dürfen, aber darauf verzichtete er. Es wären nur seine Mutter, zu der er schon seit längerer Zeit keinen Kontakt mehr hatte, oder Debbie in Frage gekommen; die eine hätte mit Schrecken und Entsetzen, die andere mit unverhohlener Wut reagiert, und beidem mochte er sich nicht aussetzen. Es schien ihm jedoch angebracht, von seinem Recht auf einen Anwalt unverzüglich Gebrauch zu machen.

Aaron Craig tauchte tatsächlich noch an diesem schon ziemlich späten Sonntagabend in dem Revier auf, recht ungehalten, dass ihm sein Wochenendausklang auf so unschöne Weise vermasselt wurde. Der sechsundfünfzigjährige Jurist hatte sich drei Jahrzehnte zuvor voller Idealismus und mit ganzer Kraft in sein persönliches Projekt, der juristischen Begleitung und Unterstützung jugendlicher Straftäter, speziell solcher, die aus problematischen familiären Verhältnissen stammten, gestürzt. Sein Ziel war es gewesen, ihnen nicht nur vor Gericht zu helfen, sondern ihnen darüber hinaus Freund, Mentor, Wegweiser zu sein. Inzwischen hatte sich sein Idealismus ziemlich erschöpft. Er hatte zu vielen Schützlingen auf die Beine geholfen und war anschließend bitter enttäuscht worden, sodass aus dem feurigen, hoch motivierten Weltverbesserer längst ein müder und schroffer Zyniker geworden war. Ryan Lee hatte er vertreten, seitdem dieser im Alter von siebzehn Jahren bei seinem ersten Ladendiebstahl erwischt worden war, und schon lange glaubte er nicht mehr, dass aus dem mittlerweile einunddreißigjährigen Mann jemals ein anständiger Bürger oder auch nur ein halbwegs vernünftiger Zeitgenosse werden würde. Dennoch fühlte er sich verantwortlich und opferte seinen Sonntagabend, als er hörte, in welchen Ärger sich sein Schützling diesmal hineingeritten hatte.

Nach Ryans kurzer Vernehmung – bei der er alles zugab, jedoch darauf beharrte, keinesfalls eine so schwere Verletzung seines Gegners beabsichtigt zu haben – sprach Aaron noch unter vier Augen mit ihm. Er bemühte sich dabei nicht, Ryans Situation zu beschönigen.

»Das sieht richtig böse für dich aus«, sagte er. »Richtig böse, darüber musst du dir im Klaren sein. Der Junge ist verdammt schwer verletzt, Mann! Du hast mitbekommen, wie alt er ist? Neunzehn. Du hast einen neunzehnjährigen Jungen so verprügelt, dass er jetzt wochenlang im Krankenhaus liegen wird, und das alles nur, weil er betrunken war und ein wenig herumgepöbelt hat!«

»Er hat mich beleidigt«, sagte Ryan.

»Er hat viele, die in dem Pub saßen, dumm angemacht. Das ist die einheitliche Aussage, du hast es doch gerade gehört. Er war sturzbesoffen, torkelte von Tisch zu Tisch und laberte irgendwelchen Blödsinn. Niemand nahm das ernst. Der Einzige, der aufsprang und durchdrehte, warst du!«

Ryan schwieg. Was sollte er dazu auch sagen?

Aaron seufzte. »Diesmal rückst du ein, Ryan. Ich werde es nicht verhindern können.«

Ryan sah ihn flehentlich an. »Aaron – bitte, du musst mir helfen! Ich meine … schwere Körperverletzung … Läuft es wirklich darauf hinaus?«

»Ich fürchte, ja«, sagte Aaron. »Dein Opfer lag blutüberströmt und bewusstlos in der Ecke, als du mit ihm fertig warst, und dann wurden noch die Gehirnerschütterung und der Schädelbruch festgestellt, und niemand weiß, unter welchen Folgeschäden der Junge vielleicht sein Leben lang leiden wird. Das Ganze wird definitiv als schwere Körperverletzung verfolgt werden. Wenn wir Glück haben, gelingt es mir, den Paragraphen 20 für dich herauszuschlagen, dessen Vorteil im Kern darin besteht, dass man dir zuerkennt, nicht vorsätzlich oder aufgrund einer besonders bösartigen Gesinnung gehandelt zu haben. Du warst selbst betrunken, du fühltest dich provoziert und so weiter. Du konntest nicht ahnen, dass er auf diese Tischkante knallen würde. Ich versuche es, Ryan. Ich tue mein Bestes.«

»Und wenn das nicht klappt?«, fragte Ryan verzagt.

»Dann wird es der Paragraph 18. Etwas vereinfacht ausgedrückt: die *vorsätzliche* schwere Körperverletzung. Das können bis zu fünfundzwanzig Jahre Freiheitsstrafe werden.«

»Fünfundzwanzig Jahre? Aaron, ich hatte nicht mal eine Waffe. Ich …«

»Das ist unerheblich«, erklärte Aaron.

Ryan spürte, wie sich sein Hals zuschnürte. Es fiel ihm immer schwerer zu schlucken. »Wenn sie mir … also wenn sie mir glauben, dass ich das alles nicht wollte … Wie lange muss ich dann …?«

»Bis zu fünf Jahre. Und ich vermute, die werden auch verhängt. Ich kann mir keinen Richter vorstellen, der bei dir Milde walten lässt. Du hattest bereits zwei Bewährungsstrafen. Dein übriger krimineller Kleinkram füllt einen ganzen Polizeiordner. Du bist aktenkundig seit deiner Jugend. Soll ich dir sagen, was der Richter in dir sehen wird? Einen hoffnungslosen Fall. Den man endlich mal mit der Realität konfrontieren muss.«

Ryan sank in sich zusammen. Ihm war klar, dass Aaron recht hatte. Er hatte es zu weit getrieben. Wegen nichts und wieder nichts. Er hatte den Typen nicht mal gekannt. Und ihm war inzwischen auch längst klar, dass er nicht einmal von einer ernsthaften Provokation sprechen konnte, die ihn zu seiner Tat animiert hatte. Denn es stimmte, was die Zeugen der Polizei gegenüber zu Protokoll gegeben hatten: Der dünne betrunkene Junge hatte nahezu jeden im Raum angepöbelt. Teilweise hatte man ihn nicht einmal richtig verstehen können. Aber nur einen hatte er damit in einen Ausbruch unkontrollierbarer Aggressionen getrieben: Ryan Lee. Der es nicht schaffte, seine verdammt niedrig angesetzte Schwelle zur Gewalt endlich etwas höher zu hängen.

»Ich hatte dir doch zu einem Anti-Aggressions-Training geraten«, sagte Aaron, »aber ich vermute, es ist bei deinem bloßen Versprechen, es zu versuchen, geblieben?«

Ryan blickte zu Boden. Er hatte es wirklich vorgehabt. Er wusste, dass er zu schnell ausrastete und dass er dringend etwas dagegen unternehmen musste. Aber letztlich hatte er sich nicht aufraffen können.

»Tja«, sagte Aaron, »dann sind wir nun also nach vielen Jahren an der Stelle angelangt, wo du in den sauren Apfel beißen musst. Hilft nichts, Junge. Vielleicht kommst du raus und hast endlich kapiert, wie das Leben läuft!«

»Meinst du, ich muss die volle Strafe absitzen?«

»Wenn du dich richtig anstrengst im Knast, wenn du dich wirklich gut und tüchtig und reumütig zeigst, dann erwartet dich mit Sicherheit eine vorzeitige Entlassung wegen guter Führung. Nach vielleicht zwei Jahren.«

Zwei Jahre. Eine Ewigkeit...

»Aber«, sagte Ryan, »bis zur Verhandlung werde ich auf freiem Fuß sein?«

So war es in den beiden anderen Fällen, in denen es zu einer Anklage gegen ihn gekommen war, gewesen: Aaron hatte es jedes Mal geschafft, ihm den Antritt der Untersuchungshaft zu ersparen.

Zu seinem schieren Entsetzen aber schüttelte der Anwalt auch bei dieser Frage, die Ryan eher als Feststellung gemeint hatte, den Kopf.

»Sieht nicht gut aus. Ich fürchte, die lassen dich nicht mehr raus.«

»Aber...«

»Ich versuche es, aber meiner Ansicht nach liegen leider ausreichend Gründe für die Anordnung einer Untersuchungshaft vor. Besonders schwer wiegt natürlich, dass du zurzeit ohne festen Wohnsitz bist und dass du dich deiner Festnahme durch Flucht zu entziehen versucht hast. Tut mir leid, aber auch da hast du ganz schlechte Karten.«

»Ich *muss* raus!«, sagte Ryan beschwörend. Ihm brach schon wieder der Schweiß aus, wie am frühen Abend, als er nach Swansea zurückgefahren war. Verdammter Mist, Vanessa Willard lag in einer Kiste in einer Höhle, und wenn sie sparsam mit ihren Vorräten umging, hatte sie eine knappe Woche lang zu essen und zu trinken. Dann war Schluss. Ganz abgesehen von den Qualen, die sie in dieser Woche ertragen musste – eingeschlossen in der Enge und Dunkelheit, voller Angst –, würde dann ein erbärmliches, langsames, entsetzliches Sterben beginnen.

Er musste sie rauslassen. Er musste sie unbedingt befreien, ehe er für mindestens zwei Jahre in den Knast ging.

»Aaron, bitte. Es ist sehr wichtig. Kannst du nicht… kannst du nicht für mich bürgen? Dass ich nicht türme? Ich schwöre dir, dass ich zur Verhandlung erscheine! Bitte!«

»Ich versuche alles«, sagte Aaron. »Du kannst dich auf mich verlassen. Aber ich kann dir nichts versprechen.«

»Wann komme ich vor den Haftrichter?«

»Schnell. Innerhalb der nächsten vierundzwanzig Stunden.«

»Es ist wichtig, dass ich rauskomme!«

»Ryan!« Aaron lehnte sich über den Tisch und sah seinem Schützling direkt in die Augen. »Ryan, das entscheiden andere, und du hast dabei nichts zu bestimmen und nichts zu erbitten! Dir bleibt jetzt leider nichts anderes übrig, als zu warten, was kommt, und ich rate dir, dich dabei ruhig, unauffällig und vor allem höflich zu verhalten, denn alles andere verschlechtert deine Lage nur. Die britische Justiz hat dir jede Menge Chancen eingeräumt in den letzten vierzehn Jahren, und du musst einfach akzeptieren, dass es jetzt niemanden mehr gibt, der dir noch großartig entgegenkommt. Was soll ich darum herumreden? Du hast es versiebt! Du ganz allein!«

»Aaron! Nur einen Tag! Ich muss nur einen Tag raus!«

»Weshalb?«

»Weil…« Er stockte. Die Frage war, was geschehen würde, wenn er Aaron Craig jetzt einweihte. Als sein Anwalt war er an die Schweigepflicht gebunden. Sollte es ihm gelingen, Ryan vor dem Antritt der U-Haft zu bewahren – was er offensichtlich für äußerst unwahrscheinlich hielt –, konnte Ryan selbst losfahren und Vanessa befreien, vorausgesetzt, Aaron ließ sich darauf ein, dass man unter diesen Umständen die Frau möglicherweise weitere vierundzwanzig Stunden lang in der Höhle verharren ließ. Anderenfalls musste Aaron selbst tätig werden. Es gab zwei Möglichkeiten: Aaron fuhr in das Fox Valley und befreite Vanessa, was aber kaum möglich war, ohne dass er dabei in Erscheinung trat. Er konnte nicht einfach die Schrauben öffnen, das Weite suchen und Vanessa sich selbst überlassen. Die Frau mochte sich inzwischen im Inneren der Kiste verletzt haben, oder sie stand unter einem schweren Schock. Aaron würde nichts übrig bleiben, als sie in ein Krankenhaus zu bringen oder direkt den Rettungsdienst herbeizurufen. Die Polizei würde kaum davon ausgehen, dass es der Anwalt gewesen war, der Vanessa Willard entführt und eingesperrt hatte, und gerade wenn er den Mund hielt, konnte sich jeder schnell zusammenreimen, dass er soeben für einen Mandanten, der ein abscheuliches Verbrechen geplant und mit seiner Durchführung begonnen hatte, tätig geworden war. Wie lange würde es dauern, bis sie dann auf seiner, Ryans, Spur waren? Der Mann, der an diesem Abend verhaftet worden war und sofort nach Craig verlangt hatte.

Die eigentliche Gefahr stellte jedoch Vanessa Willard dar, und zwar auch im Fall der zweiten Möglichkeit, die darin bestand, dass Aaron durch einen anonymen Anruf die Polizei direkt ins Fox Valley schickte. Ryan hatte keine Ahnung, wie viel Vanessa mitbekommen, was sie genau gesehen hatte. Immerhin war er auf der Landstraße, die oberhalb jenes Rastplatzes entlangführte, immer wieder auf und ab gefahren. Was, wenn Vanessa der weiße Kastenwagen mit der Aufschrift *Clean!* aufgefallen war? Da *Clean!* eine Wäschereikette war, die sich über ganz Großbritannien erstreckte, würde die Polizei selbst dann, wenn sie ihre Nachforschungen zunächst auf Pembrokeshire und den Großraum Swansea beschränkte, eine große Menge an Fahrzeugen überprüfen müssen. Ryan hatte diese Gefahr, die sich in jedem Fall nach Vanessas Freilassung ergeben hätte, immer gesehen, hatte jedoch vorgehabt, sein Fahrzeug so gründlich zu säubern, dass man es mit Vanessa Willard nicht in Verbindung bringen konnte. Die Chance hatte er nun nicht mehr. Im Kastenwagen musste es wimmeln von Spuren – Haare, Fasern, Hautschuppen, was auch immer. Auch lagen noch sein Pullover, die Handschuhe, die Baseballkappe auf der Rückbank des Autos. Er war blöd genug gewesen, sie nicht gleich zu beseitigen, und Vanessa würde sie identifizieren können. Ryan wäre sofort überführt, die Beweise gegen ihn erdrückend. Und eines wusste er, musste es nicht einmal erfragen: Was immer Aaron Craig für ihn zu tun bereit wäre – das Beseitigen von Spuren an einem Tatort würde nicht darunterfallen.

»Es gibt einfach noch ein oder zwei wichtige Dinge zu erledigen«, sagte er. »Ich möchte nicht so gerne darüber sprechen.«

»Kann ich das übernehmen?«

»Nein«, sagte Ryan und blickte zur Seite. Vielleicht hatte er gerade begonnen, Vanessa Willards Todesurteil zu unterschreiben.

Es blieb nur eine geringe Chance.

Ein Termin beim Haftrichter, der positiv für ihn ausging.

4

Knapp vierundzwanzig Stunden später, am Montagnachmittag, stand Ryan vor dem Magistrates' Court, wo über seine Freilassung oder seinen Verbleib im Gewahrsam bis zur Hauptverhandlung entschieden werden sollte, und wie Aaron Craig vorausgesehen hatte, hielt man es dort für allzu bedenklich, jemanden wie Ryan Lee auf freien Fuß zu setzen – vor allem angesichts der Schwere der ihm zur Last gelegten Tat. Der Umstand, dass er abgehauen war, als ihn die Polizisten zum Stehenbleiben aufforderten, machte die ganze Angelegenheit nicht besser, vor allem aber auch die Tatsache, dass er keinen festen Wohnsitz nachweisen konnte, stattdessen seit Monaten ständig wechselnd bei verschiedenen Bekannten, zuletzt bei seiner ehemaligen Lebensgefährtin, gelebt hatte. Aaron argumentierte mit dem Job als Fahrer der Wäscherei, den sein Mandant immerhin seit beinahe einem halben Jahr zufriedenstellend ausübte, und übernahm es auch, für seinen Verbleib in Swansea sowie sein pünktliches Erscheinen zur Hauptverhandlung zu bürgen. Er zog die wenigen Register, die ihm überhaupt blieben, aber er scheiterte. Der Haftrichter kannte Ryan Lee und hatte von ihm und seinen ewigen Eskapaden endgültig genug; abgesehen davon ließen ihm die Umstände, wie sie einmal waren, ohnehin praktisch keine Wahl.

Er ordnete Untersuchungshaft an. Ryan wurde in das Gefängnis von Swansea überstellt mit der Aussicht, dass ihm sehr rasch der Prozess gemacht werden würde.

Er wusste, dass dies der Moment war, da er sich seinem Anwalt anvertrauen musste. Aaron Craig war jetzt die einzige Chance, die Vanessa Willard noch blieb.

An seinen Ängsten und Sorgen hatte sich jedoch nichts geändert, sie waren höchstens noch größer und bedrückender geworden. Wenn er wegen der Körperverletzung noch mit fünf Jahren davonkam, jedoch darüber, dass er Aaron einweihte, in der Sache Vanessa Willard aufflog, dann standen ihm zehn Jahre bevor. Oder zwölf. Oder mehr. Er wusste es nicht genau, aber ihm schwante, dass man für das, was er getan hatte, keinesfalls glimpflich davonkommen würde.

Am Ende der ersten Woche hatte er eine grauenhafte Zeit hinter sich. Das Gefängnis entpuppte sich für ihn genau als die Hölle, die er sich vorgestellt hatte, wobei er wusste, dass er vorläufig nur den Vorgeschmack bekam: Denn die Untersuchungshaft war komfortabler und mit mehr Privilegien ausgestattet, als es die eigentliche Haft später sein würde. Am schlimmsten aber war, dass er an nichts und niemanden als an Vanessa denken konnte: Er war kriminell, labil und aggressiv, aber willentlich würde er einem anderen Menschen nicht antun, was er Vanessa Willard antat, wenn er nicht schnellstens dafür sorgen konnte, dass sie aus ihrer Situation befreit wurde. Er kannte diese Frau nicht, aber die ganze Woche über hatte er ihr Schicksal so intensiv mit erlitten, dass es ihm schon fast vorkam, als verschmelze er langsam zu einer Einheit mit ihr. Er konnte ihre Schreie hören, vernahm, wie ihre Stimme immer heiserer und brüchiger wurde. Er konnte sehen, wie sie versuchte, sich aus der Kiste zu befreien, wie ihre Fingernägel abbrachen und sie sich Splitter unter die Haut trieb, während sie verzweifelt an dem Deckel der Kiste kratzte. Er spürte, wie die Panik immer wieder Besitz von ihr ergriff und sie fast in den Wahnsinn trieb. Er sah die Momente vor sich, in denen sie sich selbst zu beruhigen versuchte, in denen sie sich Mut zusprach, Kräfte zu sammeln versuchte, sich mit autogenem Training oder Yoga in eine mentale Situation zu versetzen bemühte, die es ihr möglich machte, irgendwie über die Verzweiflung zu triumphieren. Er stellte sich vor, wie sie dann wieder zusammenbrach, sich schreiend in ihrem Gefängnis wälzte, den Kopf anschlug, brüllte wie ein Tier, gepeinigt, gefoltert, rasend in ihrer Todesangst.

Er verlor fast drei Kilo Gewicht in dieser Woche und wachte nachts von seinen eigenen Schreien auf.

Am Samstag wusste er, dass Vanessa, selbst wenn sie sehr sparsam gewesen war, keine Vorräte mehr haben konnte.

Am Sonntag musste er davon ausgehen, dass sie nun seit mindestens vierundzwanzig Stunden nichts mehr hatte trinken können. Er redete sich ein, dass er Aaron nicht dadurch verärgern sollte, dass er ihn am Wochenende ins Gefängnis zitierte, und nahm sich vor, ihn am nächsten Tag kommen zu lassen, sich ihm anzuvertrauen und ihn zu bitten, die nötigen Schritte in die Wege zu leiten, um Vanessa zu befreien.

Am Montagfrüh verweigerte er sein Frühstück. Nach einer durchwachten Nacht war er am Ende seiner Kräfte. Er hatte vorwärts und rückwärts überlegt, wie es mit Vanessas Rettung funktionieren sollte, und das Ergebnis sah düster für ihn aus – noch mehr allerdings für Vanessa. Die Gefahr, die sich für ihn daraus ergab, dass er ihre Befreiung veranlasste, ohne zuvor gründlich alle Indizien, die ihn als Täter überführen konnten, beseitigt zu haben, erschien Ryan übermächtig.

Wie hatte er sich nur jemals in dieses Abenteuer stürzen können? Wie hatte er jemals glauben können, es würde gut ausgehen?

Zehn Jahre Gefängnis oder mehr, dachte er voller Grauen, das stehe ich nicht durch. Nie im Leben. Ich kann es nicht riskieren. *Ich kann nicht.*

Er regte sich so auf an diesem Montagmorgen, dass er Fieber bekam und sogar der Arzt nach ihm sehen musste.

»Was ist los mit Ihnen?«, fragte er. »So ein plötzlicher Fieberschub ist recht ungewöhnlich.«

»Die ganze Situation«, sagte Ryan. »Daran liegt es.«

Der Arzt gab ihm ein Medikament, und das Fieber sank wieder. Die Qual blieb.

Noch ist sie aller Wahrscheinlichkeit nach nicht tot, sagte seine innere Stimme, *noch ist es kein Mord. Noch kämst du ein klein wenig glimpflicher davon, als wenn sie erst…*

Aber wenn ich gar nichts sage, komme ich am glimpflichsten davon.

Du musst dann damit leben.

Alles verblasst irgendwann. Alles wird schwächer. Auch furchtbare Erinnerungen.

Vanessa Willard wird dein lebenslanger Alptraum bleiben.

Ich will nicht endlos hinter diesen Mauern sitzen. Ich kann nicht. Ich werde wahnsinnig hier drinnen. Ich muss hier raus!

Du bist der Teufel.

Nein! Es war Pech! Es war einfach nur furchtbares Pech!

Er lag auf seiner Pritsche und weinte in das Kissen.

Er weinte um Vanessa, um diese Frau, die er gar nicht kannte.

Er weinte, weil er wusste, er würde nichts sagen.

MÄRZ 2012

I

Ich lernte Matthew an einem frühlingshaften Märzabend kennen, an einem Abend, an dem mir nach einem langen, nassen, schmuddeligen Winter zum ersten Mal bewusst auffiel, dass die Tage viel länger hell blieben und dass mit großen und unaufhaltsamen Schritten alles besser wurde. Nicht nur das Wetter. Auch der Schmerz, der meine Seele so lange Zeit umklammert gehalten hatte. Die Luft war lau und der Himmel weit und licht, als ich meine Wohnung verließ, um der Einladung zu einem Abendessen bei meiner Freundin Alexia Reece zu folgen. Der Salzgeruch des Meeres, im Winter oft so rau und stechend, war weich geworden. Ich hatte ein kurzes Kleid und eine dünne Strumpfhose angezogen, dazu einen leichten Mantel, in dem ich schon bald trotz allem etwas zu frösteln begann, aber das war mir egal.

Es wurde Frühling. Draußen – und in meiner Seele.

Alexia, ihr Mann und die vier Kinder wohnten in einer Siedlung ganz im Norden von Swansea, in der kleineren Hälfte eines ohnehin kleinen Doppelhauses, aber immerhin mit einem Stückchen Garten nach hinten hinaus und einer direkt an das Haus angrenzenden Garage, an die sich dann wiederum das nächste Doppelhaus anschloss. Sie lebten viel zu beengt, aber der Kaufpreis des Hauses war vergleichsweise niedrig gewesen. Ich wusste, dass sie sich sowohl mit der Zinszahlung als auch mit der Tilgung schwertaten; insofern stand die Suche nach einer etwas größeren und komfortableren Immobilie nicht zur Debatte.

Alexia war Chefredakteurin von *Healthcare*, einer Zeitschrift für Gesundheitsvorsorge und Fitness, in deren Redaktion ich arbeitete. Sie war fünfunddreißig, drei Jahre älter als ich, und in einer vollkommen anderen Lebenssituation: mit vier Kindern gesegnet und glücklich verheiratet, immer schrecklich gestresst, weil sie das Organisieren der Kinder und des Berufes jeden Tag von Neuem vor andere Herausforderungen stellte. Ich hatte mich hingegen gerade aus einer unglücklichen Langzeitbeziehung gelöst, Brighton, wo ich jahrelang gelebt und einen guten Job gehabt hatte, fluchtartig verlassen und war in Swansea und in der Redaktion dieses unsäglichen Blattes gelandet. *Healthcare* entsprach in nichts meinen Vorstellungen von dem, was ich beruflich machen wollte, aber auf die Schnelle hatte ich nichts anderes gefunden. Als eine Frau, die zwar einen höheren Schulabschluss, aber keinerlei sonstige Ausbildung vorweisen konnte, hatte ich ohnehin nicht die Wahl. Seit meinem achtzehnten Lebensjahr hatte ich mich schon mit so vielen Tätigkeiten über Wasser gehalten, dass die Arbeit bei *Healthcare* zumindest nicht schlechter war als vieles andere. Immerhin war ich dadurch wieder mit Alexia zusammen, meiner Freundin seit frühester Jugend. Ihre Familie hatte gegenüber meinem Elternhaus in Coventry gewohnt, und so waren wir praktisch miteinander aufgewachsen, wobei uns der Altersunterschied nie gestört hatte.

Alexia hatte mich über den ersten schrecklichen Winter in Swansea hinweggetröstet, einen Winter, den ich ohne sie vermutlich nur mit langen einsamen Strandspaziergängen verbracht hätte, frierend bis tief in mein Inneres. Ich hätte über das bleigraue Meer gestarrt und verzweifelt überlegt, wieso es zwischen Garrett und mir nicht funktioniert hatte, und ich hätte mich gefragt, welche Chancen das Leben für eine zweiunddreißigjährige Frau, die plötzlich wieder zum Single geworden war, wohl noch bereithielt. Die Spaziergänge am Meer gab es natürlich auch so, und es gab Tränen ohne Ende. Aber eben auch die Mittagspausen mit Alexia im Café, die Abende bei ihr daheim, manchmal auch gemeinsame Kinobesuche oder Ausflüge an den Wochenenden mit ihrer ganzen Familie. Sie tat alles, um mir das Einleben in Swansea leichter zu machen. Sie zeigte mir Wales, und ich gewöhnte mich daran, dass manche Menschen hier eine mir unverständliche Sprache sprachen; ich gewöhnte mich auch an die Ortsschilder, auf denen die Namen der Städte oder Dörfer sowohl in der englischen als auch in der walisischen Version – wahre Zungenbrecher – geschrieben standen. Die Landschaft entlang der Küste im Westen war rau, das Wetter oft windig und regnerisch, aber alles, was einen Unterschied zu Brighton darstellte, empfand ich als gut für mich. Ich war insgesamt meinem Schicksal zu dieser Zeit nicht unbedingt dankbar, aber ich war dankbar für Alexia.

Kurz bevor ich die Bushaltestelle erreichte, kaufte ich zwei Tulpensträuße in einem Geschäft und mischte sie zu einem einzigen dicken Strauß zusammen. Im Bus presste ich mein Gesicht gegen die Scheibe. Ich konnte das Meer sehen. Es war nicht mehr so grau. Es war blau. Wie es der ganze sonnige Märztag gewesen war.

Es wurde langsam dunkler, als ich die Straße entlangging, in der Alexia wohnte. Es war die typische Gegend für junge Familien. Kleine Häuser, kleine Gärten. Vor den Haustüren lehnten Fahrräder, Skateboards und Inlineskater. In den Gärten standen Schaukeln und Klettergerüste. Eine kinderreiche Gegend. Mich erfüllte der Anblick mit einer

Mischung aus Wärme und Trauer. Das war auch ein Grund für meine Trennung gewesen: Garrett wollte keine Kinder. Er wollte auch nicht heiraten. Er wollte ein ungebundenes, freies Yuppiedasein für ewig. Und ich hatte irgendwann begriffen, dass sich daran niemals etwas ändern würde. Garrett war inzwischen vierzig. Und noch immer lehnte er es ab, für irgendjemanden außer für sich selbst Verantwortung zu übernehmen. Es war ihm wichtig, ein tolles Auto zu fahren, seine Wohnung pompös einzurichten, jede Menge Partys zu besuchen, und er war ungemein stolz darauf, über achthundert Freunde bei *Facebook* zu haben. In meinen Zwanzigern hatte ich diese Art zu leben teilen können. Aber schon vor meinem dreißigsten Geburtstag hatte ich mich zu verändern begonnen, meine Bedürfnisse hatten sich verändert, langsam, aber stetig. Es hatte Diskussionen gegeben, Streit, unerfreuliche Debatten.

Und deshalb stand ich jetzt hier. In Swansea, vor dem Haus meiner Freundin Alexia. An einem wunderbaren Märzabend, mit einem riesigen Strauß Tulpen im Arm.

Ich drängte jeden Gedanken an Garrett zur Seite. Aus. Vorbei. Schau nach vorn, Jenna Robinson!

Bei Alexia herrschte das übliche Chaos. Sie hatte auch an diesem Freitag bis um sechs Uhr gearbeitet, war noch nicht lange daheim und versuchte gerade ihre Kinder ins Bett zu bringen. Alles, was sie schaffte, war, die Haustür aufzureißen und zu sagen: »Komm rein, zieh den Mantel aus!« Dann verschwand sie schon wieder, um Evan einzufangen, ihren Dreijährigen, der aus der Badewanne entwischt war und nackt und tropfend nass durch den Flur eilte, um sich im Wohnzimmer auf eines der Sofas zu werfen und zu schreien. Von oben vernahm ich wüstes Gebrüll; Evans ältere Schwestern, Kayla und Megan, stritten wieder einmal bis aufs Messer. Irgendwo plärrte die kleine Siana, die im Januar ein Jahr alt geworden war. Ich stand zwischen Gummistiefeln, Regenschirmen, Fußbällen, Schlittschuhen und Hockeyschlägern im handtuchschmalen Flur, schälte mich irgendwie aus meinem Mantel und war froh, als Kendal Reece, Alexias Mann, aus der Küche auftauchte und mir wenigstens die Tulpen abnahm.

»Der ganz normale Wahnsinn«, sagte er und küsste mich auf beide Wangen. »Verstehst du, weshalb Alexia unbedingt ein viertes Kind haben wollte?«

»Typisch Alexia«, erwiderte ich. »Sie liebt es, an ihre Grenze zu gehen.«

Alexia erschien in der Wohnzimmertür, ihren nassen zappelnden Sohn unter dem Arm. »Bin gleich da«, sagte sie, »mach es dir gemütlich, ja?«

Ich folgte Ken in die Küche. Die Küche war so unordentlich und überfüllt wie der Rest des Hauses, aber von irgendwoher organisierte Ken eine Vase, stellte die Tulpen hinein und drückte mir ein Glas Weißwein in die Hand. Im Ofen brutzelte ein Braten, und zwischen einer Burg aus Legosteinen und Kästen mit Wasserfarben stand eine große Schüssel mit Salat auf dem Tisch. Es roch nach Tomaten, Zwiebeln, Gurken und Avocado. Ken übernahm fast immer das Kochen, wenn ich bei ihm und Alexia zu Besuch war. Er war Ingenieur für Schiffsbau und hatte, aus einer alten und seit Jahrhunderten an der Westküste ansässigen walisischen Familie stammend, oben in der Cardigan Bay zusammen mit einem Freund eine eigene Werft betrieben und Segelboote gebaut. Nach der Geburt der ersten beiden Kinder war die Familie nach Swansea gezogen, weil Alexia dort draußen auf dem Land, zudem ans Haus gebunden durch zwei Babys, eine Art Hüttenkoller entwickelt hatte. Jetzt arbeitete sie, während Ken pausierte und sich um die Kinder kümmerte; zugleich schrieb er an einem Buch über den Bau von Segelschiffen. Er hatte den Gedanken an dieses Werk schon lange mit sich herumgetragen und sah nun eine gute Gelegenheit, seinen Plan umzusetzen. Er und Alexia waren ein Traumpaar, was mich manchmal mit Neid erfüllte. Ich zog, was Männer anging, immer nur Nieten.

Ich räumte ein paar Kinderschuhe, in denen unglaublich dreckige Socken steckten, von einem Stuhl, setzte mich, trank von meinem Wein und sah Ken zu, der das Gemüse in Schüsseln füllte, den Braten aus dem Ofen zog und in Scheiben schnitt. Ich fühlte mich entspannt und zunehmend zuversichtlich. Du wirst auch ein Zuhause finden, dachte ich, vielleicht schneller, als du es dir vorstellen kannst.

Schließlich erschien Alexia in der Küche, abgekämpft und mit wirren Haaren. »Alle im Bett«, sagte sie, »Ken, ich brauche auch sofort ein Glas Wein!«

Sie ließ sich auf die Bank fallen und fächelte ihren erhitzten Wangen Kühlung zu. »Das ist das Kindermädchen«, meinte sie. »Sie verwöhnt die Kinder zu sehr. Deshalb sind sie dann abends außer Rand und Band!«

Die Reeces leisteten sich stundenweise ein Kindermädchen, damit Ken genug Zeit für sein Buch fand. Alexia konnte das Mädchen nicht leiden, aber es war wie mit dem Haus: Sie kostete nicht viel, also arrangierte man sich.

Ken reichte seiner Frau ein Glas Wein und meinte: »Ich habe übrigens ein Gedeck im Esszimmer wieder weggenommen. Du hattest aus Versehen für vier Personen gedeckt.«

Alexia nahm einen tiefen Schluck. »Nein. Das war schon richtig so.«

»Wer kommt denn noch?«, fragte ich erstaunt.

Die Sache schien Alexia ein wenig peinlich zu sein. »Ich habe noch einen alten Freund von uns eingeladen. Ganz spontan.«

»Wen denn?«, wollte Ken wissen.

»Matthew.«

»Oh nein!«, sagte Ken.

»Wir haben ihn schon viel zu lange nicht mehr eingeladen«, meinte Alexia. »Er ist zu oft allein, und es wird wirklich Zeit, dass ...«

Offensichtlich ein alleinstehender Mann. Um den man sich kümmern musste! Mir schwante Schlimmes. »Oh, Alexia, bitte nicht! Das wird ein Verkuppelungsdinner, stimmt's? Deine arme, einsame Freundin Jenna. Und euer armer, einsamer Freund Matthew. Lass mich raten: Er ist geschieden? Verwitwet? Und findet einfach keine neue Beziehung?«

Für einen Moment herrschte Schweigen in der Küche. Alexia und Ken sahen einander an.

»Du hättest Jenna vorbereiten müssen«, sagte Ken schließlich. »Mit Matthew ist das nämlich eine besondere Situation. Schwierig zu erklären. Also, geschieden oder verwitwet ... Das trifft es nicht. Es ist kompliziert. Du musst wissen, dass ...«

Weiter kam er nicht, denn in diesem Augenblick klingelte es an der Haustür. Alexia sprang auf. »Sei einfach du selbst«, sagte sie. »Sei ganz normal!«

Sie lief zur Tür. Ich sah Ken an. »Ken ...«

»Seine Frau ist verschwunden«, flüsterte Ken. »Unter mysteriösen Umständen. Vor zweieinhalb Jahren. Er hat nie wieder von ihr gehört. Sie ist vermutlich Opfer eines Verbrechens geworden, aber ... man weiß es einfach nicht. Und das macht alles so schwierig, verstehst du?«

Er verließ die Küche, um seinen Freund zu begrüßen.

Ich folgte ihm langsam.

Ich war aus dem Alter heraus, in dem man überhaupt noch an *Liebe auf den ersten Blick* glaubt. Daran, dass plötzlich der Blitz einschlägt. Dass man einem völlig fremden Menschen tief in die Augen schaut und die verwandte Seele darin findet. Das hatte ich viele Jahre zuvor mit Garrett so erlebt – zumindest *geglaubt,* es zu erleben –, und nachdem es zwischen uns gründlich schiefgegangen war, hatte ich mir fest vorgenommen, mich nie wieder derart von meinen Gefühlen leiten zu lassen und dabei meinen Kopf zu vergessen.

Es war auch nicht so, dass ich Matthew Willard gesehen hätte und vom Donner gerührt gewesen wäre. Aber irgendetwas passierte, als ich ihm die Hand gab und ihn begrüßte, während Alexia uns einander vorstellte. Ich war nicht sofort heiß entflammt für ihn, aber er weckte mein Interesse, und ich fühlte mich zu ihm hingezogen. Seitdem ich Garrett verlassen hatte, war dies das erste Mal, dass ich Lust gehabt hätte, mit einem Mann allein zu sein, in irgendeiner stillen Ecke zu sitzen, einen Wein zu trinken und alles über ihn zu erfahren. Und ihm von mir zu erzählen.

Von einer stillen Ecke waren wir natürlich weit entfernt. Wir saßen im unaufgeräumten, winzig kleinen Esszimmer der Reeces, vor dessen Heizung am Fenster Kinderwäsche auf einem Klappständer trocknete, und genossen das vorzügliche Essen, das Ken gekocht hatte. Alexia erzählte witzige Geschichten aus ihrem Leben, und zwischendurch erschien immer wieder eines ihrer Kinder, barfuß und im Pyjama, und behauptete, nicht schlafen zu können. Evan brauchte noch einen Becher warme Milch, die siebenjährige Kayla hatte Bauchweh, die fünfjährige Meg hatte einen schwarzen Mann in ihrem Zimmer gesehen. Alexia und

Ken nahmen sich abwechselnd der Probleme an, brachten die Kinder nach oben, machten Milch warm und spähten unter das Bett, um zu beweisen, dass sich niemand dort versteckt hielt.

»Es ist anstrengend mit vier kleinen Kindern«, meinte Matthew, »aber bestimmt auch sehr schön.« Er sah traurig aus, als er das sagte.

Vielleicht ist es das, was mich so anzieht, dachte ich, diese Melancholie in seinem Gesicht. Und er sieht so abgekämpft aus.

Ich schätzte ihn auf Mitte vierzig, aber seine Augen wirkten in manchen Momenten älter, weil sie so müde waren.

»Habe ich schon erwähnt, dass Jenna erst seit Kurzem in meiner Redaktion arbeitet?«, fragte Alexia. »Und sie ist eine der Besten, die ich dort habe. Ein echter Glücksgriff.«

»Sie sind also Journalistin?«, fragte Matthew.

Ich schüttelte den Kopf. »Eigentlich nicht.«

Es war mir noch nie vorher wirklich peinlich gewesen zuzugeben, dass ich keine richtige Ausbildung hatte. Dass ich direkt nach meinem Schulabschluss von zu Hause weggegangen war und mich als Sängerin in einer Band versucht hatte, was an meinem fehlenden Talent gescheitert war. Dass ich mal dies und das gemacht hatte und schließlich in einer Musikagentur in Brighton gelandet war, wo ich mich um die Pressearbeit gekümmert hatte.

»Jenna hat in Brighton für eine renommierte Agentur gearbeitet«, sprang Alexia mir bei. »Nach der Trennung von ihrem Lebensgefährten hat sie die Stadt verlassen, um über die Geschichte mit ihm hinwegzukommen, und zum Glück konnte ich ihr bei *Healthcare* etwas anbieten. Sie ist dort jetzt meine direkte Assistentin.«

»Ich verstehe«, sagte Matthew.

Von diesem Moment an war die Atmosphäre etwas verkrampft, denn nachdem Alexia meine traurige Trennung von Garrett erwähnt hatte, begriff auch Matthew Willard, zu welchem Zweck wir beide eingeladen worden waren, und das machte ihn befangen. Zum Glück redete Alexia immer so viel, dass keine unangenehmen Gesprächspausen entstanden. Ken servierte einen wunderbaren Nachtisch, dann tranken wir Kaffee im Wohnzimmer vor dem Kamin und plauderten noch ein wenig. Schließlich sah Matthew auf seine Uhr.

»Halb zwölf«, sagte er. »So leid es mir tut… aber ich hatte einen sehr harten Tag.«

»Ich auch«, schloss ich mich an. Mir war aufgefallen, dass Ken inzwischen sehr müde aussah, und selbst Alexia war ruhiger geworden. »Mein letzter Bus fährt sowieso in fünfzehn Minuten.«

»Sie sind mit dem Bus gekommen?«, fragte Matthew überrascht.

»Ich habe mein Auto verkauft«, erklärte ich. »Ich hatte den Eindruck, es hier nicht zu brauchen, na ja, und überhaupt…« Ich ließ den Satz in der Luft hängen. Es war nicht der richtige Moment, es zur Sprache zu bringen, aber man verdiente lausig bei *Healthcare*, und letztlich war mir mein Auto daher einfach zu teuer geworden. Selbst Alexia als Chefredakteurin wurde so schlecht bezahlt, dass sie und ihre Familie sich nur dieses winzige Häuschen leisten konnten und einander darin fast tottrampelten. Ich wusste, dass Alexia nach einem anderen Arbeitsplatz Ausschau hielt, auch deshalb, weil sie immer wieder Probleme mit dem Eigentümer des Zeitungsverlages hatte, zu dem *Healthcare* gehörte, aber da sie sich im Rang nicht verschlechtern, also direkt als Chefin eingestellt werden wollte, sahen ihre Chancen nicht gut aus. Auch ich würde dort nicht alt werden, so viel war gewiss, aber da ich bloß für mich zu sorgen hatte, konnte ich gelassener sein. Ich hatte beschlossen, innerlich zur Ruhe zu kommen, meine Trennung zu verarbeiten und dann Ausschau nach einem neuen Job zu halten.

»Ich fahre Sie gerne nach Hause«, bot Matthew an.

Alexia bekam sofort glänzende Augen. Das lief ganz nach Plan.

»Das ist wirklich nett von dir, Matthew«, sagte sie, ehe ich antworten konnte. »Da freut sich Jenna, nicht wahr?«

»Nur wenn es kein Umweg für Sie ist«, sagte ich. »Ich wohne gleich am Victoria Park. Wo wohnen Sie?«

»In Mumbles drüben. Aber ...«

»Das ist nicht gerade bei mir um die Ecke.«

»Aber von hier aus spielt es überhaupt keine Rolle«, sagte Willard. »Es macht mir absolut nichts aus.«

»Natürlich fährt Jenna mit dir«, sagte Alexia. »Ehe sie jetzt auf den Bus wartet und dann noch ganz allein durch die Finsternis läuft. Mir wäre es eine Beruhigung!«

Damit war das klar.

Matthew fuhr einen großen, schwarzen BMW, ein Auto, das Geld verriet, ebenso wie seine Adresse. Mumbles. Ein kleiner Ort westlich von Swansea, traumhaft schön am Meer gelegen. In der Schule hatte ich einmal von Mumbles gehört, weil es von dort nach Swansea hinüber Anfang des neunzehnten Jahrhunderts die weltweit erste Eisenbahn zur Beförderung von Passagieren gegeben hatte – damals noch von Pferden gezogen.

Wir sprachen wenig auf der Fahrt durch die nächtliche Stadt. Einmal drehte ich mich um und sah die karierte, ziemlich fusselige Wolldecke, die auf dem Rücksitz lag.

Matthew hatte meinen Blick bemerkt. »Die Decke meines Hundes. Max.«

»Sie haben einen Hund?«

»Einen altdeutschen Schäferhund. Mit sehr langen Haaren.«

»Können Sie ihn mit an Ihren Arbeitsplatz nehmen?«

»Zum Glück ja. Eigentlich nehme ich ihn überallhin mit. Nur heute Abend… Nun ja, dieses enge Haus mit den vielen Menschen… Max nimmt viel Raum ein, und nachdem ich dort schon immer das Gefühl habe, die Ellbogen anziehen und mich irgendwie kleiner machen zu müssen, wollte ich nicht für noch mehr Masse sorgen, indem ich einen riesigen Hund mitschleppe.«

Ich verstand, was er meinte. »Ken und Alexia müssten unbedingt umziehen. Aber es scheitert offensichtlich am Geld. Bei *Healthcare* bekommt man einen Hungerlohn, auch als Chefredakteurin.«

»Und bis Ken etwas mit seinem Buch verdient, wird es dauern«, meinte Matthew. »Aber insgesamt nehmen sie das alles, glaube ich, ziemlich gelassen.«

Wir waren vor dem Haus angekommen, in dessen Dachgeschoss sich meine kleine Wohnung befand. Matthew fuhr in eine Parklücke und hielt an. »Da sind wir«, sagte er.

Ich wandte mich ihm zu. Im Schein der Straßenlaternen sah ich sein blasses Gesicht. Dunkle Augen, dunkle Haare. Ein Typ, der wahrscheinlich leicht und schnell bräunte. Doch jetzt war er geradezu fahl, und schon vorhin am Tisch waren mir die Schatten unter seinen Augen aufgefallen. Er sah nicht einfach nur wie jemand aus, der lange nicht mehr an die frische Luft gekommen war – zumal er sich wahrscheinlich schon wegen seines Hundes durchaus regelmäßig im Freien bewegte. Er sah krank aus. Elend. Wie jemand, der nachts schlecht schlief und in seinen freien Stunden am Tag zu viel grübelte.

Und auf einmal wagte ich es. Ich hatte vorher nicht gedacht, dass ich mich trauen würde, aber jetzt spürte ich, dass er nicht ärgerlich werden würde – über dieses Stadium war er hinaus. Er war zu erschöpft und zermürbt, um sich aufzuregen.

Ich sprach ihn auf seine Frau an.

»Ken hat mir erzählt … was mit Ihrer Frau passiert ist«, sagte ich hastig und übergangslos. »Jedenfalls hat er es angedeutet. Mir … tut das sehr leid.«

Er seufzte. »Ja«, sagte er, »es ist eine Tragödie. Vanessas Tragödie. Meine Tragödie. Das Schlimmste ist, nichts zu wissen. Ich kann das alles nicht abschließen, verstehen Sie? Weil ich bis heute nicht weiß, was passiert ist. Ich weiß nicht, ob sie noch lebt, ich weiß nicht, ob sie tot ist. Ob sie Hilfe braucht. Ob sie freiwillig weggegangen ist oder ob sie überfallen wurde. Ob sie irgendwo wartet und hofft, dass ich sie nicht aufgebe. Ich weiß es nicht.«

Seine Qual war so spürbar, fast greifbar in diesem Moment, dass ich am liebsten die Hand ausgestreckt und ihm über den Arm gestreichelt, irgendetwas getan hätte, ihn zu trösten. Natürlich war ich so mutig dann doch nicht. Ich wartete noch einen Augenblick, ob er noch etwas sagen wollte, aber er war verstummt, schien eigenen Gedanken nachzuhängen, war in sich versunken.

»Wir können ja mal einen Wein zusammen trinken gehen«, sagte ich. Ich zog meine Karte aus der Tasche und legte sie auf die Ablage über dem Beifahrer-Airbag. »Wenn Sie Lust haben, rufen Sie mich an.« Ich öffnete die Tür. »Danke fürs Bringen!«

Er schrak zusammen. Er war wirklich weit weg gewesen. »Gerne«, sagte er. Ich wusste nicht, ob sich das auf das Bringen bezog oder darauf, dass er mich anrufen würde. Ich stieg aus, schloss die Tür, winkte ihm noch einmal zu.

Dann machte ich mich auf den Weg nach oben zu meiner Wohnung.

Die Wohnung war damals genauso ein Schnellschuss gewesen wie die Arbeitsstelle bei *Healthcare*. Ich war so Hals über Kopf von Brighton weggegangen, dass ich keine Zeit gehabt hatte, lange und gründlich nach einer Bleibe zu suchen. Auf den ersten Blick hatte ich die Wohnung nicht schlecht gefunden, weil sie nahe am Park lag und man zudem rasch am Meer war. Mir gefielen die schrägen Wände, die Dachfenster, auf die im Herbst der Regen prasselte. Es gab einen kleinen Kamin mit einem elektrischen Feuer darin, und die Küche war in das Wohnzimmer integriert, sehr geschickt in die Schräge eingepasst und mit einer hölzernen Theke zum Zimmer hin abgegrenzt. Ein kleiner Raum daneben diente mir zum Schlafen, und dann hatte ich auch noch ein hübsches Bad, das ganz neu gefliest worden war. Die Wohnung war im Winter sehr gemütlich gewesen, ein kleines Nest unter dem Dach, aber jetzt dämmerte mir, dass ich das im Frühling und Sommer ganz anders empfinden würde. Es gab keinen Balkon, nicht die kleinste Möglichkeit für mich, einen Schritt ins Freie zu tun, etwa um an einem Sonntagmorgen in der Sonne zu frühstücken oder mich abends noch einmal beim Schein eines Windlichts nach draußen zu setzen und die Wärme des Tages nachklingen zu lassen. Wenn ich zum Fenster hinaussehen wollte, musste ich den Kopf in den Nacken legen und zu meinen Dachfenstern hochschauen, hinter denen ich den Himmel sah und sonst nichts. Ich begann bereits jetzt im März die Wohnung nicht länger als kuschelig, sondern als eng zu empfinden, als einen Ort, der mich vom Blühen und Wachsen draußen abschnitt. Sollten wir im Juli oder August eine Hitzewelle bekommen, würde ich hier oben zudem bei lebendigem Leib gegrillt werden.

Mein Anrufbeantworter blinkte, als ich die Wohnung betrat, und als ich ihn abhörte, erlebte ich eine Überraschung.

Es gibt ja ein paar seltsame Gesetzmäßigkeiten im Leben, die sich logisch nicht erklären lassen. Dazu gehört, dass ein Mann nie dann anruft, wenn man sehnlichst darauf wartet, dass er es aber dann tut, wenn man gerade kein Bedürfnis danach verspürt. Ich hatte, kaum niedergelassen in Swansea, Garrett meine Adresse, meine Telefonnummer und meine geänderte E-Mail-Anschrift zukommen lassen, aber er hatte nie darauf reagiert. Nicht einmal an Weihnachten, obwohl ich ihm ein Päckchen geschickt und einen langen Brief dazu geschrieben hatte. Aber kaum hatte ich einen Mann kennengelernt, der mich interessierte, kaum hatte ich zum ersten Mal, seitdem ich hier wohnte, bei meiner Rück-kehr in die Wohnung ein Herzklopfen, das nicht nur vom Treppensteigen kam, rief Garrett an. Er hatte mich, wie die Anzeige verriet, um zehn Minuten verpasst. Als hätte er ge-spürt, dass ich mich vielleicht wirklich abzunabeln begann.

Seine vertraute Stimme, auf die ich monatelang vergeb-lich gewartet hatte, jagte mir einen Kälteschauer über den Körper.

»Hi, Jenna. Garrett hier. Es ist fast Mitternacht, und du bist nicht zu Hause? Hm.«

Er machte eine Pause. Er war ganz deutlich aus dem Konzept gebracht. Was hatte er erwartet? Dass ich Tag und Nacht vor dem Telefon kauerte und betete, er möge sich melden?

»Also, ich wollte einfach mal von mir hören lassen«, fuhr er fort, »wissen, wie es dir so geht, wie dir der Job gefällt. Hast du Freunde gefunden? Dich eingelebt? Ruf doch mal zurück.« Er machte wieder eine Pause.

»Ich würde mich freuen«, sagte er dann. »Bis bald, Honey!« Er legte auf.

Mein Herz klopfte jetzt nicht mehr nur einfach hefti-ger, es galoppierte geradezu. Leider hing das nicht mehr mit den steilen Treppen und auch nicht mit Matthew Willard zusammen. Es war Garrett, der mich völlig durcheinanderbrachte. Ich war aber keineswegs einfach nur freudig erregt. In den ersten furchtbaren, einsamen Monaten in Swansea hätte ich alles gegeben, einen solchen Anruf von ihm zu erhalten. Allerdings wäre ich dann wahrscheinlich ziemlich schnell rückfällig geworden. Jetzt, ein halbes Jahr nach unserer Trennung, würde er mich nicht mehr so leicht einwickeln. Jetzt machte er mich eher wütend. Was bildete er sich ein? Ignorierte monatelang jeden meiner Versuche, Kontakt zu ihm aufzunehmen, aber wenn es ihm plötzlich in den Kram passte, stand er auf der Matte. Nannte mich *Honey* und war überzeugt, dass ich ihn so schnell wie möglich zurückrufen würde.

Vergiss es!

Trotzdem merkte ich an der Heftigkeit meines Zorns, dass ich mit noch viel zu starken Gefühlen auf ihn reagierte. Und ich registrierte, dass meine Wut noch immer von sehr viel Schmerz durchsetzt war, von Enttäuschung, Trauer, von der Leere, die die Trennung nach acht gemeinsamen Jahren in mir hinterlassen hatte. Er war mir noch keineswegs gleichgültig. Ich war seit September einen ganz kleinen Schritt vorangekommen – wenn ich überlegte, wie sehr ich mich gequält hatte, erschien mir das Ergebnis frustrierend gering.

Ich zog mich aus und legte mich ins Bett.

Immerhin, unter normalen Umständen hätte ich jetzt nur an Garrett gedacht. Nun aber mischte sich auch Matthew Willard immer wieder in meine Gedanken. Ich hoffte, er würde anrufen. Seine Geschichte interessierte mich.

Ich wollte mehr darüber wissen.

3

Es war Montagfrüh, und Nora Franklin hatte den Ein-druck, dass sie die bevorstehende weitreichende Verände-rung in ihrem Leben nun endlich ihrer Freundin Vivian mitteilen musste – obwohl ihr vor diesem Moment graute und sie ihn daher schon seit Wochen vor sich herschob. Vivian Cole wohnte in ihrer Nähe und kam häufig mor-gens vorbei, um Nora abzuholen und gemeinsam zu ihrer Arbeitsstelle, dem *South Pembrokeshire Hospital*, zu gehen. Manchmal schneite sie auch abends unverhofft herein, allerdings nur dann, wenn sie gerade nichts Besseres vor-hatte. Im Unterschied zu Nora war Vivian höchst selten um Verabredungen verlegen und hatte meist Aufregenderes vor, als in Noras ordentlich aufgeräumter kleiner Wohnung im ersten Stock eines Zweifamilienhauses zu sitzen und über das Leben zu reden. Oder über den Beruf. Beide Frauen arbeiteten als Physiotherapeutinnen im Krankenhaus, und da Noras Privatleben ziemlich eintönig verlief, hatte sie oft kein anderes Thema als die Patienten. Was Vivian zu Tode langweilte.

»Das ist doch öde«, sagte sie dann. »Glaubst du, ich will den ganzen Frust des Tages unbedingt noch in den Abend mitschleppen? Komm, lass uns irgendwo hingehen. Ins *Shipwrights Inn* oder zu *Welshman* ... Wir treffen bestimmt ein paar interessante Leute!«

Was Vivian betraf, hieß *interessante Leute* eigentlich *inte-ressante Männer*. Und Nora hatte es so satt. Sie wollte nicht in einem Pub herumstehen, im schummerigen Licht von einem angetrunkenen Typen unbeholfen angebaggert wer-den, draußen im Auto ein paar eher unangenehme Küsse tauschen, sich vielleicht für den nächsten Tag verabreden und spätestens dann feststellen, dass sie einen absolut ätzenden Kerl vor sich hatte. Der sie seinerseits etwa so aufregend fand wie eine Rolle Toilettenpapier und das auch deutlich zum Ausdruck brachte.

Nora wollte endlich eine feste Beziehung. Einen Menschen, der wirklich zu ihr gehörte. Der da war, wenn sie nach Hause kam. Mit dem sie ihre Wochenenden planen würde. Der sie festhielt, wenn sie sich allein und traurig fühlte. Mit neunundzwanzig noch immer unfreiwilliger Single zu sein war einfach nur schrecklich, fand Nora. Ein einsamer, trauriger Zustand, der sie zudem immer wieder in die Situation brachte, von Arbeitskollegen und Freunden analysiert zu werden. *Woran liegt das bei dir denn bloß?* Als wäre man ein einziger großer Problemfall, als welcher sich Nora auch tatsächlich schon zu fühlen begann. Sie wusste, verdammt noch mal, nicht, woran es lag, und die Überlegungen ihrer Umwelt brachten sie auch nicht weiter. Sie war nicht die Frau, der sämtliche Männer auf der Straße hinterherstarrten, aber sie war auch keineswegs hässlich. Sie war nicht superschlank, aber auch nicht dick. Sie war nicht reich, aber sie verdiente ihr eigenes Geld und würde niemandem je auf der Tasche liegen.

Insgesamt war sie einfach ziemlich normal. Vielleicht war sie zu normal.

Nora war an diesem Morgen sehr früh aufgestanden und hatte noch einmal alles kontrolliert: das frisch gemachte Bett in dem kleinen Gästezimmer. Der dicke Tulpenstrauß auf dem Fensterbrett gab dem Raum eine heimelige Note, wie sie fand. Flauschige Hand- und Badetücher im Bad. Ein Glas mit einer Zahnbürste. Ein nagelneuer dunkelblauer Morgenmantel an dem Haken gleich neben ihrem eigenen alten aus dem scheußlichen geblümten Stoff. Sie besaß ihn noch aus Teenagerzeiten, das Material war schon fadenscheinig und verschlissen, und sie hatte kurz gezögert, ob sie für sich auch einen neuen kaufen sollte. Dann aber war ihr das Geld zu schade gewesen.

Sie schaute auf die Uhr. Gleich halb acht. Man konnte über Vivian sagen, was man wollte, aber sie war immer pünktlich.

In diesem Moment klingelte es auch schon. Normalerweise hätte Nora jetzt ihre Tasche genommen und wäre nach unten gelaufen, aber heute trat sie auf den Treppenabsatz hinaus, lehnte sich über das Geländer, und als Vivian die Haustür aufstieß, rief Nora hinunter: »Kannst du bitte kurz hochkommen?«

Gleich darauf betrat Vivian die Wohnung. Wie immer sehr sexy anzusehen in einem kurzen Rock, schwarzen Strümpfen und kniehohen Stiefeln. Über ihrer Jacke trug sie einen langen, bunten Schal. Der Märztag war sonnig, aber jetzt am Morgen noch sehr kalt. Vivian hatte rote Wangen von der frischen Luft draußen. Ihre dunklen Locken kringelten sich auf ihren Schultern. Nora dachte wieder einmal neidisch, dass Vivian einfach genau die Ausstrahlung besaß, die Männer wie die sprichwörtlichen Motten anzog. Nicht dass sie ein auffallend schönes Gesicht oder eine atemberaubende Figur gehabt hätte. Aber sie vibrierte vor Lebenslust. Vor Neugier. Abenteuerbereitschaft. Neben ihr kam sich Nora immer wie eine unscheinbare, stets zu ernst gestimmte graue Maus vor.

»Was gibt es denn?«, fragte Vivian. »Bist du noch nicht fertig?«

Nora zog sie in die Wohnung. Was sie zu sagen hatte, sollte ihr Vermieter in der unteren Wohnung keinesfalls mitbekommen.

Sie schloss die Tür und holte tief Luft. Vivian blickte sie erwartungsvoll an.

»Ryan«, sagte Nora schließlich. »Er wird heute entlassen.«

Vivian runzelte die Stirn. »Wieso heute? Ich denke, der sitzt bis nächstes Jahr Oktober?«

»Sie entlassen ihn frühzeitig. Wegen guter Führung.«

»Aha. Was du vermutlich schon länger weißt?«

»Ja.«

Vivian ging ins Wohnzimmer. Sie trat ans Fenster, blickte hinaus. Man konnte den Fährhafen sehen, die Container und Kräne, weiter hinten die Schornsteine der Ölraffinerie. Bei schlechtem Wetter war diese Aussicht von erschlagender Melancholie. Aber manchmal schaute Nora hinaus und sah eines der großen, schneeweißen Fährschiffe, die zwischen Pembroke Dock und Rosslare Harbour in Irland verkehrten, majestätisch ruhig den Daugleddau entlangkommen, den Fluss, der den Hafen mit der keltischen See verband, und dann fand sie die kleine Wohnung in dem ziemlich heruntergekommenen Haus doch wieder schön.

Aber Vivian stand nicht am Fenster, um Schiffe zu beobachten. Sie versuchte, sich zu sortieren.

»Na ja«, sagte sie, ohne ihre Freundin anzuschauen. »Du weißt, wie ich darüber denke. Über die … ganze Geschichte. Ich hoffe nur, dass es dir jetzt gelingt, die notwendige Distanz zu wahren. Ich meine, bislang saß er hinter Schloss und Riegel, und du hattest es völlig in der Hand, wie weit du auf ihn zugehen willst. Jetzt kann er sich frei bewegen. Ich hoffe, er wird nicht zu einem Problem.«

»Bestimmt nicht«, meinte Nora unbehaglich.

»Du musst dich jetzt klar abgrenzen«, sagte Vivian.

Nora holte ein zweites Mal tief Luft. Nun kam der eigentliche Paukenschlag. »Er wird vorläufig bei mir wohnen.«

Vivian fuhr herum. »Was?«

»Vivian, wo soll er denn hin? Er hat nichts. Zu seiner

Mutter kann er nicht gehen, weil ihn sein Stiefvater nicht akzeptiert. Er hat kaum Freunde, er hat noch keinen sicheren Job, bislang nur ein vages Angebot, das sein Bewährungshelfer an Land gezogen hat. Und er hat Angst, dass er… Er hat sich wirklich geändert, und er will ein neues Leben anfangen, aber dazu braucht er Hilfe. Sonst rutscht er wieder ab, und davor fürchtet er sich entsetzlich.«

»Ich fasse es nicht«, sagte Vivian. »Ich fasse es einfach nicht! Ein Mann, der wegen schwerer Körperverletzung…«

»Es war keine Absicht.«

»Na und? Er hat einen Mann so zusammengeschlagen, dass dieser über viele Wochen im Krankenhaus liegen musste. Und davor, also vor dieser Tat, die ihn ins Gefängnis gebracht hat, war er auch kein Kind von Traurigkeit, nach allem, was du erzählt hast!«

Nora erwiderte nichts. Sie bereute es, dass sie sich ihrer Freundin überhaupt jemals ausführlich anvertraut hatte. Es wäre auf Dauer schwierig gewesen, Ryans Lebensumstände völlig zu verheimlichen, aber sie hätte seine zahlreichen Kollisionen mit dem Gesetz wohl besser unerwähnt gelassen.

»Ich meine, wie kannst du sicher sein, dass er sich geändert hat?«, fuhr Vivian fort. »Er kann dir doch alles erzählen! Und er wäre ja blöd, wenn er sich nicht im blütenweißen Gewand präsentieren würde. Natürlich hat er genau darauf spekuliert: dass du ihn bei dir aufnimmst und von nun an durchfütterst. Damit er bloß nicht zum ersten Mal in seinem Leben in die Verlegenheit kommt, es einmal mit Arbeit versuchen zu müssen.«

»Es stimmt nicht, dass er noch nie gearbeitet hätte«, widersprach Nora. »Als er festgenommen wurde zum Beispiel, war er gerade für eine Wäscherei tätig. Als Fahrer. Und auch davor schon hatte er…«

»…Gelegenheitsjobs. In denen er es nie besonders lange aushielt.«

Nora biss sich auf die Lippen. Im Augenblick gab es wahrscheinlich kein Argument, das Vivian gnädig gestimmt hätte.

»Na ja, wie auch immer«, sagte sie. »Ich wollte, dass du Bescheid weißt. Ich habe mir den Nachmittag freigenommen. Ich hole Ryan heute Mittag in Swansea ab.« Sie schaute auf die Uhr. »Wir müssen los!«

»Seltsam«, sagte Vivian. »Ich habe mir das eigentlich von Anfang an gedacht. Aber ich wollte es nicht wirklich wahrhaben.«

»Was denn?«

»Es ging dir einfach nur darum, einen Kerl zu finden. Und du dachtest dir, wenn das auf normalem Weg einfach nicht klappen will, dann besorgst du dir eben jemanden auf unkonventionelle Weise. Jemanden, der total abhängig von dir ist und deswegen vielleicht bei dir bleibt. Daher dein plötzliches Engagement für einen Strafgefangenen.«

»Blödsinn«, erwiderte Nora, aber sie fühlte sich getroffen. Sie hatte sich etwa ein Jahr zuvor mit einer Organisation in Verbindung gesetzt, die sich bemühte, für Strafgefangene, die ohne Angehörige waren oder deren Angehörige sich nicht kümmerten, Bezugspersonen zu finden, die zu ihren Ansprechpartnern wurden. Ihnen Briefe schrieben, sie besuchten. Ihnen das Gefühl vermittelten, dass es die Welt draußen noch immer gab und dass sie die Verbindung zu ihr nicht völlig verloren. Nora war im Internet auf die Homepage des Vereins gestoßen und hatte sich von seinen Zielen und seiner Argumentation sofort angesprochen gefühlt. Vielleicht hatte Vivian nicht ganz unrecht: Es war nicht darum gegangen, *einen Kerl zu finden,* wie sie es ihr schroff vorgeworfen hatte, sondern es war darum gegangen,

einen Menschen zu finden, der vielleicht irgendwann zu ihr ge-
hören würde.

Aber natürlich, sie war mit ihrem Projekt auf Vorbehalte gestoßen, nicht nur bei ihrer besten Freundin. Zwei Kolleginnen im Krankenhaus, die sie auch privat öfter traf, hatte sie frühzeitig eingeweiht. Sie hatten ziemlich entsetzt reagiert.

»Ein *Strafgefangener?* Du willst dich jahrelang einmal im Monat mit einem Mann im Gefängnis treffen? Was, um Himmels willen, versprichst du dir davon? Und denkst du ernsthaft, der kennt dich noch, wenn er erst mal rauskommt?«

Aber nun, da Ryan nach seiner Entlassung sogar bei ihr einziehen sollte, war es auch nicht recht. Zeitweise hatte Vivian vorher ziemlich laut getönt, Ryan werde sich als undankbarer Kerl erweisen, der keinen Blick mehr für Nora übrig haben würde, wenn er dem Gefängnis erst entkommen wäre. Nun geriet sie außer sich, als sie von der neuesten Entwicklung hörte.

»Hast du eigentlich keine Angst?«, fragte sie jetzt.

Angst vor Ryan? Vor diesem traurigen Mann mit den schönen Augen, der so entsetzlich unter dem Gefängnisalltag litt und alles gegeben hätte, seine Tat ungeschehen zu machen? Wenn Nora je den Eindruck gehabt hatte, einem aufrichtig reuigen Sünder gegenüberzustehen, dann war das bei Ryan Lee der Fall.

Ich wollte doch nicht, dass der Junge sich den Schädel bricht,
um Gottes willen! Es war ein Unglück. Einfach ein Unglück!

Er hatte ihr von seiner trostlosen Jugend erzählt. Am Anfang war es noch okay gewesen, sie hatten in Camrose gewohnt, wo seine Eltern ein *Bed & Breakfast* betrieben hatten, aber dann – Ryan war damals vier gewesen – war sein Vater gestorben, seine Mutter hatte wieder geheiratet, und mit dem Stiefvater und seinem Hang zum Alkohol war schließlich alles den Bach hinuntergegangen; sie hatten ihr Haus verkaufen müssen und waren nach Swansea gezogen, wo sie in einem der sozial schwächsten Viertel landeten. Ryan empfand die Familienwohnung zunehmend als einen Ort des Grauens, weil nie abzuschätzen war, in welcher Stimmung sich der stets betrunkene, allzu leicht gewaltbereite Stiefvater gerade befand. Ryan fing an, die Schule zu schwänzen, brach schließlich ohne Abschluss ab. Hangelte sich durch ein paar Jobs, bewegte sich in den falschen Kreisen. Wurde immer wieder zu Straftaten angestiftet, kleine Delikte, aber er kam aus der Spirale nicht heraus. Zunehmend frustriert wurde er aggressiver, und so geriet er immer häufiger in tätliche Auseinandersetzungen und schwere Schlägereien. Bis hin zu dem Fiasko am Abend des 20. August 2009. Als er sich mit einem Jungen prügelte, der dann unglücklich stürzte und ...

Er hatte an einem Anti-Aggressions-Training im Gefängnis teilgenommen, wie er Nora bei einem ihrer Besuche berichtete.

Ich kann jetzt damit umgehen, wenn mir jemand dumm kommt. Ich weiß, dass Zuschlagen keine Lösung ist. Ich muss mich nicht mehr mit allen Mitteln wehren. Ich kann die Angreifer auch einfach ignorieren. Ihnen aus dem Weg gehen.

All das hatte Nora Vivian immer wieder erzählt, ohne die Skepsis der Freundin aufzuweichen.

»Woher willst du denn wissen, dass das alles so stimmt? Seine traurige Jugend und das alles. Er kann dir doch erzählen, was er will. Merkst du nicht, dass bei seinen Schilderungen immer nur die anderen schuld sind? Seine Eltern, seine Freunde, die Umstände ... Wenn du mich fragst, er hat nichts begriffen!«

Auch das Anti-Aggressions-Training hatte sie nicht beeindruckt. »Und wenn schon! Weißt du, ob er wirklich ein anderer geworden ist? Klar, im Knast reißen sie sich immer zusammen, sie wollen ja vorzeitig entlassen werden. Die echte Bewährungsprobe kommt erst draußen, und ich finde es ausgesprochen beunruhigend, dass du womöglich diejenige bist, die es zuerst trifft, wenn er wieder ausrastet!«

»Lern ihn doch erst einmal kennen«, hatte Nora gesagt, und Vivian hatte mit hochgezogenen Augenbrauen entgegnet: »Ich weiß wirklich nicht, ob ich das will!«

In dem Punkt machte sich Nora allerdings keine Sorgen. Vivian war viel zu neugierig. Sie würde es sich nie im Leben entgehen lassen, einen echten Exsträfling näher kennenzulernen.

»Wir müssen wirklich los«, wiederholte sie nun, trat in den Flur und öffnete die Tür, die ins Treppenhaus führte.

Vivian folgte ihr aus dem Wohnzimmer. »Du könntest dich doch um ihn kümmern, ihn aber woanders wohnen lassen.«

»Es ist alles geplant, Vivian. Und vorbereitet.«

»Ich kann es dir wahrscheinlich nicht ausreden, oder?«

»Nein«, sagte Nora.

Da hatte Vivian in der Tat keine Chance. Nora freute sich so sehr auf Ryan.

Sie freute sich so sehr, nicht mehr länger allein sein zu müssen.

4

Er kam sich vor wie jemand, der erste zögernde Schritte auf einem fremden Planeten geht.

Davon hatte es wirklich etwas: von einem fremden Planeten.

Nach zweieinhalb Jahren Gefängnis schien das alles wie ein seltsamer Traum – das mit weißer, duftender Wäsche bezogene Bett und der Tulpenstrauß im Gästezimmer, das schön gefliese Bad mit den weichen Handtüchern, der Morgenmantel, der ihm gehörte. Das Wohnzimmer, an dessen Fenster ein Tisch stand, den Nora gerade für das Abendessen deckte: auch hier ein Tulpenstrauß, zwei rote Kerzen, schönes Geschirr. Weingläser. Ein Brotkorb mit frisch aufgebackenem, noch warmem Baguette. Eine Platte mit verschiedenen Käsesorten, garniert mit Gurkenscheiben und Tomaten.

Das Essen im Gefängnis war nicht schlecht gewesen. Aber natürlich in einer Großküche gekocht und auf billigen Tellern serviert. Wie überhaupt alles dort ausschließlich auf Zweckmäßigkeit ausgerichtet war, nüchtern, sachlich, ohne Schnörkel. Sämtliche Gebrauchsgegenstände sollten in erster Linie stabil sein, um mögliche Attacken der Häftlinge einigermaßen unbeschadet zu überstehen. Das führte dazu, dass vieles ganz einfach nur hässlich war.

Ryan stand mitten im Zimmer und sah Nora zu, die zwischen Küche und Esstisch hin- und hereilte. In den letzten Monaten seiner Haft hatte er wieder seine eigene Kleidung tragen dürfen, dennoch fühlte er sich in seinen Jeans und in seinem Pullover hier draußen ganz anders und unvertraut. In seinem Zimmer befand sich zudem eine große Tüte mit neuen Klamotten. Nora war mit ihm einkaufen gegangen, nachdem sie ihn vor den Toren des Gefängnisses in Sandfields, einem Stadtteil von Swansea, in Empfang genommen hatte. Er hatte abgewehrt, aber sie hatte ihm unbedingt etwas schenken wollen, und so hatte er sich eine zweite Jeans, Strümpfe zum Wechseln, zwei T-Shirts und ein dunkelgraues Sweatshirt ausgesucht. Er hatte im Gefängnis gearbeitet und etwas Geld verdient, aber Nora sagte, er solle es aufheben.

»Wer weiß, wann du es noch brauchen kannst.«

Na gut. Dann würde er etwas zum Haushalt beisteuern. Er hatte nicht vor, auf ihre Kosten zu leben.

Sie kam mit einer Flasche Wein aus der Küche. »Wir können essen. Wenn du magst?«

Er nickte und setzte sich an den schönen Tisch. Er konnte den Kloß in seinem Hals spüren und schluckte krampfhaft. Verdammt, Ryan, du heulst jetzt hier nicht los! Du hattest in den letzten Jahren so viele gute Gründe, um in Tränen auszubrechen, dann passiert dir das jetzt nicht einfach nur deshalb, weil du an einem liebevoll gedeckten Tisch sitzt und eine nette Frau versucht, alles so angenehm wie möglich für dich zu machen.

Aber es war überwältigend. Das war der Grund für die Tränen, die so heftig nach oben drängten: das Gefühl völliger Überwältigung.

Er und Nora hatten so viel miteinander gesprochen in dem einen Jahr, das sie einander nun kannten, sie hatten sich Sorgen, Nöte, Träume, Ängste und Verletzungen anvertraut, und eigentlich hatte sich Ryan dieser Frau mehr und rückhaltloser geöffnet als je zuvor irgendeinem anderen Menschen. Trotzdem kam sie ihm eigenartig fremd vor, seitdem er in ihr Auto gestiegen und mit ihr erst zum Einkaufen, dann nach Hause nach Pembroke Dock gefahren war. Alles hatte sich vollkommen verändert. Er war ein freier Mann. Sie war nicht mehr die Besucherin, die mit gedämpfter Stimme sprach, damit die Leute ringsum nicht alles mitbekamen. Einziger Ort ihrer Begegnungen war bislang der Besucherraum des Gefängnisses gewesen, der den Charme einer absolut zweckmäßig eingerichteten Kantine hatte. In dem Neonlicht dort hatte jeder eine fahle Hautfarbe gehabt und kränklich ausgesehen, und die Wachleute hatten niemanden vergessen lassen, wo er sich befand: im Knast. Trotz warmer und kalter Getränke, die man kaufen konnte, und kleiner Snacks auf Plastiktellern. Es hätte sich theoretisch auch um eine Krankenhauscafeteria handeln können, aber dort standen eben keine Typen herum, die alles scharf im Auge behielten.

Jenseits des Gefängnisses erschien ihm Nora wie ein anderer Mensch. Er fragte sich, ob sie das auch so empfand.

Den Nachmittag über hatten sie dem Gefühl der Beklemmung noch ausweichen können, indem sie einkaufen gingen, zur Stärkung ein Fischbrötchen vor einer Imbissbude aßen und eine Cola tranken, dann nach Pembroke Dock hinüberfuhren. Sie zeigte ihm das Haus, die Wohnung, den Blick vom Wohnzimmer aus. Sein Zimmer. Seine Sachen im Bad.

Aber jetzt saßen sie einander gegenüber, Nora entkorkte den Wein, zündete die Kerzen an, obwohl es draußen noch hell war. Ryan hatte inzwischen wenigstens seine Fassung zurückgewonnen, er würde nicht weinen. Aber er fühlte sich so angespannt, so verkrampft, dass er plötzlich wünschte, er wäre allein. Irgendwo, in einem hässlichen Mansardenzimmer vielleicht, ohne Kerzen und Servietten, dafür mit einer Flasche Bier in der einen Hand und einer Tüte von McDonald's in der anderen. Er könnte er selbst sein. Aber zugleich wusste er, dass es sein Untergang wäre, allein zu sein. Er hätte den Schritt in die Freiheit dann noch schlechter verkraftet.

Sie prosteten einander zu.

»Auf dein neues Leben«, sagte Nora feierlich.

Er nahm einen Schluck Wein. Er kannte sich nicht aus, aber der Wein schmeckte ihm. Alkohol, nach langer Zeit. Er musste aufpassen, dass er nicht ganz schnell betrunken war.

»Warum tust du das?«, fragte er.

Sie sah ihn erstaunt an. »Was?«

»Na, das mit mir. Du kaufst mir Klamotten. Nimmst mich hier auf. Du…« Er wies auf den Tisch. »Du machst alles so schön…«

»Ich mache das gerne«, sagte Nora sanft. »Wir sind Freunde, oder? Glaubst du, ich lasse einen Freund hängen? Wohin hättest du denn gehen sollen?«

»Ich habe etwas Geld…«

»Wie weit kommst du damit?«

»Nicht weit«, musste er einräumen.

»Du hast eine schwere Zeit hinter dir. Du musst dich erst wieder im Alltag zurechtfinden. Und dabei würde ich dir gerne helfen.« Sie lächelte schüchtern. »Ich bin doch auch nicht gerne allein. Ich finde es schön, dass du jetzt hier wohnst.«

Er betrachtete sie. Im Gefängnis, als sie ihn besuchte, war sie ihm wie eine Art Institution vorgekommen, nicht wie eine Frau. Er hatte alles Mögliche in ihr gesehen, eine Mischung aus Psychotherapeutin, Krankenschwester, Mutter vielleicht sogar, obwohl sie jünger war als er. Zusammengefasst zu einer Helferin, reduziert auf das, was sie ihm an Hilfe und Unterstützung brachte. Dabei war sie in seinen Augen gänzlich geschlechtslos geblieben.

Zum ersten Mal jetzt sah er die Frau, die sie war.

Sie war nicht sein Typ, obwohl sie eigentlich ganz hübsch war. Klein, aber recht kräftig, was an ihrer Arbeit lag, wie sie ihm einmal erzählt hatte. Den ganzen Tag über massierte sie Leute und unterstützte sie bei komplizierten Übungen, die sie aus eigener Kraft nicht bewältigen konnten, daher kamen die Muskeln. Sie hatte schulterlange blonde Haare und große blaue Augen. Sie war wirklich attraktiv. Komisch eigentlich, dass sie keinen Freund hatte. Sie hatte ihm von mehreren gescheiterten Beziehungen berichtet, aber sie hatte nicht sagen können, weshalb kein Mann lange bei ihr blieb.

Vielleicht bist du zu fürsorglich, dachte er jetzt auf einmal, vielleicht hat man irgendwann das Gefühl, man erstickt neben dir. An dir.

Aber dann dachte er, dass das wahrscheinlich nur ihm so ging. Für ihn war die ganze Situation gerade ein *Zuviel*, zu viel von allem, aber das lag natürlich an seiner Geschichte. Der erste Abend jenseits der Gefängnismauern. Er wäre jetzt überall in eine Krise geraten. Keinesfalls durfte er Nora die Schuld geben.

»Morgen gehe ich zu meinem Bewährungshelfer«, sagte er. »Wir sind um zehn Uhr verabredet. Ich hoffe, es klappt mit einer Arbeit.«

»Wenn du willst, kannst du mein Auto haben«, bot Nora an. »Ich gehe meist zu Fuß ins Krankenhaus, es sei denn, es regnet in Strömen. Aber danach sieht es nicht aus.«

»Dein Auto? Sicher?«

»Natürlich. Hör mal, Ryan«, sie beugte sich über den Tisch nach vorn, sah ihn eindringlich an. »Das hier ist dein Zuhause, solange du das möchtest. Und du kannst alles hier benutzen, alles, was mir gehört. Du brauchst nicht zu fragen. Bitte, fühl dich daheim. Nicht als Gast.«

»Danke«, sagte er. Als ob das so auf Befehl ginge. Aber sie meinte es gut. Sie wollte wirklich, dass er sich wohlfühlte.

»Du musst etwas essen, Ryan. Du hast fast dein ganzes Weinglas leer getrunken. Nimm doch ein Baguette. Und etwas Käse?«

Er atmete tief. »Ich kann nicht. Ich kann gerade nichts essen.«

»Was ist los?«

Er stand abrupt auf. Seine Serviette rutschte ihm vom Schoß und landete unter dem Tisch. »Ich muss einfach einen Moment lang allein sein. Bitte versteh das!«

Sie erhob sich ebenfalls. »Möchtest du ein Stück spazieren gehen? Soll ich mitkommen? Wir könnten zum Hafen...«

»Nein.« Er schüttelte den Kopf. »Ich möchte in mein Zimmer gehen. Ich bin todmüde. Es tut mir leid.«

»Es muss dir doch nicht leidtun. Ich kann das verstehen.« Aber sie sah ziemlich verstört aus. Sie hatte sich Mühe gegeben mit der ganzen Inszenierung, und nun fragte sie sich wahrscheinlich, was sie falsch gemacht hatte.

Nichts. Aber mit mir kann man nichts richtig machen.

Ohne ein weiteres Wort verschwand er im Gästezimmer, schloss nachdrücklich die Tür hinter sich. Sofort fühlte er sich besser. Der Raum hatte etwa die Größe seiner Zelle. Geschlossenes Fenster, wenn auch ohne Gitter, geschlossene Tür. Er begriff erst in diesem Moment, welchen Schutz das Gefängnis, das er so gehasst, aus dem er sich mit aller Kraft hinausgesehnt hatte, ihm gegeben hatte.

Er fühlte sich verwundbar wie ein neugeborenes Kind. Hilflos. Als Teil einer Welt, zu der er den Bezug verloren hatte.

Und Nora konnte ihm nicht helfen. Sie machte es eher schlimmer mit all ihren Bemühungen, Angeboten, mit den Forderungen und Erwartungen, die sich darin verbargen.

Es war alles zu viel. Einfach zu viel.

Er ließ sich auf das Bett fallen. Endlich konnte er weinen.

5

»Vergiss es«, sagte Deborah zu dem Mann, der sie schon die ganze Zeit über angebaggert hatte und nun darauf beharrte, sie nach Hause begleiten zu wollen. »Ich geh alleine, kapiert? Ich schlafe auch allein! Ich steh nicht auf dich!«

Er sah sie verletzt an. Er hatte sie fünf Minuten, nachdem sie das *Pump House* betreten hatte, angesprochen und war dann nicht mehr von ihrer Seite gewichen. Was Deborah zunächst ganz gut gefallen hatte. Er wollte ihre Drinks bezahlen, was sie jedoch nicht annahm, aber er holte ihr neue Zigaretten und starrte sie an, als wäre sie eine Erscheinung. Deborah wusste, dass sie richtig gut aussah, zumindest dann, wenn es ihr gelang, ihre verhasste hellblonde Naturkrause einigermaßen glatt zu bekommen, aber sie war inzwischen dreißig Jahre alt, und im Pub hingen auch ein paar deutlich jüngere Frauen herum. Es schmeichelte ihr, dass Glen – mit diesem Namen hatte er sich vorgestellt – dennoch ganz offenkundig nur Augen für sie hatte.

Deborah, oder *Debbie*, wie ihre Freunde sie nannten, war müde an diesem späten Montagabend. Sie arbeitete für ein Gebäudereinigungsunternehmen und hatte seit dem frühen Nachmittag Dienst gehabt. Zuerst war eine Schule drangewesen, später eine Firma, durch deren Büroräume, auf vier Etagen verteilt, die Kolonne gezogen war, nachdem dort alle Mitarbeiter nach Hause gegangen waren. Um neun Uhr hatte Debbie den Heimweg angetreten und war einem spontanen Entschluss folgend noch rasch in dem Pub, das an der Swansea Marina gelegen war, eingekehrt. Daheim wartete niemand auf sie, und sie hatte Lust auf einen starken Drink. Früher war sie mit Ryan öfter hier gewesen, aber sie erlaubte sich keine sentimentalen Gedanken. Die Zeiten hatten sich geändert.

Glen hatte sie ganz nett unterhalten, aber nun wollte er nicht begreifen, dass der Abend vorbei war.

»Ich will nur mitkommen«, beharrte Glen. »Es ist spät. Ein Mädchen sollte zu dieser Stunde nicht mehr allein durch die Straßen laufen!«

Debbie hätte fast laut losgelacht. *Mädchen* war ein netter Begriff für eine dreißigjährige Frau. Offenbar hielt Glen sie für weit jünger, als sie war, was ihn ihr wieder etwas sympathischer machte. Aber insgesamt war er ein Schleimer, und sie hatte keine Lust auf ihn. Und dass sie nicht allein draußen herumlaufen sollte ... Als ob sie je einen Beschützer gebraucht hätte! Oder ihn sich gewünscht hätte.

Sie rutschte von ihrem Barhocker und stellte augenblicklich fest, dass sie ein bisschen zu viel getrunken hatte. Sie fühlte sich nicht ganz sicher auf den Beinen. Aber egal, bis nach Hause würde sie es schaffen.

»Ich kann ziemlich gut auf mich selbst aufpassen«, sagte sie. »Mach dir noch einen schönen Abend und schau mal, ob du nicht ein anderes Mädchen aufreißen kannst. Sitzen ein paar einsame Frauen hier herum. Da hast du bestimmt mehr Chancen als bei mir!«

»Aber du gefällst mir«, beteuerte Glen. Er hatte rote Wangen bekommen, und seine Krawatte hing schief. Debbie war inzwischen fast sicher, dass er verheiratet war, vermutlich geschäftlich in Swansea zu tun hatte und die Gelegenheit nutzen wollte. Sie konnte solche Typen nicht ausstehen. Debbie war für absolute Treue, alles andere ekelte sie an. In der einzigen Langzeitbeziehung, die sie zustande gebracht hatte, in den vier Jahren mit Ryan, war sie hundert Prozent treu gewesen und Ryan auch, soweit sie es wusste.

Glen sah ihr aus traurigen Augen nach, als sie das Pub

verließ. Draußen erschauderte sie kurz und zog den Kragen ihrer Jacke enger um den Hals. Die Tage waren frühlingshaft, aber nachts wurde es noch immer recht kalt. Die frische Luft würde ihr jedoch guttun. Das letzte Glas war eindeutig zu viel gewesen, aber ein strammer Marsch durch die Nacht würde vielleicht verhindern, dass sie am nächsten Morgen Kopfweh bekam.

Sie würde etwa eine Viertelstunde bis zu ihrer Wohnung brauchen. Es war halb elf, wie sie feststellte, und die ganze Gegend lag wie ausgestorben da. Drüben von *Annie's Marina Café* schimmerten noch Lichter durch die Dunkelheit. Sie musste den großen Platz gleich neben dem *Pump House* überqueren, dann am Waterfront Museum und an den Yacht Brokers entlang. Um diese Zeit hielt sich dort keine Menschenseele mehr auf. Sie hörte das müde Platschen der Wellen gegen die Kaimauer, sah das Gebäude neben sich. Alles leer und verlassen. Sie beschleunigte ihre Schritte noch ein wenig. Sie war keine Frau, die sich leicht fürchtete, dennoch würde sie sich entspannter fühlen, wenn sie erst die Oystermouth Road erreicht hatte.

Sie war gerade auf der Höhe des Piers angekommen, an dem einige größere Schiffe festgemacht waren, als sie meinte, Schritte zu hören. Sie blieb stehen und drehte sich um, konnte aber niemanden sehen. Eine Laterne spendete blasses Licht. Es roch nach Wasser, Tang, nach Tauwerk, das irgendwo vor sich hin rottete. Ein wenig nach Maschinenöl.

Der vertraute Hafengeruch.

Und niemand war hier außer ihr selbst.

Sie ging noch etwas schneller, bemühte sich aber bewusst, nicht zu rennen. Sie hasste Furcht. Furcht war etwas für Schwache.

Sie hörte ganz deutlich erneut die Schritte und blieb abermals stehen. Glen wahrscheinlich. Der Kerl war eine Zecke, das hatte sie leider zu spät erkannt, sonst hätte sie ihn sofort abblitzen lassen. Er hatte sich Debbie in den Kopf gesetzt und sah jetzt nicht ein, weshalb er aufgeben sollte.

Idiot!

»Glen!«, rief sie. »Hör auf, hinter mir herzuschleichen. Hau ab! Ich bin nicht interessiert!«

Stille. Sie sah zu dem Gebäude hin. Glen war vermutlich irgendwo zwischen den Mauervorsprüngen untergetaucht. Er hatte sich bereits in ihrem Bett gesehen und kam nun mit seinen Hormonen nicht zurecht. Armleuchter!

Sie hatte keine Angst. Nicht vor diesem Würmchen. Sie machte ein paar Schritte in die Richtung, in der sie ihn vermutete, einfach um ihn zu erschrecken und um ihm zu zeigen, dass er sie nicht einschüchtern konnte.

»Verschwinde!«, rief sie.

Sie spürte eine Bewegung hinter sich, aber noch ehe sie reagieren konnte, sich umdrehen oder weglaufen oder schreien, fühlte sie sich bereits von kräftigen Armen gepackt, eine Hand legte sich über ihren Mund und verschloss ihn. Debbie wehrte sich aus Leibeskräften, wand sich wie eine Schlange und versuchte vergeblich, die Hand zu beißen, deren harte Finger sich in ihre Wange bohrten. Sie merkte, dass sie den Boden unter den Füßen verlor und wie eine ausrangierte Schaufensterpuppe über das Pflaster geschleift wurde. Gott im Himmel, war das Glen? Weder diese Kraft noch diese Entschlossenheit hätte sie ihm zugetraut. Sie strampelte mit den Beinen und erwischte das Schienbein ihres Gegners. Sie konnte ihn aufstöhnen hören, und dann zischte er: »Verdammte Schlampe!«

Es war nicht Glens Stimme.

Im nächsten Augenblick erhielt sie einen Faustschlag in den Magen, und zwar von einer zweiten Gestalt, die plötzlich aus dem Nichts auftauchte. Noch ein Mann. Die waren zu zweit. Zwei Kerle. Geschockt und verzweifelt versuchte Debbie noch immer sich zu wehren, aber sie wusste, dass sie keine Chance hatte. Sie wollte schreien, aber es kam nur ein dumpfer Laut. Ausgeschlossen, dass irgendjemand sie hören konnte.

Es folgten weitere Schläge in den Magen und in ihr Gesicht, bis der Typ, der sie festhielt, sagte: »Hör auf! Die ist sonst gleich weg, und sie soll ja noch was davon haben!«

Debbie geriet in Panik.

Sie lag auf den kalten Steinen, über sich den Sternenhimmel. Ein Mann kniete hinter ihr, presste mit seinen Beinen schmerzhaft ihre Arme auf den Boden. Noch immer hielt seine Hand ihren Mund verschlossen, sie konnte nur durch die Nase atmen, die überdies gerade nach einem der Faustschläge zuschwoll und das Luftholen schwer machte. Ihr ganzer Körper tat weh. Warmes, klebriges Blut lief über ihre Wange. Sie wimmerte, als sie den zweiten Mann sah, der wie ein gewaltiger Schatten über ihr aufragte. Jetzt erkannte sie, dass er eine Strumpfmaske über dem Gesicht trug. Er kniete ebenfalls nieder, jedoch so, dass er dabei ihre Oberschenkel spreizte und zu Boden drückte. Es tat so weh, dass sie laut geschrien hätte, wenn ihr das möglich gewesen wäre. Sie versuchte noch immer sich zu wehren, aber es war hoffnungslos. Sie lag wie ein Maikäfer auf dem Rücken, alle Extremitäten wie von eisernen Ringen an die Erde gefesselt. Sie sah Stahl aufblitzen und hörte das ratschende Geräusch, mit dem ihre Jeans und ihr Slip aufgeschnitten wurden. Es war ein Alptraum, es war nicht fassbar. Es war etwas, wovon man las und in den Nachrichten hörte und wovon man wusste, dass es passierte, aber doch nicht glaubte, es könne einem selbst zustoßen.

Debbie jedenfalls hätte es nie geglaubt. Sie glaubte es nicht einmal, während es geschah. Es war nicht sie, die hier in einer kalten Märznacht am Hafen von Swansea neben dem Gebäude der Yacht Brokers lag und von zwei Männern, die einander mehrfach abwechselten, vergewaltigt wurde. Es war irgendjemand. Jemand, von dem sie sich innerlich, soweit sie nur konnte, entfernte. Debbie war nie zuvor in ihrem Leben Gewalt ausgesetzt gewesen. Die Situation machte sie fassungslos. Später dachte sie, dass sie dies vielleicht vor dem Wahnsinn rettete, der sonst unweigerlich von ihr hätte Besitz ergreifen müssen. Ihr Verstand weigerte sich zu kapieren, was mit ihr geschah. Sie glitt in einen Zustand völligen Unbeteiligtseins. Sie wehrte sich auch nicht mehr. Sie war gar nicht da.

Als die Männer genug hatten, traten sie ihr in die Rippen und gegen den Kopf, mit einer lässigen, gleichgültigen Kraft, als sei sie ein Sandsack, den jemand in diese Ecke geworfen hatte. Dann ließen sie sie liegen und verschwanden in der Nacht.

Später rekonstruierten Debbie und die Polizei, dass der ganze Überfall knappe zwanzig Minuten gedauert hatte. Zwanzig Minuten, die Debbies Leben für immer veränderten.

Sie bestand nur aus Schmerzen. Jeder einzelne Punkt ihres Körpers tat weh, mancher etwas weniger, mancher schlimmer. Besonders heftig schmerzte ihre Nase, die vermutlich gebrochen war. Sie war vollkommen zugeschwollen, und Debbie schluckte ununterbrochen Blut, das von oben in ihre Kehle hinunterlief. Ihr Magen tat weh, ihre Rippen stachen. Sie bekam schlecht Luft, weil jeder Atemzug grausame Schmerzen in den Seiten verursachte.

Ihr Unterleib jedoch war ein einziges Meer des Schmerzes. Kaputt, wund und blutig. Sie versuchte sich zu bewegen, wimmerte dabei und gab es schließlich auf. Sie konnte sich keinen Millimeter vom Fleck rühren. Sie zitterte vor Kälte, gleichzeitig spürte sie, dass die Haut in ihrem Gesicht glühte. Konnte es sein, dass sie Fieber und Schüttelfrost bekommen hatte? Sie fragte sich, ob sie sterben würde, wenn sie die ganze Nacht hier liegen blieb.

Ihr Handy. Sie musste die Polizei anrufen.

Sie richtete sich halb auf, wobei ihr vor Schmerzen die Tränen in die Augen schossen. Wo war bloß ihre Handtasche geblieben? Sie nahm an, dass sie sie hatte fallen lassen, als der erste Mann sie plötzlich von hinten packte, und da er sie dann noch ein ganzes Stück weit mit sich geschleift hatte, würde die Tasche, und somit auch das Handy, kaum in erreichbarer Nähe liegen. In ihrem Zustand stellten ein paar wenige Schritte schon ein schier unüberwindliches Hindernis dar. Völlig erschöpft sank sie zurück. Sie musste unbedingt etwas Kraft schöpfen. Sie musste irgendeine Möglichkeit finden, die unerträglichen Schmerzen zu überwinden. Sie musste zu ihrer Tasche robben. Sie brauchte Hilfe. Nicht erst irgendwann am nächsten Morgen, wenn hier die ersten Hafenarbeiter erschienen. Sie bleichen *schnelle* Hilfe. Sie sollte ...

Sie schrie entsetzt auf, als ein Schatten auftauchte und neben ihr niederkauerte. Sie krümmte sich zusammen und schlug beide Hände vor das Gesicht.

»Nein! Nein! Nein!«

»Debbie! Ich bin es! Keine Angst!«

Sie nahm ihre Hände vom Gesicht. Sie sah einen totenbleichen Glen, der sich über sie beugte.

Glen! Sie hätte weiß Gott nicht geglaubt, dass sie sich noch einmal so freuen würde, ihn zu sehen.

»Glen!« Es klang wie ein Schluchzen. »Glen, bitte, ich

brauche einen Arzt. Du musst die Polizei rufen. Ich kann mich nicht bewegen…«

»Alles klar. Ich… ich rufe die Polizei… O Gott, o Gott!« Glen war völlig geschockt. Er schien unfähig, etwas wirklich Sinnvolles zu tun.

»Die Polizei«, stöhnte Debbie. »Beeil dich doch!«

Er schaffte es endlich, sein Handy aus der Manteltasche zu ziehen. Es war ausgeschaltet, und er brauchte drei Versuche, ehe es ihm gelang, mit seinen zitternden Fingern den Code einzugeben.

»Ich hatte es vorsichtshalber ausgeschaltet«, erklärte er, »damit es nicht im falschen Moment klingelt.«

»Wie… im falschen Moment?«, fragte Debbie mühsam. Das Sprechen fiel ihr fast so schwer wie das Atmen. Wenigstens schluckte sie nicht mehr so viel Blut.

»Ich stand da hinten.« Er machte eine Bewegung irgendwo in die Dunkelheit jenseits der Straßenlaternen. »Zwischen den Mauern. Ich habe alles gesehen. Ich hatte Angst, dass mein Handy klingelt. Die hätten mich umgebracht, wenn sie mich entdeckt hätten!«

»Du hast alles gesehen?« Sie konnte es kaum glauben. »Du hast *zugeschaut*? Und nichts unternommen?«

»Was hätte ich denn tun sollen? Die waren zu zweit! Der eine hatte ein Messer!«

»Du hättest… sofort die Polizei holen müssen…« Jedes einzelne Wort, das sie formulierte, sandte einen scharfen Stich durch ihren Körper. Sie stellte sich vor, dass ihre Rippen vielleicht gebrochen waren und wie Speerspitzen herumwippten, ihre Organe bedrohten und bei jeder minimalen Regung eine Kaskade von Schmerz auslösten. Ihr war schwindelig, und sie hatte das ungute Gefühl, dass sie möglicherweise demnächst das Bewusstsein verlor. Zuvor musste diese Trantüte neben ihr wenigstens die Polizei informiert haben. Er war genau der Kleingeist, den sie in ihm gesehen hatte, mehr noch, er war ein erbärmlicher Feigling. Ging ihr nach in der Hoffnung, doch noch ein erotisches Abenteuer für diese Nacht zu finden, wurde dann Zeuge des Überfalls, versteckte sich zitternd und war noch geistesgegenwärtig genug, sein Handy auszuschalten, um nicht auf diese Weise verraten zu werden. Sie empfand so viel Verachtung für ihn, dass es sich fast wie ein schlechter, fauliger Geschmack im Mund anfühlte, aber sie war absolut nicht in der Verfassung, ihren Gedanken Ausdruck verleihen zu können, sonst hätte sie ihm erklärt, welch feiges Arschloch er in ihren Augen war. Stattdessen musste sie ihm eigentlich sogar dankbar sein. Paradoxerweise wurde er schließlich gerade zu ihrem Lebensretter.

Er hatte offenbar endlich die Polizei an der Strippe. »Ja«, sagte er, »am Hafen. Sie ist überfallen worden. Es ... sieht ganz schön schlimm aus. Sie braucht einen Krankenwagen. Bitte? Ja, ich weiß nicht ...« Er schaute sich suchend um. »Genau kann ich das nicht sagen. Ich ... bin nicht von hier. Wir sind hier an einem großen Gebäude, nicht weit vom *Pump House*...«

»Yacht Brokers«, krächzte Debbie.

»Yacht Brokers«, wiederholte Glen. »Ja. Ja, gut. Bitte beeilen Sie sich!«

Er schaltete sein Handy ab.

»Die Polizei ist gleich da. Der Notarzt auch. Wie geht es dir? Du zitterst so sehr!«

Ihr war so kalt, dass sie hätte heulen mögen. »K...kalt«, stieß sie hervor.

Er versuchte zunächst, ihre völlig verknäulte und viel zu kurze Jacke enger um sie zu ziehen, ehe er auf die Idee kam, seinen eigenen Mantel auszuziehen und über sie zu breiten. »Besser?«, fragte er.

Sie nickte mühsam. Inzwischen sah sie ihn durch einen milchigen Schleier, spürte, dass sich ihr Blick immer mehr trübte. Ihr Kreislauf schien sich zu verabschieden. Sie tastete nach Glens Hand, umklammerte sie. So unsäglich sie dieses Würstchen fand, sie brauchte jetzt einfach jemanden, der sie festhielt, und wenn es die größte Niete im ganzen Vereinigten Königreich war. Wenigstens so lange, bis die Polizei kam. Wenigstens so lange, bis der Arzt kam. Wenigstens so lange, bis sie… Sie war so müde. Es fiel ihr schwer, die Gedanken zusammenzuhalten.

Er beugte sich dicht über sie. Sie konnte das Bier in seinem Atem riechen und jede einzelne Pore seiner Haut sehen.

»Hör mal… äh… Debbie, ich muss ja auch bei der Polizei aussagen, und die werden meine Personalien aufnehmen, und… könnten wir bitte behaupten, dass wir einander vorher nicht kannten? Also, dass ich dich zwar in dem Pub gesehen habe, aber ich habe dich nicht angesprochen oder… äh… gefragt, ob ich mit zu dir kommen kann, okay? Weil, also…« Mit seiner freien Hand nestelte er an seiner Krawatte. »Du musst wissen, ich vergaß, es vorhin zu erwähnen, ich bin verheiratet, und… es wäre ziemlich unangenehm, wenn meine Frau… Du verstehst schon, ja?«

Sie gab ein Geräusch von sich, das beruhigende Zustimmung ausdrücken sollte, mehr schaffte sie nicht. Ihre Augen fielen zu, und sie wusste, sie würde gleich weg sein. Nach allem, was geschehen war, spielte es tatsächlich nicht die geringste Rolle, und doch dachte sie im Dahindämmern fast triumphierend: Na bitte! Wusste ich es doch! Verheiratet!

Dann war sie weg.

6

Das Wochenende über hatte Matthew Willard nichts von sich hören lassen, aber eigentlich hatte ich auch nicht damit gerechnet, dass er sich so schnell melden würde, falls er es überhaupt je tat. Am Montag musste ich wieder in die Redaktion, wo Alexia, die immer als Erste kam und als Letzte ging, schon an ihrem Schreibtisch saß.

»Und? Wie war euer gemeinsamer Heimweg?«, fragte sie.

Sie war meine Freundin, aber ich hatte diesmal wenig Lust auf ein Gespräch mit ihr. Matthew Willard schien mir ein ungeeignetes Thema für einen Tratsch zwischen zwei Frauen. Der Mann war so sichtlich gezeichnet von den Geschehnissen der letzten Jahre, dass ich ihn nicht als ein Objekt sehen wollte, dessen Aussehen, Charakter und womöglich noch Bankkonto ausgiebig diskutiert wurden. Alexia sah ihn zweifellos als möglichen Beziehungskandidaten für mich, aber obwohl ich ihn gerade erst kennengelernt hatte, verfügte ich wohl diesmal über den schärferen Blick: Matthew schien mir kaum fähig, eine neue Beziehung, ganz gleich mit wem, einzugehen. Weil er noch immer Teil einer längst bestehenden Verbindung war, wenngleich sie unwirklich und erstarrt und voll grausamer Ungewissheit war. Dennoch war er mir alles andere als gleichgültig.

»Wie soll es gewesen sein? Er hat mich nach Hause gefahren, ich bin ausgestiegen und in meine Wohnung gegangen. Wo ich übrigens Garrett auf dem Anrufbeantworter vorfand!«

»Ach?« Das wollte Alexia jetzt genau wissen. Sie war Garrett vor Jahren einmal begegnet, und aus unseren stundenlangen Gesprächen kannte sie jedes Detail unseres Scheiterns, wusste Bescheid über alle Kämpfe, Versöhnungen und neue Kämpfe. Daher interessierte sie auch die neu-este Entwicklung.

Das Ablenkungsmanöver war geglückt. Wir sprachen über Garrett statt über Matthew, und dann begann schon die erste Konferenz, sämtliche Telefone klingelten, und der normale Redaktionsalltag brach mit Macht über uns herein. Alexia steckte bis zum Hals in Terminen und konnte sich nicht einmal für eine schnelle Mittagspause mit mir freima-chen. Auch ich arbeitete durch, holte mir nur ein Sandwich aus dem Supermarkt und aß es am Schreibtisch. Hungrig und ziemlich erschöpft kehrte ich abends nach Hause zu-rück. Ich hatte kaum einen Topf mit Wasser auf den Herd gestellt, um mir Nudeln zu kochen, als das Telefon klin-gelte.

Es war Matthew Willard.

»Hallo«, sagte er, »hier ist Matthew. Störe ich gerade?«

»Nein. Nein, überhaupt nicht.« Ich war etwas aufgeregt und hoffte, dass man es meiner Stimme nicht allzu sehr an-hörte. »Wie geht es Ihnen?«

»Danke. Alles okay. Und bei Ihnen?«

»Auch. Der Tag war anstrengend. Montag eben.«

»Na ja, aber es ist auch immer ein gutes Gefühl, das Wo-chenende hinter sich zu haben«, sagte er, und ich dachte, dass er wahrscheinlich immer schon von Freitagnachmittag an dem Beginn der nächsten Woche entgegenfieberte. Für viele allein lebende Menschen stellen Samstag und Sonn-tag eine echte Herausforderung dar, und sie sind heilfroh, wenn sie diese beiden Tage irgendwie überstehen. Hätte ich Alexia und Ken und ihrer beider liebevolle Fürsorge nicht gehabt, es wäre mir den Winter über genauso gegangen. Bei Matthew kam noch hinzu: Er war nicht einfach nur Single. Er hatte seine Frau auf eine Art verloren, die es ihm unmög-lich machte, mit ihr abzuschließen. Er rätselte immer noch, was mit ihr geschehen war, grübelte, fasste wahrscheinlich immer wieder Pläne, was er noch tun könnte, um etwas über ihren Verbleib herauszufinden, verwarf diese dann wieder, weil sie zu abenteuerlich, zu verrückt oder auch einfach zu wenig erfolgversprechend waren. Vermutlich war in den vergangenen zweieinhalb Jahren alles getan worden, was man tun konnte. Ich ahnte, dass es Matthew mit den Menschen in seiner Umgebung so erging wie mit Alexia, die ja mehr als deutlich zum Ausdruck gebracht hatte, dass er ihrer Ansicht nach endlich wieder nach vorne schauen musste: Man selbst hatte mit der ganzen Geschichte abgeschlossen. Man war zum Alltag zurückgekehrt, lebte sein normales Leben und erwartete von Matthew, dass er dasselbe tun sollte. Das machte ihn doppelt einsam. Er war sensibel und feinfühlig genug, um zu spüren, dass niemand mehr über seine verschwundene Frau sprechen wollte, deshalb schnitt er das Thema nicht mehr an, aber das bedeutete, dass er es nun nur noch in seinem Kopf, in seinen Gedanken wälzen konnte.

Und vor allem deshalb, da machte ich mir wenig Illusionen, rief er mich auch an. Ich hatte Interesse an seiner Tragödie bekundet und war sicher im Augenblick der einzige Mensch in seinem Umfeld, der nicht einfach nur höflich zuhörte, wenn er damit anfing, oder sogar gleich entnervt abwinkte.

»Ich wollte fragen«, fuhr er fort, »ob Sie morgen Abend schon etwas vorhaben? Wenn nicht, könnten wir vielleicht irgendwo zusammen essen? Wenn Sie mögen.«

Die gesamten Umstände machten es nicht erforderlich, seinem Vorschlag mit Koketterie oder mit gespielter Unschlüssigkeit zu begegnen oder zumindest der Form halber zunächst meinen Terminkalender zurate zu ziehen. Natürlich hatte ich nichts vor, und ich sagte ihm das auch sogleich. Und dass ich mich freute. Er nannte ein Restaurant in West Cross, in dem es sehr gutes Essen geben sollte, und da er ja wusste, dass ich kein Auto hatte, bot er an, mich um sieben Uhr daheim abzuholen.

So kam es, dass wir am Dienstagabend zusammen im *West Cross Inn* saßen, Fisch aßen, Wein tranken, wie ich es mir gewünscht hatte. Matthew hatte Max, seinen Schäferhund, mitgebracht. Ein riesiges, wunderschönes Tier mit sanften Augen. Wir hatten zunächst ein paar Minuten lang draußen gestanden, hatten über den weiten Strand und das Meer geblickt, den lichtblauen Abendhimmel und den intensiven Geruch des Frühlings in der Luft genossen. Vom Wasser her stieg kalte Feuchtigkeit auf, der Wind war frisch und kühl. Trotzdem war klar, dass irgendwann in den nächsten zwei oder drei Wochen die Natur förmlich explodieren würde, und ich spürte, mit wie viel Vorfreude mich dies erfüllte.

Matthew hatte zunächst gezögert, das Thema Vanessa von sich aus anzuschneiden, also hatte ich das getan, und er hatte sofort reagiert. Er erzählte von jenem 23. August 2009, und ich merkte, dass dieser Tag noch immer so intensiv spürbar für ihn war, als sei es gestern gewesen. Und dass er es noch immer nicht fassen konnte. Das plötzliche spurlose Verschwinden seiner Frau war in sein Leben gekracht wie eine Bombe, unerwartet und verheerend. Obwohl mehr als zweieinhalb Jahre vergangen waren, stand er noch immer inmitten der Trümmer und konnte sich nicht bewegen.

»Wir hatten Lauren besucht, Vanessas Mutter. Sie lebt oben in Holyhead in einem Altersheim. Sie ist völlig dement, was sich natürlich dann fast als Segen erwies, denn sie hat keine Ahnung, dass ihre Tochter verschwunden ist. Sie weiß ohnehin gar nicht mehr, dass sie überhaupt eine Tochter hat.«

Er berichtete, dass das Wochenende anstrengend gewesen sei. »Freitagmittag fuhren wir los, Vanessa, Max und ich. Wir wohnten in einer hübschen Pension, und selbst das Wetter war gut. Wir wechselten einander mit Besuchen im Heim und mit Hundespaziergängen ab. Im Heim war es furchtbar deprimierend, zwischen all den dementen, teilweise einfach nur dahinvegetierenden Menschen. Lauren konnte uns nicht einordnen und verhielt sich ziemlich aggressiv. Für Vanessa war das natürlich schlimmer als für mich. Am Samstagabend hing sie so durch, dass ich, um sie aufzumuntern, den Vorschlag machte, am nächsten Tag an der Küste entlang nach Swansea zurückzufahren, zwischendurch die Gegend anzuschauen, irgendwo schön zu Mittag zu essen, vielleicht in einer Bucht zu baden. Das war der Grund, weshalb wir uns überhaupt in der Gegend aufhielten, in der dann … Die Gegend, wo sie verschwand. Die Polizei ritt immer wieder darauf herum. Wieso ich mit ihr zu diesem einsamen Rastplatz gefahren war. Wieso wir überhaupt die Küste hinuntergefahren waren. Schließlich handelt es sich dabei nicht um die kürzeste Strecke.«

Ich schüttelte den Kopf. »Aber die Erklärung ist doch absolut einleuchtend. Dass man einen schönen Sommertag nutzt und nicht einfach nur schnurstracks nach Hause fährt.«

»Normalerweise schon«, sagte Matthew. »Aber in unserem Fall schien offenbar plötzlich alles verdächtig. Den Rastplatz hatte ich tatsächlich nur angesteuert, weil Max rausmusste. Ich bog von der Hauptstraße ab und suchte eine geeignete Stelle, wo man auch etwas länger laufen konnte, und dort war sie.«

Max, der auf unseren Füßen unter dem Tisch lag, hob den Kopf, als erneut sein Name fiel. Ich streckte die Hand aus und streichelte ihn. Ich spürte seinen warmen Atem an meinen Fingern.

»Ich schlug Vanessa vor, zusammen mit uns spazieren zu gehen«, fuhr Matthew fort, »aber sie wollte nicht. Sie meinte, sie bräuchte etwas Abstand. Weil wir ... während der ganzen Fahrt heftig diskutiert und schließlich sogar gestritten hatten.«

Ich sah ihn überrascht an.

Er verzog das Gesicht. »Das kam auch nicht besonders gut bei der Polizei an. Anstatt all die schönen Dinge zu tun, deretwegen ich *angeblich*, wie es der ermittelnde Beamte nannte, die Küstenstrecke gewählt hatte, hatten wir uns nur gezofft. Wir waren weder schwimmen noch essen gegangen, hatten nur zweimal irgendwo Kaffee getrunken. Es herrschte eine sehr gereizte Stimmung zwischen uns, und ... ja, deshalb letztlich blieb Vanessa am Auto, während ich mit Max spazieren ging, und als ich wiederkam, war sie weg. Spurlos verschwunden.«

Ich versuchte, alle Informationen zu sortieren. »Heißt das, die Polizei hat Sie verdächtigt?«

»Ja«, sagte Matthew, »eine Zeit lang war ich der Lieblingsverdächtige. Wie ich erfahren habe, ist es in solchen Fällen ohnehin meist der Ehemann, der am Ende als der Schuldige herauskommt. Und ihnen kam alles suspekt vor: Wir hatten uns gezankt, dann war ich mit ihr in eine gottverlassene Gegend gefahren und später ohne sie von dort wieder aufgetaucht. In unserem Auto lag noch ihre Handtasche samt ihren Papieren, Schlüsseln, Geld, Handy. Unwahrscheinlich also, dass sie sich einfach irgendwohin auf den Weg gemacht hatte, ganz abgesehen davon, dass das von dort aus mehr als schwierig gewesen wäre. Es gab noch die Theorie, dass sie einen Liebhaber hatte, der sie dort abgeholt hat, aber wäre sie ohne alles mit ihm davongefahren? Sogar ohne ihren Ausweis? Ohne ihre Kreditkarte? Und woher hätte der Liebhaber auch so schnell wissen sollen, wo wir waren? Die Pause war nicht geplant, sie war ein spontaner Entschluss, weil der Hund fiepte. Insgesamt waren Max und ich etwa dreißig Minuten unterwegs. Hätte Vanessa in der Kürze der Zeit jemanden herbeitelefonieren können? Abgesehen davon hatte sie ihr Handy nicht benutzt. Außerdem«, er sah mich an, »außerdem gab es niemanden in ihrem Leben. Die Polizei hat mich zwar darauf hingewiesen, dass dies naturgemäß der Ehemann meist als Letzter erfährt, wenn überhaupt, aber trotzdem … Zwischen uns war alles in Ordnung. Wir waren glücklich miteinander. Wir … liebten einander. Ich hätte es gespürt, wenn sich etwas verändert hätte, aber es war nicht so.«

Vorsichtig fragte ich: »Aber … der Streit?«

Er machte eine müde, fast resignierte Handbewegung. »Ach Gott, der Streit! Die Polizei bauschte das so auf, als seien wir ein heillos zerstrittenes Ehepaar gewesen, dessen permanenter Krieg schließlich in eine Gewalttat mündete. Aber so war es nicht. Natürlich waren wir nicht immer einer Meinung, aber insgesamt stritten wir wirklich selten. Diesmal ging es darum, dass ich ein sehr gutes Stellenangebot in London bekommen hatte, das ich, weil ich mich in meiner Firma von einer Kündigung bedroht sah, unbedingt annehmen wollte. Vanessa liebte ihre Stelle als Dozentin hier an der Uni, und sie wollte um keinen Preis nach London. Sie fand, ich könnte das nicht verlangen, und ich fand, sie müsste meine Sorgen verstehen. Das Ganze wäre meiner Meinung nach an jenem Sonntag gar nicht so heftig geworden, wenn wir nicht beide ohnehin frustriert und entnervt gewesen wären vom Besuch bei Vanessas Mutter. Vanessas Stimmung war auf dem Nullpunkt, und mich hatte das Pflegeheim auch nicht gerade besonders fröhlich gestimmt. Aber deshalb«, er schüttelte heftig den Kopf, »deshalb bin ich doch nicht hingegangen und habe sie umgebracht!

Im Gegenteil, ich wollte mit ihr spazieren gehen, ich wollte den Streit beschließen. Ich konnte ihre Argumente ja durchaus auch verstehen. Und wissen Sie, was das Verrückte ist?«

»Nein«, sagte ich.

Sein Gesicht sah plötzlich noch müder aus als sonst. »Vanessa sagte damals, dass ich mich wegen ungelegter Eier verrückt machte. Eine Kündigung witterte, die noch niemand überhaupt nur angedeutet hatte. Und sie hatte recht. Ich wurde nicht entlassen. Stattdessen ein halbes Jahr später sogar befördert. Ich bin heute alleiniger Geschäftsführer der Firma. Ich hatte uns beide wegen nichts und wieder nichts verrückt gemacht, und als Ergebnis von alldem ist Vanessa irgendetwas Schreckliches zugestoßen.«

Spontan griff ich über den Tisch und berührte seine Hand. »Matthew...«

Er schien weder meine Hand auf seiner wahrzunehmen, noch hatte er wohl meine Stimme gehört. Er wirkte in sich versunken. »Sie wäre normalerweise nie allein auf dem Parkplatz zurückgeblieben. Vanessa lief gerne. Sie wäre mit Max und mir mitgekommen. Sie wäre nicht allein gewesen, als...«

Ich wartete.

Er hob den Blick, nahm mich wieder wahr. »Ja, als... was geschah? Ich weiß es nicht. Niemand außer dem Täter weiß, was auf jenem Parkplatz passiert ist.«

»Die Polizei muss doch eine Theorie gehabt haben? Also, abgesehen von der, dass Sie Ihre Frau im Streit ermordet haben?«

»Ja. Einmal, wie gesagt, dachte man an einen ominösen Liebhaber. An ein Doppelleben, das Vanessa schon lange führte und aus dem sie nun ausgebrochen war. Und dann wäre auch eine Erpressung möglich gewesen. Ich nahm

Urlaub und verharrte tagelang daheim neben dem Telefon, falls sich ein Entführer mit einer Geldforderung meldet. Wir sind zwar nicht wirklich reich, aber zumindest ganz wohlhabend. Einige hunderttausend Pfund hätte man sich bei uns ausrechnen können. Aber es rief niemand an. Absolut niemand.«

»Und auf diesem Rastplatz wurden auch keine Hinweise oder Spuren gefunden?«

»Nichts. Die Polizei führte endlose Gespräche mit mir in der Hoffnung, mir könnte irgendetwas einfallen, was sich als wesentlich herausstellen würde. Immer wieder wollten sie wissen, ob ich nicht doch irgendwo ein anderes Auto gesehen hätte. Jemanden, der uns vielleicht zumindest eine Zeit lang gefolgt war. Ob ich nicht auf dem Spaziergang mit Max etwas gehört hätte, was mir seltsam erschienen wäre. Aber so sehr ich mir den Kopf zerbrach, da war einfach nichts. Einmal hatte ich einen Wanderer bemerkt, aber er war viel zu weit weg vom Rastplatz. Er kann ihn in der entsprechenden Zeit nicht erreicht haben. Ansonsten war es einfach ein stiller, warmer Sommertag in völliger Einsamkeit. Das Einzige ...« Er stockte.

»Ja?«, fragte ich.

»Das Einzige, was mir gleich auffiel und was ich auch der Polizei als Erstes mitteilte, war das eigentümliche Verhalten von Max, als wir zum Parkplatz zurückkehrten. Noch bevor ich realisierte, dass Vanessa nicht mehr da war, gebärdete sich mein Hund unruhig und nervös. Er stellte die Ohren auf, sträubte das Fell, knurrte. Lief auf dem Parkplatz hin und her, bellte, stand zwischendurch still und schien eine Witterung aufnehmen zu wollen. Er hatte sofort begriffen, dass etwas passiert war. Und das lässt mich auch so sicher sein, dass jemand dort war. Vanessa ist nicht einfach zur Straße geschlendert, in ein fremdes Auto gestiegen und davongefahren. Sie wurde überfallen. Da ist ein Fremder auf dem Parkplatz gewesen, während wir fort waren, und Max wusste das sofort.«

Wir schwiegen beide. Was sollte ich sagen? Die Geschichte war furchtbar, und das Schlimmste daran war die Tatsache, dass Matthew bis heute auf Mutmaßungen angewiesen war.

»Inzwischen werden Sie aber von der Polizei nicht mehr verdächtigt?«, fragte ich nach einer Weile.

Aber nicht einmal in diesem Punkt war er vollends rehabilitiert worden, wie ich erfuhr. »Man konnte mir zumindest nichts nachweisen. Ich glaube jedoch nicht, dass man mich völlig von der Liste der möglichen Verdächtigen gestrichen hat. Letzten Endes ist der ganze Fall einfach ins Nichts gelaufen, und inzwischen haben sie ihn zu den Akten gelegt. Vanessa ist eine von vielen tausend Menschen, die jährlich allein in Großbritannien spurlos verschwinden. Ich habe mich mit allen möglichen Organisationen in Verbindung gesetzt, die sich solcher Fälle annehmen, was bedeutet, dass Vanessas Steckbrief und die genaue Beschreibung dessen, was am 23. August 2009 geschehen ist, auf verschiedenen Internetportalen zu finden sind. Fotos von ihr, Fotos von jenem Rastplatz, von unserem Auto… Aber, und das ist das Deprimierende, sie steht da zwischen Hunderten von anderen Bildern und Schicksalen, und auch wenn ihr Verschwinden meine persönliche Tragödie darstellt, so ist sie da draußen natürlich nur eine von vielen. Ich mache mir nichts vor: Wer sollte schon groß Notiz von ihr nehmen? Am Anfang gab es noch etliche Hinweise, aber alle verliefen sie im Sande, und jetzt hat sich schon lange niemand mehr gerührt.«

Ich wagte die Frage. »Glauben Sie, dass sie noch lebt?«

Er zuckte mit den Schultern. »Ich kann zumindest nicht

so einfach davon ausgehen, dass sie tot ist. Das wäre, als würde ich sie im Stich lassen. Es mir bequem machen, mir einreden, dass sie sowieso nicht mehr lebt, und dann anfangen, meine eigene Zukunft zu gestalten. Das große Haus verkaufen, in dem ich mich ziemlich verloren fühle. Ihre Kleider weggeben. Mir eine Wohnung suchen. Eine neue Beziehung aufbauen. Wissen Sie, Jenna«, er sah mich an, »manchmal wünschte ich ... die Polizei würde an meiner Tür klingeln und mir sagen, dass sie ihre Leiche gefunden haben. Das klingt schrecklich, oder?«

Aber ich fand es nicht schrecklich. Ich verstand genau, was in ihm vorging.

»Ich könnte sie beerdigen. Ich könnte trauern. Und ich könnte abschließen. Ich könnte endlich wieder leben.«

Am Nachbartisch lachte eine Frau. Ich wandte den Blick hinüber. Ein Paar saß dort, hielt sich an den Händen. Beide waren sie verliebt, versanken förmlich ineinander. Leben, Liebe, Zukunft. Sie erschienen mir in diesem Moment wie ein Bild all dessen, wovon Matthew nur träumen konnte.

Er schien plötzlich das Gefühl zu haben, schon zu lange über Vanessa geredet zu haben, denn er sagte: »Aber lassen wir das jetzt. Wir lösen den Fall heute Abend nicht, wie ich fürchte. Erzählen Sie von sich. Wie gefällt es Ihnen in Swansea? Wie gefällt es Ihnen bei *Healthcare*?«

Ich ging auf den Themenwechsel ein. Erzählte von Brighton, von dem Job, den ich dort gehabt hatte. Von der Trennung von Garrett. Ich schwärmte von Alexia und Ken, die mir über diesen ersten Winter allein in einer fremden Stadt geholfen hatten, und er stimmte mir aus ganzem Herzen zu. »Vanessa war mit Alexia befreundet. Sie hatten einander während irgendeines Workshops kennengelernt. Nach Vanessas Verschwinden war es für Alexia und Ken ganz selbstverständlich, sich um mich zu kümmern, und ich werde ihnen das nie vergessen.«

Ich fragte ihn nach der Softwarefirma, die er leitete, und er erklärte mir ein neues Computerprogramm, das sie gerade entwickelten. Ich verstand kaum die Hälfte dessen, was er sagte, aber dennoch hörte ich fasziniert zu. Fasziniert *von ihm*. Ich sah den Mann, der er jenseits der ihn lähmenden Tragödie war. Ich entdeckte seine Lebhaftigkeit, sogar seine Lebensfreude, die Leidenschaft, mit der er seiner Arbeit nachging. Seine Augen leuchteten jetzt, und ein paarmal lachte er, nicht gequält und bitter, sondern frei und kraftvoll. Ich verstand, wie sehr er sich in die Normalität zurücksehnte, wie vollkommen unnatürlich für ihn seine Lebensweise seit mehr als zwei Jahren war. Er hatte Vanessa sehr geliebt, das war deutlich geworden, und wahrscheinlich liebte er sie noch immer. Aber sie war nicht mehr da. Er liebte eine Erinnerung. Und sein eigenes Leben musste endlich weitergehen.

Wir verließen das Restaurant zu später Stunde, beide fröhlich und gut gelaunt. Matthew war jetzt ein ganz anderer als zu Beginn des Abends – ein anderer auch als der Mann, den ich am vergangenen Freitag bei meinen Freunden kennengelernt hatte. Wir gingen noch ein Stück mit Max am Meer entlang, ehe wir ins Auto stiegen. Als wir vor dem Haus, in dem ich wohnte, ankamen, hielt Matthew und stellte den Motor ab. Er sah mich an.

»Jenna, ich würde Sie gern wiedersehen. Könnten Sie sich das vorstellen?«

»Natürlich.«

»Sie kennen die Situation, in der ich lebe, und daher wissen Sie sicher … Na ja, ich habe einfach keine Ahnung, was aus alldem wird, verstehen Sie?«

Ich rettete mich in einen Allgemeinplatz. »Die hat man

doch nie. Ich meine, wenn zwei Menschen sich in irgendeiner Weise aufeinander einlassen, wissen sie nie, wie das am Ende ausgeht.«

»Schon, aber… die Umstände sind meist doch etwas günstiger als in meinem Fall.«

»Es ist eben, wie es ist. Und ich finde, dass…« Ich suchte nach Worten. »Meiner Meinung nach ist es immer falsch, davonzulaufen. Auch vor ungünstigen Umständen. Nachher denkt man über eine verpasste Chance nach, und das finde ich schlimmer, als wenn man die Chance ergriffen hat und am Ende feststellt, dass es nicht funktioniert hat.«

Ich konnte sehen, dass er lächelte. »Sie sind die erste Frau, mit der ich mich verabrede, seitdem Vanessa verschwunden ist.«

»Das verdanken wir Alexia«, sagte ich. »Sie wollte uns beide genau da haben, wo wir jetzt sind.«

»Alexia hat das schon mit etlichen anderen Kandidatinnen versucht«, sagte Matthew, »aber nie ist ein Funke übergesprungen.«

»Sie waren eben noch nicht so weit.«

»Die Frauen gefielen mir nicht besonders. Jenna, Sie sind… also, abgesehen natürlich davon, dass Sie klug und lebhaft und sehr einfühlsam sind… Sie sind auch sehr schön. Aber das wissen Sie vermutlich.«

Ich war hin und weg. Man hört es gerne, wenn man als klug, lebhaft und einfühlsam beschrieben wird, aber wenn ich ehrlich bin, so machte es mich besonders glücklich, dass Matthew mich schön fand. Als ich ein Teenager war, und auch noch in meinen frühen Zwanzigern, waren die Männer wie verrückt hinter mir her gewesen, und, offen gesagt, ich hatte sie meinerseits großzügig und oft recht wahllos konsumiert. Später hatte ich dann meine Jugend und Attraktivität leider ausschließlich an Garrett, diesen selbstverliebten Blender, verschwendet, und jetzt, mit zwei-unddreißig, war ich schon fast überzeugt gewesen, meine Blüte hinter mir und mich überdies durch meine unglückliche Beziehung und die Trennung in eine verhärmte Person mit heruntergezogenen Mundwinkeln verwandelt zu haben. Anscheinend war das nicht der Fall. Ich konnte spüren, wie sehr sich Matthew in diesem Augenblick zu mir hingezogen fühlte. Was immer vorher gewesen war, was immer nachher sein würde, in diesen Minuten im Auto verblasste Vanessa fast bis zur Unkenntlichkeit. Matthew war einfach ein Mann, und ich war einfach eine Frau, und wir hatten beide eine starke Sehnsucht nach Liebe, vor allem, da war ich mir, auch was ihn betraf, ganz sicher, nach körperlicher Liebe. Er war zu wohlerzogen, um beim ersten Date von sich aus auch nur eine Andeutung in dieser Richtung zu machen, aber ich wusste, dass ich bloß das mindeste Entgegenkommen hätte signalisieren müssen, und er wäre mit in meine Wohnung gekommen. Was mich zurückhielt, war die Furcht. Die Furcht vor dem nächsten Morgen. Ich glaubte zwar nicht, dass seine Gefühle nur auf den Abend, den Mondschein und den Alkohol zurückzuführen waren – obwohl gerade Letzterer sicher erheblich geholfen hatte, ihn zu entspannen –, aber ich konnte mir vorstellen, dass ihn im nüchternen Tageslicht seine Schuldgefühle gegenüber Vanessa wie Raubtiere, die in der Ecke gelauert haben, anspringen würden. Das wollte ich mir ersparen. Eines immerhin hatte ich aus dem ganzen jahrelangen Desaster mit Garrett mitgenommen: Ich würde nie wieder sehenden Auges etwas tun, was mich unglücklich machte. Ich würde darauf achten, dass es mir gut ging.

Ich lehnte mich zu ihm hinüber und drückte ihm einen schnellen Kuss auf die Wange. »Danke, Matthew. Für den schönen Abend.«

Er stieg mit aus und begleitete mich zur Haustür. Dort nahmen wir uns einen Moment lang in die Arme.

»Sehen wir uns morgen?«, fragte er. »Oder wird dir das zu viel?«

»Ich freue mich«, sagte ich. Ich rannte die steile Treppe geradezu hinauf, ich musste irgendwohin mit meiner Energie und meinem Glücksgefühl. Oben blinkte der Anrufbeantworter. Es war schon wieder Garrett, der mit inzwischen ausgesprochen beleidigt klingender Stimme monierte, dass man mich ja überhaupt nicht mehr daheim antraf, auch nicht zu sehr später Stunde.

Ich tat etwas, was noch bis vor Kurzem ganz undenkbar gewesen war: Ich unterbrach seinen Sermon, indem ich mitten in sein Lamentieren hinein die Austaste drückte.

Ich schnitt ihm einfach das Wort ab. Er interessierte mich nicht.

Er war Lichtjahre weit weg.

7

Es war Freitag, und er durfte schon um drei Uhr Schluss machen. Er hatte einen Job in einem Copyshop in der Dimond Street gefunden. Ryan wusste, er konnte froh sein, dass ihm jemand Arbeit gab – trotz seiner Haftstrafe, trotz der *schweren Körperverletzung*, die an ihm klebte wie ein schlechter Geruch. Sein Bewährungshelfer, Melvin Cox, eine etwas penetrante Frohnatur mit unerschütterlichem Idealismus, hatte ihm den Job besorgt und ihn am vergangenen Dienstag sogar selbst dorthin begleitet. Er stellte fest, dass es zwischen Ryan und Dan, dem Betreiber des kleinen Kopiergeschäftes, in dem auch Zeitschriften und Zigaretten verkauft wurden, auf Anhieb »supergut klappte«, eine euphorische Ansicht, die weder Dan noch Ryan teilten. Eigentlich konnten sie einander auf den ersten Blick nicht leiden, aber Dan schien der Ansicht zu sein, dass er seinen Angestellten nicht unbedingt mögen musste, um seine Dienste in Anspruch zu nehmen, und Ryan wusste, dass er ohnehin keine Wahl hatte. Sein Weg zurück ins Leben führte nur über eine Arbeit, das hatten sie ihm im Gefängnis immer wieder gesagt, das war auch Aaron, sein Anwalt, nicht müde geworden zu wiederholen, und Melvin Cox blies in das gleiche Horn. Abgesehen davon begriff Ryan die Notwendigkeit auch selbst. Er wusste eines: Er wollte nie wieder ins Gefängnis. Lieber sterben. Daher durfte er nie, niemals mehr auch nur in die Nähe irgendwelcher krimineller Machenschaften gelangen, was wiederum hieß, dass er von nun an seinen Lebensunterhalt auf ausschließlich ehrliche Weise verdienen musste.

Er hatte schnell verstanden, dass Dan ihn keineswegs aus Nächstenliebe eingestellt hatte. Der Copyshop wurde nicht allzu sehr frequentiert, und im Grunde konnte ein Mann allein die anfallende Arbeit völlig problemlos bewältigen. Dan hatte einfach jemanden gesucht, den er schikanieren und herumscheuchen konnte, und er empfand es sichtlich als eine Aufwertung seiner eigenen Person, nun einen Angestellten zu haben. Er fühlte sich fast schon als Großunternehmer. Hinzu kam, dass er nur einen geringen Teil von Ryans Lohn selbst bezahlen musste, zwei Drittel trug der Staat im Rahmen eines Resozialisierungsprogramms. Das machte die ganze Sache für Dan auch noch lukrativ. Er war ein sehr kleiner Mann, kaum über ein Meter sechzig, wie Ryan schätzte, und er schien das damit kompensieren zu wollen, dass er sich wie ein Feldherr aufführte. Ryan war zwei Köpfe größer als er und trotz des Gefängnisaufenthaltes muskulös und gut trainiert. Er hatte im Knast jede Möglichkeit wahrgenommen, sich fit zu halten, und war daher in beinahe besserer Form als zuvor. Er konnte spüren, dass Dan ihn für seine Größe hasste, für seine gute Figur, für seine Körperkraft. Er behandelte ihn herablassend, nannte ihn manchmal nicht einmal bei seinem Namen, sondern rief ihn *Knasti*. Ryan schluckte dann und tat so, als berühre ihn der abwertende Ausdruck nicht. Immerhin bewies ihm die Situation, dass sein Anti-Aggressions-Training tatsächlich etwas in ihm verändert hatte. Er wusste, früher wäre er spätestens beim dritten oder vierten Mal ausgetickt und hätte seine Faust in Dans blödes Gesicht krachen lassen, und zwar so, dass dieser anschließend einen Schönheitschirurgen gebraucht hätte. Dann wäre der Job weg gewesen und die Bewährung auch, und er wäre wieder im Gefängnis gelandet. Es fiel ihm erstaunlich leicht, Dan zu ignorieren. Sowohl seine Beleidigungen als auch seine Schikanen: Stundenlang musste er am Kopierer stehen, musste zwischendurch Kaffee kochen und das Mittagessen vom Schnellimbiss holen, musste Botengänge erledigen und im Grunde Dan, der meist nur noch in Motorradzeitschriften vertieft in der Ecke lümmelte, von vorne bis hinten bedienen. Normalerweise hätte er auch am Freitag nicht früher nach Hause gedurft, aber Dans Freundin war im Laden aufgekreuzt, und es war deutlich geworden, dass sie mit Dan allein sein wollte.

»Mach dir 'n netten Nachmittag, Knasti«, hatte Dan gönnerhaft gesagt. »Du kannst für heute gehen. Bis morgen!«

Der Shop war natürlich auch am Samstag geöffnet. Aber das störte Ryan nicht. Besser, als das ganze Wochenende in Noras Wohnung herumzuhängen.

Er ließ sich Zeit mit dem Heimweg. Trotz Noras Angebot, jederzeit ihr Auto zu benutzen, hatte er sich entschieden, täglich zu Fuß zur Arbeit zu gehen, obwohl er deswegen eine Viertelstunde früher aufstehen musste. Aber er wollte nicht noch abhängiger von ihr werden, als er es ohnehin schon war. Er verdiente jetzt etwas Geld, aber es reichte nicht für eine eigene Wohnung, er hätte höchstens irgendwo ein Zimmer zur Untermiete nehmen können. Außerdem befürwortete Melvin Cox sein Zusammenleben mit Nora.

»Bleib unbedingt bei deiner Freundin«, hatte er gleich im ersten Gespräch gesagt. »Emotionale Stabilität ist jetzt ungemein wichtig für dich!«

»Sie ist nicht meine Freundin«, hatte Ryan erwidert.

»Aber sie ist ein Anker. Ein Mensch, der dir Halt gibt, der sich um dich kümmert. Ryan«, Melvin hatte sehr ernst gewirkt, »Ryan, es ist wichtig, dass du jetzt kein Risiko eingehst. Du darfst nicht in alte Muster abrutschen. Dazu gehört vor allem: kein Kontakt mit alten Freunden. Das sind die Leute, die du unbedingt meiden musst. Unterschätze nicht, wie einsam du dich plötzlich fühlen könntest und wie groß dann die Gefahr wäre, doch wieder an Türen zu klopfen, hinter denen nichts Gutes auf dich wartet. In Nora Franklin hast du einen Menschen, der einfach für dich da ist. Sie ist eine sympathische, bodenständige Frau, die dir sehr zugetan ist. Nimm diese Chance an!«

Ihm war bei diesem Gespräch erstmals aufgegangen, dass sein Bewährungshelfer und Nora einander offenbar kannten, und er hatte sie abends darauf angesprochen. Sie räumte ein, dass Melvin sie einige Tage vor Ryans Haftentlassung aufgesucht und mit ihr gesprochen hatte.

»Wir haben uns gut verstanden, Ryan. Und wir waren uns ganz einig, dass wir dir unbedingt helfen wollen. Er ist ein netter Mann. Er meint es gut mit dir!«

Ja, klar. Er meinte es gut. Nora meinte es gut. Alle meinten es gut. Na ja, Dan sicher nicht. Aber letztlich fühlte er sich in dessen Nähe fast noch am wohlsten. Dan behandelte ihn wie Dreck, aber wenigstens gab er ihm nicht dauernd das Gefühl, ein völlig unselbstständiges Wesen zu sein, das sich ganz der Fürsorge anderer anvertrauen musste, um überhaupt überleben zu können. Die Sprache, die Dan sprach, roh und verletzend, kannte er aus dem Gefängnis. Noras Sprache und ihr ganzes Verhalten hingegen überforderten ihn. Die Frau machte ihn zu ihrem Geschöpf, fast zu ihrem Besitz. Sie bekochte ihn, sie wusch seine Wäsche, sie brachte ihm Geschenke mit, Kleinigkeiten, ein Paar neue Socken, ein Hemd, ein Buch, von dem er geredet hatte. Jeden Abend deckte sie nach wie vor liebevoll den Tisch, saß ihm dann mit lächelndem Gesicht gegenüber, erzählte von ihrer Arbeit, von ihren Patienten, fragte ihn, wie es bei ihm gewesen war. Er kam sich schon fast verheiratet vor. Sie war überglücklich, ihn bei sich zu haben, sie zelebrierte ein Zusammenleben, das er nicht so empfinden konnte, wie sie es offensichtlich tat. Er argwöhnte, dass sie ihn bei allen ihren Bekannten bereits als ihren festen Freund, eine Art Lebenspartner, bezeichnete. Es konnte nicht mehr lange dauern, und sie würde ihn vorführen wollen.

Nur zu, dachte er fast gehässig, mal sehen, was deine Freunde zu meinem Lebenslauf sagen. Mehrfach vorbestraft und dann zweieinhalb Jahre im Gefängnis wegen einer Gewalttat. Oder wirst du mir eine andere Biographie verpassen, ehe du mich offiziell herumzeigst?

Er schlenderte an diesem Freitag besonders langsam nach Hause, obwohl er wusste, dass Nora erst um halb sechs da sein würde. Er hatte Angst, dass sie wieder von dem vor ihnen liegenden gemeinsamen Wochenende anfangen würde, genauer gesagt: vom Sonntag.

»Wir sollten irgendetwas Schönes zusammen unternehmen«, hatte sie am gestrigen Abend vorgeschlagen und dann mit leuchtenden Augen hinzugefügt: »Wollen wir ein wenig im Coast Park herumfahren, und ich zeige dir die Stellen, die ich besonders mag?«

Er war zusammengezuckt, als habe ihn ein Messerstich getroffen.

»Ich … weiß nicht.« Verzweifelt hatte er überlegt, welche überzeugende Ausrede er benutzen könnte. Schließlich hatte er sich für die Wahrheit entschieden, jedenfalls für eine Teilwahrheit. »Den Coast Park hatte ich als Kind ja direkt vor der Nase. Wir haben doch einige Zeit in Camrose …«

Ihr fiel ein, dass er ihr das ja schon im Gefängnis erzählt hatte. »Stimmt. Du hast ja in Camrose gelebt.«

»Ja.« Er hatte sich gefragt, ob sie es ihm eigentlich ansehen konnte in diesem Moment. Dass ihm am ganzen Körper der Schweiß ausbrach – genau wie an jenem Abend – und dass sein Mund in Sekundenschnelle völlig austrocknete – genau wie an jenem Abend – und dass er seinen Herzschlag im Kopf dröhnen hörte – genau wie an jenem Abend. Er dachte, dass sie merken musste, dass er gerade völlig durcheinandergeriet, aber sie blickte ihn unbefangen an, lächelte erwartungsvoll.

»Dann könntest du mir ja auch deine Lieblingsplätze zeigen, Ryan. Vielleicht würde ich mehr über das Kind erfahren, das du gewesen bist.«

Oh ja! Fangen wir doch mit dem Fox Valley an! Ich könnte dir das Versteck zeigen, in das sich der kleine Junge so gerne zurückzog. Die Höhle, die nur mir gehörte. Die bis heute nur mir gehört. Unglücklicherweise würden wir darin etwas finden, das …

Nicht einmal in Gedanken konnte er weitergehen als bis

zu diesem Punkt. Er konnte nicht an das denken, was sie in der Höhle finden würden. Er konnte es nur verdrängen, irgendwohin schieben, wo er es selbst nicht mehr erreichte. Er hatte diese Strategie in den ersten Monaten im Gefängnis entwickelt, weil er sonst wahnsinnig geworden wäre. Er wusste selbst nicht, wie ihm das gelungen war, aber er hatte gelernt, sich von dem Geschehenen abzuspalten. Es war passiert, aber es hatte nichts mit ihm zu tun. Ein anderer Ryan aus einer anderen Zeit und einem anderen Leben war damals in eine fürchterliche Situation geschlittert, in der sich alle möglichen ungünstigen Umstände gegen ihn verschworen hatten. Er durfte über diesen Ryan nicht nachdenken. Immer wenn er in seine Nähe kam, wurde ihm schwindelig und übel, und manchmal bekam er sogar Fieber. Auch wie damals.

Er ging jetzt schneller, um seine Gedanken besser abschütteln zu können. Er hatte sich in Sicherheit bringen können, indem er Nora erklärte, eben gerade mit seiner Kindheit nicht konfrontiert werden zu wollen, und sie hatte den Plan, in den Park zu fahren, ziemlich enttäuscht fallengelassen – so enttäuscht, dass ihm klar war, sie würde einen neuen Versuch starten. Schon deshalb, weil sie genau auf Details seiner Kindheit scharf war. Sie wollte ihn als den Menschen, der er war, durchdringen. Sie war der Typ Frau, der man die Wohnung zeigen musste, in der man als Baby gelebt hatte, die Schule, in die man gegangen war, die Parkbank, auf der man geknutscht hatte. Und umgekehrt musste man all die wichtigen Stationen ihres Lebens natürlich auch kennenlernen. Für sie bedeutete das Freundschaft oder sogar Liebe.

Für ihn war es der Horror.

Plötzlich wusste er, dass er diesen Freitagabend nicht aushalten würde. Nicht weil er Nora schrecklich gefunden hätte. Aber ihre Normalität schien ihn auf einmal nahezu ersticken zu wollen: Nora und der gedeckte Tisch, die Kerzen, der Wein, ihr Lächeln, ihr Plaudern auf der einen Seite. Und sein Gefühl vollkommener Verlassenheit auf der anderen. Diese unmittelbare Nähe zu einem Menschen, der es gut mit ihm meinte. Und trotzdem schlimmer und qualvoller allein zu sein, als er es im Knast je gewesen war.

Er hatte das Haus erreicht, lief nach oben und betrat die Wohnung. Er griff nach dem Autoschlüssel, der neben der Tür am Schlüsselbrett hing, griff ihn wie ein Ertrinkender den Strohhalm. Sie hatte ihm angeboten, dass er das Auto haben durfte, wann immer er es brauchte.

Jetzt war der Moment gekommen.

8

Es erstaunte ihn, dass alles so völlig unverändert aussah. Dabei war das eigentlich ganz normal: Zweieinhalb Jahre waren keine lange Zeit, was hätte schon anders sein sollen? Aber da ihm sein eigenes Leben wie entwurzelt schien, aus allen Verankerungen gerissen, herumgewirbelt und in nichts mehr vergleichbar mit allem Früheren, verwunderte es ihn dennoch, dass die Welt um ihn herum sich vollkommen treu geblieben war. Er hatte, wie früher auch, sein Auto, das eigentlich natürlich Noras Auto war, in einiger Entfernung von Debbies Wohnung geparkt und ging nun die vertrauten Straßen entlang und erkannte alles wieder: Den Parkplatz an der Ecke Glenmorgan Street gab es noch, ebenso das Obdachlosenheim, und zwei Häuser weiter stand eine

Schüssel mit Milch für die Katze vor der Tür, genau wie früher. Schließlich kam Ryan an das Haus, in dem Debbie wohnte. In den obersten Fenstern spiegelte sich das Licht der Abendsonne.

Blitzartig tauchten Bilder auf: die Dunkelheit der Nacht. Die Polizisten, die auf ihn warteten. Seine ebenso verzweifelte wie vergebliche Flucht.

Er blieb eine Sekunde lang stehen, schob die Bilder mit größter Willensanstrengung von sich.

Das ist vorbei. Für immer.

Er hoffte, dass Debbie zu Hause war. Er nahm an, dass sie noch immer für die Reinigungsfirma arbeitete, was bedeutete, dass sie einem ziemlich undurchschaubaren und, wie er immer gefunden hatte, chaotischen Schichtsystem unterworfen war, aber es war inzwischen nach fünf Uhr, zudem Freitag, es bestand also eine reelle Chance, sie daheim anzutreffen. Natürlich konnte es sein, dass sie nicht allein war, aber in diesem Fall musste er sich eben rasch wieder verabschieden.

Debbie war der einzige Mensch, den er an diesem Tag zu ertragen glaubte. Vor langer Zeit waren sie ein Liebespaar gewesen, dann hatten sie sich getrennt. Genauer gesagt, Debbie hatte sich getrennt, er selbst wäre gern mit ihr zusammengeblieben. Sie hatte ihn später nicht ein einziges Mal im Gefängnis besucht oder ihm auch nur geschrieben, aber das nahm er ihr nicht übel. Er wusste, dass sie immer darum gerungen hatte, in sicherem Abstand zu seinem kriminellen Umfeld zu bleiben, niemals in diesen Bereich seines Lebens hineingezogen zu werden. Deshalb die Trennung damals, deshalb die Weigerung, mit ihm in Kontakt zu bleiben, nachdem er verhaftet worden war. Aber davor, als er keine Bleibe gehabt hatte, hatte sie ihn ohne Wenn und Aber bei sich aufgenommen. So war sie. Wenn es darauf ankam, war sie da. Ohne ihn zu bemitleiden, ohne ihn zu umsorgen, ohne ihn zu therapieren, ohne ihn zu verachten, ohne ihn zu fürchten. Für Debbie war es immer etwas Selbstverständliches gewesen: Ryan, ihr Freund, der stets in Schwierigkeiten steckte. Sie akzeptierte ihn, machte sich jedoch nie gemein mit seiner Welt.

An diesem Tag erschien sie ihm als die einzige echte, tragende Säule in seinem Leben.

Wie schon früher konnte man die Haustür unten einfach aufdrücken. Das Treppenhaus roch unverändert nach Putzmitteln und dem Raumspray, das die Frau des Hausbesitzers mehrmals täglich großzügig versprühte. Aus der Wohnung im ersten Stock klang Musik. Er spähte nach oben, aber da war niemand, der ihn hätte bemerken können. Man hatte ihn hier nie gern gesehen, und er wollte nicht, dass Debbie Ärger bekam.

An ihrer Wohnungstür gleich unten im Erdgeschoss gab es keine Klingel, also klopfte er gegen die Tür aus Billigholz. Das Zeichen, das sie einmal vereinbart hatten: dreimal kurz, dreimal lang. So wusste sie gleich, wer da war. Und konnte entscheiden, ob sie öffnen wollte.

Er war fassungslos, als sie endlich vor ihm stand. Sie hatte sich so lange nicht gerührt, dass er schon drauf und dran gewesen war, wieder zu gehen. Aber dann hatte er doch leise, zögernde Schritte gehört. Die Tür hatte sich ganz langsam geöffnet, völlig untypisch für Debbie. Debbie war ein gerader, direkter Mensch. Es hätte zu ihr gepasst, sich gegen jedes weitere Treffen mit Ryan zu entscheiden und ihn draußen stehen zu lassen. Oder sie öffnete ihm. Dann jedoch schwungvoll. Nicht zögernd.

Sie sah schrecklich aus. Die Nase unförmig geschwollen. Die Lippen aufgeplatzt. Ein schillerndes Hämatom über dem rechten Auge. Sie stand verkrümmt vor ihm, so als habe sie Schmerzen am ganzen Körper und könne sich nicht zu ihrer vollen Größe aufrichten. Sie trug einen Bademantel und war barfuß. Ihre ungewaschenen Haare waren offenbar schon seit Tagen nicht mehr mit einem Kamm in Berührung gekommen. Und nicht mit dem Glätteisen, mit dem Debbie ihre Locken für gewöhnlich bei jeder sich bietenden Gelegenheit bearbeitete.

»Ryan«, sagte sie, ein Wort, das fast wie ein Schluchzen klang.

»Debbie! Oh Gott, Debbie!« Er schob sich in die Wohnung, schloss die Tür hinter sich. Was immer jetzt kam, es schien ihm nicht für das Treppenhaus bestimmt. »Debbie, was ist passiert?«

Sie ging vor ihm her in ihr winziges, immer ziemlich dunkles Wohnzimmer, in dem es unaufgeräumt und ungemütlich aussah. Debbie hatte stets pedantisch auf Ordnung geachtet. Jetzt lagen Klamotten von ihr im Raum verstreut, ein Badetuch knäulte sich auf einem Sessel. Es roch unangenehm nach gammeligem Essen, und Ryan entdeckte ein Glas mit gelblich verfärbter, vermutlich sauer gewordener Milch auf dem Tisch, daneben einen nur halb leer gegessenen Teller mit Nudelsuppe. Debbie schien unfähig geworden zu sein, Dinge wegzuräumen. Sie schien überhaupt nicht in der Lage zu sein, irgendetwas in ihrem Leben noch zu bewältigen.

Sie sank auf den Sessel, auf dem das Badetuch lag. Er kniete vor ihr nieder, betrachtete sie, hob dann die Hand und berührte vorsichtig ihre Wange. »Was ist passiert?«, wiederholte er.

Debbie wollte etwas antworten, begann aber stattdessen zu weinen. Es war kein heftiges Schluchzen, es liefen nur leise und still die Tränen.

Er wartete, hielt ihre beiden Hände in seinen. Debbie war ihm nie schutzbedürftig erschienen. Jetzt aber hatte sie etwas von einem verzweifelten Kind, das nicht mehr mit der Welt zurechtkommt. Irgendetwas Furchtbares war ihr zugestoßen, ihr Gesicht erzählte davon, aber auch der Zustand ihrer Wohnung. Er begriff, dass sie Zeit brauchte, daher sagte er nichts mehr und wartete nur. Nach einer halben Ewigkeit hob sie den Kopf, löste eine Hand aus seiner, wischte sich die Tränen ab, wobei sie ein leises Wimmern von sich gab. Ihr Gesicht musste eine einzige Schmerzzone darstellen.

»Ich wurde vergewaltigt«, flüsterte sie.

Er spürte förmlich, wie er blass wurde. »Nein, Debbie!«

Sie nickte. »Doch. Am Montagabend.«

»Am Montag?« Ihm schoss durch den Kopf, dass das der Tag gewesen war, an dem man ihn aus dem Gefängnis entlassen hatte. Sein erster Abend bei Nora Franklin daheim. Er hatte sich im Gästezimmer eingeschlossen und geheult. Während irgendjemand seine Debbie …

»Wer? Weißt du, wer es war?«, fragte er.

»Nein. Es waren zwei Männer. Unten in der Marina. Am späten Abend.«

»Was machst du denn am späten Abend in der Marina?«, fragte er und biss sich gleich darauf auf die Lippen. Er hatte nicht vorwurfsvoll klingen wollen, aber genau so hatte es Debbie aufgefasst, denn sie wich zurück und sagte: »Ah ja. Klar. Eine Frau, die sich nachts allein herumtreibt, muss sich schließlich nicht wundern, oder?«

»Nein, natürlich nicht. Entschuldige. Debbie, so habe ich das nicht gemeint. Ich wollte wirklich nur wissen, wie das alles kam … ich … Debbie, ich kann es nicht fassen!«

Mit monotoner Stimme berichtete sie von ihrem Kneipenbesuch, von Glen, der heftig mit ihr flirtete, sodass es schließlich ziemlich spät war, als sie aufbrach. Allein, obwohl jener Glen angeboten hatte, mitzukommen.

»Aber ich wollte nicht mit ihm ins Bett, weißt du. Ich wollte gar nichts von ihm. Er war ein kleiner verheirateter Spießer, der ein Abenteuer suchte.«

»Debbie, natürlich wolltest du nichts von ihm. Natürlich.«

Sie erzählte von dem Überfall der beiden Männer, deren Gesichter sie nicht hatte sehen können, weil sie Strümpfe darübertrugen. »So richtig mit Augenschlitzen darin. Absolut furchtbar.«

»Dann haben die sich schon in böser Absicht dort herumgetrieben«, meinte Ryan, »denn eine Strumpfmaske hat man ja nicht einfach so schnell im Bedarfsfall zur Hand.«

»Das meint die Polizei auch«, sagte Debbie. »Ich bin ewig vernommen worden, und sie meinen, die Typen könnten es gezielt auf mich abgesehen haben. Das würde bedeuten, dass sie vielleicht aus meinem Umfeld stammen. Aber...«, sie hob hilflos die Schultern, »ich kann der Polizei gar nicht helfen, verstehst du? Ich kenne niemanden, der so etwas tun würde. Und ich habe keine Ahnung, warum mich jemand als Opfer auserkoren haben sollte. Außerdem wusste niemand, dass ich an diesem Abend dort im Pub sein würde. Es war ein völlig spontaner Entschluss.«

»Dieser Kerl, der dich angemacht hat...?«

»Glen? Nie im Leben. Außerdem hat er mich dann gerettet. Er war mir gefolgt. Zum Glück. Ich lag verletzt und völlig bewegungslos dort auf dem Boden, es war kalt, ich blutete... Ich kam nicht an mein Handy ran, und ich dachte, ich würde sterben...« Sie schluckte. Sie hätte fast wieder zu weinen begonnen, schaffte es aber, die Tränen abzuwehren. Dann schien ihr plötzlich aufzugehen, wie seltsam es war, dass Ryan vor ihr saß.

»Du bist draußen?«, fragte sie überrascht.

»Ja. Seit Montag. Vorzeitig. Wegen guter Führung.«

»Wo wohnst du?«

Er zögerte, entschied sich aber für die Wahrheit. »Bei einer Frau. Drüben in Pembroke Dock. Sie hat mir ins Gefängnis geschrieben, wir haben uns angefreundet, und dann hat sie angeboten, dass ich bei ihr wohnen kann.«

»Ich verstehe.«

»Nein, du verstehst nicht. Ich habe nichts mit ihr. Aber ich wusste nicht, wohin ich sonst hätte gehen sollen. Und sie ist okay. Ich habe sogar einen Job.«

Zum ersten Mal, seitdem sie ihm geöffnet hatte, lächelte Debbie. Ein verhaltenes, zaghaftes Lächeln, Lichtjahre von dem breiten Strahlen entfernt, das Ryan kannte. »Echt? Ryan kommt im bürgerlichen Leben an? Endgültig diesmal?«

»Warum nicht?«

»Ja, warum nicht?« Sie sagte das ohne Zynismus. »Du wirst auch älter, Ryan. Und reifer.«

»Ich will nie wieder ins Gefängnis, Debbie. Ich werde alles tun, damit das nicht passiert.« Er sah sich in dem chaotischen Zimmer um, stand dann entschlossen auf. »Hör zu, ich mache dir jetzt erst einmal etwas zu essen. Hast du irgendwelche Vorräte in der Küche?«

»Ich glaube schon. Ich hatte nur keine Kraft…« Sie wies auf den Tisch, wo der einsame, halb volle Suppenteller stand. »Die Suppe hat mir die Polizistin gemacht, als sie hier war. Ich bin gestern auf eigene Verantwortung aus dem Krankenhaus gekommen, weißt du. Sie ist eine nette Frau. Sie will mir wirklich helfen. Aber ich glaube nicht, dass es mir besser geht, wenn die Kerle geschnappt werden. Das ändert nicht wirklich etwas. An dem, was geschehen ist.«

»Aber es verschafft dir ein wenig Genugtuung. Die müssen bezahlen für das, was sie dir angetan haben.«

»Es war so seltsam.« Ihre Stimme wurde wieder monoton wie zuvor, als sie ihm den Ablauf der Tat schilderte. »Ich hatte dauernd den Eindruck... also, so verrückt das klingt, ich hatte den Eindruck, dass es den beiden nicht um Sex ging. Das waren keine echten Triebtäter. Sie... waren so unbeteiligt. Es ging ihnen nicht darum, ihren Sexualtrieb oder irgendwelche Unterwerfungsphantasien zu befriedigen. Mir kam es so vor, als erledigten sie einen Auftrag. Professionell und zuverlässig. Dabei eiskalt bis ins Innerste. Wenn sie den Auftrag gehabt hätten, einen Container auf ein Schiff zu laden, hätten sie das ebenso gewissenhaft und emotionslos getan, wie sie mich vergewaltigt und halb tot geschlagen haben. Es war... Ach«, sie stand mühsam auf, »vielleicht bilde ich mir das auch nur ein. Vielleicht weiß ich gar nicht mehr, was wirklich passiert ist.«

»Hast du das auch der Polizei erzählt? Diesen... Eindruck, den du hattest?«

»Ja. Sie fanden das interessant.«

Ganz sicher fanden sie das, dachte Ryan. Ein ungutes Gefühl beschlich ihn, aber er sagte sich, dass vielleicht die Phantasie mit ihm durchging.

Sollte das alles mit ihm zu tun haben? War es Zufall, dass Debbie an dem Tag überfallen wurde, an dem er aus dem Gefängnis entlassen wurde?

Er ging hinüber in die Küche, in der es nicht viel besser aussah als im Wohnzimmer. Einen Moment lang stand er fast hilflos vor all den halb leer getrunkenen Wassergläsern, den herumliegenden Geschirrtüchern, einer geöffneten und irgendwie schlecht riechenden Konservendose, deren Inhalt Debbie sich wohl in einem Anflug von Hunger hatte zubereiten wollen, die sie dann jedoch, wahrscheinlich von Übelkeit geplagt, hatte stehen lassen. Die Küche sah so schrecklich aus wie Debbies Gesicht. Ryan fragte sich, wie viel von der alten Debbie, wenn etwas Zeit vergangen war, noch übrig sein würde.

Er machte sich an die Arbeit, entsorgte das vergammelte Essen, räumte das Geschirr in die Spülmaschine, wischte die Arbeitsflächen mit einem Lappen sauber. Er entdeckte eine Konservendose mit Tomatensuppe, die er heiß machte, dazu schnitt er Weißbrot ab und toastete es. Ein seltsamer Rollentausch, fand er. Früher war er der Chaot gewesen, hinter dem Debbie schimpfend herräumte. Früher hatte Debbie darauf bestanden, richtige Mahlzeiten zu kochen, während es ihm nichts ausgemacht hätte, monatelang ausschließlich von Burger King zu leben. Jetzt sorgte er plötzlich für Ordnung und überlegte, was er tun konnte, um Debbie ein wenig Kraft zu geben. Und die ganze Zeit nagte etwas in seinem Hinterkopf: die Frage, ob der Überfall wirklich Debbie gegolten hatte. Oder ob er nicht eine Botschaft an ihn, Ryan, war.

Ihm war natürlich klar, dass Damon ihn nicht in Ruhe lassen würde. Mit dem Tag der Entlassung hatte er gewusst, dass sich sein Peiniger wieder mit ihm in Verbindung setzen würde. Damon verfügte über ein gigantisches Netz an Kontakten, daher wusste er mit Sicherheit über Ryans vorgezogene Haftentlassung Bescheid. Wahrscheinlich wusste er auch, dass er in Pembroke Dock wohnte, und kannte Noras Adresse. Damon wollte seine zwanzigtausend Pfund, und da er zudem gnadenlos und willkürlich auf bestehende Schulden Zinsen anzuhäufen pflegte, stand zu befürchten, dass der Betrag während Ryans Zeit im Gefängnis nicht unerheblich angewachsen war. Ryan hatte während der ganzen Woche das Problem Damon zu verdrängen versucht, aber ihm ging jetzt auf, dass er eigentlich die ganze Zeit über auf ein Lebenszeichen seines Feindes gewartet hatte. Denn so bezeichnete er ihn inzwischen im Stillen für sich: als *den Feind*. Damon und seine grausamen Einschüchterungsmethoden waren es gewesen, die Ryan im August 2009 in die furchtbare Geschichte mit…

Er erstarrte, kaum dass sein Gehirn drohte, den Namen seines Opfers zu denken. Also, Damon hatte ihn in *die Geschichte* getrieben und war damit schuld an Ryans Alpträumen und Ängsten. Es würde durchaus zu Damon passen, Ryans einstige Lebensgefährtin von seinen Leuten vergewaltigen zu lassen, um ihm klarzumachen, dass ernsthafte Probleme auf ihn zukamen, wenn er nicht rasch zahlte.

Kann Zufall sein, dachte Ryan. Es muss nichts mit mir zu tun haben. Vielleicht waren das einfach zwei Kriminelle, die sich am Hafen herumtrieben, um irgendjemanden zu überfallen, und Debbie hatte das Pech, zur falschen Zeit am falschen Ort zu sein.

Er stellte zwei Teller mit Suppe und zwei Gläser mit Mineralwasser auf ein Tablett und trug alles hinüber ins Wohnzimmer. Debbie stand am Fenster. Sie sah so elend aus, dass es ihm fast das Herz zerschnitt. Dazu die Verletzungen in ihrem Gesicht…

Verdammt, Damon, wenn du das warst, mache ich dich fertig, dachte er voller Hass und Wut und wusste doch gleichzeitig, dass es nie so weit kommen würde. Niemand machte Damon *fertig*. Nicht einmal die Polizei. Es gab Leute, die behaupteten, dass Damon auch gute Kontakte in politischen Kreisen hatte. Er schien unangreifbar zu sein.

Ryan deckte den Tisch. »Komm, Debbie, du musst etwas essen. Du brauchst Kraft!«

Sie humpelte zum Tisch hinüber und setzte sich, schüttelte dann aber den Kopf, als sie die Suppe sah.

»Ich kann nicht, Ryan. Mir wird sofort schlecht.«

»Du hast wahrscheinlich seit Tagen nichts Richtiges mehr gegessen, deshalb wird dir schlecht. Komm, bitte!«

Ihre Augen füllten sich mit Tränen. »Sie haben auch im Krankenhaus kaum etwas in mich hineingebracht. Ich kann nicht mehr essen, Ryan. Ich kann nicht mehr schlafen. Ich kann gar nichts mehr. Ich bin wie eine Hülle ohne Leben. Ich glaube, ich will auch gar nicht mehr leben.«

Er stand auf, kam um den Tisch herum und nahm sie in die Arme. »Das darfst du nicht sagen! Natürlich willst du leben. Auch wenn du das jetzt nicht glaubst. Debbie... ach, Debbie...«

Sie weinte leise in sich hinein. Er hielt sie fest, aufgewühlt und verzweifelt bemüht, Trost zu spenden und Kraft zu geben.

Nach einer Weile hob sie den Kopf. »Bitte, Ryan, bleib hier heute Nacht.«

»Debbie«, sagte er, »ich bleibe, solange du willst. Solange du mich brauchst.«

Er würde ein riesiges Problem mit Nora bekommen. Mit Dan, der früh am nächsten Tag mit ihm rechnete. Wahrscheinlich auch mit Melvin, dem Bewährungshelfer.

Zum Teufel mit ihnen allen.

9

Tatsächlich erwartete ihn ein Drama, als er am späten Samstagvormittag nach Pembroke Dock zurückkehrte. Er wäre über das ganze Wochenende in Swansea geblieben, aber Debbie wäre nicht Debbie, wenn sie nicht trotz all ihrer Verstörtheit irgendwann am nächsten Morgen realisiert hätte, dass Ryan mit dem Feuer spielte. Als sie erfuhr, dass er auch samstags arbeitete, ging ihr auf, dass er soeben, noch nicht einmal eine ganze Woche nach seiner Entlassung aus der Haft, bereits unentschuldigt an seinem Arbeitsplatz fehlte. Dass zudem sein Bewährungshelfer keine Ahnung hatte, wo er sich aufhielt, und dass die Frau, die ihm Unterkunft gewährte, vermutlich außer sich vor Sorge war. Dass er dazu noch mit ihrem Auto unterwegs war, machte die ganze Sache nicht besser. Sie hatte darauf gedrängt, dass er zurückfuhr, und um es leichter für ihn zu machen, hatte sie sogar ein wenig Toast mit Marmelade gefrühstückt und zwei Tassen Kaffee getrunken.

Ryan hatte nicht den Eindruck, dass man sie allein lassen durfte. Sie war vollkommen traumatisiert, geschockt und wie erstarrt. Er hoffte, dass sie nicht irgendetwas Dummes tun würde. Er fand, dass sie jemanden brauchte, der ihre Hand hielt, der ihr zuhörte, der sie streichelte, wenn sie weinte, der Essen für sie kochte und ihr so lange gut zuredete, bis sie ein paar Löffel davon zu sich genommen hatte. Aber er begriff, dass sie recht hatte. Er war dabei, sich in ernsthafte Schwierigkeiten zu bringen, wenn er bis Sonntagabend abtauchte. Es war schon jetzt möglich, dass Dan ihn feuerte, und er wusste, dass dies zumindest in den Augen von Melvin Cox einer Katastrophe gleichkäme.

Er ahnte jedoch nicht, dass er bereits für so viel Aufruhr gesorgt hatte. Er parkte Noras Auto und rannte die Treppe zu ihrer Wohnung hinauf, und noch ehe er dort angekommen war, wurde bereits die Tür aufgerissen. Nora hatte seine Schritte gehört. Aus roten, verschwollenen Augen starrte sie ihn an.

»Wo warst du?« Sie schrie fast. »Wo, verdammt noch mal, warst du?«

»Schrei doch nicht so!«, herrschte er sie an. »Können wir das vielleicht in Ruhe besprechen?«

Hinter Nora tauchte ein Mann auf. Es war Melvin Cox.

»Ach! Da bist du ja, Ryan! Wo warst du?«

Ryan blickte Nora an. »Musstest du gleich meinen Bewährungshelfer anrufen? Weil ich einmal nicht pünktlich hier zum Appell antrete?«

»Miss Franklin hat mich nicht angerufen«, sagte Melvin Cox, »sondern Dan, dein Arbeitgeber. Weil du heute früh nicht erschienen bist.«

Ryan seufzte. Klar, dass Dan, der Wichtigtuer, sofort zum Telefonhörer gegriffen hatte. Er wartete nur auf Gelegenheiten wie diese.

»Die Polizei ist da«, fuhr Melvin fort und machte eine Kopfbewegung zum Inneren der Wohnung hin.

»Die Polizei? Ihr habt die Polizei verständigt?«

»Natürlich nicht«, sagte Melvin ungeduldig. »Die sind von selbst vor einer halben Stunde hier bei Miss Franklin aufgekreuzt. Wollen dich dringend sprechen. Es war natürlich nicht unbedingt günstig, dass keiner von uns wusste, wo du dich gerade aufhältst.«

»Wo warst du?«, wiederholte Nora mit brüchiger Stimme.

»Ich war bei einer alten Freundin. Es geht ihr sehr schlecht.«

»So schlecht, dass du gleich dort übernachten musstest?«

»Ja.«

»Und du konntest mich nicht anrufen? Oder wenigstens einen Zettel hinterlassen?«

Er zuckte mit den Schultern. Was sollte er sagen? Natürlich war es nicht in Ordnung gewesen. Aber er wusste auch, dass sie seine Erklärung nicht verstanden hätte. Dass er plötzlich gemeint hatte, alles nicht mehr auszuhalten, dass er sich in die Enge getrieben fühlte, dass er verzweifelt nach irgendeinem Anker in seinem alten Leben, in dem vertrauten Dasein *vor* der Gefängniszeit, gesucht hatte. Genau das also, was er in ihren Augen und in denen von Melvin Cox keinesfalls tun sollte.

Eine dritte Person tauchte nun im Türrahmen auf, eine knapp fünfzigjährige Frau, die ihre Haare zu lang für ihr Alter trug und etwas zu dick war. Sie hielt ihm einen Ausweis vor die Nase.

»Detective Inspector Olivia Morgan, South Wales Police. Sie sind Mr. Ryan Lee?«

»Ja«, sagte Ryan. Er hatte ein komisches Gefühl im Bauch. Wenn diese Polizistin nicht wegen seines nächtlichen Verschwindens hier war – und tatsächlich schien es ungewöhnlich, dass man deshalb gleich eine hochrangige Kriminalbeamtin auf ihn angesetzt haben sollte –, weshalb hatte sie dann hier auf ihn gewartet?

Er schluckte trocken. Seit der *Geschichte* im Fox Valley wartete er darauf, dass jemand aufkreuzte, der ihm auf die Schliche gekommen war, obwohl er sich bereits hunderttausend Mal gesagt hatte, dass dies mit jedem Tag, der verging, unwahrscheinlicher wurde. Wären er oder sein Auto an jenem lang zurückliegenden Augusttag jemandem aufgefallen, hätte sich diese Person längst gemeldet. Hätte jemand die Höhle und das, was sich darin befand, entdeckt, so hätte man niemals einen Rückschluss auf ihn ziehen können. Es gab nichts dort, was auf ihn hinwies, nichts, was man mit ihm hätte in Verbindung bringen können. Er hatte immer Handschuhe getragen, wenn er die Höhle erneut aufgesucht hatte, und er konnte sich nicht vorstellen, dass nach fast zwanzig Jahren die Fingerabdrücke des kleinen Jungen, der er einst gewesen war, noch festgestellt werden konnten. Nicht in der Feuchtigkeit, die dort herrschte, nach all dem Regen und Schnee, der auch ins Innere des Felsens gedrungen war über die ganze Zeit. Und dennoch... Vielleicht war es fast eine Art Aberglaube... Im tiefsten Inneren war er davon überzeugt, dass man mit einem so furchtbaren Verbrechen nicht einfach davonkam. Es war zu schlimm gewesen. Andere Leute klauten einen Schokoriegel und landeten bei der Polizei. Er konnte sich nicht vorstellen, dass er unbehelligt bis ans Ende seiner Tage leben würde, und niemals würde es eine von wem auch immer gelenkte und gesteuerte Vergeltung für... *die Geschichte* geben.

»Ja«, sagte er noch mal. Seine Stimme hörte sich seltsam an. Er räusperte sich.

»Kann ich Sie sprechen?«, fragte DI Morgan.

»Ja«, sagte er zum dritten Mal.

Er folgte der Polizistin in Noras Wohnzimmer. Morgan schloss mit einem gewissen Nachdruck die Tür und sperrte Nora und Melvin damit aus. Sie setzte sich an den Esstisch und wies Ryan an, ihr gegenüber Platz zu nehmen.

»Kennen Sie eine Deborah Dobson? Aus Swansea?«

Das war wirklich verrückt. Aber jetzt wurde ihm der Zusammenhang klar, und er atmete tief durch. Natürlich. Nach dem brutalen Überfall auf Debbie durchkämmten sie deren Umfeld. Irgendjemand hatte vermutlich seinen Namen erwähnt. Deborahs Exfreund. Sie wussten, dass er im Gefängnis gewesen war und wo er jetzt wohnte. Obwohl ihn seine gesamte Biographie natürlich nicht gerade zum unwahrscheinlichsten Tatverdächtigen machte, konnte er sich entspannen. In diesem Fall wenigstens hatte er ein reines Gewissen.

»Ja. Ich kenne sie. Ich komme gerade von ihr.«

Morgan zog die Augenbrauen hoch. »Von Deborah Dobson?«

»Ja. Ich wollte sie einfach nur besuchen. Ich wusste nicht, dass sie... dass sie überfallen wurde. Es ging ihr sehr schlecht gestern Abend. Deshalb bin ich bei ihr geblieben.«

»Sie beide hatten eine knapp vier Jahre andauernde Beziehung. Von 2002 bis 2006. Ist das richtig?«

»Ja.«

»Wer beendete diese Beziehung?«

»Deborah.«

»Weshalb?«

»Weil … Da kamen viele Gründe zusammen. Wir hatten eine unterschiedliche Lebenseinstellung, unterschiedliche Lebensziele. Außerdem …«

»Ja?«

Polizisten gegenüber, das hatte er gelernt, war es am sinnvollsten, so lange pedantisch bei der Wahrheit zu bleiben, wie man selbst von dieser Wahrheit nicht geschädigt werden konnte. »Sie haben sich bestimmt über mich informiert«, sagte er. »Ich kam immer wieder mit dem Gesetz in Konflikt. Das war unser großer Streitpunkt. Debbie hatte dafür nicht das geringste Verständnis. Deshalb setzte sie mich vor die Tür.«

»Was Sie ziemlich wütend machte?«

»Zuerst ja. Aber irgendwie habe ich sie auch verstanden.«

»Sie hegen keinen Groll gegen sie?«

»Nein!« Ryan schüttelte vehement den Kopf. »Nein! Unsere Trennung liegt sechs Jahre zurück! In der Zwischenzeit hatte ich sogar wieder ein paar Monate lang bei ihr gewohnt, weil ich keine andere Bleibe fand. Gestern Abend bat sie mich, nicht zu gehen, weil sie so verzweifelt war. Wir sind sehr gute Freunde, Inspector.«

»Verstehe«, sagte Morgan. Sie machte sich ein paar Notizen. »Dennoch wohnen Sie jetzt nach Ihrer Haftentlassung hier. Bei Miss Franklin. Nicht bei einer *guten Freundin*?«

Das ist ja auch irgendwie verkehrt, dachte Ryan, genau das ist ja eines meiner Probleme.

»Sie wissen, weshalb ich im Gefängnis war?«, fragte er.

»Ja. GBH.« Das war die bei Polizei und Justiz gängige Abkürzung für seine Tat. *Grievous bodily harm.*

»Debbie hat sich nicht gemeldet, während ich im Gefängnis war, und ...«

Morgan zog erneut die Augenbrauen hoch. »Ihre *gute Freundin* meldet sich nicht, wenn Sie zweieinhalb Jahre lang im Gefängnis sitzen? In der Stadt, in der sie selbst wohnt?«

»Sie hatte ein Problem damit ...«

»Mit Ihrer Tat?«

»Hätten Sie das nicht?«, fragte Ryan.

»Aber auch das hat Sie nicht wütend gemacht?«, gab Morgan anstelle einer Antwort zurück. »Deborah Dobsons eisiges Schweigen? Ihr völliger Rückzug?«

»Nein.«

»Nein? Nach allem, was ich über Sie weiß, gehört Selbstbeherrschung nicht gerade zu Ihren großen Stärken. Sie neigen zu ziemlich heftiger Wut. Zu unkontrollierbarer Wut, möchte man sagen.«

»Ich habe freiwillig ein Anti-Aggressions-Training im Gefängnis gemacht«, sagte Ryan.

»Also Ihnen war auch klar, dass da Kräfte in Ihnen wirken, die Sie irgendwie beherrschen müssen?«

Ryan hatte das Gefühl, dass das Gespräch in eine falsche Richtung zu laufen begann. Was war er in den Augen dieser Beamtin? Ein unbeherrschter Hitzkopf, der einen anderen Mann krankenhausreif geschlagen hatte, weil dieser in besoffenem Zustand herumgepöbelt hatte. Das war leider nicht zu bestreiten. Aber ein Typ, der mit der Zurückweisung einer Frau nicht zurechtkam und, kaum raus aus dem

Knast, hinging und sie gemeinsam mit einem Kumpel vergewaltigte?

»Der Junge damals hatte mich provoziert, Inspector. Ich wollte ihn aber nicht so schwer verletzen. Natürlich musste ich dann etwas unternehmen. So etwas... darf mir nicht mehr passieren.«

»Und Sie meinen, Sie waren erfolgreich?«

»Ich glaube, ja.«

»Sie glauben?«

»Inspector!« Er machte eine hilflose Bewegung mit beiden Armen, suchte nach einer Erklärung, die sein Gegenüber als absolut einleuchtend empfinden musste, und fand sie nicht. »Ich würde so etwas nie tun«, sagte er schließlich und dachte, dass das wenig überzeugend klang. »Ich bin kein Vergewaltiger, Inspector Morgan.«

Morgan blickte skeptisch drein. Vielleicht glaubte sie ihm, vielleicht auch nicht. Eher nicht, wie ihm schien, was kein Wunder war angesichts all dessen, was er schon auf dem Kerbholz hatte. »Die Kneipe, in der sich Deborah Dobson unmittelbar vor der Tat aufhielt, das *Pump House* unten in der Swansea Marina... Ist es richtig, dass das früher Ihrer beider Stammkneipe war?«

Du hast aber gut recherchiert, dachte Ryan.

»Ja«, bestätigte er.

»Sie konnten also davon ausgehen, dass sie dort sein würde. Zumindest bestand eine ziemlich hohe Wahrscheinlichkeit. Ebenso war Ihnen natürlich Deborah Dobsons Heimweg von dort aus bekannt.«

»Ich hatte keine Ahnung, dass Debbie an diesem Abend dort war. Außerdem war ich ein paar Stunden vorher aus dem Gefängnis gekommen. Glauben Sie, dass ich als Erstes dann gleich die nächste Straftat plane?«

Er sah den anhaltenden Zweifel in ihrem Gesicht und

zückte die letzte Trumpfkarte. »Abgesehen davon, ich habe ein Alibi. Ich war den ganzen Abend, die ganze Nacht hier. Sie können Nora Franklin fragen!«

»Das habe ich schon getan«, sagte Morgan.

»Und sie hat das bestätigt?«

»Ja.«

Ihm schwante zweierlei: Zum einen vermutete er, dass Nora nichts davon erwähnt hatte, zu welch frühem Zeitpunkt er sich an jenem Abend zurückgezogen hatte – was ihm rein theoretisch die Möglichkeit eingeräumt hätte, heimlich das Zimmer zu verlassen und sogar noch rechtzeitig in Swansea zu sein. Theoretisch insofern, als es angesichts von Noras ausgeprägten Wachhundqualitäten natürlich nicht denkbar gewesen wäre. Zum anderen aber hatte er den Eindruck, dass DI Morgan ohnehin an Noras Aussage zweifelte. Die Frau sah klug und erfahren aus, und eine ausgeprägte Menschenkenntnis gehörte zu ihrem Beruf. Ganz sicher hatte sie ihre eigene Meinung über Frauen, die Freundschaften zu Strafgefangenen aufbauten und anschließend versuchten, diese Männer in ihr Leben zu integrieren. Und höchstwahrscheinlich hatte sie ziemlich rasch das System der Beziehung zwischen Nora Franklin und Ryan Lee durchschaut. Nora in ihrer Einsamkeit. Daneben der Mann, der aufgrund der besonderen Umstände seiner Lebenssituation auf sie angewiesen war. DI Morgan ging davon aus, dass Nora für Ryan notfalls lügen würde. Glücklicherweise konnte sie das jedoch nicht beweisen.

Sie erhob sich, schob ihren Notizblock und ihren Stift in ihre Umhängetasche.

»Das wäre es für heute, Mr. Lee«, sagte sie. »Sie sind hier in Pembroke Dock jederzeit für uns erreichbar?«

»Ich habe nicht vor abzuhauen«, erklärte Ryan ironisch.

Sie ging auf seinen Ton nicht ein. »Wir behalten Sie im Auge, Mr. Lee. Sie wurden verurteilt wegen eines Gewaltdelikts. Am Tag Ihrer Haftentlassung geschieht in Ihrem unmittelbaren persönlichen Umfeld erneut ein abscheuliches Verbrechen. Sie mögen sich für den Moment unangreifbar fühlen, aber ich behalte Sie im Auge. Sie sind auf Bewährung draußen. Ich denke, Ihnen ist klar, wie verdammt schnell Sie wieder im Gefängnis landen können.«

»Mir ist das klar«, bestätigte Ryan.

Er sah ihr nach, als sie das Wohnzimmer verließ. Jenseits der Tür wurde sie von den aufgeregten Fragen Noras und Melvin Cox' empfangen.

Er hörte nicht hin. Er begriff in diesem Moment, wie schwierig es sein würde, sich die bürgerliche Normalität aufzubauen, die zu finden er sich während seiner Haft so fest vorgenommen hatte.

Er war den sechsten Tag in Freiheit. Und bereits wieder auf dem Radar der Polizei.

Erneut fragte er sich, ob ihm das irgendjemand bewusst eingebrockt hatte.

APRIL

1

Wie gut, dass ich mit Matthew nicht gleich am ersten Abend ins Bett gegangen war. Meine Befürchtung, was seine Schuldgefühle anging, hatte sich bestätigt, sogar ohne dass wir miteinander geschlafen hatten. Schon allein die Tatsache, dass er es sich hätte vorstellen können – und es sich wahrscheinlich ziemlich konkret vorgestellt hatte, was ja für mich irgendwie spürbar gewesen war –, bewirkte, dass er auf Distanz ging. Er traf sich weiterhin mit mir. Wir gingen zusammen essen. Wir unternahmen Ausflüge in die Umgebung. Manchmal gingen wir ins Kino oder Theater, schauten uns eine Ausstellung an. Wir gingen mit Max spazieren. Es war schön, es machte Spaß mit ihm, der Frühling brach mit Macht aus, ich hätte glücklich sein können.

Aber Matthew blieb auf Abstand. Wenn wir einander begrüßten, küsste er mich weit weniger innig, als Alexia das tat, wenn ich morgens in der Redaktion eintraf. Weder im Kino noch auf den Spaziergängen hielt er meine Hand, ja, er vermied geradezu ängstlich jede Berührung. Er mochte mich, das konnte ich fühlen, aber er würde alles tun, um zu verhindern, dass mehr daraus wurde.

Unser Hauptgesprächsthema war: Vanessa.

Ich begriff, dass Matthew in dem ständigen Kreisen um die Frage, was aus ihr geworden war, verschiedene Phasen durchlief, dass sich diese Phasen allerdings in regelmäßigen

Abständen wiederholten. Als ich ihn kennenlernte, war er überzeugt gewesen, dass sie einem Verbrechen zum Opfer gefallen war. Jetzt, im April, begann er davon zu sprechen, dass sie möglicherweise doch auf eigene Faust den Ausstieg aus ihrem gemeinsamen Leben gesucht hatte, was besonders deswegen unlogisch war, weil sich damit das alarmierte Verhalten des Hundes auf dem Rastplatz kaum erklären ließ. Matthew spielte jede Menge Möglichkeiten durch: ein anderer Mann (also genau die Variante, die er zunächst weit von sich gewiesen hatte), eine Psychose, die sich bei ihr entwickelt hatte und die ihm entgangen war, eine furchtbare Diagnose, die sie bei einem Arzt erhalten und die sie zu einer Kurzschlusshandlung getrieben hatte, eine Überreaktion auf den Streit in Verbindung mit der depressiven Stimmung, in die sie das Wochenende mit ihrer dementen Mutter gestürzt hatte. Und, und, und ... Manchmal hatte ich den Eindruck, dass ihm nichts zu absurd erschien, aber ich konnte nachvollziehen, dass jemand, der sich seit bald drei Jahren um eine offensichtlich unlösbare Frage drehte, zwischendurch in dem Dickicht, das sich allmählich in seinem Kopf bildete, unterging. Er würde irgendwann auch wieder der rationale Matthew sein. Ich gab mich allerdings keinen Illusionen hin: Auch die völlig verstiegenen Theorien würden ihre Renaissance erleben. Und er würde nie aufhören können. Er würde sich nie die Erlaubnis geben, aufzuhören.

Wenn ich eine Beziehung mit ihm wollte, eine glückliche, ausgeglichene Beziehung, die auch eine Zukunft hatte, dann mussten wir herausfinden, was mit Vanessa geschehen war.

Ich vernachlässigte meine Arbeit in der Redaktion und nutzte unbeobachtete Momente, um im Internet nach dem *Fall Vanessa Willard* zu forschen. Das Ergebnis fiel ernüchternd, eigentlich deprimierend aus. Es hatte sich nie auch nur die kleinste ernst zu nehmende Spur ergeben. Hinweise, die eingegangen waren, hatten jedes Mal ins Nichts geführt. Der Fall war sogar bei *Crime Watch* nachgestellt und landesweit ausgestrahlt worden, und nicht einmal daraus hatte sich etwas Konkretes entwickelt.

Ich fand eine Menge Fotos von Vanessa im Netz. Sie war eine gut aussehende Frau mit einem intelligenten, wachen Gesicht. Ich betrachtete sie intensiv, konnte aber in ihren Zügen nichts erkennen, was auf eine Depression oder gar auf eine Psychose hindeutete. Sie sah auch nicht unglücklich aus. Ich konnte mir nicht vorstellen, dass sie abgehauen war, weil sie in ihrem Leben verzweifelt und hoffnungslos gewesen war oder keine Perspektive mehr gesehen hatte.

Da ich so viel Zeit mit Matthew – und mit Vanessa – verbrachte, entgingen mir andere Dinge, die sich in meiner Nähe abspielten. Eines Morgens, als ich in der Redaktion saß und wieder einmal die Homepage von *Missing People* aufgerufen hatte, erschien plötzlich Alexia hinter mir. Ich konnte nicht schnell genug wegklicken, und so sah sie Vanessas Bild, das ich gerade eindringlich betrachtet hatte. Aber auch ich sah etwas, als ich mich umdrehte: Alexia schien es gar nicht gut zu gehen. Sie wirkte müde und sorgenvoll.

»Alexia …«

»Guten Morgen, Jenna«, sagte sie und klang dabei etwas zerstreut. »Ich sehe, Matthew bindet dich schon ganz in das Projekt *Vanessa* ein.«

Mir ging in diesem Moment auf, dass sie sich schon seit einiger Zeit gar nicht mehr nach dem Stand unserer Beziehung erkundigt hatte, und das sah ihr überhaupt nicht ähnlich. Ich klickte Vanessa und *Missing People* weg und richtete meine ganze Aufmerksamkeit auf sie.

»Was ist los, Alexia?«, fragte ich. »Du siehst ziemlich fertig aus, und nicht einmal meine Männergeschichten scheinen dich noch zu interessieren.«

»Unsere Nanny hat gekündigt«, sagte Alexia. »Vor zehn Tagen.«

»Vor zehn Tagen schon? Warum sagst du denn nichts?«

»Warum soll ich dich damit belasten? Außerdem kannst du ja auch nichts machen. Im Moment geht es ziemlich drunter und drüber bei uns.«

»Das kann ich mir denken. Ihr müsst sehen, dass ihr schnell wieder jemanden findet.«

»Das ist nicht so einfach. Ich habe mich schon bemüht, aber alle, die ich gefunden habe, sind zu teuer. Am besten wäre ein Au-pair-Mädchen aus dem Ausland, aber die müsste bei uns wohnen, und wo, um Himmels willen, sollten wir sie noch unterbringen?«

Das traf in der Tat zu. Das Haus platzte schon jetzt aus allen Nähten. Es wurde mir schwindelig allein bei der Vorstellung, dort könnte noch ein weiterer Mensch einziehen.

»Ken ist ziemlich überfordert«, fuhr Alexia bedrückt fort. »Er kann es jetzt natürlich völlig vergessen, auch nur eine Zeile an dem Buch zu schreiben. Er rotiert nicht nur um Siana, sondern auch um Evan, der wieder einmal den Kindergarten boykottiert. Die beiden Großen sind ja zum Glück schon in der Schule, aber trotzdem... Sowie sie heimkommen, bricht das Chaos dann endgültig aus. Und wir haben ja nicht einmal mehr Großmütter, die man ab und zu um Hilfe bitten könnte«

Ich sah es förmlich vor mir. Ken in der überfüllten Küche, die brüllende Siana auf dem Arm, drei weitere sich streitende, quengelnde, fordernde Kinder um sich herum, eines hatte sich das Knie aufgeschlagen, ein anderes war in den Matsch gefallen, jedes verlangte nach etwas zu essen und zu trinken... Ken war ein so leidenschaftlicher Vater, dass er weder die Geduld verlieren noch einen Nervenzusammenbruch erleiden würde, aber ganz offenbar geriet auch er gerade an seine Grenzen, und Alexia, von morgens bis abends in der Redaktion eingespannt, malte sich vermutlich ständig aus, was gerade alles daheim passierte. Deshalb wirkte sie so gestresst und irgendwie zerrissen.

»Und dann muss ich auch noch nächste Woche nach London«, erklärte sie. »Das furchtbar wichtige Meeting, du weißt ja. Das sind mindestens drei Tage, in denen ich dann zu Hause komplett ausfalle.«

Ich wusste. *Healthcare* war Teil eines großen Zeitschriftenverlages, der sich – was heutzutage selten geworden war – noch immer im persönlichen Besitz einer Familie befand und nicht Teil eines Konzerns war. Der Boss, Ronald Argilan, den ich nur von Bildern her kannte und als einen ausgesprochen unangenehmen Typen empfand, liebte es, die verschiedenen Chefredakteure seiner Zeitungen und Zeitschriften in regelmäßigen Abständen nach London zu zitieren, um sich ausführlich über den *Stand der Dinge* zu informieren. Diese Zusammenkünfte stellten eine Art Examinierung dar, in deren Verlauf er einzelne Mitarbeiter auch gerne vor den anderen herunterputzte, bloßstellte oder sogar lächerlich machte. Auf Alexia hatte er es, wie sie mir einmal berichtet hatte, besonders abgesehen. *Healthcare* wurde landesweit in vier regional unterschiedlichen Ausgaben produziert, und Alexia war nur deshalb ein Jahr zuvor Chefredakteurin für den Bereich Wales geworden, weil die Stelle plötzlich frei war und sich niemand fand, der masochistisch genug veranlagt gewesen wäre, sie haben zu wollen.

»Der Alte meint aber eigentlich, dass Frauen nicht in Führungspositionen gehören«, hatte sie gesagt. »Und im Grunde wartet er nur darauf, dass ich scheitere. Aber den Gefallen werde ich ihm natürlich nicht tun.«

Also rieb sie sich auf, reiste regelmäßig zitternd nach London, um sich wieder fertigmachen zu lassen, opferte ein halbwegs geregeltes oder normales Familienleben... Ich fragte mich, ob ich das getan hätte. Aus Ehrgeiz? Und um einen alten, querköpfigen Mann bloß nicht gewinnen zu lassen?

»Aber nun zu dir«, sagte sie. »Wie geht's mit Matthew?«

Ich seufzte. »Du siehst es ja. Wir überlegen, was aus Vanessa geworden ist. Es ist nicht gerade romantisch.«

Alexia runzelte die Stirn. »Du schaffst es gar nicht, ihn auf andere Themen zu lenken?«

»Schon. Wir haben Filme zusammen angeschaut, uns über misslungene Theateraufführungen aufgeregt, wir haben mit Max gespielt und über Politik diskutiert. Aber am Ende... landen wir immer wieder bei Vanessa.«

»Und wenn ihr im Bett seid?«

Ich gestand es nicht gerne. »Wir waren noch nie zusammen im Bett.«

»Nein?« Alexia schien ziemlich schockiert, und richtigerweise ging sie sofort davon aus, dass nicht ich es war, die uns in die Enthaltsamkeit zwang. »Aber... Ich meine, du bist eine junge, sehr attraktive Frau. Es kann doch gar nicht sein, dass er noch nie auf die Idee kam... Ich kann mir kaum einen Mann vorstellen, der in deiner Gegenwart überhaupt an etwas anderes als an Sex denkt!«

Das war natürlich eine typische maßlose Alexia-Übertreibung. Aber ich erinnerte mich an jene erste Verabredung. Das Pub am Meer. Später der einsame Strand, die dunklen Wellen, Max, der vor uns hersprang. Wir beide in Matthews Auto, jeder sich der Nähe des anderen so bewusst.

»Ich glaube, er *kam schon auf die Idee*, wie du es ausdrückst«, sagte ich. »Und vielleicht denkt er überhaupt öfter daran, als ich weiß. Aber gleichzeitig sind solche Gedanken genau das Problem. Sie lösen Schuldgefühle in Matthew aus. Er will Vanessa nicht verlassen. Er will sie vor allem nicht im Stich lassen. Aber genau das meint er zu tun, wenn er eine neue Beziehung eingeht.«

»Aber Vanessa kommt nicht zurück«, sagte Alexia. »Und, so schrecklich es ist, ihr Schicksal wird sich auch nicht aufklären lassen. Entweder sie ist einem Verbrechen zum Opfer gefallen, dann hat es der Täter so geschickt angefangen, dass man sie nie gefunden hat und nun auch nicht mehr finden wird. Oder sie ist absichtlich untergetaucht, und dann will sie ganz offenbar um keinen Preis je wieder entdeckt werden. Vielleicht lebt sie am anderen Ende der Welt.«

»Warum sollte sie davongelaufen sein? Du warst mit ihr befreundet. Warum?«

Alexia zuckte mit den Schultern. »Keine Ahnung. Glaub mir, ich habe mir wieder und wieder den Kopf zerbrochen. Ich finde keine Antwort, und deshalb habe ich irgendwann aufgehört, darüber nachzudenken. Es hat keinen Sinn. Man muss nach vorn schauen.«

»Sicher. Ich glaube, dass Matthew das auch weiß. Aber er kann es nicht umsetzen.«

»Lass ihn nicht fallen«, bat Alexia. »Du bist vielleicht die Einzige, die ihm helfen kann. So nah wie dich hat er seit jenem Tag noch niemanden wieder an sich herangelassen. Vielleicht gelingt dir der Durchbruch. Seht ihr euch jetzt am Wochenende?«

Ich nickte, musste dabei aber ein so bedrücktes Gesicht gemacht haben, dass Alexia nichts Gutes schwante. »Ihr habt nicht gerade irgendetwas besonders Prickelndes vor, oder?«

»Kann man nicht sagen. Er hat mich gebeten, dass ich mit ihm … Er möchte zu dem Rastplatz fahren, von dem Vanessa verschwunden ist. Er möchte, dass ich den Ort kennenlerne.«

»Ach, du lieber Himmel. Wozu das denn?«

»Ich glaube, ihn zieht es einfach dorthin. Und er will dort nicht allein sein.«

»Jenna!« Alexia kam um meinen Schreibtisch herum und sah mich an. »Jenna, mach ihm klar, dass du dieses Spiel nicht ewig mitmachst. Er findet nie aus diesem Sumpf heraus, wenn du ihn einfach nur gewähren lässt!«

»Ich denke, ich soll ihn nicht fallen lassen. Wenn ich ihm sage, dass ich mit ihm nicht mehr über Vanessa rede, ist das das Ende. So liegen die Dinge, Alexia. Ganz einfach.«

»Eine wirklich schwierige Situation«, gab Alexia zu. »Hoffentlich stellt sich am Ende nicht heraus, dass ich dich unglücklich gemacht habe. Immerhin bin ich nicht ganz unschuldig daran, dass ihr euch begegnet seid.«

Das war sie in der Tat nicht, und ich überlegte manchmal, ob ich es nicht eigentlich bereute, an jenem Abend zu dem Essen bei Alexia und Ken gegangen zu sein. Aber so richtig wollte das mit der Reue nicht gelingen. Dafür mochte ich Matthew zu sehr. Dafür setzte ich auch immer noch zu viel Hoffnung in uns.

»Meldet sich unser Liebling Garrett noch?«, fragte Alexia, ehe ich hatte antworten können.

»Er ist wieder in der Versenkung verschwunden«, sagte ich. »Hab lange nichts mehr gehört.«

Es war wirklich wie verhext. Garrett hatte an den beiden Abenden angerufen, an denen ich Matthew gefühlsmäßig wirklich nähergekommen war. Seitdem unsere *Beziehung*, falls man das, was uns verband, überhaupt so nennen wollte, total auf der Stelle trat, hatte der gute Garrett kein Lebenszeichen mehr von sich gegeben. Als ob er es wirklich spürte. Er mischte sich ein, wenn ich ihm endgültig zu entgleiten drohte, und er zog sich zurück, wenn in meinem Leben wieder alles stagnierte. Im Grunde seine alten Machtspiele.

»Jedenfalls«, sagte ich, »fahre ich am Samstag mit Matthew los und schaue mir den Ort an, der zum Zentrum seines Traumas geworden ist. Immerhin soll das Wetter wunderbar werden, und vielleicht wird es netter als gedacht.«

Alexia sah nicht so aus, als glaubte sie das auch, aber sie wollte mir wohl das Herz nicht schwermachen, also hielt sie den Kommentar, der ihr deutlich auf der Zunge lag, zurück.

Stattdessen sagte sie: »Wenn du noch den Kopf dafür frei hast, sammle doch schon mal ein paar Eindrücke. Ich plane eine Fotoreportage über die Gegend. *Wie Sie sich im Sommer fit für den Herbst machen* oder etwas in dieser Art. Ich will Wanderwege vorstellen, zum Walken und Fahrradfahren ermuntern und so weiter. Der Coast Park ist dafür ideal geeignet.«

»In Ordnung.« Ich nickte. Das war keine schlechte Idee, und vielleicht konnte ich mit Matthew über das Projekt reden, wenn er in Traurigkeit und Selbstvorwürfen versank. Das würde ihn hoffentlich ein wenig ablenken.

2

Eines konnte ich jedenfalls verstehen, als wir den Rastplatz erreicht hatten, von dem Vanessa verschwunden war: Matthews vollkommene Fassungslosigkeit. Der Ort war so idyllisch, und doch musste hier etwas Schlimmes geschehen sein. An diesem warmen, sonnigen Apriltag lagen die üppigen grünen Wiesen, die in sattem Gelb leuchtenden Ginsterbüsche, die sanft ansteigenden Hügel wie ein kleines Paradies vor mir. Es fiel schwer, sich hier die Existenz *des Bösen* vorzustellen, ja, es erschien nahezu unmöglich. Ich betrachtete die moosbewachsene, bröckelige Steinmauer, die am Rande des flachen, unterhalb des Rastplatzes gelegenen Tals verlief. Sie stellte nur den alten, verfallenen Rest von etwas dar, das hier einmal gewesen war, eine eingezäunte Weide, auf der sich Schafe tummelten. So viel Zeit war darüber vergangen, einerseits. Andererseits schien auch gerade hier die Zeit einfach stehen geblieben. Dieses Tal war immer gewesen, würde immer sein.

Und doch hatte hier ein Alptraum seinen Anfang genommen.

Ich sah mich nach Matthew um. Er stand ein Stück entfernt von mir, ganz in Gedanken versunken. Neben ihm saß Max und blickte erwartungsvoll zu ihm hoch. Ihm war nach einem schönen, langen Spaziergang zumute, aber sein Herrchen merkte das im Moment nicht. Ich vermutete, er war an jenen Augusttag zurückgekehrt. Die Sonne hatte von einem wolkenlosen Himmel geschienen, genau wie heute, aber es war nicht Mittag gewesen, sondern fast schon Abend, und es musste ein rötlich gefärbtes Licht über der Landschaft gelegen haben. Natürlich hatte auch der Ginster nicht geblüht. Alle Farben waren matter gewesen, melancholischer. Herbstlicher.

Schönheit und Frieden. Das war dieser Ort. Und sicher empfand das auch Matthew gerade – in einer schmerzhaften Diskrepanz zu dem, was tatsächlich geschehen war.

Ich trat an ihn heran. »Wollen wir ein Stück laufen?«, fragte ich. Bei dem Wort *Laufen* fing Max sofort an, mit dem Schwanz zu wedeln.

Matthew erwachte aus seiner Versunkenheit. »Das Auto stand an derselben Stelle wie jetzt auch. Und Vanessa lehnte an der Kühlerhaube, als ich fortging. Das ist das letzte Bild, das ich von ihr habe. Wie sie an dem Auto lehnt. Angestrahlt von der Abendsonne. Sie hatte die Arme verschränkt. Sie war wütend. Sie war froh, dass ich für eine Weile verschwand.«

Wieder ließ ich meinen Blick schweifen. Ein paar Schritte weiter befanden sich eine kleine Sitzgruppe, ein hölzerner Tisch und zwei Bänke. Ein wunderschöner Ort für ein Picknick, dachte ich. Es gab einen Abfalleimer aus Metall, aber es befand sich, soweit ich das erkennen konnte, kaum etwas darin. Es schienen selten Menschen hierherzukommen. Allerdings entdeckte ich auf dem Asphalt am Rande des Parkplatzes ein offenbar benutztes Kondom, blau, zerknäult. Seltsamerweise empfand ich seinen Anblick fast als Erleichterung. Er holte mich in die Realität zurück. So paradiesisch der Platz anmutete, er wurde auch zu höchst irdischen Zwecken angefahren, und eigentlich war das gut. Es entzauberte den Ort ein wenig und gab ihn der Welt zurück.

Ich berührte Matthews Arm. »Lass uns laufen«, wiederholte ich.

Wir nahmen den Pfad, den er und Max auch an jenem Abend genommen hatten. Max jagte in großen Sprüngen vor uns her. Ich konnte feststellen, wie schnell man den Parkplatz aus den Augen verlor. Nur ein paar Schritte, dann kam eine scharfe Kurve, und man meinte, inmitten der völligen Einsamkeit zu sein. Der Pfad wurde von riesigen, wild wuchernden Brombeerhecken gesäumt. Matthew sagte, er habe zwischendurch Beeren gepflückt und gegessen. »Auf dem Rückweg pflückte ich auch ein paar für Vanessa. Aber ... ich konnte sie ihr nicht mehr geben.«

Ich erkannte, wie schnell man sich auch von der Straße entfernte. Sollte jemand während Matthews Abwesenheit die Landstraße entlanggekommen und auf den Parkplatz eingebogen sein, so war es von hier unten aus sicher unmöglich, etwas davon mitzubekommen. Vielleicht würde man ganz leise das Brummen eines Automotors hören, aber wer würde dem überhaupt Beachtung schenken? Wahrscheinlich hätte man hinterher nicht sagen können, ob da etwas gewesen war oder nicht.

Und umgekehrt: Ein möglicher Entführer oder Killer, der Vanessa auf dem Parkplatz antraf, musste sie für den einzigen Menschen weit und breit halten. Ohne den geringsten Hinweis darauf, dass ihr Mann und ihr Hund gar nicht weit weg waren. Sie hatte sich als Opfer geradezu angeboten.

Aber warum?

Und war es überhaupt so gewesen? Oder ganz anders?

Als wir etwa eine Viertelstunde gelaufen waren, kamen wir an eine steinerne Mauer, die recht hoch und noch ziemlich intakt war. Man hätte entweder darüberklettern oder ein ganzes Stück an ihr entlanggehen müssen, um einen Durchgang, der aus wenigen herausgebrochenen Steinen bestand, zu erreichen. Matthew blieb stehen.

»Hier sind wir umgekehrt«, sagte er. »Zum Glück. Endlich. Ich hatte nicht auf die Zeit geachtet, und wahrscheinlich wäre ich noch weitergelaufen, wenn mich nicht diese Mauer zum Innehalten gezwungen hätte. Ich merkte, wie lange ich schon unterwegs war, und dachte, dass Vanessa nun wahrscheinlich noch verärgerter sein würde. Auf dem Rückweg lief ich schneller als auf dem Hinweg.«

Er wandte sich um.

»Wir könnten doch noch ein bisschen weiterlaufen«, meinte ich. »Es ist eine wunderschöne Gegend, das Wetter ist herrlich. Komm, wir...«

»Nein«, sagte er kurz, und ohne einen weiteren Kommentar von mir abzuwarten, trat er den Rückweg an – in einer deutlich zügigeren Gangart als zuvor. Es war klar, er *wiederholte* jenen Tag, er durchlebte ihn, er durchlief noch einmal das ganze Programm von damals. Er war eigentlich gar nicht mit mir zusammen hier. Ich erfüllte bloß eine Funktion, war der Ansprechpartner und damit wahrscheinlich eine Art Katalysator seiner Gedanken und Empfindungen. Mehr nicht.

Wir schwiegen, bis wir den Parkplatz wieder erreichten. Wir gingen schneller, aber dafür verlief der Weg stellenweise recht steil bergauf, und wir mussten ein paarmal auf Max warten, der wegen der Wärme und seines dicken, langen Fells jetzt nicht mehr so leichtfüßig dahersprang wie zuvor. Dadurch vergingen insgesamt auch fast fünfzehn Minuten, bis wir wieder am Parkplatz waren. Ich hatte es nun selbst erlebt: Dreißig Minuten hatte es an jenem verhängnisvollen Sonntag gedauert, ehe Matthew wieder bei seinem Auto angekommen war. Dreißig Minuten, in denen er nichts von dem hatte mitbekommen können, was dort geschehen war.

Er trat an den Wagen, nahm eine Schüssel und eine Wasserflasche heraus, gab Max etwas zu trinken. Der Hund schlabberte gierig. Matthew ging zu der Sitzgruppe hinüber, setzte sich auf die Bank, starrte über das Land.

»Die Polizei hat hier alles durchkämmt«, sagte er, »die ganze Gegend. Aber nichts. Keine Spur.«

Ich setzte mich neben ihn. Meine Beine fühlten sich plötzlich ganz schwer an, aber das lag nicht am Laufen. Es war die Traurigkeit in mir, die meinen Körper zu lähmen begann, die sich als Last über mich legte. Seltsamerweise begriff ich es erst an diesem Tag, an diesem Ort, in diesen Momenten endgültig: Wir hatten keine Chance. Matthew und ich. Sein Leben war hier stehen geblieben, genau hier, an diesem einsamen Rastplatz, am Sonntag, dem 23. August 2009. Seitdem bewegte es sich nicht mehr, ließ keine Veränderungen mehr zu. Es war naiv, vielleicht sogar dumm von mir gewesen zu glauben, ich könnte eine Zukunft mit einem Mann aufbauen, der vierundvierzig Jahre alt war und aufgehört hatte, sich auch nur einen Millimeter weiter nach vorn zu bewegen.

Unsere Geschichte war zu Ende, ohne dass sie überhaupt begonnen hatte. Ich hatte mich an eine Illusion geklammert. Es war Zeit, mich von ihr zu verabschieden.

Wir saßen eine ganze Weile schweigend in der Sonne. Max lag neben uns und schlief. Nichts und niemand störte die Stille, außer ein paar frühen Bienen, die uns ein paarmal umkreisten. Schließlich sagte Matthew: »Ich gehe morgen zu einer Selbsthilfegruppe. Wir treffen uns alle sechs bis acht Wochen sonntags. Möchtest du mitkommen?«

Es gehörte nicht viel dazu, den Sinn der Gruppe zu erraten.

»Angehörige vermisster Menschen?« Ich stellte das eher fest, als dass ich es fragte.

»Ja. Es tut gut, sich auszutauschen. Man fühlt sich dort ... verstanden. Man geht niemandem auf die Nerven, weil man wieder und wieder dieselbe Geschichte erzählt und um die ewig gleichen Fragen kreist. Alle tun das dort.«

Ein Ort der Stagnation. Und sosehr ich verstand, weshalb diese Menschen an ihren ungelösten Fragen festhielten, so klar wurde mir auch, dass ich dort nicht hingehörte. Ich teilte nicht ihr Schicksal, ich war keine von ihnen. Und ich konnte auch nicht länger ein Teil von Matthews Schicksal sein. Mit ihm zusammen war es fast schlimmer, als es mit Garrett gewesen war. Mit Garrett hatte ich wenigstens noch das Gefühl gehabt zu leben. Mit Matthew drohte ich zu erstarren.

»Ich möchte eigentlich nicht mitkommen«, sagte ich behutsam.

»Ich kann das verstehen«, sagte Matthew. Er war sensibel, das wusste ich, er war empfänglich für Schwingungen. Er hatte, so versunken in sich er die ganze Zeit über gewesen war, doch begriffen, was in mir vorging. Meine Traurigkeit war ihm nicht entgangen. Seine Frage *Möchtest du mitkommen?* hatte daher mehr gemeint als nur den Besuch der Selbsthilfegruppe am nächsten Tag, er hatte vielmehr wissen wollen, ob ich *das alles* weiterhin mit ihm teilen wollte. Und er verstand meine Ablehnung richtig: Auch ich meinte nicht nur den nächsten Tag.

»Ich möchte…«, begann ich, und als ich hilflos stockte, vollendete er den Satz: »…dass wir uns eine Weile nicht sehen. Ja. Das weiß ich.«

Ich streckte die Hand aus, berührte seinen Arm. »Es tut mir leid, Matthew. Es tut mir entsetzlich leid.«

Er wandte sich mir zu. Zum ersten Mal an diesem Tag sah er mich wirklich an, war er wirklich bei mir. »Es muss dir nicht leidtun. Ich kann dich absolut verstehen.«

Ich schluckte. Ich wollte auf keinen Fall in Tränen ausbrechen. »Ich kann nicht immer nur mit dir zusammen nach deiner Frau suchen. Oder rätseln, was aus ihr geworden ist. Es ist… Wir kommen nicht vom Fleck. Und ich werde immer bedrückter.«

»Ich kann dich verstehen«, wiederholte er zum dritten Mal. »Ich lebe so seit Jahren. Aber das ist kein Grund, dass du auch so lebst. Ich habe mich schon gefragt, wie lange du das durchhältst.«

Fünf Wochen. Gerade mal fünf Wochen hatte ich es durchgehalten. Das war nicht lange, aber die fünf Wochen waren auch nicht der springende Punkt: Ich hätte es fünf Monate oder fünf Jahre durchgehalten, wenn es eine Aussicht auf eine Veränderung gegeben hätte. Wenn ich gewusst hätte: Es kommt der Moment, da hakt er es ab. Da schließt er den Fall ab. Da gehen wir gemeinsam in eine Zukunft.

Stattdessen wusste ich: Er wird es nie abschließen. Nie. Es sei denn, er findet heraus, was geschehen ist. Und wie sollte er das – nach so langer Zeit, nach so vielen Bemühungen. Er würde mit der Ungewissheit leben und – wahrscheinlich – eines Tages mit ihr sterben müssen.

»Wollen wir zurückfahren?«, fragte er.

Ich nickte. »Okay.«

Er würde mich jetzt nach Hause bringen. In meine kleine, enge Dachwohnung, von der ich wusste, dass sie mir jetzt noch kleiner und enger vorkommen würde. Mir graute vor der Einsamkeit, die auf mich wartete.

Aber ich hatte acht kostbare Jahre in die aussichtslose Beziehung mit Garrett investiert, und ich hatte mir geschworen, so etwas nie wieder zu tun. Lebenszeit zu opfern ohne jede Perspektive. Ohne Hoffnung.

Das war's.

Ich beendete meine Beziehung zu Matthew Willard. Ich beendete zumindest das, was eine Beziehung hätte werden können.

Erst als wir schon losgefahren waren, fiel mir ein, dass ich ganz vergessen hatte, nach Motiven für Alexias Story Ausschau zu halten.

3

Der April war trocken und an manchen Tagen richtig warm gewesen, aber jetzt, gegen Ende des Monats, schlug das Wetter um. Es hatte sich eingeregnet, als wolle es nie wieder aufhören. Die blühende Welt draußen schien eingehüllt in graue, dicke Schleier, und all die Blumen und Zweige, die sich gerade noch der Sonne entgegengereckt hatten, hingen nun nass und geknickt herunter. Und es war kalt geworden. Besonders am Morgen fror man, wenn man das Haus verlassen musste. Das *geheizte* Haus. Man hatte tatsächlich wieder die Öfen anwerfen müssen. Und man konnte die dicken Jacken und Mäntel, die man bereits freudig in die hintersten Ecken der Schränke verbannt hatte, noch einmal hervorholen. Die Leute begannen bereits düster zu orakeln, dass man womöglich einen richtig nassen und ungemütlichen Mai erleben würde.

Corinne Beecroft war noch müde und etwas verdrießlich, als sie ihr Haus verließ, und das graue Nass, das sie empfing, machte ihre Stimmung nicht besser. Sie musste ihren Schirm aufspannen, um den kurzen Weg zwischen ihrer Haustür und dem in der Einfahrt geparkten Auto zurücklegen zu können, ohne vollständig zu durchweichen. Der Regen rauschte an diesem Morgen wie eine Wand herunter.

Bradley hat es gut, dachte sie, während sie in das Auto stieg und dabei den Schirm so ungeschickt zuklappte, dass sie einen Schwung Wasser in die Schuhe bekam, er liegt jetzt noch gemütlich im Bett, frühstückt dann in aller Ruhe, und wenn er nicht mag, geht er den ganzen Tag nicht aus dem Haus.

Sie warf einen Blick zu dem Fenster im ersten Stock hinauf. Die blauen Vorhänge waren fest zugezogen.

Sie seufzte, ließ den Motor an und stellte sofort die Scheibenwischer auf die schnellste Stufe. Eigentlich liebte sie ihren Job am Empfang einer Arztpraxis in Whitby, und sie fühlte sich mit ihren 58 Jahren auch noch viel zu jung und zu aktiv für ein Dasein als Rentnerin. Aber es gab Tage…

Sie folgte der schmalen Landstraße, die sich aus Sawdon,

dem Dorf, in dem sie und Bradley lebten, hinausschlängelte. Wobei der Begriff *Dorf* für diese Handvoll Häuser, die wie zufällig von irgendjemandem in die einsame Weite am Rande der Hochmoore von Yorkshire hineingewürfelt schienen, schon fast zu viel war. Ein winziger Punkt auf der Landkarte. Immerhin hatten sie sogar ein Pub. Und ein *Bed & Breakfast*. Corinne genoss das Gefühl von Freiheit und Ruhe, das ihr der kleine Ort vermittelte. Sie ging gern dort spazieren, und an den Wochenenden arbeiteten sie und Bradley in ihrem Garten und freuten sich über alles, was dort wuchs und gedieh. Bradley war zehn Jahre älter als sie und bereits im Ruhestand. Das Leben mit ihm war vielleicht nicht besonders aufregend, aber es vermittelte Sicherheit und Geborgenheit. Und das war Corinne inzwischen wichtiger als Abwechslung und Trubel. Abgesehen davon ging es in der Praxis oft so hektisch zu, dass es ihr durchaus recht war, abends nur vor dem Kamin in ihrem Cottage zu sitzen und sich von Bradley die geschwollenen Füße massieren zu lassen.

Wegen des Regens kam sie langsamer voran als sonst. Sie erreichte die A169, die durch das einsame Gebiet der Hochmoore hindurch direkt nach Whitby führte, das unmittelbar am Meer lag. Auf der Straße war zu dieser frühen Stunde kaum etwas los. Corinne war gern so zeitig wie möglich in der Praxis. Sie konnte sich dann einen schönen Kaffee kochen und in Ruhe die Dinge erledigen, die anstanden, sich vor allem aber um die Abrechnungen kümmern. Später kam man dann kaum noch dazu. Es arbeiteten drei Ärzte in der Praxis, und ab neun Uhr ging es dort zu wie im Taubenschlag.

Es war etwa zwanzig nach sieben, als Corinne an den Halteplatz kam, der sich weit im Inneren der Moore befand. Es handelte sich keineswegs um eine echte Parkmöglichkeit, sondern nur um eine Ausbuchtung am Straßenrand, von der ein holpriger Feldweg zu einem Weidegatter führte und dort endete. Corinne fuhr an die Seite, hielt an und schaltete den Motor aus. Sie schaute auf ihre Uhr. Sie waren für Viertel nach sieben verabredet gewesen, aber natürlich war wieder einmal weit und breit keine Spur von Celina zu sehen. Es war jeden Tag dasselbe, und bei schlechtem Wetter war es noch schlimmer. Celina fand nicht aus dem Bett, und ihre Mutter, die einen ziemlich faulen Ehemann und fünf weitere Kinder zu versorgen hatte, schaffte es nicht, ihre Tochter zur Pünktlichkeit anzuhalten. Celina war siebzehn und hatte in Whitby eine Lehrstelle als Zimmermädchen in einem Hotel gefunden. Da sie und ihre Familie auf einer der völlig abgelegenen Farmen inmitten der Hochmoore wohnten, war es ein Problem für sie, jeden Tag in die Stadt zu kommen, und ihre Mutter, die noch die anderen Kinder in die verschiedenen Schulen oder zumindest bis an die Bushaltestellen bringen musste, schaffte es nicht, sie zu fahren. Sie war als Patientin in der Praxis gewesen, in der Corinne arbeitete, und hatte ihr Leid geklagt. Corinne hatte spontan ihre Hilfe angeboten.

»Ich fahre jeden Morgen nach Whitby. Ich könnte Celina mitnehmen.«

Sie hatten einen Treffpunkt vereinbart. Der Feldweg, zu dem Celina von ihrer Mutter gebracht werden sollte. Und sie hatten eine Uhrzeit abgesprochen. Die nicht an einem einzigen Tag bislang eingehalten worden war.

Corinne war verärgert. Es war ohnehin ein höchst begrenztes Vergnügen, zumindest die halbe Strecke zu ihrer Arbeit täglich mit einem missmutigen und einsilbigen Teenager zurücklegen zu müssen, aber dann auch noch jedes Mal zu warten, ohne dafür je eine Entschuldigung zu erhalten, ging einfach zu weit. Sie hatte bis heute nur mitgespielt, weil ihr Celinas restlos überforderte Mutter leid-tat, aber an diesem Morgen beschloss sie, dass es mit ihrer Geduld nun ein Ende haben musste. Entweder Celina kam pünktlich, oder sie konnte sich einen anderen Dummen su-chen.

Fröstelnd zog sie ihren Mantel enger um sich und presste sich in den Sitz. War es jemals Ende April so kalt gewe-sen? Und wie dunkel es heute war, viel dunkler als sonst. Das lag an den tief hängenden Wolken und dem unermüd-lich rauschenden Regen. Sie schaute aus dem Seitenfenster. Die eintönige Hochebene. Nasses Heidekraut, Gräser und Farn. Weidezäune. Ein paar Hügel in der Ferne. Der Regen schien noch stärker zu werden.

Corinne ließ die Scheibenwischer laufen, und sie wisch-ten sofort eine Art Sturzwelle platschend zur Seite. Kaum hatte sie sie wieder abgeschaltet, war die Scheibe erneut un-durchdringlich nass. Es half nichts, heute half einfach gar nichts.

Sie bemerkte im Rückspiegel Scheinwerfer, die sich nä-herten, und setzte sich aufrecht hin. Endlich! Zehn Minu-ten zu spät. Sie würde Celina heute sagen, was sie von ihr und ihrer gesamten Lebenseinstellung hielt, auch wenn das Mädchen dann noch unfreundlicher sein würde als sonst. Es konnte ihr egal sein. Es war ohnehin das letzte Mal.

Das Auto wurde langsamer, rollte auf den Seitenstreifen und kam zum Stehen. Corinne ließ den Scheibenwischer über die Heckscheibe laufen und runzelte die Stirn. Sie hatte den altersschwachen Jeep erwartet, den Celinas Mut-ter fuhr, aber es war ein ganz anderes Auto, das nun hinter ihr gehalten hatte. Ein großer Ford, wenn sie das richtig er-kannte. Nur als Umriss gewahrte sie zwei Gestalten hinter der Frontscheibe.

Celina und ihre Mutter?

Oder wurde sie heute von ihrem Vater gebracht, der vielleicht ein anderes Auto fuhr? Das war allerdings noch nie vorgekommen, und zudem erschien ihr der Wagen als zu groß und zu teuer für die Verhältnisse dieser Familie. Sie wusste, dass sich die Farm kaum rentierte und dass Geld ein permanentes Problem darstellte.

Woher dieser Schlitten?

Corinne beschlich ein ungutes Gefühl. Sie wollte nicht albern sein, aber schlagartig wurde sie sich bewusst, wie einsam es hier war. Die ganze Zeit über war niemand vorbeigekommen. Sie war mutterseelenallein.

Sie ließ den rückwärtigen Scheibenwischer erneut laufen und sah, dass beide Türen des Autos hinter ihr offen standen und dass die Insassen den Wagen verlassen hatten. Plötzlich von echter Angst gepackt suchte sie hektisch nach dem Schalter, mit dem sie ihre eigenen Türen verriegeln konnte, aber noch ehe sie ihn gefunden hatte, wurde ihre Fahrertür schon aufgerissen. Ein Mann stand neben ihr. Schwarze Jeans, Regenjacke, eine Mütze über das Gesicht gezogen, die nur seine Augen frei ließ. Er packte sie mit groben Händen.

»Raus!«, herrschte er sie an.

Corinne begann schlagartig so zu zittern, dass sie die Kontrolle über ihre Muskeln verlor und sich nicht bewegen konnte.

»Ich … bitte … ich …«, stammelte sie.

»Raus«, wiederholte der Mann. Und als sie seiner Aufforderung noch immer nicht Folge leistete, zerrte er sie aus dem Auto und schleifte sie über den Wiesenrand hinüber zu dem Ford. Corinne hing wehrlos in seinen Armen. Der andere Mann, ebenfalls schwarz gekleidet und maskiert, setzte sich auf den Rücksitz des großen Autos, und Corinne wurde neben ihn geschoben. Sie war auf dem kurzen Stück vom Regen völlig durchnässt worden. Wasserrinnsale liefen ihr aus den Haaren über das Gesicht, ihr Mantel klebte wie ein nasser Lappen an ihrem Körper. Sie zitterte noch immer, vor Angst und vor Kälte. Zutiefst verwirrt fragte sie sich, was eigentlich gerade mit ihr passierte. Sie war eine ganz normale Frau auf dem Weg zu ihrer Arbeit. Sie war nicht reich, nicht berühmt, nicht jung. Was wollten diese Kerle von ihr? Und wo blieben Celina und ihre Mutter? Inzwischen waren sie eine Viertelstunde über der Zeit, selbst für Celinas Verhältnisse war das ungewöhnlich.

Warum kommt ihr nicht? Warum kommt niemand?

Der Mann, der sie aus ihrem Auto gezerrt hatte, setzte sich ans Steuer und ließ den Motor an. Als die Scheibenwischer ansprangen, konnte Corinne ihren eigenen Wagen sehen. Mit offener Fahrertür stand er da. Niemand hatte den Überfall beobachtet. Man würde rätseln, was mit Corinne Beecroft geschehen war, aber man käme wahrscheinlich nicht dahinter. Es sei denn, ihre Kidnapper setzten sich mit Bradley in Verbindung. Aber zu welchem Zweck, um Himmels willen? Bradley hatte nichts als seine bescheidene Rente und das alte, kleine Häuschen am Rande der Welt, das er von seinen Eltern geerbt hatte. Sie selbst bekam das Gehalt einer Arzthelferin. Sie hatten, was sie brauchten, aber sie waren alles andere als wohlhabend.

Sie fuhren die Straße entlang. Erst fünf Minuten später kam ihnen endlich ein Auto entgegen. Corinne fragte sich, ob dem Fahrer das verlassene Auto mit offener Tür auf dem Standstreifen auffallen und ob er der Sache nachgehen würde. Sie hegte wenig Hoffnung, und der Regen machte die Sache noch aussichtsloser. Kaum jemand würde große Lust verspüren, auszusteigen und nachzusehen, was es mit diesem einsamen Wagen auf sich hatte. Die Einzigen, die sich vielleicht wirklich wundern und dann auch bei Bradley anrufen würden, waren Celina und ihre Mutter. Sie stellten die einzige Chance dar, dass nicht endlose Stunden vergehen würden, ehe sich jemand um ihren Verbleib sorgen würde. Denn selbst in der Praxis würde man nicht sofort Himmel und Hölle in Bewegung setzen, wenn sie nicht da war. Man kannte sie als äußerst zuverlässige Mitarbeiterin, man würde davon ausgehen, dass es einen triftigen Grund für ihre Verspätung gab und dass sie sich irgendwann schon melden und alles erklären würde.

Es gelang ihr endlich, einen ganzen Satz zu formulieren, obwohl ihre Lippen dabei bebten. Ihre Stimme hörte sich seltsam an, fand sie.

»Bitte, warum tun Sie das?«, fragte sie. »Ich bin nicht reich. Ich meine, wir geben Ihnen alles, was wir haben, aber das ist nicht viel.«

»Halt den Mund«, sagte der Mann neben ihr. Er schien gelangweilt.

»Wohin bringen Sie mich?«, fragte Corinne.

»Ich habe gesagt, du sollst den Mund halten«, wiederholte der Mann. Er sah sie an. Sie konnte nur seine Augen in den schwarzen Schlitzen erkennen. Sie waren dunkel und zeigten nicht die geringste Regung, nicht das kleinste Mitgefühl. »Noch ein Wort, und du kriegst eins in die Fresse, okay?«

Sie schluckte krampfhaft, nickte eingeschüchtert. Sie würde nichts mehr sagen, denn sie zweifelte keine Sekunde, dass er seine Drohung wahr machen und ihr seine Faust ins Gesicht schmettern würde. Sie schaute zum Fenster hinaus. Sie fuhren noch immer auf der A169 in Richtung Whitby.

Wohin bloß? Und warum, warum, warum?

Sie begann zu weinen.

Sie war an einem ganz gewöhnlichen Morgen in einen Alptraum geraten und hatte nicht die geringste Ahnung, was eigentlich mit ihr passierte.

4

Ryan wünschte, er hätte sich nicht von Nora überreden lassen, sie zu dem Fest zu begleiten. Eine Kollegin von ihr hatte Geburtstag und veranstaltete eine Party in ihrem Haus drüben in Pembroke. Bei dem Haus handelte es sich um eine ehemalige kleine Scheune, die die Kollegin und ihr Mann in offenbar jahrelanger Arbeit umgebaut hatten. Sie waren ungeheuer stolz darauf, aber Ryan fand die unebenen Fußböden, die schiefen Wände und die winzigen Fenster nicht allzu gelungen. Es waren an die fünfzig Gäste eingeladen, viel zu viele für die nachträglich eingezogenen engen, niedrigen Räume. Es hatte den ganzen Tag über geregnet, aber am späten Nachmittag hatte es aufgehört, und schließlich ließ sich sogar die Sonne blicken. Im Esszimmer standen die Türen zum Garten weit offen, aber da Gras und Büsche noch triefend nass waren und auf der dilettantisch gefliesten Terrasse das Wasser in tiefen Pfützen stand, zog es niemanden nach draußen. Man stand in drangvoller Enge wie die buchstäblichen Ölsardinen aneinandergepresst in den Zimmern. Ryan hörte allerdings ständig, wie die anderen einander versicherten, dass sie es toll fanden, gemütlich, intim, kuschelig und was noch alles. Und jeder kannte jeden. Ryan kannte naturgemäß niemanden.

Nora hatte so lange gebettelt, er möge mitkommen, bis er sich hatte breitschlagen lassen, aber eigentlich hatte er irgendwann nur deshalb zugestimmt, damit sie endlich mit diesem Thema aufhörte. Ihm stand der Sinn nicht im Geringsten nach einem geselligen Beisammensein, schon gar nicht nach einem im Kreise von Noras Freunden. Er wäre an diesem Freitagabend viel lieber nach Swansea gefahren und hätte Debbie besucht. Er machte sich große Sorgen um sie, weil es ihr nicht gelang, ihr seelisches Gleichgewicht wiederzufinden. Sie war noch immer krankgeschrieben, saß den ganzen Tag in ihrer Wohnung und ging höchstens einmal zu *Tesco* hinüber, um einzukaufen; sie beeilte sich dann jedoch, möglichst schnell wieder daheim zu sein und die Wohnungstür hinter sich zu verschließen und zu verriegeln. Sie schien die Welt draußen als gefährlich und feindselig zu empfinden, was kaum verwunderlich war. Ryan hätte so gern etwas für sie gekocht und sie dann zu einem kleinen Spaziergang überredet. Stattdessen stand er nun inmitten dieser Menschen, die er unsympathisch und laut fand, und hielt sich an einem Bierglas fest, dessen Inhalt inzwischen lauwarm geworden war. Nora war verschwunden. Sie hatte vorher versprochen, auf jeden Fall an seiner Seite zu bleiben, aber schließlich waren sie im Gewühl getrennt worden und hatten einander bislang nicht wiedergefunden. Nora hatte gestrahlt, als sie das Haus der Kollegin betreten hatten, mehr noch, sie hatte geradezu geglüht vor Stolz und Glück. Er hatte endgültig das ganze Ausmaß der Bedeutung begriffen, die er für sie hatte. Sie sah in ihm nicht nur einen emotionalen Bezugspunkt in ihrem Alltag, den Menschen, der da war, wenn sie nach Hause kam, den sie umsorgen und bemuttern konnte. Er war auch ein Statussymbol für sie. Nora hatte unter ihrem Singledasein zunehmend gelitten, und zwar besonders unter dem Ansehen, das in ihren Augen damit einherging. Die Frau, die keinen abbekam... Wahrscheinlich hatte sie die mitleidigen Fragen und die guten Ratschläge gehasst, mit denen man ihr begegnet war. Sie war in dem Alter, in dem man sich um sie herum verlobte, heiratete oder sogar schon die ersten Babys bekam. Ryan hatte allein an diesem Abend nicht weniger als drei schwangere Frauen gesehen, die ihre dicken Bäuche erstaunlich unbekümmert durch das gnadenlose Gedrängel trugen. Er wusste, dass sich Nora nach Ehe und Kindern sehnte. Es war während ihrer langen Gespräche herausgekommen, die sie geführt hatten, als sie ihn noch regelmäßig im Gefängnis besuchte. Seltsamerweise war ihm dabei nie der Gedanke gekommen, dass sie ihm einen Wink mit dem Zaunpfahl gab, dass sie ihn als Erfüllungsgehilfen ihrer Wünsche anpeilte. Als sie ihn nach seiner Entlassung bei sich aufgenommen hatte, war er noch sicher, dies geschehe äußerstenfalls aus Freundschaft, eigentlich aber vor allem aus ihrem sozialen Engagement heraus. Erst nach und nach hatte er während der vergangenen Wochen begriffen, dass sie ihm ganz gezielt geschrieben, ihn gezielt besucht, ihn gezielt bei sich einquartiert hatte. Und heute Abend gab es keinen Zweifel mehr: Er fungierte ganz offiziell als ihr Freund. Ihr Lebensgefährte. Und deshalb hatte er auch unbedingt mitkommen müssen. Er war eine Trophäe, die sie herumzeigen wollte.

Eigentlich müsste ich sauer sein, dachte er. Er war es jedoch nicht. Das lag an Noras Strahlen. Er schaffte es nicht, einer Frau böse zu sein, die so erleichtert und glücklich wirkte, nur weil sie ihn an ihrer Seite hatte.

Er überlegte gerade, ob es ihm gelingen konnte, sich irgendwie den Weg in die Küche zu bahnen und an ein kaltes Bier zu kommen, da wurde er, zum ersten Mal, seitdem er hier war, angesprochen. Der Typ hatte ungefähr sein Alter, trug Jeans und ein Poloshirt und wirkte ziemlich verhärmt.

»Hallo! Ich bin Harry Vince.«

»Ryan Lee«, sagte Ryan.

»Hallo, Ryan. Du bist der Neue von Nora, stimmt's?«

»Äh, ich…«, druckste Ryan, aber zum Glück redete Harry schon weiter. »Ich war früher mal ein Kollege von Nora. Am *South Pembrokeshire Hospital*. Vor einem Jahr habe ich mich selbstständig gemacht. Eigene physiotherapeutische Praxis. Drüben in Swansea.«

»Glückwunsch«, sagte Ryan, weil ihm nichts anderes einfiel.

»Ganz schön anstrengend«, gestand Harry. »Bis so eine Praxis sich mal rentiert. Man hat immer nur Ausgaben, und … na ja, leben muss man ja auch noch …«

Ryan fiel auf, dass Harrys Hände, die ebenfalls ein Bierglas umklammert hielten, ganz leicht zitterten. Auch wirkte er übernächtigt und so, als esse er zu wenig und komme nie an die frische Luft.

Er kämpft um seine Existenz, dachte Ryan, hat sich selbstständig gemacht, und die Kiste läuft nun nicht so richtig.

Harry zog eine Karte aus seiner Hosentasche und reichte sie Ryan. »Hier. Wenn du mal irgendein Problem hast … Ich meine, du sitzt zwar bei Nora an der Quelle, aber die hängt ja total in ihren Dienstplänen fest, und wenn es mal schnell gehen soll …« Er sah ihn so hoffnungsvoll an, als erwarte er, Ryan werde nun gleich erklären, auf jemanden wie ihn habe er schon lange gewartet. Aber schließlich, das konnte schneller gehen als gedacht. Ryan wusste, dass er in der Ruhe vor dem Sturm lebte und dass möglicherweise Debbie schon ein Vorbote des Orkans war. Damon würde zuschlagen. Man wusste nicht, wann, wo und wie, aber es würde böse, perfide und sadistisch sein. Damon war über zwei Jahre lang zur Untätigkeit verurteilt gewesen, weil sein Opfer im Knast saß. Er würde sich auf besonders grausame Art austoben. Wenn er mit ihm fertig war, brauchte Ryan vielleicht überhaupt niemanden mehr. Vielleicht aber auch gerade einen Physiotherapeuten. Weil dann wahrscheinlich nicht ein Knochen in seinem Körper mehr an der richtigen Stelle saß.

»Danke«, sagte er und schob die Karte in seine Jeanstasche. »Klar, ich melde mich, wenn ich mal jemanden brauche.«

Er sah, dass Nora ins Zimmer kam und sich suchend umblickte. Sie hatte eine attraktive schwarzhaarige Frau im Schlepptau, die ebenfalls aussah, als halte sie nach jemandem Ausschau.

Nach mir vermutlich, dachte Ryan. Die Schwarzhaarige ist eine Freundin von ihr, und ich soll jetzt vorgestellt werden.

Er fühlte sich immer elender. Am liebsten wäre er hinaus in den nassen Garten gesprintet und weggelaufen, so schnell er konnte. Aber abgesehen davon, dass dies wieder zu einer Kontroverse mit Nora geführt hätte, war es auch rein technisch nicht möglich: Die Menschen um ihn herum standen wie eine Mauer und besonders dicht an der Terrassentür, weil man dort am besten Luft bekam. Zumindest an ein *rasches* Durchkommen war nicht einmal zu denken.

Nora hatte ihn erblickt und bahnte sich entschlossen den Weg zu ihm, immer noch gefolgt von der anderen Frau. Sie kamen bei ihm an, als Harry gerade fragte: »Und du? Arbeitest du auch im Krankenhaus?«

»Nein«, sagte Ryan. Er beschloss, bei der Wahrheit zu bleiben, auch wenn sie nicht ausgesprochen ehrenvoll war. »Ich arbeite in einem Copyshop.«

»Coffeeshop?«, fragte Harry zurück.

»Ryan, ich möchte dir meine Freundin Vivian vorstellen«, sagte Nora. »Vivian, das ist Ryan Lee. Ryan, das ist Vivian Cole.«

»Copyshop«, berichtigte Ryan. Er nickte Vivian zu. »Hi!«

»Hi!«, sagte Vivian. Sie musterte ihn mit unverhohlener Neugier. Sie war Noras beste Freundin, Nora hatte oft von ihr gesprochen. Sie holte Nora jeden Morgen zur Arbeit ab, und bislang war es Ryan stets gelungen, schon fort zu sein, ehe sie kam. Ihm war klar, dass sie in jedes Detail ihrer Beziehung eingeweiht war, vom ersten Brief über das erste persönliche Kennenlernen bis hin zu seinem Einzug in Noras Wohnung. Seine Sehnsucht nach Flucht verstärkte sich.

»In einem Copyshop?«, fragte Harry und runzelte die Stirn. Ryan hatte eigentlich Mitleid mit ihm gehabt, aber nun fand er ihn unsympathisch. Harry kam mit seinem Leben nicht klar und suchte nach Menschen, denen es noch schlechter ging als ihm. »Ist das denn ein richtiger Beruf?«

»Mir macht das Spaß«, log Ryan.

Harry schüttelte den Kopf. »Ja, aber das ist doch nichts, was man sein Leben lang...«

»Die Frage stellt sich doch gar nicht, Harry«, unterbrach ihn Vivian. Sie lächelte. Ryan hatte den Eindruck, nie zuvor ein so falsches Lächeln gesehen zu haben. »Ryan war sehr froh, überhaupt eine Arbeit zu finden, nehme ich an.«

»Vivian...«, meinte Nora unbehaglich.

»Wieso?«, fragte Harry.

»Wusstest du das nicht?«, fragte Vivian. Ihr Erstaunen war gespielt, schlecht gespielt, wie Ryan fand. Am Theater sollte sie sich besser niemals bewerben.

»Nein. Was denn?«, gab Harry zurück. Er wartete jetzt auch auf eine Enthüllung.

»Also, es ist ja kein Geheimnis, Nora, nicht wahr? Nora steht total dazu. Ryan war ja im Gefängnis. Dort haben sie sich kennengelernt.«

»Du warst im Gefängnis, Nora?«, fragte Harry völlig perplex und viel zu laut. Plötzlich verstummte ringsum das Stimmengewirr. Das Wort *Gefängnis* mit erhöhter Lautstärke vorgetragen, hatte ausgereicht, den Lärm, der zuvor undurchdringlich schien, abrupt enden zu lassen.

Vivian lachte. »Natürlich nicht. Sie hat Ryan über so einen Verein kennengelernt... der Kontakt zu Strafgefangenen vermittelt. Zu solchen, die keine Familie haben und keine Briefe bekommen und keinen Besuch und so.«

»Echt?« Harry wirkte erschüttert. Offensichtlich hatte er ein ganz anderes Bild von Nora gehabt. Ryan merkte, wie seine Hände nass wurden. Es fehlte nicht viel, und ihm würde das Bierglas aus den feuchten Fingern zu Boden rutschen.

»Weshalb warst du denn im Gefängnis?«, wollte eine andere Frau wissen.

»Schwere Körperverletzung«, erklärte Vivian.

Schweigen. Niemand konnte einen Schritt zurücktreten, dafür standen sie zu dicht, aber trotzdem hatte es für Ryan den Anschein, als rückten sie alle von ihm ab. Innerlich zumindest. Er war plötzlich noch einsamer als zuvor.

»Ich habe nicht vorsätzlich gehandelt«, erklärte er. »Eigentlich war es ein Missgeschick.«

»Aber wegen eines Missgeschicks kommt man doch nicht ins Gefängnis«, meinte Harry.

Wie sollte er erklären, was damals passiert war? Er schaute in all diese Gesichter und hatte auf einmal den Eindruck, er werde sich sowieso in seinen Ausführungen verheddern. Er sah … Neugier. Schadenfreude. Abscheu. Sensationslust. Und über alldem eine grausame Gleichgültigkeit. Stumpfsinn. Glotzaugen ohne Gefühle.

»Ich … nun, es war …«, setzte er an, aber da vernahm er mit einem Mal Noras Stimme. Er hatte zuvor nicht bemerkt, dass sie nicht mehr vor ihm stand, sondern sich inzwischen neben ihn geschoben hatte. Buchstäblich und für jeden ihrer Freunde und Kollegen sichtbar stand sie nun an seiner Seite.

»Das Gesetz macht einen großen Unterschied in der Frage, ob jemand vorsätzlich und in böser Absicht handelt oder nicht«, erklärte sie. »Ryan wurde zu vier Jahren Haft verurteilt und nach zweieinhalb Jahren auf Bewährung entlassen. Es hätten bis zu fünfundzwanzig Jahre sein können, wenn das Gericht einen Vorsatz festgestellt hätte.«

Alle starrten sie an.

»Na ja, aber am Ende war jedenfalls jemand sehr schwer verletzt«, meinte Vivian spitz. Sie lächelte jetzt nicht mehr. »Vorsatz oder nicht!«

»Wenn ich dir eine knalle«, sagte Nora, »habe ich nicht vor, dich ins Krankenhaus zu bringen. Tatsächlich kannst du aber stolpern, ausrutschen, mit dem Kopf gegen eine Kante schlagen und dich dabei erheblich verletzen. Niemand wird sagen können, dass ich das gewollt habe.«

»Also, nach allem, was du mir erzählt hast, ging es in Ryans Fall bei Gott nicht um eine einfache Ohrfeige. Es war eine Kneipenschlägerei, soviel ich weiß. Der andere war so betrunken, dass er sich kaum wehren konnte. Ryan hat auf ihn eingeprügelt, weil der andere ihn im Suff angepöbelt hatte. Der Junge war nicht einmal wirklich verantwortlich für das, was er da von sich gab, aber er musste schließlich mit einer schweren Gehirnerschütterung und einem Schädelbasisbruch ins Krankenhaus eingeliefert werden.«

»Ryan wollte das nicht«, gab Nora zurück. Ihre Stimme bebte. Ryan warf ihr einen Blick von der Seite zu. Ihre Augen funkelten vor Wut. Er hatte zuerst gedacht, das Beben in ihrer Stimme rühre daher, dass sie gleich in Tränen ausbrechen würde, aber nun erkannte er, dass sie vom Weinen weit entfernt war. Sie war einfach nur außer sich vor Zorn.

»Wie konnte es denn dann so eskalieren?«, fragte Harry.

»Es war so, wie ich das eben in meinem Beispiel geschildert habe«, sagte Nora. »Er ist unglücklich gestürzt und mit dem Hinterkopf auf eine Kante geknallt. Es war schreckliches Pech.«

»Das Gericht hat anerkannt, dass ich das so nicht voraussehen konnte«, sagte Ryan. Eigentlich hatte er sich nicht
rechtfertigen wollen.

Trotzdem fügte er hinzu: »Ich habe ein Anti-Aggressions-Training gemacht im Gefängnis. Mir würde so etwas
heute nicht mehr passieren. Ich habe jetzt … Mechanismen,
mit denen ich mich kontrolliere.«

»Na, da sind wir aber wirklich froh!«, sagte Vivian. »Dann
müssen wir uns ja um Nora hoffentlich keine Sorgen machen!«

»Als ob du dir überhaupt je Sorgen um mich machen
würdest, Vivian«, sagte Nora. »Oder je gemacht hättest. All
die Jahre, in denen ich jeden Abend allein in meiner Wohnung saß, während du mit deinen Eroberungen um die
Häuser gezogen bist und ich mich einsam fühlte und eine
Freundin gebraucht hätte, da warst du immer nur mit dir
und deinen vielen tollen, aufregenden, umwerfenden Männern beschäftigt. Ich war dir doch egal!«

»Ich konnte nichts an deinen Beziehungsproblemen ändern. Ich wusste ja auch nicht, weshalb nie einer bei dir an-
dockte! Allerdings …«

»Ja?«, fragte Nora.

»Na ja, so langsam sehe ich klarer«, sagte Vivian. »Du
brauchst eine ganz spezielle Sorte von Mann. Eine, die man
da draußen nicht ohne Weiteres findet. Du musst dich absolut überlegen fühlen können, Nora. Du hast solche Komplexe, dass du einen gleichberechtigten oder gar stärkeren
Mann nicht ertragen würdest. Deshalb diese aberwitzige
Idee, eine Knastbekanntschaft aufzubauen. Unterlegener
kann ein Mann schließlich kaum sein. Eingesperrt. Verurteilt. Und auch wenn er rauskommt, bleibt er gesellschaft-
lich isoliert. Für immer mit einem Makel behaftet. Ein Gewaltverbrecher. Nichts anderes. Und dadurch wird er immer

auf dich angewiesen sein. Du bist seine einzige Möglichkeit, wenigstens mit *einem* Fuß im bürgerlichen Leben stehen zu können. Und genau das macht seinen Reiz für dich aus. Du kannst dich neben ihm so herrlich stark und sicher fühlen, Nora! Und du kannst die Hoffnung hegen, dass er bei dir bleiben wird. Im Unterschied zu all den anderen!«

»Wie konnte ich dich als meine Freundin ansehen, Vivian«, sagte Nora. Sie war leichenblass geworden, wie Ryan feststellte. Sie wusste und er wusste, und alle im Raum wussten es vermutlich: Vivian mochte gemein und gehässig sein, aber sie hatte ins Schwarze getroffen. Sie hatte die Beziehung zwischen Ryan und Nora auf den entscheidenden Punkt gebracht.

»Ich habe Angst um dich, Nora«, erklärte Vivian.

»Also, ich finde, auch ein Verbrecher verdient eine zweite Chance«, fühlte sich nun Harry zu einem Beitrag verpflichtet. »Selbst ein Mörder sollte …«

»Ich bin kein …«, setzte Ryan an, und dann reichte es ihm. Alles. Vivians Falschheit. Harrys plötzlich so salbungsvolle Art. Die Gesichter ringsum. Diese ganze grässliche Party reichte ihm. Und er fühlte etwas, das er die ganze Zeit über zu keinem Moment gefühlt hatte: dass er es jetzt war, an diesem Abend, der Nora beschützen musste. Sie hatte sich neben ihn gestellt und sich zu ihm bekannt, und sie hatte dafür eine tiefe Demütigung vor der versammelten Mannschaft einstecken müssen. Es war jetzt an ihm, diese unerträgliche Situation für sie zu beenden.

Er drückte dem überraschten Harry sein Bierglas in die Hand und nahm Noras Arm.

»Komm«, sagte er, »wir gehen nach Hause!«

5

Es war halb elf, als sie daheim ankamen. Sie waren beide auf dem Fest nicht mehr dazu gekommen, etwas zu essen, und im Auto hatte Nora plötzlich gesagt: »Ich lasse mir den Abend nicht komplett verderben! Ich habe Hunger. Lass uns ins *Navy Inn* gehen.«

Es war das erste Mal, dass sie zusammen abends in einem Restaurant saßen. Ein seltsames Gefühl, wie Ryan fand. Eigenartig intim, obwohl es das Normalste auf der Welt war, dass zwei Menschen zusammen essen gingen, es bedeutete keineswegs, dass sie eine Beziehung hatten. Sie tranken jeder eine Flasche Bier und schaufelten Zwiebelringe, Pommes Frites und gebackene Bohnen in Tomatensoße in sich hinein.

»Ich brauche richtig viele Kalorien«, hatte Nora gesagt. »Das ist immer so, wenn ich wütend bin.«

Es lag, wie Ryan nach und nach klar wurde, an der Situation, in die sie auf jener furchtbaren Party geraten waren. Für ein paar Minuten war es so gewesen: Sie beide gegen den Rest der Welt. Er hatte Nora von einer ihm bis dahin ganz unbekannten Seite erlebt. Er hatte nicht gewusst, dass sie so zornig sein konnte. Und so … aufrecht. Sie hatte wie ein Bodyguard neben ihm gestanden, bleich und bebend und unbeirrbar. Zum ersten Mal hatte er echten Respekt vor ihr empfunden. Und diese Empfindung hielt an. Sie veränderte etwas zwischen ihnen beiden. Worauf das am Ende hinauslief, konnte er noch nicht sagen. Er registrierte nur, dass etwas in Bewegung gekommen war.

Sie sprachen über Vivian.

»Sie hatte zu viel getrunken«, erklärte Nora. »Und sie kann aggressiv und unberechenbar sein, wenn sie getrunken hat. Morgen ist sie dann über sich selbst entsetzt.«

»Glaubst du, eure Freundschaft übersteht diesen Auftritt?«, fragte Ryan.

Nora zuckte mit den Schultern. »Weiß ich noch nicht. Ich habe schon manches mit ihr erlebt, aber das vorhin war selbst für ihre Verhältnisse äußerst extrem. Sie wird sich wahrscheinlich auf Knien entschuldigen, aber ich kann jetzt noch nicht sagen, was das in mir auslösen wird. Im Moment fühle ich mich erschöpft und leer.« Sie lächelte müde. »Das ist wahrscheinlich normal, wenn man zuvor so wütend war.«

»Wir sollten nicht mehr zusammen zu solchen Veranstaltungen gehen«, meinte Ryan. »Etwas in dieser Art wird immer wieder passieren. Zumal jetzt so viele Leute meine Vergangenheit kennen. Über das Wochenende ist es in deinem ganzen Bekanntenkreis und unter allen Kollegen herum. Es wird immer Kommentare geben, Warnungen, Verständnislosigkeit. Sensationslust.«

»Das macht mir nichts aus«, sagte Nora. »*Ich* habe kein Problem mit deiner Vergangenheit, und das ist das Einzige, was zählt. Es geht um uns beide, Ryan. Nicht um die Menschen da draußen.«

Er glaubte ihr, dass sie meinte, was sie sagte. Er wusste nur nicht, ob sie überblicken konnte, was es in letzter Konsequenz bedeutete, nicht mehr zu *den Menschen da draußen* zu gehören. Und in welche Position schob es ihn, wenn er das Einzige war, was ihr blieb? Darüber mochte er lieber nicht nachdenken.

Als sie zu Hause ins Wohnzimmer traten, blinkte der Anrufbeantworter. Drei Anrufe waren eingegangen. Die ersten beiden stammten von Vivian.

Bei ihrer ersten Nachricht war sie hörbar in Tränen aufgelöst und inzwischen deutlich betrunken. Im Hintergrund klangen Stimmengewirr und Musik.

»Es tut mir so leid, Nora, ehrlich, du musst mir glauben!« Sie sprach mit schwerer Zunge und verhaspelte sich immer wieder bei den Wortanfängen. »Bitte, bitte, ruf mich auf meinem Handy an. Ich bin noch auf der Party. Ich habe mein Handy in der Hand, ich höre es, wenn es klingelt. Bitte, melde dich. Ich will dir alles erklären.«

Bei ihrem zweiten Anruf weinte sie nicht mehr, sprach dafür mit grabesschwerer Stimme und so leise, dass man sie kaum verstehen konnte. Immerhin war es nun ruhig um sie herum. »Ich bin jetzt weggegangen. Ich habe es nicht mehr ausgehalten. Du hast nicht angerufen, Nora. Bitte, bitte gib mir noch eine Chance. Bitte! Du bist meine beste Freundin. Ich wollte dich nicht verletzen. Ich weiß selbst nicht, warum ich so gemein zu dir war. Bitte, ruf mich an.« Sie machte eine Pause. »Du kannst die ganze Nacht anrufen«, fügte sie dann hinzu. »Egal wann. Aber melde dich bitte!«

»Ich wusste, dass sie zu sich kommt«, sagte Nora, »und dass sie dann über sich selbst erschrickt. Wollen wir uns ihre dritte Nachricht auch noch antun?«

Ryan stand mitten im Zimmer. »Wie du willst«, sagte er.

Nora drückte erneut auf die Wiedergabetaste.

Schweigen. Dann räusperte sich jemand.

»Das ist nicht Vivian«, sagte Nora überrascht. »Das ist, glaube ich, ein Mann!«

Der Anrufer räusperte sich noch einmal. Er schien unsicher, wie er beginnen sollte.

»Ryan? Ich hoffe, ich habe die richtige Telefonnummer. Ich hoffe, Ryan wohnt dort. Ryan Lee.«

Ryan tat einen Schritt nach vorn. Die Stimme kam ihm bekannt vor, aber er konnte sie keiner Person zuordnen. Sein erster Gedanke war: Damon! Jetzt hat er mich! Jetzt sagt er mir, bis wann er das Geld haben will und was geschieht, wenn ich nicht zahle.

Aber schon im nächsten Moment wusste er, dass das nicht sein konnte. Wer immer sich dort an ihn wandte, war ein unsicherer, zögerlicher Mensch, der es nicht besonders liebte, auf einen Anrufbeantworter zu sprechen und dabei nicht einmal genau zu wissen, ob er den richtigen Kontakt hatte. Das klang absolut nicht nach Damon. Damon hätte laut und frech seine Botschaft auf das Band geschmettert, ohne Räuspern, Zögern und Zaudern. Er hätte gar nicht daran gezweifelt, die richtige Nummer zu haben, einfach deshalb, weil Damon grundsätzlich an nichts, was er tat, auch nur die Spur eines Zweifels hegte.

»Ja, also, hier ist Bradley. Bradley Beecroft. Ryan, es ist etwas passiert... Ich kann dir nicht einmal genau sagen, was geschehen ist, aber... du solltest dich bitte mit mir in Verbindung setzen. Es hat den Anschein, dass... deine Mutter ist verschwunden, Ryan. Das Ganze ist äußerst mysteriös. Bitte ruf mich an!«

Das Aufzeichnungsgerät schaltete sich aus. Ryan stand wie erstarrt.

»Wer war das?«, fragte Nora. »Und wovon, um Himmels willen, spricht er?«

Ryan nahm den Telefonhörer auf und begann, gleichzeitig auf den verschiedenen Tasten des Anrufbeantworters herumzudrücken. »Ich weiß seine Nummer überhaupt nicht. Verdammt, hat dieses Ding hier irgendwo die Nummer aufgezeichnet?«

»Wer war das?«, wiederholte Nora.

»Bradley«, sagte Ryan. Es war ihm gelungen, Bradley Beecrofts Nummer im Display aufzurufen, und nun tippte er sie in das Telefon ein. »Der Mann meiner Mutter.«

»Dein Stiefvater?«

»Nein. Oder in gewisser Weise ja. Bradley ist der dritte Mann meiner Mutter. Ich war schon erwachsen, als sie ihn heiratete.« Er wartete, dass sich die Verbindung herstellte. Er merkte, dass er kaum schlucken konnte, weil sein Hals innerhalb weniger Sekunden ausgetrocknet war.

»Hallo, Bradley«, sagte er dann, »hier ist Ryan. Was ist passiert?«

Sie rasten durch die Nacht. Ryan saß am Steuer, er fuhr viel zu schnell, das wusste er, gefährlich schnell, aber die Unruhe trieb ihn mit solcher Kraft, dass er nicht langsamer hätte werden können. Zum Glück war an diesem späten Freitagabend nur wenig auf den Straßen los. Es hatte wieder zu regnen angefangen. Eine nasse, windige Aprilnacht. Wer konnte, blieb zu Hause.

»Ich brauche das Auto, Nora«, hatte er gesagt, nachdem er Bradleys aufgeregter Schilderung gelauscht und dann das Gespräch beendet hatte. »Ich muss dorthin. Zu Bradley. Ich muss sehen, ob ich etwas tun kann.«

»Natürlich musst du das«, hatte Nora ohne zu zögern geantwortet. »Und ich werde mitkommen.«

»Nora, du brauchst nicht...«

»Ich will aber.«

Er war nicht sicher, ob er sie eigentlich gern dabeihatte, aber es war ihr Auto, und er konnte ihr daher kaum verbieten, ihn zu begleiten. Zudem könnte sie hilfreich sein. Er hatte sie jetzt als loyal und engagiert erlebt, und sicher würde sie ihr Bestes geben, ihm auch jetzt zur Seite zu stehen.

»Wo wohnt denn deine Mutter?«, hatte Nora gefragt, als sie einstiegen. Sie hatten jeder Wäsche zum Wechseln und Zahnbürsten in eine Tasche geworfen und diese auf den Rücksitz gestellt. Obwohl ihm tausend andere Gedanken im Kopf herumschwirrten, hatte Ryan doch noch denken können: Wie ein altes Ehepaar. Jetzt reisen wir schon mit einer gemeinsamen Tasche.

»Sawdon. Das ist in den Yorkshire Moors.«

»Wir müssen bis nach Yorkshire hinauf?«

»Ich muss. Du nicht.«

»Ich habe gesagt, dass ich mitkomme, und daran ändert sich nichts.«

Er war froh, dass sie seinen Fahrstil mit keinem Wort kommentierte, dabei hatte sie bestimmt Angst. Er sah das an ihren verkrampft zusammengepressten Lippen, wenn er ihr hin und wieder einen Seitenblick zuwarf. Aber sie enthielt sich jeder Bemerkung.

Er konnte es kaum fassen, was ihm Bradley erzählt hatte. Sie hatten das verlassene Auto seiner Mutter am Rande der Straße gefunden, die durch die Moore hindurch nach Whitby führte. Die Fahrertür stand offen, Corinnes Handtasche lag auf dem Beifahrersitz. Weit und breit gab es keine Spur von ihr.

»Und die Leute, die sie eigentlich treffen wollte«, hatte Bradley gesagt, »konnten nicht kommen. Ihr Auto sprang nicht an. Offenbar ist da etwas manipuliert worden.«

»Welche Leute?« Er hatte seit fast sechs Jahren keinen Kontakt mehr zu seiner Mutter gehabt, er hatte keine Ahnung von ihren Gewohnheiten. Wie er erfuhr, arbeitete sie inzwischen in einer Arztpraxis in Whitby und nahm jeden Morgen die Strecke durch die Moore, und an einem Feldweg, der von der Hauptstraße abzweigte, wartete sie immer auf ein junges Mädchen, das eine Lehrstelle in Whitby hatte und von ihr mitgenommen wurde. Die Mutter des Mädchens brachte es zu dem Treffpunkt. Wie es aussah, hatte Corinne Beecroft auch an diesem Freitag pünktlich an der vereinbarten Stelle gewartet, aber ihre Mitfahrerin war nicht erschienen. Wenn es stimmte, dass sie gezielt an der Abfahrt gehindert worden war, indem man ihr Auto manipuliert hatte, gab dies Anlass zu sehr ernsthaften Sorgen. Wer hatte die Frau, die inmitten der Einsamkeit völlig allein zu früher Morgenstunde in ihrem Auto gesessen und gewartet hatte, im Visier gehabt?

»Niemals«, hatte Bradley gesagt, und seine alte, heisere Stimme hatte gebebt, »niemals ist sie freiwillig von dort weggegangen. Ihr ist etwas ganz Schlimmes zugestoßen, Ryan, das weiß ich. Die Polizei sieht das auch so!«

Seine Gedanken überschlugen sich, während er durch die Nacht jagte. Das alles konnte kein Zufall mehr sein. Deborah, die elend und zerschlagen in ihrer Wohnung saß und kaum noch einen Schritt auf die Straße tat, seitdem die beiden unbekannten Männer über sie hergefallen waren. Und jetzt Corinne. Spurlos verschwunden, und zwar ganz offensichtlich nach einem gezielt und umsichtig vorbereiteten Überfall auf sie. Zwei Frauen, die in Ryans Leben eine wichtige Rolle gespielt hatten: seine Mutter. Und seine langjährige Lebensgefährtin. Zwei Frauen, von denen jeder wissen konnte, dass man Ryan traf, indem man sie verletzte.

Wer will mir etwas sagen?

In Corinnes Fall kam, im Unterschied zu dem Verbrechen an Debbie, noch etwas hinzu, was ihm sofort den kalten Schweiß auf das Gesicht getrieben hatte: die besonderen Umstände, unter denen sie verschwunden war. Es stand wie ein Menetekel an der Wand vor seinem inneren Auge: einsamer Ort. Auto. Keine Spur von der Fahrerin.

Tauschte man die Hochmoore von Yorkshire gegen den Pembrokeshire Coast National Park aus, so hatte man praktisch die identische Beschreibung dessen, was *damals* geschehen war.

Dahinter steckt ein subtiler Plan.

Und dieser Gedanke führte zu der Frage: Wer konnte ihn in einen Zusammenhang mit dem fast drei Jahre zurückliegenden Verschwinden von Vanessa Willard bringen? Damon? Es konnte nicht sein. Es war einfach unmöglich.

Es blieb eigentlich nur ein einziger Mensch auf der Welt, und das war Vanessa Willard selbst.

Lebte sie?

Wie lange war es her, dass er ihren Namen in Gedanken ausgesprochen hatte? *Vanessa Willard.*

Mehr als zweieinhalb Jahre lang hatte er so weit nicht denken können. Wann immer jener verhängnisvolle Sonntag versucht hatte, sich in seine Erinnerung zu drängen, war das große rote Stoppschild aufgetaucht, das sein Unterbewusstsein errichtet hatte und zu seiner Erleichterung im entscheidenden Moment stets zuverlässig abrief. *Halt! Nein! Keinen Schritt weiter!*

Es hatte funktioniert, und das hatte ihn vor der Wucht seiner Schuld und der Qual seiner Gedanken gerettet. Als er bei der verzweifelten Debbie gesessen hatte, war erstmals ein Riss in der Abwehr zu spüren gewesen. Und jetzt schien es, als breche die Stellung völlig zusammen. Die Bilder von damals fluteten geradezu über ihn hinweg. Und wie eine Gewissheit baute sich in ihm das Gefühl auf: Jetzt wirst du bezahlen. Die ganze Sache kommt jetzt auf dich zurück. Nichts ist abgeschlossen. Nichts ist vorbei.

»Mich wundert, dass du vorhin die Telefonnummer deiner Mutter und ihres Mannes suchen musstest«, sagte Nora unvermittelt. »Du weißt die Nummer deiner Mutter nicht auswendig?«

»Nein. Wir hatten schon lange keinen Kontakt mehr.«

»Liegt das an ... deiner Kindheit? Kannst du ihr das nicht verzeihen?«

Er blickte angestrengt geradeaus, warf Nora keinen Blick zu. »Nein. Es liegt an meinem Lebenswandel. Meine Mutter kam damit nicht zurecht. Und der Typ, den sie geheiratet hat, erst recht nicht.«

»Bradley?«

»Ein unglaublicher Spießer. Rentner wohl inzwischen, mit kleinem Häuschen und penibel gepflegtem Gärtchen. Er und meine Mutter müssten eigentlich an Langeweile sterben, aber offensichtlich halten sie es ganz gut miteinander aus.«

»Wissen sie, dass du … im Gefängnis warst?«

Er zuckte mit den Schultern. »Keine Ahnung. Glaube nicht. Ich habe es ihnen nicht gesagt.«

»Woher wusste Bradley, dass du bei mir bist?«

Das war in der Tat eine interessante Frage. Darüber hatte er bislang nicht nachgedacht. »Ich weiß es nicht. Aber es gibt sicher eine Erklärung dafür.«

Sie sprachen nichts mehr. Als Ryan nach einer Weile zur Seite schaute, sah er, dass Nora eingeschlafen war. Gut so. Er wollte jetzt sowieso lieber für sich sein.

Es war gegen vier Uhr am Morgen, als sie Sawdon erreichten. Der kleine Ort lag noch in tiefer, schläfriger Dunkelheit. Nur in einem Haus brannten alle Lichter: im Haus der Beecrofts, in deren beschauliches Dasein plötzlich ein so unfassbares Unglück hereingebrochen war. Offensichtlich war Bradley die ganze Nacht über für keinen Moment ins Bett gegangen.

Er kam ihnen im Nieselregen auf dem Gartenweg entgegen, kaum dass sie angehalten hatten und ausgestiegen waren. Selbst im schwachen Licht der Laterne, die über der Haustür hing, konnte Ryan sofort erkennen, dass der alte Mann am Ende seiner Kräfte war. Seine Lippen zitterten, in seinen Augen flackerte Panik. Seine weißen, dünnen Haare standen wirr vom Kopf ab und verliehen ihm Ähnlichkeit mit einem gerupften Vogel.

»Ryan! Ryan, Gott sei Dank, dass du da bist!« Er schloss seinen Stiefsohn in die Arme, eine Geste, die es nie zuvor zwischen ihnen gegeben hatte. Ryan war zwölf Jahre zuvor bei der Hochzeit gewesen und hatte seine Mutter danach noch ein paarmal in Sawdon besucht, und er hatte jedes Mal deutlicher gespürt, wie sehr Bradley ihn ablehnte. In seinen Augen war er ein Nichtsnutz, ein Taugenichts, ein ewiger Kleinkimineller und Versager, der seiner Mutter das Leben schwer machte. Ryan war überzeugt, die Tatsache, dass Corinne irgendwann aufgehört hatte, sich noch um einen Kontakt zu ihrem Sohn zu bemühen, war auf Bradleys Einfluss zurückzuführen. Eigentlich hatte er den Alten in seinem Leben nicht wiedersehen, schon gar nicht ihn jemals umarmen wollen, und diese Einstellung hatte Bradley sicher geteilt. Doch die akute Notsituation hatte die Dinge verändert: Bradley stand kurz vor einem Zusammenbruch. Er war vollkommen überfordert und schien aus tiefster Seele zu hoffen, der junge Mann vor ihm werde einmal im Leben etwas Sinnvolles tun und einen Ausweg aus einer wirren und beängstigenden Situation finden. Eine Hoffnung, von der Ryan fürchtete, er werde sie enttäuschen müssen. Er hegte zwar eine furchtbare Ahnung, was hinter alldem stecken könnte, aber diese Ahnung war vage und für ihn selbst noch nicht zu durchschauen. Tauchte Corinne nicht bald wieder auf, sah sich Ryan überdies zum zweiten Mal mit der Notwendigkeit konfrontiert, der Polizei gegenüber *endlich* die Karten auf den Tisch legen und die Willard-Geschichte offenbaren zu müssen. Beim ersten Mal hätte er es dringend tun sollen, um Vanessa Willard zu retten. Aus Feigheit hatte er geschwiegen. Und nun, da sich die Möglichkeit abzeichnete, dass Corinnes Verschwinden in einem Zusammenhang mit Vanessa Willard stand, müsste er es tun, um seine Mutter zu retten.

Obwohl er auf der ganzen Fahrt schon darüber nachgedacht hatte, begriff er erst in diesem Moment, umarmt von seinem verhassten Stiefvater, dass ihn der Alptraum mit der größtmöglichen Gnadenlosigkeit eingeholt hatte: indem er sich anschickte, sich zu wiederholen.

Bradley löste sich von ihm und trat einen Schritt zurück. »Wie kräftig du geworden bist, Junge. Du hast unglaubliche Muskeln bekommen!«

Ja, selbst im Knast kann man trainieren, hätte Ryan am liebsten geantwortet, aber er verbiss es sich. Bradley hatte sich bereits Nora zugewandt und drückte ihr die Hand. »Sie sind also Ryans Lebensgefährtin!«

Nora lächelte ihn an. »Nora Franklin.«

Bradley, von der adretten Nora sichtlich angenehm überrascht, blickte wieder zu Ryan hinüber. »Ich hatte Deborah angerufen. Ich erinnerte mich, dass deine Mutter so große Stücke auf sie hielt, Ryan.«

Ryan wusste das. Debbie hatte ihn mehrfach nach Yorkshire begleitet, und Corinne war begeistert von ihr gewesen. Sie hatte gehofft, ihr Sohn werde mit dieser Frau an seiner Seite zu einem bürgerlichen und vor allem anständigen Lebenswandel finden. In der ersten Zeit nach der Trennung hatte sie Debbie immer wieder angerufen und gebeten, Ryan doch noch eine Chance zu geben.

»Ich habe ihre Telefonnummer auf Corinnes Schreibtisch gefunden. Deborah sagte mir, dass du inzwischen in Pembroke Dock lebst, und gab mir eure Nummer.«

»Wollen wir nicht ins Haus gehen?«, fragte Ryan. »Langsam durchweiche ich hier draußen.«

»Natürlich. Natürlich.« Bradley stolperte vor ihnen her. Drinnen führte er sie in das ordentlich aufgeräumte Wohnzimmer und bot ihnen einen Platz an. »Setzt euch doch. Was möchtet ihr? Tee? Kaffee?«

»Am liebsten einen Kaffee«, sagte Ryan. »Und dann erzählst du uns alles in Ruhe. Ich nehme an, es gibt nichts Neues?«

»Nein. Nein, es ist, als ob ...« Bradleys Stimme brach, er brauchte ein paar Sekunden, um sich wieder zu fangen. »Es gibt kein Lebenszeichen. Nichts. Es hat auch niemand angerufen und irgendeine Forderung gestellt. Ich meine, das wäre auch ziemlich absurd, wir sind alles andere als reich, aber ich würde natürlich Himmel und Hölle in Bewegung setzen, um an Geld zu kommen, wenn das Corinnes Leben rettet. Aber ... nichts! Ich habe mich keine Sekunde vom Telefon weggerührt.«

Er verschwand in der Küche. Nora sah ihm nach. »Mein Gott, der kippt demnächst um. Er ist ja vollkommen verzweifelt.«

Ryan stand auf und ging im Zimmer umher. In einem der Regale entdeckte er ein Foto von sich. Er war darauf um die zwanzig Jahre alt und blickte ziemlich missmutig drein. Immerhin, sie hatte es hier aufgestellt. Und Bradley duldete das Bild offenbar.

Bradley kehrte mit einem Tablett zurück. Er stellte die Tassen auf den Tisch, schenkte den Kaffee ein. Seine Hände zitterten so sehr dabei, dass sie alle am Schluss mehr Kaffee auf ihren Untertellern als in ihren Tassen hatten. Ryan setzte sich wieder.

Bradley berichtete von dem Anruf, der ihn am Vortag gegen halb neun erreicht hatte.

»Es war Mrs. Barker. Die Mutter des Mädchens, das immer bei Corinne mitfuhr. Sie war ziemlich aufgeregt, weil sie schon seit Ewigkeiten versuchte, Corinne auf ihrem Handy zu erreichen, um ihr zu sagen, dass Celina nicht kommen kann, weil das Auto der Familie kaputt ist. Sie hatte schließlich in der Arztpraxis angerufen, in der

Corinne arbeitet, aber dort war Corinne nicht erschienen, und man dachte, sie sei wahrscheinlich krank geworden.« Bradley machte eine kurze Pause und nahm einen Schluck Kaffee. Er verschüttete etwas davon auf sein Hemd, schien es aber nicht zu merken. »Ich hatte gleich ein dummes Gefühl«, fuhr er fort, »denn es passt überhaupt nicht zu Corinne, nicht pünktlich bei ihrer Arbeit zu erscheinen. Ich bin dann in mein Auto gestiegen und die Strecke abgefahren. Es regnete in Strömen. Als ich an den Feldweg kam, sah ich ihr Auto. Die Fahrertür stand offen. Ich wusste sofort, dass irgendetwas passiert war.«

Er erzählte, wie er die Handtasche gefunden und dass der Zündschlüssel gesteckt hatte. Er hatte sodann begonnen, die Umgebung abzusuchen, weil er annahm, dass ihr schlecht geworden war und dass sie deshalb überstürzt das Auto verlassen hatte.

»Ich kletterte über das Gatter einer Schafweide, lief überall herum. Aber nirgends war eine Spur von ihr zu entdecken. Ich meine, wenn ihr schwindelig geworden wäre oder übel, dann wäre sie ja nicht meilenweit fortgelaufen, oder?«

»Du hast dann die Polizei verständigt?«, fragte Ryan.

»Ja. Die haben dann noch mal alles abgesucht, aber auch keinen Hinweis gefunden, dass sich Corinne noch irgendwo in der Gegend aufhielt. Es gab Reifenspuren, ein Auto muss dicht hinter dem von Corinne gehalten haben, wahrscheinlich auch irgendwann am Morgen. Ob das aber in einem Zusammenhang steht, weiß man nicht. Ein Beamter war hier bei mir. Er hat Corinnes Personalien aufgenommen und wollte dann die genauen Umstände des Morgens wissen. Wo Corinne arbeitet, weshalb sie dort an dieser Stelle gewartet hat. Ob wir Streit hatten oder ob sie aus irgendeinem anderen Grund verstört oder aufgeregt war.« In Bradleys Augen schimmerten Tränen. Er durchlebte noch einmal den gestrigen Morgen, der so friedlich und normal begonnen hatte. »Aber da war nichts. Ich lag noch im Bett, als sie ging. Sie war wirklich ganz normal. Sie mochte ihre Arbeit in Whitby. Auch dort gab es keinen Ärger, das hätte sie mir sonst erzählt. Sie freute sich auf das Wochenende, trotz des Regens. Wir wollten spazieren gehen und abends den Kamin anzünden.«

Er brach in Tränen aus. Nora stand auf, trat zu ihm, setzte sich neben ihn auf die Sessellehne und legte den Arm um ihn. »Wir finden sie«, sagte sie mit beruhigender Stimme, »denken Sie nicht das Schlimmste, Mr. Beecroft. Vielleicht gibt es für das alles ja eine harmlose Erklärung.«

Garantiert nicht, dachte Ryan. Er musste an Debbie denken. Immerhin, Debbie lebte. Aber er mochte sich nicht vorstellen, dass seiner Mutter dasselbe widerfuhr wie seiner Freundin, selbst wenn sie am Ende zu Bradley zurückkehrte.

»Das Auto dieser anderen Familie ...«, setzte er an.

Bradley wischte sich die Tränen ab. »Ja. Noch während dieser Beamte hier saß, rief Mrs. Barker wieder an. Inzwischen hatten sie einen Mechaniker kommen lassen, und der stellte fest, dass jemand wohl absichtlich den Wagen lahmgelegt hatte. Irgendein Kabel durchtrennt, oder was weiß ich ... Auf jeden Fall schloss er wohl aus, dass es sich um eine Verschleißerscheinung handelte oder dass ein Marder sein Unwesen getrieben hat. Diese Auskunft machte dann den Beamten ziemlich stutzig. Denn das würde unter Umständen bedeuten ...«

»... Dass jemand dafür gesorgt hat, dass Corinne auf jeden Fall allein an diesem Treffpunkt herumstand«, vollendete Ryan den Satz. Ihm wurde immer mulmiger zumute. Eine gut geplante Aktion. Er war inzwischen fast hundertprozentig sicher, dass sie etwas mit ihm zu tun hatte.

»Was meint die Polizei?«, fragte er.

Bradley hob beide Hände. »Die kommen mir ziemlich ratlos vor. Der Beamte ist dann noch zu der Farm der Barkers gefahren, aber er hat dort nichts Neues erfahren. Mir hat man gesagt, ich solle auf jeden Fall hier am Telefon bleiben. Sie fragten, ob ich einen Psychologen brauche, aber ich will keinen Psychologen. Ich will Corinne. Ich will einfach, dass sie wiederkommt!« Er sah Ryan flehend an. »Bitte, Ryan! Du musst mir helfen! Du musst ihr helfen! Sie ist deine Mutter! Du kennst sie eigentlich besser als wir alle. Kannst du dir nicht vorstellen, was geschehen ist?«

Ryan stand erneut auf. Ihm war leicht übel, und er fror plötzlich, nachdem er zuvor vor Aufregung geschwitzt hatte.

»Im Moment fällt mir absolut nichts ein«, sagte er. Es erstaunte ihn, sich selbst mit so klarer und fester Stimme lügen zu hören.

Du bist noch genau derselbe Feigling wie damals, dachte er, das beste Beispiel dafür, dass der Knast keine besseren Menschen aus seinen Insassen macht. Er spuckt sie so schlecht und klein und mies wieder aus, wie er sie aufgenommen hat.

Nora legte ihre Hand auf Bradleys Arm. »Wir helfen auf jeden Fall«, sagte sie. »Ryan, wir könnten zu der Stelle fahren, von der deine Mutter gestern verschwunden ist. Wir sollten uns das selbst noch einmal anschauen.«

Ryan war klar, dass dies purer Aktionismus war. Bradley war dort gewesen. Vor allem aber auch die Polizei. Gäbe es dort etwas zu entdecken außer den ominösen Reifenspuren, dann hätten sie es gefunden. Nora wusste dies bestimmt auch. Vielleicht wollte sie dem verstörten, verzweifelten Bradley das Gefühl geben, dass irgendetwas geschah, dass man nicht nur herumsaß. Vielleicht wollte sie auch mit Ryan allein sein, die Dinge mit ihm unter vier Augen bereden. Er hoffte, dass ihr nicht auch bereits etwas dämmerte: Sie wusste, dass man seine einstige Lebensgefährtin vergewaltigt hatte. Nun war seine Mutter verschwunden. Am Ende sah sie einen Zusammenhang und wollte mit ihm darüber sprechen. Nora war nicht dumm. Auch nicht naiv. Seit dem gestrigen Abend ging Ryan mehr und mehr auf, dass er sie bislang erheblich unterschätzt hatte.

Dennoch nickte er. »Okay. Wenn es hell wird, fahren wir.«

6

Sie tauchte aus einem wirren, angsterregenden Traum auf, in dem sie nackt mitten im Wald lag, hilflos wie ein gestürzter Käfer auf dem Rücken, frierend, hungrig und vor allem durstig, und nachdem sie eine ganze Weile darum gekämpft hatte, den Traum loszuwerden und endlich in der Wirklichkeit anzukommen, begriff sie, dass sie dort längst war: in der Wirklichkeit. Und dass diese furchtbarer war, als jeder Traum es sein konnte.

Sie fühlte stechende Schmerzen im Kopf und hatte einen so ausgetrockneten Mund, als habe stundenlang Watte oder Wolle daringesteckt, was, soweit sie wusste, nicht der Fall gewesen war. Aber sie hatte etwas zu trinken bekommen; sie entsann sich, dass sie nicht hatte trinken wollen, trotz ihres Durstes, weil in dem Wasser irgendetwas schäumte, das so aussah, als werde etwas darin aufgelöst, ein Medikament, eine Droge, etwas Unbekanntes in jedem Fall.

»Ich trinke das nicht«, hatte sie gesagt, und einer der Männer – ja, zwei Männer waren es gewesen, auch dieses Wissen tauchte jetzt aus den Tiefen ihrer schrecklich langsam und zäh arbeitenden Erinnerung auf – hatte erwidert: »Das ist Aspirin. Trink!«

Sie hatte ihm nicht geglaubt, denn weshalb sollten zwei Männer sie kidnappen und ihr dann fürsorglich ein Aspirin verabreichen? Sicher handelte es sich um irgendeine dieser gefährlichen Substanzen, mit denen man Menschen willenlos machen konnte. Sie hatte sich gewehrt, aber der Mann hatte sie festgehalten und ihr das Wasser eingeflößt, und obwohl es ihr gelungen war, einiges davon sofort auszuspucken, hatte sie genug abbekommen, um sich von da an wie durch einen seltsamen dunklen Nebel zu bewegen, die Dinge um sie herum verschwommen und auf eine eigenartige Weise irreal wahrzunehmen. Zeitweise bekam sie auch gar nichts mit, war völlig benommen oder vielleicht sogar bewusstlos, und hatte an ganze Zeitabschnitte keine Erinnerung mehr.

Sie richtete sich auf und blickte an sich hinunter. Sie war nicht nackt, wie sie gefürchtet hatte, sondern noch vollständig angezogen, aber sie war so restlos vom Regen durchweicht, dass sich ihre Kleidung angefühlt hatte wie nasses Gras, das auf ihrer bloßen Haut klebte. Sie stellte jetzt fest, dass nicht Hunger und Durst die schlimmsten Gefühle waren in ihrer augenblicklichen Lage, sondern dass sie die Kälte am allermeisten quälte. Sie hatte vorher nicht gewusst, dass Frieren so wehtun konnte. Bis in alle Knochen hinein, bis in ihr tiefstes Inneres gab es nichts mehr, das warm gewesen wäre. Sie hätte heulen mögen, so sehr fror sie. Und sie ahnte, dass es noch mehr Gründe gab, die es gerechtfertigt hätten, in Tränen auszubrechen.

Sie hob den Kopf und schaute sich um.

Noch immer arbeitete ihr Gehirn schwerfällig und langsam, und sie war nicht sicher, ob das, was sie sah, Realität war: Wald. Bäume. Büsche. Farne. Moos. Nasses, altes Herbstlaub auf der Erde.

Eine Erinnerung gewann mühsam, nur ganz allmählich etwas an Klarheit: das Auto, das einen Waldweg entlangfuhr. Bäume, die das wenige Licht des verregneten Tages gründlich abschirmten, sodass alles düster war, dämmrig, und nass. Sie hing in ihrem Sitz, schaffte es kaum, hinauszusehen, weil ihr Kopf immer wieder zur Seite kippte. Sie schaffte es auch nicht, einen einzigen Gedanken bis zu Ende zu denken. Sie fing immer wieder von vorn an, sich selbst Fragen zu stellen oder das, was mit ihr geschah, zu analysieren, aber bevor sie die Fragmente, die sie zu fassen bekam, wirklich zusammensetzen und in ein vernünftiges Ganzes bringen konnte, verlor sie schon wieder mindestens die Hälfte davon. Sie begann von vorn und scheiterte erneut. Sie entsann sich, dass sie einen Moment lang gedacht hatte, sie werde sterben an der Erschöpfung, in die sie ihre Anstrengungen trieben.

Dann hatte das Auto angehalten, mitten im Wald, und trotz der lähmenden Betäubung, die über ihr lag, war sie von jäher Angst gepackt worden. Wieso hielten die? Wieso hielten sie *hier*?

Eine Autotür öffnete sich. Der Fahrer stieg aus. Öffnete die Tür neben Corinnes Sitz. Sie wusste, dass sie sich für eine Sekunde etwas wacher gefühlt hatte, als die kühle, frische Regenluft in das Innere des Autos wehte. Hände packten sie, zogen sie aus dem Wagen. Sie hatte versucht, irgendwie auf die Füße zu kommen, aber beide Beine waren unter ihr weggeknickt. Sie sank zu Boden. Er war weich. Weich und nass, und er roch nach Laub, Erde und Nässe.

Dann war nichts mehr gewesen.

Wahrscheinlich hatte sie die Besinnung verloren.

Wie lange hatte sie hier gelegen?

Sie bog den Kopf in den Nacken und starrte nach oben. Die Baumkronen über ihr trugen das helle, frische Grün des Frühlings. Dahinter glitten graue Wolken langsam vorbei. Kein einziges kleines Stück Himmelsblau war zu sehen. Aber es regnete nicht mehr. Gelegentlich schien es zu nieseln, aber das kam aus den Blättern, die der leichte Wind bewegte. Der Wald troff von Nässe.

Ihr kam der Gedanke, auf ihre Armbanduhr zu sehen. Halb zehn. Sie überlegte. Halb zehn am Abend – dann wäre es dunkler. Also halb zehn am Vormittag. Aber welcher Tag?

Sie hatte die unbestimmte Vorstellung, ein- oder zweimal die Augen geöffnet zu haben und von tiefer Dunkelheit umgeben gewesen zu sein, was möglicherweise bedeutete, dass zwischen ihrer Entführung und dem Jetzt eine Nacht lag, aber sie hätte es nicht beschwören können. Dafür hatte sie das Medikament, was immer es gewesen war, viel zu sehr in ihrer Wahrnehmung beeinträchtigt.

Jedoch ließ die Wirkung nun praktisch mit jeder Minute deutlich nach. Es blieben nur die unangenehmen Nachwirkungen: das Stechen im Kopf. Die fast unerträgliche Trockenheit von Mund und Kehle. Corinnes Verstand begann immer klarer zu funktionieren, bloß war sie nicht sicher, ob sie diesen Umstand begrüßen sollte. Zuvor war sie wie durch ein Fieber geglitten, das der Wirklichkeit ihre Schärfe nahm. Die Schärfe, die sich nun in unbestechlicher Klarheit abzeichnete, war von unmenschlicher Grausamkeit: Man hatte sie überfallen. Verschleppt. Man hatte ihr Drogen verabreicht. Man hatte sie wie ein Stück Müll in den Wald gekippt und dort liegen lassen.

Und nun? Überließ man sie nun einfach ihrem Schicksal? Oder kehrten die Entführer zurück?

Waren sie am Ende noch in der Nähe?

Dieser Gedanke jagte Panik durch ihren Körper, ließ sie fast hysterisch werden. Ruckartig drehte sie den Kopf in jede Richtung, gewärtig, das Auto in einiger Entfernung stehen zu sehen und die zwei unheimlichen Typen darin, die sie beobachteten. Aber sie stellte fest, dass sie, zumindest soweit sie das überblicken konnte, allein war. Kein Auto. Keine Männer. Nur tiefer, dichter Wald.

Die Tränen schossen ihr in die Augen, verzweifelt drängte sie sie zurück. Es musste eine Erklärung geben, Dinge geschahen nie vollkommen grundlos. Man hatte sie nicht getötet, man hatte sie nicht vergewaltigt. Man hatte sie ausgesetzt. Wie ein Haustier, das man loswerden wollte.

»Bradley«, jammerte sie leise. »Hilf mir doch! Hilf mir!«

Aber Bradley war weit weg und hatte keine Ahnung, was mit ihr geschehen war. Ob er schon die Polizei verständigt hatte? Sicher hatte er das getan. Irgendwann mussten schließlich Celina und ihre Mutter am Treffpunkt angelangt sein und ihr verlassenes Auto vorgefunden haben. Der Zündschlüssel steckte, die Handtasche lag auf dem Beifahrersitz. Sicher war ihnen das mehr als seltsam vorgekommen. Sie hatten Bradley angerufen, und dieser war mit Sicherheit sofort zur Polizei gegangen. Bei dem Gedanken, dass ihr Verschwinden bereits offiziell sein müsste und dass nach ihr gesucht wurde, entspannte sie sich ein wenig. Allerdings war es ihr völlig unklar, wohin man sie gebracht hatte, und weshalb sollte es für die Polizei klarer sein? Sie waren ziemlich lange mit dem Auto gefahren, sodass kein Suchhund ihre Spur würde aufnehmen können. Zunächst war es Richtung Whitby gegangen, dessen entsann sie sich, aber dann hatte man ihr dieses verdammte Zeug eingeflößt, und von da an verschwamm ihre Erinnerung, verwischten sich die Bilder und die Zeitabläufe.

Sie versuchte aufzustehen. Sie brauchte mehrere Anläufe, bis es ihr gelang, denn ihre Beine waren weich wie Pudding und knickten immer wieder weg. Sie hielt sich an einem Baum fest, zog sich langsam in die Höhe, lehnte sich mit dem Rücken gegen den rauen Stamm. So ging es. Der Baum stützte sie, und langsam kam wieder Gefühl in ihre Beine.

Ihr Blick war jetzt klarer als zuvor, und stehend konnte sie auch weiter blicken, aber aus diesen Verbesserungen war kaum ein Trost zu ziehen. Denn nun erkannte sie, dass sie sich offenbar wirklich mitten im tiefsten Wald befand. Bäume und Dickicht. Dickicht und Bäume. Und selbst wenn sie den Wald rasch durchquert hätte, hieß das nicht, dass sie deshalb in eine belebtere Gegend vorgestoßen wäre. Sie wusste von den weiten, endlosen Hochmooren hier oben im Norden Englands. In manchen Gegenden konnte man ewig unterwegs sein, ehe man auf Menschen stieß. Und nichts um sie herum gab einen Hinweis darauf, dass sie sich noch in der Nähe der Zivilisation befand: Weder hörte sie ein Auto brummen, noch vernahm sie das Geräusch einer Motorsäge oder einer Axt. Auch keine Schüsse, die bedeutet hätten, dass zumindest ein Jäger hier herumstreifte. Keine Waldarbeiter, kein Ranger. Nichts, einfach gar nichts. Nur das Geräusch des Windes in den Blättern und das leise Pladdern der Tropfen, die hinuntergeweht wurden. Vögel zwitscherten. Immer wieder raschelte oder knisterte es irgendwo. Der Wald war voller Leben, aber es waren keine Menschen. Niemand, der ihr helfen konnte.

Und sie fror und hatte Hunger und Durst.

Und dann kam ihr ein Gedanke, der sie erstarren ließ: Wenn das Ganze ein Irrtum war, wenn sie die Falsche war, die verschleppt worden war – was würde geschehen, wenn die Männer dahinterkamen? Vielleicht gar nichts. Vielleicht kehrten sie aber auch zurück. Vielleicht konnten sie bei dem, was sie vorhatten, niemanden brauchen, der ein zusätzliches Risiko für sie darstellte.

Sie hatte das Böse gespürt. Das waren keine harmlosen Ganoven gewesen. Das waren eiskalte Verbrecher, ohne Mitleid, ohne überhaupt irgendeine Gefühlsregung. Auf keinen Fall durfte sie den Fehler begehen, sie zu unterschätzen. Was bedeutete, dass sie schnellstens hier wegmusste.

Sie musste weit fort sein, ehe die beiden zurückkamen.

7

Es regnete nicht mehr am Samstag, aber der Himmel blieb grau. Ich war etwas erkältet, hatte mich den ganzen Tag über noch nicht richtig angezogen und hing jetzt, am späten Nachmittag, in meinem alten Jogginganzug herum. Weder hatte ich geduscht noch die Zähne geputzt oder die Haare gekämmt. Meine Nase lief, und mein Hals kratzte. Mittags hatte ich mir eine Tütensuppe mit heißem Wasser angerührt. Ich versuchte, nicht allzu deprimiert zu sein wegen des vergammelten, einsamen Wochenendes. Erkältet und dazu das trübe Wetter – was hätte ich da schon unternehmen können? Aber es ließ sich natürlich nicht leugnen, dass mein Leben seit der Trennung von Matthew leerer geworden war, und zu allem Überfluss entstanden auch gerade jetzt Schwierigkeiten in meiner Freundschaft mit Alexia. Alexia war von jenem Meeting in London damals ziemlich niedergeschlagen zurückgekehrt. Ein paar Tage lang hatte sie nicht darüber sprechen wollen, aber dann, in einem

Café während der Mittagspause, als wir Milchshakes tranken und Käsetoasts aßen, hatte sie sich mir doch anvertraut: Ronald Argilan war höchst unzufrieden mit den Verkaufszahlen von *Healthcare*, mit dem Rückgang der Abonnenten und dem Abspringen einiger wichtiger Anzeigenkunden. Er musste Alexia, wie es seine Spezialität war, vor versammelter Mannschaft schwer zugesetzt haben, und das Schlimmste war, sie hatte seine Vorhaltungen nicht einmal abstreiten oder Gegenargumente vorbringen können: Es stimmte, was er sagte, nahezu alles bei *Healthcare* war seit einiger Zeit rückläufig.

»Er behauptet, dass es an mir liegt«, hatte Alexia erzählt, »aber ich wüsste nicht, wie sich jemand noch mehr in seine Arbeit hineinhängen könnte, als ich das tue. Wir durchlaufen noch immer schwierige Zeiten, und die Leute halten ihr Geld zusammen. *Healthcare* ist keine Tageszeitung, kein Boulevardblatt, keine schöne, bunte Illustrierte, die den Menschen eine bessere Welt vorgaukelt. Lieber Himmel, wir sind ein Gesundheitsmagazin! Wir stellen neue Medikamente vor, geben Fitnesstipps und nerven mit den ständigen Ermahnungen, bloß ja regelmäßig zur Krebsvorsorge zu gehen. Wir sind das erste Blatt, das die Leute abbestellen, wenn sie Einsparungen in ihrem persönlichen Leben planen!«

Sie zog wütend und heftig an ihrem Strohhalm.

»In den anderen Regionen hat *Healthcare* genauso mit Schwierigkeiten zu kämpfen«, fuhr sie fort, »aber nur mich greift er an. Es ist so ungerecht!«

»Die Chefredakteure der anderen Ausgaben sind Männer«, sagte ich. »Er hat keine Ambitionen, ihnen zu beweisen, dass sie an der falschen Stelle sitzen.«

Alexia blitzte mich so zornig an, als sei ich selbst es, die die Meinung vertrat, Frauen gehörten an den Herd und keinesfalls in Führungspositionen. »Wir befinden uns im Jahr 2012 nach Christus«, fauchte sie. »Langsam könnte es sogar alten, verknöcherten Männern klar werden, dass sie die gesetzlich garantierte Gleichstellung von Mann und Frau nicht wieder werden abschaffen können!«

»Gesetze ändern nicht das, was sich in den Köpfen abspielt«, erwiderte ich. »Mach dich nicht so fertig, Alexia. Dieser Typ bleibt, wie er ist. Tröste dich mit dem Gedanken, dass er lange vor dir tot sein wird!«

Es war mir an jenem Tag gelungen, Alexia ein wenig zuversichtlicher zu stimmen, aber insgesamt veränderte sie sich: Sie arbeitete noch mehr, sie wirkte noch gehetzter und angestrengter, sie lachte weniger. Und sie fing an, die Chefin herauszukehren, was sie früher nie getan hatte. Sie schnauzte uns an, wenn ihr etwas nicht schnell genug ging oder wenn jemand nicht sofort begriff, was sie meinte. Ich hörte trotzdem nicht auf, sie zu mögen, weil ich wusste, dass sie unter übergroßem Druck stand und sich manchmal nicht anders zu helfen wusste, als jeden anzublaffen, der das Pech hatte, ihren Weg im falschen Moment zu kreuzen.

Jedenfalls brach mir Alexia in dieser Zeit auch als Anlaufstelle für die Wochenenden weg, schon deshalb, weil sie sich jetzt auch meistens an den Samstagen und Sonntagen in der Redaktion verbarrikadierte und ihre Arbeitsberge, die immer größer zu werden schienen, abtrug. Ich hoffte, dass sich dies irgendwann wieder ändern würde. Nicht nur meinetwegen. Auch und vor allem wegen Alexia.

Es war fast fünf Uhr, und es begann wieder leicht zu nieseln, trotzdem überlegte ich, ob ich mich anziehen und einen Spaziergang am Strand machen sollte. Den ganzen Tag in der Wohnung zu verbringen bekam mir nicht. Vielleicht würde ein bisschen frischer Wind um die Nase auch meinem Schnupfen guttun. Ich spürte, dass ich mich nicht würde aufraffen können. Teilnahmslos starrte ich in den Fernseher, der seit dem Vormittag lief, von mir aber nur als ein Hintergrundgeräusch wahrgenommen wurde. Jetzt brachten sie gerade eine Sendung, die über aktuelle Nachrichten aus den verschiedenen Landesteilen Englands berichtete. Irgendwo in Kent hatte es gestern eine Massenkarambolage auf der Straße wegen des starken Regens und der schlechten Sicht gegeben. In London war eine Theateraufführung am Vorabend in einen Skandal gemündet, aber ich hatte nicht richtig zugehört und wusste nichts über die Gründe. In Yorkshire war eine Frau spurlos verschwunden, und die Polizei tappte völlig im Dunkeln, was mit ihr geschehen sein könnte.

Diese Nachricht ließ mich aufmerken. *Spurlos verschwunden* war zu einem Reizbegriff geworden, auf den ich wahrscheinlich noch aus dem Tiefschlaf heraus reagiert hätte. Ich drehte den Ton lauter und lauschte dem Bericht.

Aller Wahrscheinlichkeit nach war die Frau aus ihrem Auto heraus gekidnappt worden, aber weder waren Lösegeldforderungen bei ihrem Ehemann eingegangen, noch hatte sich überhaupt jemand in dieser Sache gemeldet. Ihre Entführung, falls es sich um eine solche handelte, schien keinerlei Sinn zu haben. Das Bild der Frau wurde eingeblendet: *Corinne B.* Ich sah ein sympathisches Gesicht mit einem offenen Lächeln. Corinne B. sah nicht aus wie jemand, der sich Feinde machte. Sie wirkte normal, nett, unauffällig.

Die ganze Geschichte erinnerte so stark an Vanessas ungeklärtes Schicksal, dass ich wohl ziemlich perplex auf den Bildschirm starrte.

»Wird das Mode in England?«, fragte ich laut, und im selben Moment klingelte es an meiner Wohnungstür.

Ich betätigte den elektrischen Türöffner und trat ins Treppenhaus, um auf meinen Besucher zu warten. Ich fragte mich, wer wohl an einem verregneten Samstagnachmittag zu mir kam. Dann blickte ich an meinem fleckigen Jogginganzug hinunter, entsann mich meiner ungekämmten Haare und meiner roten Nase und dachte: Verdammter Mist! Hoffentlich ist es niemand, der irgendwie wichtig ist!

Matthew Willard tauchte auf den letzten Stufen auf. Er hielt einen Moment inne, als wollte er sich vergewissern, dass er nicht sofort zum Umkehren aufgefordert wurde, dann kam er mit ein paar schnellen Schritten herauf.

»Hallo, Jenna«, sagte er, als er vor mir stand.

Ich wäre am liebsten im Erdboden versunken.

»Hallo, Matthew«, entgegnete ich und fügte, um wenigstens eine Erklärung für meinen unmöglichen Aufzug zu liefern, hinzu: »Ich bin leider etwas erkältet.«

»Oh, das tut mir leid«, sagte Matthew. »Darf ich trotzdem reinkommen?«

Was blieb mir übrig? Ich trat zur Seite. »Bitte.«

Auf dem Wohnzimmertisch stand die Tasse, aus der ich die Suppe gelöffelt hatte, daneben lag die leere Tüte, deren Inhalt ich in das heiße Wasser gekippt hatte. Ich entdeckte ein paar benutzte Papiertaschentücher auf dem Sessel. Der Fernseher plärrte, und auf dem Teppich lag die neueste Ausgabe von *Hello!* – niemals hätte ich gegenüber irgendjemandem zugegeben, dass ich gelegentlich gierig nach den Klatschnachrichten der Yellow Press war. Nun musste ein Mann, den ich wirklich toll fand und von dem ich unbedingt wollte, dass er eine gute Meinung von mir hatte, über meine Schattenseiten buchstäblich stolpern; ganz abgesehen davon, dass er mich in einem Aufzug antraf, der ihn eigentlich nur in die Flucht schlagen konnte. Ich schaltete den Fernseher aus, raffte hektisch die Taschentücher zusammen, stopfte die Zeitschrift in den Papierkorb und stellte die Tasse auf die Küchentheke.

»Entschuldige. Ich hatte nicht mit Besuch gerechnet. Wie gesagt, ich bin nicht ganz fit, und deshalb ...«

»Aber du musst dich doch nicht entschuldigen«, sagte Matthew. »Im Gegenteil. Es ist etwas unhöflich von mir, hier einfach unangemeldet aufzukreuzen, aber ich fürchtete ... na ja, ich dachte, wenn ich vorher anrufe, sagst du vielleicht *nein*, und das wollte ich nicht riskieren.« Er lächelte. »Bitte, du kannst wirklich aufhören, das Zimmer aufzuräumen, ich möchte nur ...«

»Entschuldige mich einen Moment«, bat ich. »Ich bin gleich wieder bei dir!«

So schnell ich konnte, verschwand ich in meinem Schlafzimmer. Ich streifte meinen Jogginganzug ab, schlüpfte in Jeans und einen Pullover, bürstete vor dem Schlafzimmerspiegel meine in alle Richtungen stehenden Haare und puderte meine rote Nase, was sie immerhin nicht mehr ganz so schrill leuchten ließ. Dabei dachte ich nach. Matthew hatte verändert gewirkt. Die Art, wie er die Treppe heraufgelaufen war, wie er sich in die Wohnung gedrängt hatte ... Er war immer so zurückhaltend gewesen, immer leicht geistesabwesend, ein Grübler, nicht völlig verhaftet im Hier und Jetzt. Der Matthew, den ich kannte, wäre schon gar nicht erst ohne Ankündigung hier aufgekreuzt. Er hätte die Treppe nicht mit jeweils zwei Stufen auf einmal genommen. Der Hinweis auf meine Erkältung hätte ihn sofort bewogen, taktvoll den Rückzug anzutreten oder zumindest anzubieten, zu einem günstigeren Zeitpunkt wiederzukommen. Der Matthew, den ich eben erlebt hatte, war unkonventioneller, entschlossener und jünger als der, den ich bisher kannte. Bei unserer ersten Verabredung damals hatte ich etwas von ihm gesehen, aber danach nie wieder. Plötzlich dachte ich: Es ist der Matthew aus der Zeit *davor*. Bevor die Katastrophe passiert ist. Ich habe den Mann gesehen, der er war. Der er eigentlich ist.

Mit etwas gestärktem Selbstbewusstsein kehrte ich ins Wohnzimmer zurück. Matthew stand noch immer mitten im Raum.

»Setz dich doch«, sagte ich. »Kann ich dir etwas zu trinken anbieten?«

»Im Moment nicht, danke.« Er trat auf mich zu, fasste meine beiden Hände. »Jenna, es ist einfach nichts ohne dich«, sagte er, und er klang auf einmal fast atemlos. »Diese letzten beiden Wochen… Ich habe nur an dich gedacht. Praktisch jede Minute. Ich habe dich entsetzlich vermisst. Ich habe mich andauernd gefragt, was du wohl gerade tust, wie du gerade aussiehst. Wie schön es wäre, mit dir zu reden. Eine Stimmung mit dir zu teilen. In deine Augen zu schauen. Ich wollte dich einfach bei mir haben. Ich *will* dich bei mir haben. Ich will dich nicht verlieren!«

»Matthew…«, sagte ich benommen.

Er unterbrach mich. »Ich weiß, was du sagen willst. Nämlich, dass es so nicht geht, wie es war. Und da hast du absolut recht. Keine Frau könnte so leben. Wie sollst du dich auf einen Mann einlassen, der in der Vergangenheit verharrt? Dessen Leben an einem Augustabend fast drei Jahre zuvor geendet hat. Du hattest recht, als du abgesprungen bist. Aber ich bitte dich, gib mir noch eine Chance!«

Wieder versuchte ich etwas zu sagen, wieder schnitt er mir das Wort ab.

»Ich habe nachgedacht. Und ich habe begriffen, dass es so nicht weitergehen kann. Für dich nicht, aber unabhängig davon auch für mich nicht. Ich lebe nicht mehr. Und ich habe es all die Zeit nicht einmal gemerkt. Erst durch dich wurde mir klar, dass ich ins Leben zurückwill. Mit aller Macht. Ich will keinen einzigen Tag mehr verlieren.«

Ich spürte die Aufrichtigkeit in seinen Worten. Er sagte nicht irgendetwas, nur um mir für den Moment zu gefallen. Er war wirklich hart mit sich ins Gericht gegangen, hatte sich selbst gnadenlos beleuchtet, hatte sich nicht hinter Ausflüchten versteckt. Er hatte sich und sein Leben angesehen und war davor erschrocken.

»Glaubst du denn, dass du das schaffen kannst?«, fragte ich. »Die Vergangenheit abzuschließen? Dich nicht mehr jeden Tag zu fragen, was wohl aus Vanessa geworden ist? Nicht mehr nach ihr zu suchen? Nicht von Schuldgefühlen gepeinigt zu werden, wenn du dich einer anderen Frau zuwendest?«

Ich konnte ihm ansehen, dass er es sich mit der Antwort nicht leicht machte. Er wollte mir nichts sagen, was er nicht wirklich fühlte und meinte.

»Ich kann sicherlich nicht von heute auf morgen ein völlig anderer Mensch sein«, antwortete er schließlich. »Und es wird Momente geben, da werden mich all die offenen Fragen wieder beschäftigen, ich werde grübeln, ich werde die schlimmsten Bilder im Kopf haben, ich werde vielleicht auch mich wieder anklagen, weil ich ein gutes Leben führe und versuche, glücklich zu sein, während Vanessa womöglich ein furchtbares Schicksal erlitten hat. Aber bis jetzt habe ich mich gegen all das nie gewehrt. Im Gegenteil. Ich bin bewusst wieder und wieder um Vanessa gekreist, und wenn ich tatsächlich mal für eine Zeit einfach das Leben, die Sonne, den Wind und das Zusammensein mit dir genossen hatte, bin ich sofort umso tiefer in jenen 23. August eingetaucht, schon allein um mich für meine Glücksgefühle zu bestrafen. Und das möchte ich nicht mehr. Ich habe sehr,

sehr viel nachgedacht in den letzten beiden Wochen, Jenna. Und ich will ein neues Leben beginnen. Vielleicht vor allem deshalb, weil ich jetzt etwas zu verlieren habe.«

Wir sahen einander an.

»Jetzt habe ich dich zu verlieren«, sagte Matthew leise. Nach einem kurzen Zögern fügte er hinzu: »Zumindest hoffe ich, dass ich dich nicht bereits verloren habe?«

Mir schwirrte der Kopf. Es wäre so leicht gewesen, ihm einfach in die Arme zu fallen. Es war auch nicht so, dass ich ihm nicht jedes einzelne Wort, das er sagte, geglaubt hätte. Ich hatte nur Angst, dass er es nicht schaffen konnte. Dass er sich zu viel vornahm, dass er scheitern würde und dass alles von vorn losginge.

»Gib mir eine Chance«, bat er. »Ich habe auch schon ein paar Dinge getan, die für mich bislang völlig ausgeschlossen gewesen wären. Ich habe Vanessas sämtliche Kleidungsstücke zusammengepackt und zum Roten Kreuz gebracht. Ich habe die meisten ihrer persönlichen Habseligkeiten in Kartons verstaut und auf den Dachboden geräumt. Ich würde dich gern zu mir nach Hause einladen, und du sollst dort nicht bei jedem Schritt über Vanessa stolpern. Und ich will das auch nicht mehr.«

»Du hast ihre Sachen fortgebracht?«, fragte ich ungläubig. Dies schien mir tatsächlich ein Quantensprung zu sein.

»Ja. Warum soll ich etwas aufheben für eine Frau, die nicht mehr wiederkommen wird?«

Dem Matthew, den ich kennengelernt hatte, wäre ein solcher Satz nie über die Lippen gekommen. Und niemand hätte in seiner Gegenwart gewagt, eine solche Ungeheuerlichkeit auch nur anzudeuten.

»Weißt du«, fuhr er fort, »es ist nicht so, dass ich Vanessa aus meinem Herzen streiche. Sie wird dort immer einen Platz haben. Ich habe sie sehr geliebt, und wir sind auf eine furchtbare Art getrennt worden. Aber es ist nun einmal so: Wir sind *getrennt*. Seit bald drei Jahren. Ich muss den Tatsachen ins Auge sehen.« Er holte tief Luft, schien sich selbst innerlich zu wappnen für das, was er nun sagen würde. »Entweder ist Vanessa das Opfer eines Verbrechens geworden, und dann ist sie mit einer sehr, sehr hohen Wahrscheinlichkeit nicht mehr am Leben. Das ist es auch, was die Polizei schon seit Langem glaubt. Oder sie ist aus eigenem Entschluss fortgegangen. In diesem Fall will sie ganz offensichtlich nichts mehr mit mir zu tun haben und möchte auch nicht, dass ich jemals wieder in Kontakt mit ihr trete. Mir ist schleierhaft, warum sie das getan haben sollte, aber nachdem ich drei Jahre lang auf diese Frage keine Antwort gefunden habe, werde ich auch keine finden, wenn ich weitere zehn Jahre darüber nachgrübele. Die Fakten sind, wie sie sind: Sie ist fort. Damit muss ich leben. Leben, nicht leiden.«

»Du bist ein großes Stück gegangen, seitdem ich dich zuletzt gesehen habe«, sagte ich vorsichtig. »Seitdem wir …«

Ich sprach den Satz nicht zu Ende, aber Matthew wusste, was ich hatte sagen wollen. »Seitdem wir zusammen dort waren, ja. An dem Ort, an dem sie verschwunden ist. Ich glaube, ich habe an jenem Tag schon begonnen, Abschied zu nehmen.«

Es war ein Risiko. Aber ich hatte plötzlich das fast sichere Gefühl, dass ich es eingehen würde.

»Max wartet unten im Auto«, sagte Matthew. »Wie ist es, magst du mit uns ein Stück spazieren gehen? Es regnet, und du bist erkältet, aber …«

Meinen Schnupfen hatte ich fast schon vergessen. Und meine Regenjacke hing griffbereit an der Garderobe neben der Wohnungstür. Hatte ich nicht selbst schon über einen Spaziergang nachgedacht, um wenigstens einmal an diesem

Tag noch meine Nase aus diesen vier Wänden herauszustrecken? Nicht im Traum hätte ich geglaubt, es könnte am Ende ein Spaziergang mit Matthew und Max werden.

»Natürlich komme ich mit«, sagte ich sofort. »Nichts hilft so gut gegen eine Erkältung wie ein Marsch durch den Regen!«

Matthew lächelte. »Und darf ich dich für morgen Mittag zu mir einladen? Wir könnten zusammen kochen, und du könntest endlich sehen, wie und wo ich lebe.«

Ich würde das Haus betreten, in dem er mit Vanessa gewohnt hatte. Das Haus, das er von ihrer anhaltenden Präsenz zu befreien versucht hatte. Mich machte die Vorstellung nervös, ihr, Vanessa, dem Phantom, so nahe zu kommen, aber Matthew hatte so viel getan, unserer sich anbahnenden Beziehung den Weg zu ebnen, dass ich nun ebenfalls über meinen Schatten springen musste.

»Ich würde mich sehr freuen«, sagte ich.

Als wir meine Wohnung verließen und die Treppen hinunterliefen, lag es mir für einen Moment auf der Zunge, ihm von dem seltsamen Fall zu erzählen, der sich in Yorkshire ereignet hatte und an diesem Tag durch die Nachrichten ging: von der Frau, die inmitten der Hochmoore spurlos verschwunden war.

Ich schluckte es gerade noch hinunter: Im Zusammenhang mit dem noch so verletzbaren und empfindlichen Neuanfang, den wir gerade starteten, wäre es exakt das falsche Thema gewesen.

8

Ryan war in einem desolaten psychischen Zustand, schlimmer, als Nora ihn je erlebt hatte. Im Gefängnis war er manchmal sehr deprimiert und mutlos gewesen, und während seiner ersten Tage in Freiheit hatte man ihm die Angst, die ihn beherrschte, die große innere Unsicherheit, angesehen. Er hatte gelitten, nachdem er von dem Besuch bei Debbie zurückgekehrt war; was man ihr angetan hatte, beschäftigte und quälte ihn.

Aber nie hatte er so zerstört gewirkt wie jetzt.

Es war später Samstagabend, und sie hatten sich in das Gästezimmer zurückgezogen, das Bradley ihnen zum Schlafen zur Verfügung gestellt hatte. Zum ersten Mal, seit sie einander kannten, saßen sie nebeneinander in einem Bett, beide in ihrer Unterwäsche, denn sie hatten ihre Schlafsachen daheim vergessen. Eine Situation, die sich intim hätte anfühlen können, wäre Ryan nicht so am Boden zerstört gewesen, dass er in Nora nur den alles andere verdrängenden Wunsch auslöste: ihm auf irgendeine Art zu helfen.

Ihn zu trösten.

Der Tag war lang gewesen, es war viel geschehen, und zugleich hatten sich die Stunden dahingeschleppt. Sie hatten den Ort aufgesucht, wo Corinne verschwunden war, ein Wiesenstreifen am Rande der Landstraße. Ringsum die grasbedeckten Hochflächen der Moore, ein paar Schafe, die man in der Ferne sah, Einsamkeit, Nässe. Ein grauer Tag unter grauen Wolken. Keine Spur von Corinne. Die Polizei hatte das Auto bereits mitgenommen, um es untersuchen zu lassen. Wenn an dieser Stelle ein Verbrechen geschehen war, so sah man nichts davon. Man spürte nicht einmal etwas. Es war ein Ort wie tausend andere.

Sie waren weiter bis nach Whitby gefahren, hatten unterwegs bei Dan angerufen und Ryan wegen eines *schwerwiegenden Familienereignisses* im Copyshop entschuldigt und dann die Arztpraxis, in der Corinne arbeitete, aufgesucht. Bradley hatte ihnen die Adresse genannt, und nach einigem Herumkurven und Suchen hatten sie das Gebäude, das mitten in der Stadt lag, gefunden. Ein schlichtes Haus aus roten Backsteinen, in dem sich unten ein Obstgeschäft befand und im ersten Stock die Gemeinschaftspraxis dreier Ärzte. Das Obstgeschäft hatte geöffnet, die Praxis war samstags geschlossen. Sie hatten an der Fassade hinaufgeblickt.

»Hierher geht sie jeden Tag«, sagte Ryan, »und in dem Laden kauft sie manchmal Obst, das sie dann Bradley mitbringt.«

»Bestimmt«, pflichtete Nora bei. Sie liefen ein wenig in der Gegend herum, aber natürlich gab ihnen nichts von dem, was sie sahen, einen Hinweis auf Corinnes Schicksal.

Als sie gegen Mittag nach Sawdon zurückkehrten, war die Polizei bei Bradley, und Bradley selbst schien vollkommen verstört. Im ersten Moment glaubten Ryan und Nora schon voller Schrecken, es gebe eine schlechte Nachricht, aber dann stellte sich heraus, dass man, was Corinne anging, nach wie vor im Dunkeln tappte. Bradley hatte jedoch von dem Beamten, Detective Sergeant Fuller, soeben erfahren, dass sein Stiefsohn zweieinhalb Jahre lang im Gefängnis von Swansea gesessen hatte und sich erst seit einigen Wochen wieder auf freiem Fuß befand. Er hatte am Vortag während seines ersten Gespräches mit der Polizei die genauen Familienverhältnisse dargelegt, und eher routinemäßig war man bei der Polizei auch der Person des Stiefsohnes, der in Wales lebte und seit bald sechs Jahren keinen Kontakt mehr zu seiner Familie unterhielt, nachgegangen.

Dabei hatte man Überraschendes zutage gefördert und war alarmiert. Fuller hatte nun Bradley aufgesucht, um mit ihm über Ryan zu sprechen, und dabei erfahren, dass Ryan noch in der Nacht nach Yorkshire hinaufgefahren war, woraufhin er beschlossen hatte zu warten, bis Ryan wieder im Haus seines Stiefvaters aufkreuzte. Während Bradley noch immer seinen Schock zu verarbeiten suchte, stellte Fuller bereits Ryan die unvermeidliche Frage: »Wo waren Sie gestern früh gegen sieben Uhr?«

Ryan hatte alle Fragen geduldig beantwortet. Er hatte mit Nora am Frühstückstisch gesessen. Eine halbe Stunde später war er in dem Copyshop erschienen, in dem er arbeitete. Ja, Dan, sein Chef, konnte das bestätigen. Er hatte seinen Arbeitsplatz gegen fünf Uhr am Freitagnachmittag verlassen, war sofort nach Hause gegangen, um sich umzuziehen. Er und Nora waren zu einer Geburtstagsfeier eingeladen gewesen. Das konnten an die fünfzig Gäste, die sich ebenfalls auf dem Fest aufgehalten hatten, bezeugen. Sie hatten die Party verfrüht verlassen. Warum? Er war von einem der weiblichen Gäste recht heftig angegangen worden wegen seiner Vergangenheit. Er und Nora hatten noch in einem Pub gegessen und anschließend daheim auf dem Anrufbeantworter eine Nachricht von Bradley vorgefunden. Nachdem sie erfahren hatten, was geschehen war, waren sie sofort losgefahren. Nein, er hatte seit sechs Jahren keinerlei Kontakt zu seiner Mutter gehabt. Er wusste nichts von ihrem Leben. Weder hatte er eine Ahnung davon gehabt, dass sie in dieser Praxis in Whitby arbeitete, noch hatte er ihre tägliche Routine gekannt, von ihrem Weg durch die Hochmoore jeden Morgen nichts gewusst und nichts davon, dass sie immer dieses Mädchen mitnahm. Nein, er hatte nichts mit dem Verschwinden seiner Mutter zu tun. Er *konnte* überhaupt nichts damit zu tun haben, wie

Fuller, wenn er die Angaben überprüfte, leicht würde feststellen können, aber abgesehen davon: Er hatte auch keinen Grund, ihr etwas anzutun.

DS Fuller kniff an dieser Stelle die Augen zusammen. »Weshalb war der Kontakt zu Ihrer Mutter vollkommen abgerissen?«, fragte er. »Gab es ein größeres Zerwürfnis?«

»Meine Mutter warf mir meinen Lebenswandel vor«, sagte Ryan. »Und irgendwann wollte sie davon nichts mehr mitbekommen, weil es sie zu sehr belastete.«

»Ihren Lebenswandel? Sie meinen die Tatsache, dass Sie es seit Ihrem Schulabbruch nur selten einmal mit einer richtigen Arbeit versucht haben? Stattdessen immer wieder wegen größerer und kleinerer Delikte mit dem Gesetz in Konflikt gerieten?« Fuller hatte sich augenscheinlich genau informiert.

»Ja«, sagte Ryan.

Fuller wandte sich abrupt an Bradley. »Wie ist Ihr Verhältnis zu dem Sohn Ihrer Frau?«

Bradley sah unglücklich und verstört aus. »Ich habe das damals forciert. Dass Corinne den Kontakt zu ihm abbrach, meine ich. Ich konnte es nicht mehr mit ansehen, wie sie sich seinetwegen grämte. Sie litt ständig, und mir wurde irgendwann klar, dass er sich nicht ändern würde. Es ging Corinne besser, nachdem sie wenigstens nicht mehr mitbekam, was er alles so anstellte. Obwohl der Bruch sie natürlich sehr traurig stimmte.«

»Trotz allem haben Sie sich jetzt als Erstes an Ryan Lee gewandt. Warum?«

Bradley machte eine hilflose Handbewegung. »Er ist ihr Sohn. Ihr einziger lebender Angehöriger. Ich dachte, er muss wissen, was passiert ist. Ich hoffte … Ich weiß nicht. Ich wusste ja nichts davon, dass er … dass er im Gefängnis saß.«

Fuller wandte sich nun wieder an Ryan. »Hassen Sie den Mann Ihrer Mutter? Immerhin war er es, der darauf hinwirkte, dass sich Ihre Mutter von Ihnen abwandte. Was Ihnen sicher bekannt war.«

Ryan saß auf einem Sessel, seine Schultern waren nach vorn gesunken. Mit jeder Minute, die verging, mit jeder Frage, die der Sergeant stellte, das konnte Nora sehen, fiel er mehr in sich zusammen.

»Nein«, antwortete er schließlich mit leiser Stimme. »Ich hasse ihn nicht. Ich war damals … fast erleichtert, als meine Mutter den Kontakt abbrach. Sie hörte auf, mir Vorwürfe zu machen. Ich musste mich nicht mehr dauernd vor ihr schämen, wenn wieder etwas schiefgelaufen war, wenn mir wieder gekündigt wurde oder ich wieder einmal bei der Polizei landete. Ich fühlte mich befreit. Und für dieses Gefühl hasse ich niemanden.«

Fuller war irgendwann gegangen, und für den Rest des Nachmittags hatten Bradley, Ryan und Nora im Wohnzimmer gesessen, und fast die ganze Zeit über hatte Bradley lamentiert, entweder über Corinnes Verschwinden oder über den Umstand, dass Ryan im Gefängnis gewesen war. Ein paarmal riefen Freundinnen von Corinne an, um sich zu erkundigen, ob es etwas Neues gab. Nora kochte mehrmals frischen Kaffee und bereitete schließlich aus den Vorräten, die sie in der Küche fand, ein Abendessen. Ryan und Bradley rührten kaum etwas davon an. Gegen zehn Uhr sagte Nora zu Bradley: »Sie sollten sich jetzt unbedingt hinlegen, Bradley. Sie sehen todmüde aus. Im Moment können Sie nichts tun, deshalb sollten Sie einfach schauen, dass Sie bei Kräften bleiben. Es waren zwei harte Tage.«

Bradley nickte und erhob sich aus seinem Schaukelstuhl. »Ich glaube kaum, dass ich schlafen kann, aber ich lege mich hin, ja. Danke für Ihre Fürsorge, Nora. Können Sie mir etwas verraten? Sie sind eine hübsche, gescheite und lebenstüchtige junge Frau. Was, um Himmels willen, finden Sie an diesem Versager, der außer einer kriminellen Karriere bislang nichts auf die Beine gestellt hat?«

Die Worte hingen dröhnend in dem stillen Raum.

Ryan hob nicht einmal den Kopf.

»Ich mag ihn, Mr. Beecroft«, sagte Nora schließlich. »Und im Unterschied zu Ihnen sehe ich das Gute in ihm.«

»Sie haben etwas Besseres als ihn verdient«, entgegnete Bradley. Er seufzte tief. Seine Augen waren rot unterlaufen vor Erschöpfung und Sorge. »Ich hoffe, dass Sie ihn nicht romantisieren. Und nicht meinen, der Engel zu sein, der berufen ist, ihn zu retten. Man kann Ryan nämlich nicht retten. Er wird immer der bleiben, der er ist.«

Nora sagte nichts darauf. Die Situation barg das Potenzial zur Eskalation, und diese wollte sie um jeden Preis verhindern. Bradley würde das nicht durchstehen. Ryan auch nicht.

»Ihr könnt heute Nacht hier schlafen«, sagte Bradley schließlich. »Aber ich bitte euch, morgen abzureisen. Ihr könnt nicht helfen, und ich möchte Ryan nicht länger unter meinem Dach sehen.«

So waren sie alle in ihren Zimmern verschwunden, und Nora saß nun neben Ryan im Bett und fragte sich, wie sie ihn erreichen könnte. Es war nicht vorstellbar, einfach das Licht auszuschalten und *Gute Nacht* zu sagen. Ryan war nach der durchwachten letzten Nacht, nach der langen Autofahrt und dem zermürbenden Tag zwar vollkommen am Ende seiner Kräfte, aber zugleich vibrierte er am ganzen Körper und zitterte vor innerer Erregung. Er würde keinen Schlaf finden.

Nora widerstand dem Impuls, ihren Arm auszustrecken und Ryans Hand zu ergreifen. Sie fürchtete, dass ihm das nicht recht sein würde, aber sie hätte ihm gern gezeigt, dass sie auch innerlich ganz bei ihm war.

Schließlich fragte sie: »Was für ein Mensch ist deine Mutter?«

Es dauerte eine Weile, ehe Ryan antwortete. »Sie ist sehr fürsorglich«, sagte er dann leise, »warmherzig. Sie ist für jeden da, der sie braucht. Sie hat viele Freunde. Jeder mag sie, weil sie einfach nett ist. Und fröhlich. Man fühlt sich wohl in ihrer Nähe.«

Nora zögerte, wagte dann aber doch das Thema anzuschneiden, das sie seit dem Nachmittag beschäftigte. Sie war im Haus herumgestreift und hatte in einem Regal auf dem oberen Flur ein weiteres Bild von Ryan gefunden – zumindest vermutete sie, dass es sich um Ryan handelte: ein etwa siebenjähriger Junge, der in einem Planschbecken saß und über das ganze Gesicht strahlte. Im Hintergrund konnte man die Fassade eines efeubewachsenen Hauses sehen. Ringsum blühte ein sommerlicher Garten in allen Farben.

Sie hatte das Bild lange betrachtet.

»Es stimmt nicht, was du mir im Gefängnis erzählt hattest«, sagte sie nun behutsam. »Das mit deiner schlimmen Jugend. Dein ewig betrunkener Stiefvater, deine hilflose Mutter. Das hast du erfunden, nicht wahr?«

Es ging Ryan zu schlecht, als dass er auch nur den Versuch gemacht hätte, wenigstens halbwegs das Gesicht zu wahren. Er nickte stumm.

»Du hattest eine schöne Kindheit. Mit einer liebevollen Mutter. Und dein Stiefvater war auch ganz in Ordnung, stimmt's?«

Er seufzte und nickte wieder. »Was meinen leiblichen Vater betrifft, hatte ich dir die Wahrheit gesagt, er starb, als ich vier Jahre alt war. Der Mann, den meine Mutter dann heiratete und mit dem sie das *Bed & Breakfast* in Camrose weiterführte, war wirklich nett. Weder trank er, noch war er gewalttätig. Allerdings nahm er es mit der Treue nicht allzu genau, deshalb gab es immer wieder Auseinandersetzungen zwischen ihm und Corinne. Als ich vierzehn war, reichte es ihr, und sie ließ sich scheiden. Sie lebte dann allein mit mir in Swansea. Später traf sie Bradley. Insofern... war meine Jugend nicht ganz störungsfrei, aber welche Jugend ist das schon? Ich dachte nur...« Er sprach nicht weiter.

»Du dachtest, du müsstest mir eine Erklärung für deine Lebensgeschichte geben«, sagte Nora. »Dafür, dass du die Schule abgebrochen hast, keine Ausbildung durchhalten konntest, immer wieder mit dem Gesetz in Konflikt geraten bist. Du dachtest, ich verstehe dich sonst nicht?«

»Es ist ja auch nicht zu verstehen. Es gibt in meiner Kindheit keinen Grund dafür, dass ich zum Versager und zum Kriminellen wurde«, erklärte Ryan. Er fuhr sich mit den Händen über die Augen, die vor Müdigkeit brannten. »Tut mir leid, dass ich dich belogen habe. Falls du mit mir nichts mehr zu tun haben willst...«

»Ja?«

»Dann wäre ich dir nicht böse. Es ist schwierig, zu jemandem wie mir Vertrauen zu haben.«

»Es ist nicht ganz einfach«, stimmte Nora zu, »aber nicht unmöglich. Ist... sonst noch etwas, was du mir nicht erzählt hast? Ich meine, etwas, das ich vielleicht wissen sollte?«

Die ganze Zeit über hatte er sie nicht angeschaut, hatte an ihr vorbeigeblickt in irgendeine Ecke des Zimmers, in der sich nichts befand. Jetzt wandte er den Kopf und sah sie an. Sie erschrak, weil er so zerquält, so sterbenselend aussah.

»Habe ich dir je von Damon erzählt?«, fragte er.

Ryan hatte Damon kennengelernt, als er vierundzwanzig war und gerade wieder wegen ständiger Unpünktlichkeit und permanenten unentschuldigten Fehlens aus einem Job geflogen war. Er befand sich in einer misslichen Lage, denn er hatte zudem Geld aus der Firmenkasse gestohlen, fast achthundert Pfund, aber der Chef hatte das noch nicht gemerkt. Der Abteilungsleiter wusste jedoch davon, wusste auch, dass Ryan der Übeltäter war.

»Pass auf, ich will dir deine Zukunft nicht noch mehr versauen, als du das ohnehin schon mit allen Mitteln zu erreichen versuchst«, hatte er zu Ryan gesagt. »Du bringst das in Ordnung, das heißt, du schaffst das Geld wieder herbei, so schnell wie möglich, und ich halte den Mund über dieses Vorkommnis. Okay? Aber danach will ich dich nie wieder sehen.«

Das Problem war, dass Ryan für das Geld bereits eine exklusive Stereoanlage gekauft hatte, die er nicht mehr zurückgeben konnte. Er versuchte, sich die achthundert Pfund bei einigen Kumpels zu leihen, aber da er ausschließlich Leute kannte, die ebenfalls chronisch klamm waren, merkte er bald, dass es ihm nicht gelingen würde, den erforderlichen Betrag zusammenzubekommen, jedenfalls nicht in der gebotenen Kürze der Zeit. Es wurde eng, der hilfsbereite Abteilungsleiter würde das Fehlen des Geldes nicht länger verschleiern können. Ryan überlegte schon, zu seiner Mutter zu gehen und sie um Hilfe zu bitten, und oft in den Jahren danach wünschte er, er hätte es getan. Aber noch während er mit sich rang – Corinne würde entsetzt, enttäuscht, traurig und vorwurfsvoll reagieren, und Ryan wusste nicht, wie er das aushalten sollte –, traf er jemanden, der jemanden kannte, der wiederum jemanden kannte, der Geld verlieh.

So kamen Ryan und Damon zusammen.

Allerdings traf Ryan Damon in all den Jahren dann nur zwei Mal persönlich, und das auch nur jeweils sehr kurz. Ansonsten hatte er es mit Leuten zu tun, die für Damon arbeiteten – Typen zumeist, denen er nicht allein im Dunkeln hätte begegnen wollen. Er wusste nicht, wo Damon wohnte, er wusste nicht einmal, wie er mit richtigem Namen hieß, denn *Damon* war angeblich nur einer von mehreren Decknamen. Er hatte auch nur eine ungefähre Ahnung, womit Damon eigentlich genau sein Geld verdiente. Einer seiner Geschäftszweige bestand darin, Geld zu verleihen und mit Wucherzinsen zurückzufordern. Er hatte seine eigene Inkassotruppe, von der es hieß, dass sie vor absolut nichts zurückschreckte, um die Schuldner zum Zahlen aufzufordern, nicht einmal vor Mord, wenn das Geld tatsächlich nicht zu bekommen war und es letztlich darum ging, andere wissen zu lassen, dass sich Damon von niemandem übers Ohr hauen ließ. Damon und seine Leute hatten den Ruf, brutal, sadistisch und vollkommen skrupellos zu sein. Darüber hinaus munkelte man, dass Damon ein schwerer Brocken innerhalb der organisierten Kriminalität war und in praktisch jedem schmutzigen Geschäft, sei es Rauschgift, Waffenhandel, Kinderpornographie oder Geldwäsche, seine Finger hatte. Die Polizei kam offensichtlich nicht an ihn heran; entweder war er zu geschickt bei allem, was er tat, oder er verfügte über zu gute Kontakte in einflussreichen Kreisen, in denen man ihn schützte, weil man von ihm profitierte. Wahrscheinlich war beides der Fall.

Ryan wusste von der ersten Sekunde an, dass er sich mit dem Teufel einließ, und sein Instinkt war sogar wach genug, ihm zu prophezeien, dass dies alles ein schlimmes Ende nehmen würde, aber die Versuchung war zu groß, die achthundert Pfund zu bekommen und das Fiasko in Ordnung zu bringen, das er angerichtet hatte. Dass er dabei in eine weit größere Katastrophe geriet, blendete er zunächst einfach aus.

Damon hatte sich anfangs noch großzügig gezeigt, er hatte Ryan eine komfortable Frist eingeräumt, in der er das Geld zurückzahlen sollte, und auch die Zinsen hielten sich im Rahmen. Damit betäubte er schließlich Ryans Frühwarnsystem. Ryan fand eine Arbeit und stotterte den Betrag ab, und er gelangte zu dem Schluss, dass Damon vielleicht doch kein Teufel war und dass die Geschichten, die über ihn kursierten, alle übertrieben waren. Anstatt es gut sein zu lassen, wandte er sich bei der nächsten finanziellen Schieflage, in die er geriet, erneut an Damon, und dann wieder und wieder. Jetzt zogen die Zinsen an, die Fristen wurden enger, die Zinsen stiegen erneut, sobald eine Frist abgelaufen war. Ryan befand sich in der Falle. Im Sommer 2009 waren seine Schulden auf zwanzigtausend Pfund angestiegen, und man hatte ihm mehrere unmissverständliche Warnungen zukommen lassen: Die Schonfrist war vorbei. Entweder er zahlte oder er würde Besuch bekommen, den er vielleicht nicht überlebte.

Und inzwischen wusste Ryan genug, um diese Warnung absolut ernst zu nehmen.

9

»So verrückt es klingt, was mich zunächst rettete, waren meine Festnahme und meine Verurteilung«, schloss er. Von Vanessa Willard hatte er Nora natürlich nichts berichtet. »Im Gefängnis war ich sicher. Aber jetzt... Ich bin wieder draußen, und ich bin überzeugt, Damon weiß das. Die Zinsen sind natürlich gestiegen in der ganzen Zeit. Ich schulde ihm wahrscheinlich weit mehr als die zwanzigtausend Pfund von damals.«

Nora war blass geworden. »Glaubst du, er weiß, wo du wohnst?«

»Ja. Frag mich nicht, woher. Aber solche Dinge weiß er immer.«

»Aber weder er noch seine Leute haben sich blicken lassen. Oder haben sie auf irgendeine Art und Weise mit dir Kontakt aufgenommen?«

Er schüttelte den Kopf. »Nein. Und das gibt mir zu denken, verstehst du? Denn mit absoluter Sicherheit hat Damon nicht vor, mir das Geld zu erlassen. Nie im Leben.«

»Das heißt, du wartest jetzt darauf, dass Damon oder seine Mannschaft irgendwann auftauchen und dir die Pistole auf die Brust setzen?«

Jetzt blickte er wieder an ihr vorbei. »Vielleicht haben sie das schon getan«, murmelte er.

Nora klang verwirrt. »Aber du hast doch gerade gesagt…?«

»Sie haben nicht direkt Kontakt aufgenommen. Es hat sich auch niemand bei mir gezeigt. Aber ich frage mich…«

»Ja?«

»Der Überfall auf Debbie. Und jetzt ist meine Mutter verschwunden. Womöglich verschleppt worden. Zufall?«

»Du meinst…?«

»Ich weiß es nicht. Aber es ist eine seltsame Anhäufung von Zufällen, oder? Frauen, die in engem Kontakt zu mir stehen oder standen, werden plötzlich Opfer von Verbrechen. Schon bei Debbie hatte ich ein ungutes Gefühl, aber ich sagte mir noch, dass sie vielleicht einfach nur Pech hatte. Aber jetzt noch meine Mutter! Eine fast sechzigjährige Frau, die nicht reich ist, die keine Feinde hat, die sich auch nicht in einer gefährlichen Umgebung bewegte... Wieso?«

»Und du glaubst, das Ganze gilt dir? Man will dir damit drohen?«

»Es könnte sich um Damons Handschrift handeln. Es ist die Art von Terror, wie er ihn liebt.«

»Aber was verspricht er sich davon? Er will Geld von dir. Glaubt er, du kannst es eher beschaffen, wenn er dich auf diese Art unter Druck setzt?«

Ryan vergrub das Gesicht in den Händen. Nora kannte Menschen wie Damon nicht. Es war nicht ihre Welt.

»Das Geld, die zwanzigtausend oder inzwischen vierzigtausend Pfund, was weiß ich, bereiten Damon garantiert keine schlaflosen Nächte. Das ist ein Betrag, der mich umhaut, für ihn sind das Peanuts. Er bewegt täglich ganz andere Summen. Ich werde das Geld in diesem Leben nicht zurückzahlen können, und das weiß auch Damon, ganz gleich, was er mir antut. Aber es geht ihm um zwei Dinge: Zum einen kann er es nicht einreißen lassen, dass Leute mit heiler Haut davonkommen, ohne ihre Schulden bei ihm beglichen zu haben. Sein Ego würde es nicht verkraften, und außerdem könnte es einen schlechten Einfluss auf diejenigen haben, die mit richtig hohen Beträgen bei ihm in der Kreide stehen. Es geht bei alldem um seinen Ruf. Seine Macht, sein Einfluss und sein Erfolg gründen auf der Furcht und dem Schrecken, die er verbreitet. Damon würde es als einen unermesslichen Schaden empfinden, wenn man plötzlich von ihm sagen würde: *Stellt euch vor, er hat Ryan Lee, diesem Armleuchter, seine ganzen Schulden erlassen, aus reinem Mitleid.* Nein, er möchte, dass es heißt: *Lee hat sein Geld nicht zurückgezahlt, aber dafür haben Damons Leute zuerst seine Exfreundin vergewaltigt, dann seine Mutter entführt*

*und misshandelt, und am Ende haben sie Lee alle Knochen ge-
brochen!* Das ist der Damon, wie man ihn kennt.«

»O Gott«, flüsterte Nora.

Das Schlimme ist, ich übertreibe nicht einmal, dachte
Ryan, obwohl es das ist, was sie wahrscheinlich gerade hofft.
Ebendeshalb habe ich ja damals …

Diesmal gelang es ihm rechtzeitig, seine Gedanken zu
stoppen, ehe der Name *Vanessa Willard* auftauchte. Die Vorstellung, dass sie noch lebte und mit den schrecklichen Vorkommnissen um ihn herum zu tun hatte, war zu schrecklich. Vor allem war sie unaussprechlich.

»Zwei Dinge«, sagte Nora, »du hast gesagt, es gehe Damon
um zwei Dinge?«

»Ja. Das andere ist einfach sein Sadismus. Er liebt es,
Menschen zu quälen. Er liebt es zu spielen. Er stellt sich
vor, dass ich mich voller Entsetzen frage, ob er mit alldem
etwas zu tun hat und was ihm als Nächstes einfallen wird,
und das bereitet ihm ein diebisches Vergnügen. Er kann
mich in Angst versetzen, um meinen Schlaf bringen, mich
innerlich immer mehr in die Enge treiben. So etwas macht
ihm Spaß.«

Nora schwieg eine Weile, dann sagte sie entschlossen:
»Ryan, mit alldem, was du mir gerade erzählt hast, musst du
so schnell wie möglich zur Polizei gehen!«

»Dann bin ich tot«, erklärte Ryan.

»Wenn Damon verhaftet wird, wie kann er dir dann noch
etwas antun?«

»Und wenn er nicht verhaftet wird? Weil er mit der ganzen Sache tatsächlich nichts zu tun hat?«

»Irgendetwas werden sie bei ihm finden, weshalb sie
ihn festnehmen können. Es scheint doch im Leben dieses
Mannes nichts zu geben, was er legal tut!«

»Nora, wenn man ihm etwas nachweisen könnte, hätte

er schon hundertmal lebenslänglich bekommen. Er ist zu clever, als dass er sich an irgendeiner Stelle angreifbar machen würde. Weißt du, was der Alptraum wäre? Ich hetze ihm die Bullen auf den Hals, aber die ziehen unverrichteter Dinge wieder ab, weil Damon im Falle von Debbie und meiner Mutter ausnahmsweise wirklich einmal unschuldig ist oder weil man ihm zumindest seine Schuld nicht beweisen kann. Glaubst du, ein Mann wie Damon nimmt das einfach so hin?«

»Es geht um deine Mutter!«

»Ich weiß.« Er sah Nora eindringlich an. »Und es geht auch um dich. Was auch immer ich tue, wie immer das weitergeht, du solltest dich ab jetzt von mir fernhalten. Ich kann dich da nicht mit hineinziehen.«

»Ich bin doch schon mittendrin.«

»Noch nicht richtig. Wenn ich mir jetzt eine andere Bleibe suche und wir einander nicht mehr sehen, kommst du vielleicht ungeschoren davon. Überleg doch mal: Wenn Damon gerade das perfide Spiel spielt, Menschen zu attackieren, die etwas mit mir zu tun haben – wie lange, glaubst du, dauert es dann, bis er es auf dich abgesehen hat? Oder wenn ich jetzt der Polizei seinen Namen nenne und er hinterher zum großen Schlag gegen mich ausholt, dann bist du viel zu nah an mir dran, als dass du verschont bliebest. Bitte, Nora. Lass dir nicht dein Leben zerstören!«

Sie erwiderte nichts darauf, sondern fragte stattdessen: »Wirst du zur Polizei gehen?«

»Ich weiß es nicht.«

Sie hatte ein Gespür für Schwingungen. Sie ahnte, dass er ihr nicht alles gesagt hatte, dass er noch andere Möglichkeiten in seinem Kopf bewegte.

»Es klingt sehr schlüssig, was du sagst. Oder kannst du dir noch etwas anderes vorstellen?«

»Nein. Außer es ist Zufall, dass es gerade zwei Frauen in meinem Umfeld getroffen hat.«

Der Gedanke, der sich in seinem Kopf gebildet hatte und nun an ihm nagte, war furchtbar. Weil er ihn so bedrängte und so zwingend zu sein schien: Eigentlich war es an der Zeit zu überprüfen, ob Vanessa Willard damals auf irgendeine Weise überlebt hatte. Was bedeutete zu überprüfen, ob sie sich befreit hatte oder befreit worden war.

Er stöhnte auf bei dieser Vorstellung.

Nora legte eine Hand auf seine Schulter. »Lass uns schlafen. Wir sind vollkommen erschöpft. Lass uns morgen planen, was wir am besten tun.«

Sie klang beruhigend und vernünftig. Er spürte, wie er sich unter ihrer kühlen, kräftigen Hand ein wenig entspannte.

Vielleicht sehe ich auch Gespenster, dachte er, während er sich unter der Decke zusammenrollte, vielleicht bin ich in meinem Leben mit zu viel Dreck in Berührung gekommen, habe zu viel Schuld auf mich geladen. Deshalb glaube ich bei allem, was an Bösem und Schrecklichem geschieht, es müsste in einem Zusammenhang mit mir stehen.

Es gelang ihm nicht, sich besser zu fühlen. Ständig sah er Debbie vor sich, dann wieder Corinne, und dann wieder verschmolzen die beiden Frauen zu einer Person.

Und dann tauchte Vanessa Willards Gesicht vor ihm auf.

Was war aus ihr geworden?

10

»Lass mich«, sagte Janine und schob den schlafenden Mann, der, irgendetwas Unverständliches brummend, auf ihre Seite herübergerutscht war und seine Hand ziemlich tollpatschig auf ihre rechte Brust hatte fallen lassen, von sich. Sie hatte gerne Sex mit Nick, aber nicht, wenn er so zugekifft war wie jetzt.

Nick brummte und griff erneut nach Janines Brust. Er überschätzte sich wieder einmal vollkommen und raffte überhaupt nichts. Sie betrachtete seinen nackten Körper, der zum Teil von dem Laken bedeckt wurde, das ihnen als Bettdecke diente. Das Laken sah schmuddelig aus, war voller undefinierbarer Flecken und wies etliche Brandlöcher auf. Sie rauchten beide zu oft im Bett. Manchmal fragte sich Janine, wie lange es dauern würde, bis sie die alte Farm abfackeln würden. Wobei sie wahrscheinlich selbst mit draufgehen würden. Sie konsumierten Alkohol und Drogen in großen Mengen, und es war unwahrscheinlich, dass sie im Falle einer Katastrophe wach genug wären, um rechtzeitig ins Freie zu gelangen.

Sie stand auf, stöhnte, weil ihr Kopf so schmerzte, als wolle ihr Gehirn explodieren. Sie griff sich ein Hemd von Nick, das zusammengeknäult auf dem Fußboden lag, und streifte es über den Kopf. Teufel, war das kalt im Zimmer! Die Farm, die Nick von seinem Großonkel geerbt hatte und die eigentlich längst abgerissen gehörte, konnte ganz nett und romantisch sein bei schönem Wetter, aber im Herbst und Winter oder während eines verregneten Frühlings war es hier schwer auszuhalten. Die Fenster schlossen nicht richtig, das Dach war undicht, es gab keine Heizung, sondern nur große Kamine, die nicht richtig abzogen, was meist dazu führte, dass man ein Zimmer voller Rauch hatte, das trotzdem eiskalt blieb. Nick störte das nicht. Er lag sowieso die meiste Zeit über im Bett. Oder war so zugedröhnt, dass er normaler Empfindungen nicht fähig war.

Janine schaute zum Fenster hinaus. Die Farm lag gut zwanzig Meilen von der nächsten Ortschaft entfernt, und ringsum gab es nur die Hochmoore mit ihrem bräunlichen Heidekraut und ihren flachen, windzerzausten Büschen. Nicks Großonkel hatte hier Schafe gezüchtet. Schafe gab es längst nicht mehr auf der Farm, aber manchmal verirrten sich die Tiere anderer Bauern hierher. Janine kniff die Augen zusammen. Zu dem Besitz gehörte ein alter Obstgarten, der völlig zugewildert war, und jenseits davon schloss sich ein kleines Wäldchen an, durch das ein Bach floss, und beides konnte man vom Schlafzimmer aus sehen. Am Rande des Wäldchens, noch halb verborgen unter den Bäumen meinte Janine etwas entdeckt zu haben, einen hellen Fleck, der dort nicht hingehörte. Sie konnte jedoch nicht ausmachen, worum es sich handelte. Vielleicht tatsächlich ein Schaf? Es war Frühling, es gab jede Menge kleiner Lämmer. Vielleicht hatte sich eines von seiner Herde entfernt und verirrt?

Janine war ziemlich kurzsichtig, und es machte wenig Sinn, etwas erkennen zu wollen, solange sie ihre Brille nicht trug. Leider wusste sie wieder einmal nicht, wohin sie sie gelegt hatte. Sie hatte am Vorabend dermaßen viel getrunken, dass sie nicht einmal eine schwache Vorstellung davon hatte, wie sie überhaupt ins Bett gekommen, geschweige denn, was aus ihrer Brille geworden war. Suchend blickte sie sich im Zimmer um, wobei ihr jede Bewegung ihres Kopfes höllisch wehtat. Wenn sie Glück hatte, fand sie noch ein Aspirin in der Küche.

»Weißt du, wo meine Brille ist?«, fragte sie in Richtung

Nick, aber sie erwartete nicht wirklich eine Antwort, denn Nick schlief längst wieder tief und fest. Vor dem Abend würde er nicht ansprechbar sein.

Janine fand auch ihre Hausschuhe nicht und tappte schließlich barfuß die Treppe hinunter, obwohl sie die Kälte als grausam empfand und spürte, wie sie ihr über die Füße die Beine hinaufkroch. Unten schaute sie kurz in den Wohnraum hinein. Sie entdeckte ein paar schlafende Gestalten, dazwischen leere Bierflaschen, überquellende Aschenbecher, Teller mit angeklebten Essensresten. Es war nie ganz klar, wie viele Menschen eigentlich auf der Farm lebten, wer nur zu Besuch da war, wer zu Nicks Freunden gehörte oder wer einfach aufgekreuzt war, obwohl er niemanden dort kannte. Die Farm war bekannt in der Gegend, und das, obwohl die Dörfer so weit voneinander entfernt lagen. Janine wusste, dass man sie alle für Abschaum hielt, für arbeitsscheues Gesindel, für asoziales Pack, für Kriminelle. Es gab Gerüchte von wilden Orgien, von Gruppensex, von enthemmtem Alkoholkonsum. Na ja, stimmte auch irgendwie, wie Janine zugeben musste. Einmal waren in der Gegend zwei Kinder verschwunden, und die Bewohner des nächsten Dorfes hatten die Polizei zur Farm geschickt, weil sie überzeugt gewesen waren, *die Verbrecher da draußen* müssten etwas damit zu tun haben. *Das* hatte nun nicht gestimmt, allerdings hatten die Bullen unter den vielen zugekifften Typen, die an jenem Tag im Wohnzimmer herumhingen, tatsächlich einen Kriminellen entdeckt, der wegen des Überfalls auf eine Tankstelle gesucht wurde. Weder Nick noch Janine kannten ihn. Er war einfach eines Tages aufgetaucht und hatte sich bei ihnen eingenistet. Niemand ahnte, dass nach ihm gefahndet wurde.

Janine ging in die Küche und bemühte sich, die Stapel von ungewaschenem Geschirr, die verklebten Kochtöpfe, den völlig verdreckten Fußboden zu ignorieren. Sie war die Einzige, die unter all dem litt: dem Dreck, dem Chaos, dem sinnlosen Gammeln, der Kälte, der Unordnung, dem Leben ohne jede Perspektive, dem Alkohol. Ja, unter dem Alkohol am meisten, denn er war schuld, dass sie es nicht schaffte, dieser Umgebung, Nick, seinen Freunden zu entfliehen. Oft spielte sie in Gedanken durch, wie es wäre, einen Entzug zu machen, aber sie scheute immer wieder davor zurück: Sie hatte ihre Mutter zu viele erfolglose Entzugsversuche machen sehen. Sie kannte das Grauen.

Und die Vergeblichkeit.

In der Küche fand sie als Erstes eine Armbanduhr und stellte fest, dass es fast drei Uhr war. Drei Uhr am Sonntagnachmittag. Dann entdeckte sie ein Röhrchen mit Aspirin, in dem sich – oh Wunder! – tatsächlich noch zwei Tabletten befanden. Sie füllte ein Glas mit Wasser und warf die Tabletten hinein. Sie wich dem Anblick einer halb vollen Weinflasche aus, die neben der Spüle stand.

Nein. Nicht sofort wieder.

Besser wäre es, sie würde ihre Kopfschmerzen los. Sie käme zur Besinnung. Sie würde diese grauenhafte Küche aufräumen.

Nichts davon würde geschehen, das wusste sie. Die Kopfschmerzen würden bleiben, sie würde versuchen, sie mit Alkohol zu betäuben. Und niemals würde irgendjemand diese Küche aufräumen.

Sie trank das Wasser und sah dabei aus dem Fenster, während sie abwechselnd die Füße anhob, um der Kälte des Steinbodens zu entgehen. Die Küche lag direkt unter ihrem Schlafzimmer, und sie konnte auch hier den Obstgarten sehen und den Rand des Wäldchens. Wieder fiel ihr der helle Fleck auf. Verdammt, hätte sie bloß ihre Brille! Wenn das wirklich ein verirrtes Jungtier war?

Janine mochte Tiere. Es hatte eine Zeit gegeben, zehn oder elf war sie gewesen, als sie unbedingt Tierärztin hatte werden wollen. Natürlich war nichts daraus geworden, aber die Liebe zu Tieren war ihr geblieben.

Ich müsste hinübergehen und nachsehen, dachte sie.

Das war in ihrem Fall nicht so einfach. Sie trug nur das Hemd von Nick, das ihr bis knapp an die Knie reichte, sonst nichts. Sie hatte keine Ahnung, wo sich ihre Klamotten oder ihre Schuhe befanden. Ihr war schlecht, und sie fror so, dass sie hätte heulen mögen.

Sie trank den letzten Schluck, stellte das Glas ab. Immerhin regnete es draußen nicht. Trotzdem war natürlich noch alles nass. Es war Wind aufgekommen, sie sah es daran, dass sich die Äste der Bäume bewegten und dass die Wolken in schnellem Tempo über den Himmel rauschten. Immer wieder tauchten leuchtend blaue Fetzen auf.

Vielleicht scheint heute noch irgendwann die Sonne, und dann gehe ich nachschauen, dachte Janine.

Allerdings ahnte sie, dass es zu richtigem Sonnenschein an diesem Tag nicht mehr reichen würde. Und dass sie nun die ganze Zeit über grübeln würde, was es mit dem weißen Fleck auf sich hatte. Es sei denn…

Ihr Blick fiel erneut auf die Weinflasche. Es war so leicht, alles auszuschalten. Alle Probleme loszuwerden, alles, was unangenehm war. Die Schmerzen, die Kälte, die Verantwortung. Alles würde sich ganz schnell auflösen, würde erst verschwimmen, dann immer unschärfer werden, schließlich überhaupt nicht mehr da sein.

Ihr schossen plötzlich die Tränen in die Augen, als sie an das Lämmchen dachte. Ohne Mutter. Einsam. Verzweifelt. Voller Angst.

Sie schob die Flasche weg, ging zur Küchentür, öffnete sie. Der kalte Wind ließ sie erschauern. Gleich mit dem ersten Schritt nach draußen schlugen hohe, nasse Gräser gegen ihre Beine. Am liebsten wäre sie sofort wieder umgekehrt, am liebsten hätte sie irgendjemanden zu Hilfe geholt. Aber wer von den Chaoten da drinnen war schon ansprechbar?

Sie überquerte den Hof, der früher einmal aus festgetretenem Lehm bestanden hatte, auf dem Hühner herumspaziert und Geräte abgestellt gewesen waren. Jetzt wucherten Gras, Disteln und Brennnesseln bis an die Schwelle der Küchentür. Übergangslos kam man in den einstigen Obstgarten. Im Herbst gab es hier noch immer Äpfel zu ernten, aber natürlich kümmerte sich niemand um die Bäume, stutzte ihre Äste und sorgte dafür, dass sie einander nicht in die Quere wuchsen. Der Regen der letzten Woche hatte die blassrosa Blüten zu Boden geschwemmt, das Gras stand fast hüfthoch. Der Wind vom gestrigen und heutigen Tag hatte die Nässe, die der tagelange Dauerregen hinterlassen hatte, noch nicht zu trocknen vermocht. Janine hatte jetzt nicht mehr nur nasse Beine, auch das Hemd sog sich mit Feuchtigkeit voll. Kalt und schwer klatschte es gegen ihre Oberschenkel. Sie schlang beide Arme fest um sich und kämpfte sich weiter voran. Sehnsüchtig dachte sie an eine heiße Dusche, aber es gab kein warmes Wasser im Haus. Einmal hatten sie und Nick kesselweise Wasser auf dem Herd erhitzt, es in eine alte Zinkwanne gefüllt und sich dann hineingesetzt. Es war ein wunderbares Gefühl gewesen, aber sie fürchtete, dass sie heute diese Energie nicht aufbringen würde. Vielleicht konnte sie sich wenigstens eine Wärmflasche machen.

Sie erreichte das Ende des Gartens. Hier stand ein hölzerner Zaun, wundersamerweise weitgehend unversehrt. Es gab nicht vieles auf der Farm, was es schaffte, dem voranschreitenden Verfall Widerstand entgegenzusetzen, aber dieser Zaun gehörte dazu. Natürlich moderte das Holz, und irgendwann würde er zusammenbrechen, aber noch stand er aufrecht. Janine berührte ihn kurz mit der Hand, als müsse sie sich vergewissern, dass es so etwas wie Beständigkeit überhaupt noch gab auf der Welt.

Das Tor hing schief in den Angeln, sie stieß es auf, was mühsam war, da es vom Gras blockiert wurde. Sie zwängte sich durch den schmalen Spalt und sah jetzt zu ihrer Erleichterung, dass es kein Lämmchen war, das dort unter den Bäumen lag. Gott sei Dank, sie hatte sich getäuscht, aber wie gut, dass sie nachgesehen hatte. Jetzt konnte sie beruhigt ins Haus zurückgehen. Irgendjemand hatte hier einen Haufen Kleider hingeworfen, einen weißen Mantel…

Seltsam eigentlich. Hier kam ja nie jemand vorbei.

Sie wollte sich umdrehen, da sah sie, dass sich der Mantel bewegte.

So betrunken war sie nicht mehr! Ihre Mutter hatte ständig gesehen, dass sich Dinge bewegten, Tische und Stühle, und dass sie bedrohlich auf sie zukamen. Aber Janine kannte das nicht. Noch nicht.

Sie überwand sich und trat näher an den Kleiderhaufen heran. Sie war tatsächlich so verheerend kurzsichtig, dass sie erst jetzt das Gesicht erkannte. *Ein menschliches Gesicht.* Das war überhaupt kein weggeworfener Kleiderberg. Das war ein Mensch, der da zusammengekrümmt im Gras lag.

»Oh Gott«, sagte Janine entsetzt.

Fiebrige Augen blickten sie an. Ein Mensch, völlig am Ende seiner Kräfte. Eine ältere Frau. Mit aufgesprungenen, wundgebissenen Lippen.

Janine schluckte.

»Bitte«, flüsterte die Frau. Es war ein ganz leises Krächzen. »Bitte, helfen Sie mir. Bitte.«

11

Im Laufe des Tages war es immer wärmer und sonniger geworden, und jetzt am Abend hatte der Wind alle Wolken endgültig davongeblasen und bescherte uns einen leuchtend blauen Himmel.

Ich hatte eigentlich vor, mich von dem Taxi direkt nach Hause fahren zu lassen, aber plötzlich hatte ich das Gefühl, mit jemandem sprechen zu müssen, und deshalb dirigierte ich den Fahrer um. Zu Alexias Adresse. Ich brauchte eine Freundin.

Bei Alexia öffnete niemand. Einen Moment lang stand ich ratlos und enttäuscht vor der Haustür. Waren sie alle unterwegs, hatten einen Ausflug unternommen und würden erst spät zurückkommen? Aber die Kinder mussten am nächsten Tag in die Schule. Vielleicht lohnte es sich zu warten.

Während ich noch unschlüssig verharrte, sah ich ein Auto um die Straßenecke biegen, von dem ich im ersten Moment voller Erleichterung glaubte, es sei das meiner Freundin. Die Reeces fuhren einen uralten Vauxhall Bedford, einen weißen Kleinbus, der fast museumsreif war, sich jedoch für eine sechsköpfige Familie, die auch noch jede Menge Freunde ihrer Kinder mittransportierte, immer wieder als ungemein praktisch erwies. Ich erkannte allerdings sofort meinen Irrtum: Das hier war zwar ebenfalls ein weißer Kleinbus, aber ein Vauxhall Movano, höchstens bei flüchtigem Hinsehen zu verwechseln. Er fuhr an mir vorbei ein Stück die Straße hinunter und bog dann in die Einfahrt eines anderen Hauses.

Ich wollte noch nicht aufgeben und beschloss, im Garten nachzusehen. Vielleicht waren sie alle draußen und hatten die Klingel nicht gehört. Es gab zwischen Alexias Haushälfte und der ihrer Nachbarn einen überdachten Durchgang zum Garten, den man sowohl von vorn als auch von der Küche aus betreten konnte. Die Reeces hatten dort ihre Waschmaschine und ihre Tiefkühltruhe stehen. Da Alexia und Ken chronisch überfordert und daher nachlässig waren, dachten sie selten daran, die Tür zum Durchgang abzuschließen. Auch diesmal hatte ich Glück. Ich konnte einfach hineingehen.

Als ich in den Garten trat, sah ich Ken. Er saß auf den Stufen vor dem Esszimmer, rauchte eine Zigarette und hatte eine Bierflasche in der Hand. Er wirkte entspannt, hatte es offenbar bereits geschafft, sämtliche Kinder ins Bett zu verfrachten, denn es gab kein Gewusel und Geschrei, kein Streitgebrüll und kein Geheule. Es herrschte eine fast andächtige, friedliche Abendstimmung. Die Sonne war untergegangen. Der Garten tauchte schon in die Schatten der Dämmerung. Mitten auf dem Rasen stand ein schlaffes, rotes Kinderplanschbecken, dem deutlich sichtbar nach und nach die Luft entwich.

Ken lächelte freudig, als er mich sah. »Jenna! Wie schön! Komm, setz dich zu mir.«

Er rutschte zur Seite, und ich setzte mich neben ihn auf die Stufe. »Hallo, Ken. Ihr müsst die vordere Tür abschließen. Jeder kann einfach ins Haus spazieren!«

»Bei uns ist kaum etwas zu holen«, entgegnete Ken sorglos. »Möchtest du auch ein Bier? Und eine Zigarette?«

»Gerne ein Bier.«

Er griff nach einer zweiten Flasche, die neben ihm stand, öffnete sie und reichte sie mir. Ich konnte den Alkohol und den Rauch in seinem Atem riechen. Ich selbst hatte mir mit Matthew bereits eine Flasche Wein geteilt. Jetzt noch ein Bier, und ich würde am nächsten Morgen böses Kopfweh haben. Aber daran mochte ich im Moment nicht denken. Meine Erkältung befand sich auf dem Rückzug, und ich fühlte mich halbwegs fit. Einen Kater würde ich auch noch irgendwie überstehen.

»Was habt ihr denn mit eurem Planschbecken gemacht?«, fragte ich.

Ken lachte. »Evan hat es mit Dartpfeilen beschossen. Es ist reif zum Entsorgen.«

»Ach, du liebe Güte!« Seinen und Alexias Kindern fiel zuverlässig stets ein neuer Blödsinn ein. Ich erkundigte mich nach meiner Freundin. »Ist Alexia schon ins Bett gegangen?«

Ken schüttelte den Kopf. »Gott bewahre! Ins Bett geht sie kaum noch. Sie ist noch nicht einmal nach Hause gekommen bis jetzt.«

»Sag nicht, sie ist schon wieder in der Redaktion?«

»Gestern den ganzen Tag. Heute den ganzen Tag. Sie rotiert nur noch um dieses verdammte Heft. Macht sich völlig fertig, weil ihr wieder Anzeigenkunden abgesprungen sind. Mein Gott, ich vermute, dass das in der gesamten Branche ständig passiert, aber sie sieht es als ihr persönliches Versagen an, dem sie unbedingt entgegensteuern muss.«

»Ronald Argilan ist es, der ihr dieses Gefühl vermittelt«, erklärte ich. »Er behandelt sie wie eine Versagerin – gegen sein eigenes besseres Wissen, meiner Ansicht nach. Er hat sich auf sie eingeschossen, und er will sie scheitern sehen. Ich glaube, sie hat überhaupt keine Chance, das ist das Schlimme daran. Er wird die Latte, über die sie springen soll, einfach immer höher legen, so lange, bis sie aufgibt. Ihn kostet das nicht viel, und sie wird sich daran völlig aufreiben.«

»Was hat er bloß gegen sie?«, fragte Ken verwirrt.

Ich zuckte mit den Schultern. »Er hat etwas gegen Frauen

in Führungspositionen. Eine Frau gehört nach Hause zu ihren Kindern, an den Herd, in die eigenen vier Wände. Abends steht sie mit einem leckeren Essen für den heimkehrenden Ehemann bereit und fragt ihn: *Schatz, wie war dein Tag?*«

»Na ja, das klingt richtig gut, wenn ich ehrlich bin«, meinte Ken und grinste.

Wir stießen mit unseren Bierflaschen an und nahmen jeder einen tiefen Schluck.

Ich blickte Ken an. »Das ist keine leichte Zeit für dich, nicht wahr?« fragte ich.

Er nickte. »Natürlich nicht. Es ist nicht leicht, zusehen zu müssen, wie die eigene Frau nervlich langsam vor die Hunde geht. Du glaubst nicht, wie oft ich sie beschworen habe, aufzugeben. Sich etwas anderes zu suchen, notfalls in einer schlechteren Position, dafür mit besseren Arbeitsbedingungen und einem anständigen Gehalt. Es ist doch wirklich lächerlich!« Seine Stimme klang jetzt zornig. »Dafür, dass sie alle Wochenenden durcharbeitet und praktisch keine Minute mehr mit ihrer Familie verbringt, bekommt sie ja noch nicht einmal ausreichend Geld. Es reicht bei uns an allen Ecken und Enden nicht. Vier Kinder! Das muss man erst einmal finanzieren. Und seit unsere Nanny gekündigt hat, habe ich jede Hoffnung aufgegeben, in einer halbwegs absehbaren Zeit noch an meinem Buch arbeiten und damit etwas hinzuverdienen zu können. Ich bin schon froh, wenn ich überhaupt irgendwie durch den Tag komme.«

»Du hältst Alexia bedingungslos den Rücken frei«, sagte ich.

»Ja, ich frage mich nur allmählich, ob das wirklich zu ihrem Besten ist«, erwiderte Ken.

Wir schwiegen beide. Wir wussten, dass sich Alexia verrannt hatte, und doch verstanden wir auch, weshalb sie nicht aufgeben konnte.

Schließlich fragte Ken: »Und du? Wie geht es dir so?«

»Na ja, ich…« Ich nahm noch einen Schluck Bier, ehe ich weitersprach. »Ich komme gerade von Matthew. Wir haben den Tag zusammen verbracht.«

»Ja? Dann geht Alexias Plan auf?«

»Ich weiß nicht… Wir waren eigentlich schon wieder völlig auseinander. Dieser Tag heute war ein Neustart. Ein Versuch, es einmal ohne Vanessa zu probieren.«

Ken runzelte die Stirn. »Ohne Vanessa?«

»Sie war immer dabei«, erklärte ich. »Er konnte von nichts anderem reden. An nichts anderes denken. Er war praktisch zu jedem Moment eines jeden Tages auf der Suche nach ihr. Auf der Suche nach der Erkenntnis, was aus ihr geworden ist. Ich habe das nicht mehr ausgehalten.«

»Kein Wunder. Wer würde das schon aushalten?«

»Er macht jetzt den ernsthaften Versuch, das Problem Vanessa, das Problem ihres Verschwindens abzuschließen. Ich war bei ihm zu Hause. Kein einziges Bild von ihr stand herum, und wie er mir sagte, hat er alle ihre persönlichen Sachen in Kartons verpackt und auf den Dachboden geräumt. Er hat sich wirklich Mühe gegeben, und trotzdem…« Ich seufzte resigniert. »Trotzdem war sie da. Sie war so etwas von präsent. Ihr Haus. Ihr Garten. Ihre Möbel. Ihr… Geist in diesem Haus. Matthew und ich waren beide vollkommen verkrampft. Wir haben zusammen gekocht und uns stundenlang über Salatdressings unterhalten, damit wir bloß nicht in die Nähe eines Gesprächs kommen, das uns wieder aufs Glatteis führen könnte. Nach einer ganzen Flasche Wein waren wir immerhin enthemmt genug, einander zu gestehen, dass wir uns beide für Salatdressing überhaupt nicht interessieren…« Ich seufzte wieder. Ich wusste nicht, wie ich es Ken erklären, wie ich diesen bleiernen Tag beschreiben sollte. Ich hatte mich wie ein Eindringling gefühlt. Die Frau, die in Vanessas Leben trat, in ihr Haus, in ihre Küche. Die ihren Mann wollte. Und der das eigentlich nicht zustand.

Matthew war vollkommen nervös gewesen, absolut entschlossen, bloß keinen Fehler zu machen. Es hatte mich gerührt zu sehen, wie er sich bemühte, herzlich und fröhlich und normal zu sein. Wir tranken den Wein auf der Terrasse, und ich sprach ihn auf die herrlichen Rhododendren an, die gerade überall im Garten zu blühen begannen, und er sagte: »Ja, die hat...« Und er verschluckte den Rest des Satzes und trank hastig von seinem Wein. Ich wusste, dass er um ein Haar *ihren* Namen gesagt hätte. *Die hat Vanessa gepflanzt* oder *Die hat Vanessa geliebt*. Etwas in dieser Art.

Wir gingen mit Max spazieren, das war die beste Stunde des Tages. Auf neutralem Boden funktionierte es besser zwischen uns, obwohl man auch nicht sagen konnte, dass die Anspannung sofort von uns abfiel. Gegen halb sechs kamen wir zurück ins Haus, und ich begann mich zu fragen, wie der Tag wohl enden würde, genauer: Ich begann, ehrlich gesagt, über Sex nachzudenken. Ich hatte allerdings nicht den Eindruck, dass Matthew diesen Gedankengang teilte. Er wirkte einfach nur noch gestresst und überfordert. Letztlich geht es bei Sex ja auch um die banale Frage: *Wo?* Matthews Schlafzimmer, das er jahrelang mit Vanessa geteilt hatte, schied definitiv aus, das war schon mal klar. Gab es ein Gästezimmer? Aber wie würde sich Matthew fühlen, wenn er sagte: »Lass uns ins Gästezimmer gehen.«? Auch das hatte wieder etwas so Verkrampftes und Unechtes.

Ich starrte auf den Teppich im Wohnzimmer, dann glitt mein Blick hinaus zum Gartentisch. Zur Not... Aber Matthew erschien mir zu konservativ. Um es auf dem Fußboden oder auf einem Tisch zu treiben, musste man von Leidenschaft überwältigt werden, man tat das eher, weil man es an einen komfortableren Ort nicht mehr schaffte. Matthew schien meilenweit davon entfernt zu sein, Leidenschaft zu empfinden, geschweige denn, von ihr überwältigt zu werden. Und ich wusste plötzlich, dass es peinlich enden würde, wenn ich den Anfang machte.

»Wir haben uns schließlich im Fernsehen die Nachrichten angesehen«, berichtete ich Ken. »Romantisch, oder? Wir wussten einander einfach nichts mehr zu sagen und endeten vor der Glotze!«

»Warum nicht?«, fragte Ken und drückte seine Zigarette auf den Steinplatten aus. »Manchmal braucht man einen Strohhalm. Eure Situation ist schwierig. Du kannst sie nicht mit normalen Maßstäben messen.«

»Dieser Strohhalm war jedenfalls der schlechteste, nach dem wir greifen konnten.« Ich sah die Szene deutlich vor mir. Wir beide nebeneinander auf dem Sofa. Max zu unseren Füßen. Zwischen uns ein sehr sittsamer Abstand. Wir starrten beide in den Fernseher, als seien wir vollkommen fasziniert von dem, was wir dort zu sehen bekamen.

»Hast du das mitbekommen in den letzten Tagen?«, fragte ich Ken. »Diese Frau in Yorkshire, die praktisch vom Straßenrand weg gekidnappt wurde?«

Ken überlegte eine Sekunde. »Stimmt, ja. Ich entsinne mich. Was ist mit ihr?«

»Sie haben sie gefunden. Heute. Sie wurde wohl von einer Bande krimineller junger Leute entführt und auf einer abgeschiedenen Farm festgehalten. Keine Ahnung, was die dort mit ihr gemacht haben. Aber sie lebt wenigstens und wird zu ihrem Mann zurückkehren.«

»Ach du Scheiße«, sagte Ken, was sich sicherlich nicht auf die geglückte Rettung der fremden Frau bezog. Er ahnte wohl, was diese Meldung in seinem Freund Matthew ausgelöst hatte.

Ich nickte. »Matthew konnte gar nicht verbergen, wie nah ihm das ging. Die Geschichte ist auch geradezu grotesk ähnlich! Eine Landstraße irgendwo mitten in den Hochmooren von Yorkshire. Eine Frau, die allein in einem Auto wartet. Sie verschwindet spurlos, Handtasche und Autoschlüssel bleiben zurück. Die Polizei tappt komplett im Dunkeln. Es geht kein Erpresseranruf ein, nichts. Die Sache ist unerklärlich. Allerdings dann, nur zwei Tage später...«

»Die erlösende Gewissheit«, vollendete Ken. »Wenn man das so nennen kann. Denn wer weiß, was dieser Frau angetan wurde. Sie wird viel Hilfe und Unterstützung brauchen, um in die Normalität zurückzufinden.«

»Natürlich. Aber immerhin: Man *kann* ihr nun helfen. Die quälende Ratlosigkeit ist allen genommen. Das verzweifelte Suchen, das Grübeln, die Angst... all das, was Matthew seit bald drei Jahren durchmacht, bleibt dieser Familie nun erspart.«

Ich hatte genau gespürt, was in Matthew vorging, als er die Nachricht im Fernsehen verfolgt hatte: Er durchlebte innerhalb der folgenden Minuten noch einmal die ganze Skala der Gefühle, die ihn seit dem August 2009 so heftig quälten. Er sah Vanessa vor sich, in den Händen eines Gewalttäters, irgendeines perversen Typen, der sie erniedrigte und verletzte und vielleicht langsam zu Tode quälte. Vanessa hatte nicht das Glück gehabt, gefunden zu werden.

Ich hatte begriffen, dass Matthew allein sein wollte, auch wenn er zu höflich war, das zu sagen. Gedankenverloren hatte er Max gestreichelt, seine Hände in dem dicken, weichen Fell des großen Hundes vergraben, und sein Blick hatte sich in die Ferne gerichtet, irgendwohin, auf einen

Punkt, den niemand außer ihm sah. Ich hatte vorsichtig seine Schulter berührt.

»Ich gehe nach Hause«, sagte ich leise. »Ich denke, das ist jetzt besser.«

Er zuckte zusammen. »Ich fahre dich.«

»Nein, lass nur.« Er schien mir kaum in der Verfassung, Auto zu fahren. »Ich nehme ein Taxi.«

Er hatte nicht widersprochen, aber als ich dann im Auto saß, hatte ich plötzlich geglaubt, nicht allein sein zu können, und mich deshalb zu Alexia bringen lassen. Die wiederum so in ihren eigenen Problemen steckte, dass sie auch nicht für mich da sein konnte.

»Und damit war der romantische Sonntag dann vorbei«, meinte Ken. »Tut mir leid, Jenna. Das ist wirklich eine ganz verfahrene Situation. Vielleicht ist Matthew einfach immer noch nicht in der Lage, eine neue Beziehung einzugehen.«

»Ist wohl ein roter Faden in meinem Leben«, sagte ich. »Ich habe acht Jahre mit einem Mann verbracht, der sich nicht wirklich auf mich einlassen konnte. Nun passiert mir das schon wieder. Ich scheine eine Frau zu sein, die eine besondere Anziehungskraft auf beziehungsunfähige Männer ausübt. Ich kann nicht behaupten, dass mich das sehr glücklich stimmt.«

Er schaute mich an. »Ich glaube, du bist eine Frau, die auf *alle* Männer eine besondere Anziehungskraft ausübt«, sagte er. »Du bist sehr schön. Ich habe selten eine so schöne Frau gesehen.«

Wir saßen so dicht nebeneinander, dass unsere Gesichter sich ganz nah waren. Wir hatten beide Alkohol getrunken und ich auf jeden Fall zu viel.

Ich sagte: »Das geht nicht!«

Ungeachtet meiner Worte küsste ich ihn in der nächsten Sekunde. Seine Lippen waren weich, seine seit zwei oder drei Tagen nicht rasierte Wange kratzte. Er stellte seine Bierflasche ab und griff mit beiden Händen nach mir, mit einer Geste, die beides sein konnte, Umarmung oder Abwehr. Er wusste es wahrscheinlich selbst nicht so genau.

»Wir dürfen nicht …«, sagte er, ehe er meine Küsse erwiderte, zaghaft zunächst, aber doch so, dass ich spürte: Auch er war einsam. Auch er sehnte sich nach Trost. Was hatte er vor ein paar Minuten gesagt? *Manchmal braucht man einen Strohhalm.*

Er war mein Strohhalm, ich war seiner in diesem Moment. Im ersten Stock des Hauses schliefen seine vier Kinder, und seine Frau, meine beste Freundin, konnte jeden Augenblick aus der Redaktion zurückkommen. Was mir vollkommen gleichgültig war. Ich wollte jetzt sofort Sex mit ihm haben. Im Gras. Auf den harten Fliesen der Terrasse. Stehend an die Hauswand gelehnt. Wo und wie auch immer.

Zum Glück bekam Ken noch die Kurve. Er ließ mich los und stand auf. Ich sah, dass er zitterte.

»Entschuldige«, sagte er. »Entschuldige, Jenna. Das war … das hätte ich auf keinen Fall tun sollen.«

Ich erhob mich ebenfalls. Meine Beine waren weich wie Pudding. »Du musst dich nicht entschuldigen«, sagte ich. »Es ging von mir aus. Und das war einfach unmöglich.«

Langsam senkte sich die Dunkelheit herab. Der Geruch nach Frühling, Erde und Gras, der aus dem Garten kam, schien immer intensiver zu werden. Was, zum Teufel, war mit mir los? Vor zwei Stunden hatte ich über Sex mit Matthew nachgedacht. Eben gerade wäre ich ohne die geringste Hemmung bereit gewesen, mich mit Ken im Gras zu wälzen. Ich hatte geglaubt, über diese Phase endgültig hinweg zu sein. Als junges Mädchen, im Dauerstreit mit meiner Mutter, mich nach dem Tod meiner geliebten Großmutter noch unverstandener und einsamer fühlend, war ich bereitwillig mit jedem Mann ins Bett gegangen, der gerade meinen Weg kreuzte, nicht vollkommen abstoßend war und Interesse an mir bekundete. Nach der Schule, als ich von daheim abgehauen war und mich als ziemlich erfolglose Sängerin durchzuschlagen versuchte, ging es damit weiter. Garrett hatte die Phase noch erlebt, ehe ich mich dann dauerhaft an ihn band und vollends unglücklich wurde.

Ich musste an eine Situation denken, Jahre zuvor, die so schlimm gewesen war, dass ich mich danach von Garrett getrennt hatte. Unglücklicherweise hatte er mich bequatschen können, es dann noch einmal mit ihm zu versuchen, was ein riesengroßer Fehler von mir gewesen war. In der Erinnerung an jenes Vorkommnis schossen mir noch jetzt die Tränen in die Augen.

Ken sah es und bezog es sofort auf sich. Mit einer hilflosen Geste strich er über meine Wange. »Es ist doch nichts passiert«, sagte er. »Oh Gott, Jenna, bitte nicht weinen!«

»Ich weine nicht deswegen.« Obwohl es mit ihm und dem, was gerade geschehen war, zusammenhing. »Es ist nur … Ich begreife mich selbst manchmal einfach nicht!«

Garrett und ich waren auf einer Party gewesen, um uns herum lauter coole, hippe junge Leute, von denen ich kaum jemanden kannte, und Garrett hatte Wodka-Mixgetränke, auf die er damals total stand, bis zum Abwinken getrunken. Wenn er trank, wurde er gefährlich – angriffslustig, beleidigend, verletzend. Es gab niemanden, der so zielgenau unter die Gürtellinie schlagen konnte wie Garrett, wenn er zu viel Wodka in sich hineingeschüttet hatte. Schüchterne, unsichere Menschen reizten ihn dann besonders. Wenn sich kein geeignetes Objekt bot, griff er gerne auf mich zurück, so auch an jenem Abend. Er begann sich plötzlich über meine *dunkle Seite*, wie er es nannte, auszulassen.

»Wenn Jenna ihre Depressionen hat, kann man sie nicht allein unter Menschen lassen«, verkündete er einem grinsend lauschenden Auditorium. »Dann ist kein Kerl vor ihr sicher. Wer nicht bei drei auf dem Baum sitzt, landet zwischen ihren Beinen. Ist doch so, Jenna, stimmt's?«

»Hör doch auf damit!«, fuhr ich ihn an.

»He, ist doch keine Schande. Wir haben doch schon oft darüber gesprochen. Jenna hat depressive Phasen«, erklärte er den anderen, »und da ist so ein Verhalten keineswegs ungewöhnlich. Sie kann dann auch gar nichts dafür. Sie kann sich selbst nicht mehr spüren, es sei denn, sie treibt es mit irgendeinem Kerl.« Er sah mich an. »So hast du es mir mal erklärt, Jenna!«

Mit diesen Worten hatte ich es *nicht* erklärt, aber inhaltlich stimmte es, was er da von sich gab. Ich hatte ihm gesagt, was in mir vorgegangen war, als ich mich *seltsam verhalten* hatte, und Garrett hatte daraufhin das Internet nach einer Erklärung durchstöbert. Er war darauf gestoßen, dass depressive Menschen zu Promiskuität neigen können, auch wenn dies ihrem eigentlichen Wertesystem völlig entgegenstand. Seitdem lief ich bei ihm unter *depressiver Charakter*, obwohl nie ein Arzt diese Diagnose gestellt hatte, allerdings hatte ich auch nie einen Arzt aufgesucht. Ich hatte das hingenommen, weil das beschriebene Krankheitsbild ja in gewisser Weise eine Entschuldigung für mich darstellte. Tatsächlich aber war mir nicht wirklich klar geworden, was mit mir los war, nur hatte ich manchmal das Gefühl gehabt, dass es mit der Kälte meiner Mutter zusammenhing. Und später mit der Art unserer Trennung, dem wortlosen Auseinandergehen. Manchmal war ich innerlich so verlassen wie ein kleines Kind, das sich verirrt hat. Obwohl ich viel zu alt für eine solche Empfindung war.

»Wir hatten beide einen schweren Tag«, sagte Ken leise.

»Das eben hatte einfach damit zu tun, dass ...« Er suchte nach Worten, fand aber nicht die richtigen.

»Ein schwerer Tag«, wiederholte er schließlich nur. »Eine schwere Zeit.«

»Ich fahre jetzt nach Hause«, sagte ich. »Danke für das Bier.«

»Ich würde dich gern fahren«, sagte Ken, »aber Alexia hat das Auto, ich habe nur das Motorrad, und außerdem ... die Kinder ...«

»Nein, auf keinen Fall. Sei einfach so nett und bestelle ein Taxi, ja?«

Schon während er noch im Haus war, um zu telefonieren, verließ ich durch den überdachten Gang das Grundstück und wartete auf der Straße. Ken folgte mir nicht, worüber ich froh war. Das Taxi kam zum Glück sehr schnell.

Ich sollte mir unbedingt wieder ein Auto anschaffen, dachte ich, nachdem ich eingestiegen war und dem Fahrer meine Adresse genannt hatte, von Männern gefahren zu werden macht mich abhängig, und Taxis ruinieren mich auf die Dauer.

Was mich auf meine unglücklichen finanziellen Verhältnisse brachte, die letztlich dazu geführt hatten, dass ich mein Auto verkauft hatte.

Ich sollte mein Leben ändern. Grundsätzlich. Meinen Beruf, meine Wohnung. Ich brauche mehr Geld. Ich brauche eine Ausbildung.

Es war dumm gewesen, auf einen richtigen Beruf zu verzichten, nur um schnell von meiner nörgeligen Mutter wegzukommen. Jetzt murkste ich ewig herum, weil ich nichts Solides vorzuweisen hatte. Ein Studium. Vielleicht sollte ich studieren. Mit zweiunddreißig war ich nicht zu alt dafür, und zweifellos war es eine bessere Idee, als unterbezahlt in einer langweiligen Redaktion zu versauern, einem net-

ten, aber beziehungsgestörten Mann wie Matthew nachzuhängen und mich zwischendurch an die Ehemänner meiner
Freundinnen heranzumachen.

Uni. Studium. Der Gedanke gab mir Auftrieb. Als ich
zu Hause ankam, fühlte ich mich schon nicht mehr ganz so
elend. Irgendwie unabhängig und entschlossen. Dennoch
klopfte mein Herz, als ich sah, dass der Anrufbeantworter
blinkte.

Es war Matthew.

»Es tut mir leid«, sagte er. Mehr nicht.

Mir tat es auch leid. Sehr sogar. Aber ich würde von nun
an meinen eigenen Weg gehen. Matthew konnte ihn gerne
mitgehen, aber ich würde nicht darauf warten, dass er es tat.

Allerdings würde ich im tiefsten Inneren wahrscheinlich
nicht aufhören können, auf eine Zukunft mit ihm zu hoffen. Es wäre so schön, wenn sich Gefühle einfach ausschalten ließen.

12

Dan hatte es sich in den Kopf gesetzt, in dem kleinen Raum
neben dem eigentlichen Copyshop ein Fotostudio aufzubauen, und Ryan war an diesem Montag dazu abkomman-
diert worden, die Wände zu streichen. Eine Arbeit, die er
eigentlich nicht schlecht fand, denn sie erlaubte ihm, seinen
eigenen Gedanken nachzuhängen, mit niemandem sprechen und vor allem Dans verkniffenes Gesicht nicht sehen
zu müssen. Er glaubte nicht, dass das *Fotostudio* ein Erfolg
werden würde; soweit er wusste, hatte Dan außer amateur-

haften Aufnahmen, wie jeder sie machte, nichts vorzuweisen, und es war nur wieder eines der vielen Hirngespinste, die ihm durch den Kopf geisterten. Aber das konnte ihm egal sein. Ryan hoffte ohnehin von ganzem Herzen, dass er irgendwann einen anderen Job finden, auf dem Absatz kehrtmachen und seinem Chef höchstens noch den Mittelfinger zeigen würde – was er in Gedanken ohnehin zwanzigmal am Tag tat.

Die Ereignisse hatten sich überschlagen seit dem gestrigen Abend. Gegen achtzehn Uhr hatte Bradley angerufen.

»Wir haben sie. Wir haben Corinne!«

Ryan, der müde von der Rückfahrt und von all den Ereignissen zutiefst seelisch erschöpft und mutlos auf seinem Bett gelegen hatte, ehe das Telefon klingelte, war sofort elektrisiert. »Mum? Mum ist zurück?«

»Ein paar versoffene Späthippies haben sie in einem abgelegenen Haus festgehalten. Zum Glück hat eines der Mädchen schließlich die Polizei gerufen. Corinne ist jetzt im Krankenhaus.«

»Ist sie … ist sie verletzt?«

»Nein, aber sie ist in einem fürchterlichen Zustand. Absolut am Ende ihrer Kräfte. Sie ist bis jetzt nicht einmal vernehmungsfähig. Ich durfte auch nur ganz kurz zu ihr.«

»Und hat sie da etwas gesagt?«

»Nein. Sie hielt die Augen geschlossen und hat überhaupt nicht reagiert. Keine Ahnung, was die mit ihr gemacht haben …«

Beide schwiegen sie beklommen. Ryan spürte, dass Nora herangekommen war. Er wandte sich ihr zu.

»Sie haben Corinne gefunden!«

Nora schrie auf. »Gott sei Dank!«

»Weiß man etwas über diese Leute?«, fragte Ryan nun wieder ins Telefon.

Bradley gab einen Laut des Abscheus von sich. »Man weiß genug über sie, um sich als normaler Bürger dieses Landes zu fragen, weshalb so etwas eigentlich frei herumlaufen darf. Arbeitsscheues Gesindel, das unter asozialen Umständen auf einer heruntergekommenen Farm haust und die Sozialhilfe verprasst. Drogen, Alkohol, all dieses Zeug. Aber klar, wir zahlen unsere Steuern schließlich zunehmend dafür, dass der Staat solche Leute über Wasser hält!«

»Wie kamen die denn gerade auf Mum?«, wollte Ryan wissen.

»Keine Ahnung. Die gesamten Hintergründe sind völlig unklar. Corinne kann noch nichts aussagen, und die Leute, die auf der Farm leben, müssen erst ausnüchtern. Die Polizei spricht jetzt mit dem Mädchen, das sie verständigt hat, aber ich weiß noch nichts Näheres.«

»Ich kann mir freinehmen und zu euch kommen«, bot Ryan an. Er war gerade an diesem Tag erst die ganze Strecke wieder von Yorkshire nach Wales gefahren, aber er wäre sofort ohne zu zögern erneut ins Auto gestiegen. Nach all den Jahren, in denen er ohne jeden Kontakt zu seiner Mutter gelebt hatte, war er plötzlich von dem fast schmerzhaften Wunsch ergriffen, sie sofort in die Arme zu schließen. Sie festzuhalten, zu trösten, ihr zu versichern, dass alles gut würde.

Doch Bradley hatte abgewehrt. »Im Moment soll niemand zu ihr. Dann wird die Polizei mit ihr sprechen … Sie braucht jetzt Ruhe, und nach all der Zeit … Es würde sie vielleicht stressen, dich zu sehen. Außerdem …« Er stockte.

»Ja?«, fragte Ryan.

»Ich weiß nicht, was ihr die Polizei alles sagt. Vielleicht erfährt sie ja auch, dass du im Gefängnis warst. Ich glaube, wir sollten ihr Zeit lassen, sich an diesen Gedanken zu gewöhnen, ehe du ihr gegenübertrittst.«

Ryan hatte verstanden. Bradley bewahrte selbst in extremen Situationen seine höfliche Art, aber eigentlich hatte er sagen wollen: Untersteh dich, hier aufzukreuzen! Du hast deiner Mutter das Leben schon schwer genug gemacht! Der letzte Mensch, den sie jetzt brauchen kann, ist ihr missratener Sohn, der sich nicht sehr viel besser durchs Leben schlägt als die Typen, die sie überfallen und verschleppt haben.

»Ich möchte zumindest mit ihr telefonieren«, sagte Ryan.

»Daran kann ich dich vermutlich nicht hindern«, entgegnete Bradley kühl, dann verabschiedete er sich förmlich und legte den Hörer auf, ehe Ryan noch etwas sagen konnte.

Er hatte die ganze Nacht über nicht geschlafen, und auch jetzt, während er die Wände von Dans *Fotostudio* mit weißer Farbe strich, jagten sich die Gedanken in seinem Kopf. Zuerst war er am Vorabend natürlich erleichtert gewesen: dass Corinne zurück war, dass sie lebte. Dann hatte er erkannt: Ihre Entführung konnte nicht von Damon initiiert worden sein. Eine Gruppe offenbar permanent alkoholisierter und bekiffter Gammler irgendwo in der Einsamkeit Yorkshires zählte garantiert nicht zu Damons Leuten. Das waren nicht die Menschen, mit denen er sich umgab. Ryan hatte das Gerücht gehört, dass jeder, der für Damon arbeitete, niemals Alkohol trinken durfte. Drogen waren natürlich völlig indiskutabel. Auch wenn Damon damit dealte. Aber das waren zwei unterschiedliche Paar Schuhe.

Auch ein Zusammenhang mit Vanessa Willard schien Ryan nun ziemlich ausgeschlossen. Wenn Vanessa tatsächlich lebte und einen Rachefeldzug führte, hätte sie dieselben Leute auf Corinne angesetzt, die auch Debbie überfallen hatten: eiskalte Verbrecher, die für Geld jede Art von Auftrag erledigten. Nicht einen Haufen Schwachköpfe, die von zwölf Stunden am Tag elf Stunden nicht zurechnungsfähig waren. Es sprach vieles für Bradleys Theorie: Corinne war zum falschen Zeitpunkt am falschen Ort gewesen und hatte ein leicht zu überwältigendes Opfer abgegeben. Schlimm genug, aber es hatte nichts mit Ryan zu tun. Es war Zufall, dass es kurz nach seiner Exfreundin nun auch seine Mutter erwischt hatte.

Zufälle passierten. Trotz der häufig zitierten Aussage: *Es gibt keine Zufälle.*

Natürlich gab es sie.

Jetzt jedoch, einen Tag später, konnte Ryan nicht anders, als die Ungereimtheiten zu sehen, die die Geschichte beinhaltete. Was war zum Beispiel mit dem Mädchen, auf das seine Mutter an jenem Treffpunkt gewartet hatte? Es gab Anhaltspunkte dafür, dass das Auto der Familie vorsätzlich manipuliert worden war. Das sprach für eine sehr genaue Recherche der Umstände und für eine perfekte Planung.

Als es Zeit für eine Mittagspause war, stieg Ryan von seiner Leiter und durchquerte den Copyshop, um sich draußen für einen Moment in die Sonne zu setzen. Der Tag war hell und warm. Wunderbar nach all dem Regen.

Dan blickte ihm mit bösem Gesicht hinterher. Er hasste es, wenn Ryan eine Pause machte.

Dabei tut er selbst nichts anderes, dachte Ryan.

Er ging ein Stück die Straße entlang, setzte sich auf ein Mäuerchen, packte das Sandwich aus, das ihm Nora wie an jedem Morgen zubereitet hatte. Truthahn, frische Salatblätter, Mayonnaise… Sie machte wunderbare Brote. Ryan hätte sich ihrer Fürsorge manchmal gerne entzogen, aber zwischendurch fand er es auch schön, sich um manche Dinge nicht selbst kümmern zu müssen. Und sich so… umsorgt zu fühlen. Das war ihm zuletzt als Kind so gegangen, als Corinne ihm Schulbrote gestrichen und seine Trinkflasche mit Himbeersaft gefüllt hatte.

Corinne! Er würde es jetzt einmal telefonisch bei ihr versuchen. Zum Teufel mit Bradley, der ihm am liebsten den Kontakt verboten hätte. Das konnte er vergessen.

Er hatte sich am Morgen Noras Handy ausgeliehen, um erreichbar zu sein, falls noch irgendetwas mit Corinne wäre. Es war typisch für Nora, dass sie ihm ihr Telefon ohne zu zögern überlassen hatte.

»Natürlich bekommst du es. Und versuch, deine Mutter anzurufen. Ich glaube, es würde ihr guttun!«

Er tippte als Erstes Corinnes Handynummer ein, aber es meldete sich niemand. Ihre Handtasche war von der Polizei beschlagnahmt worden, damit auch das Handy, und vielleicht hatten sie es noch nicht zurückgegeben. Obwohl er wenig Lust hatte, an Bradley zu geraten, wählte Ryan als Nächstes die Nummer der Beecrofts. Bradley meldete sich nach dem zweiten Klingeln.

»Ja?« Er klang erschöpft, aber nicht mehr so panisch wie noch am Freitag.

»Ich bin es, Ryan. Ist meine Mutter da?«

»Sie ist hier, aber ich denke, es wäre im Moment nicht gut für sie, wenn …«

Ryan vernahm Corinnes Stimme im Hintergrund. »Wer ist es denn?«

»Es ist Ryan«, antwortete Bradley seufzend.

Sofort war Corinne am Apparat. »Ryan! Wie schön, dass du anrufst!«

Zu seinem Schrecken schossen ihm die Tränen in die Augen. Er hatte so lange nicht mit ihr gesprochen. Er hätte sie fast verloren, ohne ihr noch vorher irgendetwas sagen zu können. Mist! Er konnte nicht als erwachsener Mann mitten auf einer Straße in Pembroke Dock sitzen, ein Sandwich in der einen, ein Handy in der anderen Hand, und heulen wie ein kleiner Junge.

Er schniefte. »Hi, Mum! Alles okay?«

Wie blöd kann man fragen, dachte er gleich darauf.

Aber seine Mutter sagte mit normaler Stimme: »Ja. So weit ... alles okay. Ich bin so glücklich, mit dir zu sprechen! Und Bradley hat mir erzählt, dass du sofort nach Sawdon gekommen bist, als ich ... als diese Sache passierte. Es hat mich so gerührt, Ryan, wirklich!« Auch Corinne schien den Tränen nahe. Ryan kam sich vor wie in einer dieser Fernsehshows, in denen Menschen, die sich aus den Augen verloren haben, nach Jahren zusammengeführt werden und einander hemmungslos heulend in den Armen liegen – sehr zur Befriedigung des voyeuristischen Publikums. Na ja, ganz so schlimm war es noch nicht. Ryan hatte inzwischen festgestellt, dass ihn niemand beachtete.

»Also, das war doch klar«, sagte er mit rauer Stimme. »Natürlich bin ich gleich gekommen, Mum!«

»Bradley sagt, du hast eine so nette Freundin. Eine ganz reizende junge Frau. Sie arbeitet als Krankengymnastin?«

»Ja.« Ryan nahm an, dass es Bradley schwergefallen war, etwas Nettes über ihn zu sagen und wenn es nur um seine Freundin ging, aber da Corinne psychisch hatte stabilisiert werden müssen, war er offensichtlich über seinen Schatten gesprungen. Er selbst ließ das mit Nora einfach so stehen. Seine Mutter schien sich so aufrichtig zu freuen – weshalb sollte er sie frustrieren, indem er ihr erklärte, dass Nora eigentlich gar nicht seine Freundin war.

»Und du hast auch eine Arbeit!«, fuhr Corinne fort. »In einem Copyshop, richtig?« Sie sagte das so, als sei es in ihren Augen die größte Karriere, die ein Mann machen konnte. Aber so war sie immer gewesen. Positiv, stets bemüht, Menschen glücklich zu machen und ihnen zu zeigen, dass sie sie mochte. Besonders wenn es um ihren einzigen Sohn ging.

»Ja. Es ist kein toller Job, Mum, aber besser als nichts. Vielleicht finde ich noch etwas Besseres.« Er überlegte, ob Bradley wohl seinen Aufenthalt im Knast erwähnt hatte, aber er hielt es für eher unwahrscheinlich. Corinnes Wohl stand für ihn an erster Stelle, und es hätte sie aufgeregt, eine solche Nachricht zu erhalten.

»Mum, ich könnte noch mal kommen und dich besuchen«, fuhr er fort, aber Corinne wurde sofort nervös, weil sie befürchtete, er könnte dann seinen Arbeitsplatz gefährden.

»Nein, nein, ich bin bei Bradley gut aufgehoben. Du musst deine Arbeit machen und zeigen, dass du zuverlässig bist.«

»Alles klar. Mum …« Er musste sie fragen. Er brauchte Gewissheit. »Mum, diese Leute, die dich entführt haben … Stimmt das, was die Polizei Bradley gesagt hat? Also, dass das irgendwelche Drogensüchtigen waren, die zufällig auf dich gestoßen sind und …« Ja, was *und*? Worin hatte überhaupt der Zweck der Entführung bestanden?

Alle Hoffnung der letzten Stunden brach zusammen, als Corinne antwortete.

»Nein«, sagte sie, »nein, das habe ich heute früh der Polizei erklärt. Diese Leute haben überhaupt nichts mit meiner Entführung zu tun. Sie haben mich gefunden, das heißt, eine junge Frau, die zu dieser Gruppe gehört, hat mich gefunden. Sie hat mir das Leben gerettet. Aber diese Leute leben sehr … eigenwillig und sind wohl schon manchmal mit dem Gesetz in Konflikt geraten, daher nahm die Polizei sofort an … Und ich konnte zunächst nichts sagen. Ich war total am Ende.«

»Ja, aber …« Ryan war perplex. Einerseits. Und zugleich wusste er, dass er es geahnt hatte. Dass es in der ganzen Geschichte noch irgendein anderes Mosaiksteinchen gab.

»Zwei Männer haben mich gekidnappt und in der völligen Wildnis im Wald ausgesetzt«, sagte Corinne, »und ich weiß bis jetzt nicht, wer sie waren und was sie wollten. Sie haben sich nicht mehr blicken lassen.«

»Das heißt ...«

»Das heißt, es gibt überhaupt keine Erklärung für das, was mir zugestoßen ist«, sagte Corinne. Dann fing sie an zu weinen, und Ryan hörte, dass Bradley ihr den Telefonhörer aus der Hand nahm und auflegte.

Er selbst saß auf seiner Mauer in der Sonne und starrte in das Schaufenster eines gegenüberliegenden Geschäftes, ohne zu sehen, was dort angeboten wurde. Sein Herz schlug wild und schnell. Er war wieder genau dort, wo er die letzten Tage gestanden hatte: Er musste der Möglichkeit ins Auge sehen, dass beide Verbrechen, der Überfall auf Debbie und die Verschleppung seiner Mutter, etwas mit ihm selbst zu tun hatten. Was ihn wieder auf Damon und seine Leute brachte. Oder auf Vanessa Willard.

Verbessert hatte sich seine Lage nur insofern, als Corinne gefunden und in Sicherheit war. Das befreite ihn von der Notwendigkeit, schnell handeln, zur Polizei gehen, Damon anzeigen oder wegen Vanessa auspacken zu müssen.

Aber er machte sich nichts vor: Wer immer hinter alldem steckte, er würde erneut zuschlagen. Und zwar bald.

Ryan hatte etwas Zeit gewonnen. Mehr nicht.

MAI

I

Es war ein wunderbarer, warmer, strahlender Abend im Mai, und ich hatte gerade beschlossen, nach Hause zu gehen und mich noch eine Weile in den kleinen Park zu Füßen meiner Wohnung zu setzen, als Alexia ihren Kopf in mein Büro steckte. *Büro* ist ein ziemlich hochtrabendes Wort für das winzige Kämmerchen, in dem ich arbeitete; es war nicht größer als ein Zugabteil, und vollgestellt mit Schreibtisch und Regalen konnte man sich darin kaum um sich selbst drehen. Aber ich hatte es mir recht freundlich gestaltet und sogar Blumen auf das Fensterbrett gestellt, die ich liebevoll hegte und pflegte und die dafür in leuchtenden Farben blühten.

»Gut, dass du noch da bist, Jenna«, sagte Alexia. Sie hatte diesen gehetzten Ausdruck im Gesicht, der allmählich bei ihr zur Normalität wurde. Mir fiel auch auf, dass sie abgenommen hatte. Sie war immer schlank gewesen, aber langsam wurde sie mager.

»Ich möchte dich um etwas bitten«, fuhr sie fort. »Könntest du am Samstag einen Job übernehmen?«

Ich hob beide Arme. »Klar. Du weißt, ich habe leider keine sonstigen Wochenendverpflichtungen. Worum geht es?«

»Ich plane ja diese große Fotogeschichte«, erklärte Alexia. »Wie man fit über den Sommer kommt und damit die Abwehrkräfte sammelt, auf die man dann im Herbst zurückgreifen kann. So in dieser Art soll die Geschichte sein. Und wir brauchen richtig tolle, ansprechende Bilder. Die Leser sollen nicht denken: O Gott, wie furchtbar, jetzt soll ich mich den ganzen Sommer über abmühen und schwitzen, damit ich dann irgendwann im Oktober keinen Schnupfen bekomme. Sondern sie sollen so angesprochen werden, dass sie sofort Lust bekommen, eine wunderschöne, idyllische Landschaft aufzusuchen und dort zu radeln, zu joggen oder auch einfach nur spazieren zu gehen.«

»Okay«, sagte ich.

»Kein erhobener Zeigefinger«, präzisierte Alexia, »sondern die pure Lust am Leben.«

»Ich soll in den Pembrokeshire Coast National Park fahren und Motive aussuchen«, folgerte ich. Den Auftrag hatte sie mir schon einmal erteilt, aber in der Verbindung mit Matthews Ausflug zu dem Parkplatz, von dem Vanessa verschwunden war, hatte es nicht funktioniert.

»Wäre es nicht besser, wenn ich gleich einen Fotografen mitnehme?«, fragte ich, aber Alexia schüttelte den Kopf. »Nein. Die Sache wird teuer genug. Argilan will zwar, dass ich endlich die Auflage wieder steigere, aber für jede Extraausgabe, die ich in dieses Bemühen investiere, reißt er mir fast den Kopf ab. Wenn der Fotograf erst lange sucht, was er eigentlich fotografieren will, und die Models, die wir ja auch brauchen, in dieser Zeit herumstehen, zieht sich das Ganze über mindestens zwei Tage, und die muss ich allen Beteiligten bezahlen. Deshalb sollte alles klar sein und feststehen und dann möglichst rasch umgesetzt werden.«

Ich grinste. »Was mit anderen Worten heißt, dass *mein* Extrajob am Wochenende nicht bezahlt wird.«

»Jenna, ich ...«

Ich stand auf, ging auf sie zu und legte die Hand auf

ihren Arm. »Das war doch nicht ernst gemeint.« Früher hätte sie gewusst, dass ich einen Spaß machte. Früher hätte sie ebenfalls gegrinst und mir irgendeine freche Antwort gegeben. Aber irgendwann in den letzten Monaten hatte sie das Lachen verlernt und ihre Leichtigkeit verloren.

»Alexia, ich mache das gerne für dich. Aber meinst du nicht, dass es dir ganz guttun würde, gerade diese Aufgabe selbst zu übernehmen? Mach doch einen schönen Ausflug für deine Familie daraus. Fahrt alle zusammen los, picknickt, spielt irgendetwas und schaut euch dabei nach Motiven um. Du kommst überhaupt nicht mehr an die frische Luft. Du musst neben allem anderen auch deine Gesundheit im Auge behalten.«

Sie sah mich fast ärgerlich an. »Ich nehme die Sache ernst, Jenna. Diese Fotogeschichte. Und ich werde sie nicht dadurch vermasseln, dass ich mit vier Kindern losziehe und mich keine einzige Sekunde auf die eigentliche Arbeit konzentrieren kann. Glaubst du, sie würden mich auch nur einen Moment lang in Ruhe lassen?«

»Ken ist doch auch noch da.«

»Aber er hat sie nur sehr bedingt im Griff. Nein, das hat keinen Sinn. Also, Jenna, wenn du es nicht machen willst, dann sag es, dann werde ich …«

Schon wieder diese Schärfe in ihrer Stimme.

»Ich mache es doch«, unterbrach ich sie. »Es ging mir nur um dich.«

»Argilan hat mich für nächste Woche übrigens schon wieder nach London bestellt«, sagte Alexia. Sie bemühte sich, beiläufig zu klingen, aber der Stress war ihr anzumerken. »Deshalb habe ich am Wochenende hier in der Redaktion zu tun und kann nicht einen kompletten Samstag irgendwo in der Gegend herumgondeln. Nicht einmal allein, ohne meine Familie.«

»Du warst doch erst im April in London. Was will der Kerl denn schon wieder?«

Sie zuckte mit den Schultern. »Keine Ahnung. Vielleicht wirft er mich raus.«

»Glaube ich nicht. Das würde er dir wahrscheinlich in einem Brief oder per E-Mail mitteilen. So viel Stil, dafür persönliche Zeit zu opfern, hat er nicht.« Ich wollte sie beruhigen, aber ich machte mir Sorgen. Vielleicht würde er ihr nicht kündigen, aber er würde sie erneut unter Druck setzen. Ihr mit Kündigung drohen. Die Daumenschrauben einfach noch etwas fester anziehen.

»Alexia…«, hob ich an, aber sie unterbrach mich schroff: »Ich habe noch zu tun. Also, die Sache ist klar?«

»Natürlich. Versprochen.«

Sie war fast zur Tür hinaus, da wandte sie sich noch einmal um. »Du kannst unser Auto haben. Okay?«

»Okay. Danke.«

Seufzend packte ich meine Sachen zusammen und machte mich auf den Heimweg. Der Abend war traumhaft, warm wie mitten im Sommer. Es war viel los auf den Straßen und Plätzen. Niemand hatte an einem solchen Abend Lust darauf, zu Hause zu bleiben. Die Frauen trugen leichte Kleider und offene Sandalen an nackten Füßen. Die Männer, die aus den Büros strömten, hatten die Hemdsärmel hochgekrempelt und die Jacketts über die Schulter geworfen. Es lag eine fröhliche, unbekümmerte Stimmung in der Luft. Obwohl ich mich nach dem Gespräch mit Alexia nicht gerade entspannt fühlte, wurde ich doch von der Heiterkeit um mich herum angesteckt. Ich hatte Pläne, und ich war sicher, dass es gute Pläne waren, die mich weiterbringen würden.

In den vergangenen Wochen hatte ich immer häufiger darüber nachgedacht, ein Studium zu beginnen, und inzwischen war mir klar, dass es genau das war, was ich tun wollte. Ich hatte mich für englische Literatur und Geschichte entschieden und hoffte, damit später in einem Buchverlag arbeiten zu können. Wenn alles klappte, würde ich schon im Herbst beginnen. Natürlich bedeutete das eine Menge Veränderungen in meinem Leben: Ich würde bei *Healthcare* aufhören und mir irgendeine andere Arbeit suchen müssen, die mir nicht allzu viel zeitlichen Einsatz abverlangte, aber half, mich finanziell über Wasser zu halten. Vielleicht konnte ich an den Wochenenden oder an den Abenden kellnern, nebenbei Babysitten oder Hunde spazieren führen oder sonst etwas in dieser Art tun. Ich war es gewohnt, mich mit Gelegenheitsjobs durchzuschlagen. Sicher musste ich aus meiner Wohnung ausziehen, denn selbst das kleine Loch unter dem Dach würde dann zu teuer für mich sein. Ich musste mich nach einem Platz im Studentenwohnheim erkundigen, wusste allerdings nicht, ob ich in meinem Alter dort noch aufgenommen werden würde. Möglicherweise musste ich mich nach einer WG umsehen. Den Plan, ein Auto zu kaufen, hatte ich vorläufig wieder auf Eis gelegt. Diese Dinge kamen später. Wenn ich endlich ein Examen hatte und einen richtigen Beruf.

Ich freute mich drauf. Und war voller Zuversicht.

Bei *Sainsbury's* kaufte ich eine Packung Pfannkuchen, die man in der Mikrowelle innerhalb von zwei Minuten warm machen konnte, und eine große Flasche Sirup. Ich konnte förmlich hören, wie meine Mutter meckern würde: *Fertige Pfannkuchen in Plastik eingeschweißt! Als ob es nicht wirklich einfach wäre, den Teig selbst anzurühren und in einer Pfanne zu backen! Und überhaupt ist das kein Abendessen!*

Zum Glück musste ich mich um ihre Meinung schon lange nicht mehr kümmern.

Als ich in die Straße einbog, in der ich wohnte, fiel mir das Auto auf, das gegenüber von meinem Haus parkte. Ein blauer Toyota Corolla. Normalerweise hätte ich es gar nicht bemerkt, denn hier standen viele Autos, und ich hatte nie auf eines von ihnen geachtet. Das Seltsame war nur, dass ich mich plötzlich entsann, genau dieses Auto vor wenigen Tagen an derselben Stelle gesehen zu haben, und genau wie jetzt saß der Fahrer hinter dem Steuer und schien die Straße zu beobachten. Ich konnte ihn hinter der spiegelnden Frontscheibe nicht deutlich erkennen, hatte aber den Eindruck, dass er nicht las oder einfach nur vor sich hin starrte, sondern dass er genau im Blick behielt, was um ihn herum geschah. Für einen Moment war ich irritiert, aber dann sagte ich mir, dass der Typ wahrscheinlich auf jemanden wartete, mit dem er verabredet war. Oder er observierte seine Freundin, die er der Untreue verdächtigte. Ein romantisches Drama vielleicht, mitten in Swansea.

Apropos Romantik: Meine *Geschichte* (*Affäre* oder *Liaison* oder etwas Ähnliches konnte ich leider kaum dazu sagen) mit Matthew zog sich nach wie vor zäh dahin. Seit jenem eher verunglückten Sonntag Ende April hatten wir uns zweimal getroffen. Einmal hatten wir uns in der Mittagspause in einer Snackbar verabredet, dort zusammen gegessen und uns sehr freundschaftlich unterhalten. Am zweiten Maiwochenende hatte er mich samstags in seinen Garten eingeladen, weil das Wetter so schön war und ich ihm einmal erzählt hatte, dass ich es bei sommerlichem Wetter so schlecht in meiner Wohnung aushielt. Wir hatten uns gesonnt, gelesen, und ich hatte wieder den wunderschönen Garten bewundert, die Blumen, den leuchtend grünen Rasen und das kleine steinerne Vogelbecken, das sich eingebettet in Moos und Farn unter den ausladenden Zweigen eines Kirschbaums befand. Die Blätter des Baums waren als Schatten über die klare, ganz leicht im Wind gekräuselte Wasseroberfläche getanzt. Immer wieder waren Vögel herangeflattert, hatten getrunken oder gebadet. Ich war fasziniert von dem Becken. Ich fand es einfach so schön. So still. Es hatte eine ungeheuer beruhigende Wirkung auf mich, den glänzend schwarzen Amseln oder den kleinen dickbäuchigen Rotkehlchen beim Planschen zuzusehen. Ich wollte nicht nachfragen, aber ich war fast davon überzeugt, dass es Vanessa gewesen war, die dieses Becken dort angelegt hatte. Es sah einfach nach ihr aus. Und mehr noch als all die Fotos, die ich gesehen hatte, erzählten das Haus und der Garten und auch dieses steinerne kleine Becken von der Frau, die sie war: geschmackvoll, klug, sehr zurückgenommen, aber auf eine selbstbewusste Weise. Sie hatte Studenten unterrichtet. Sie war sicher alles andere als eine schüchterne Frau gewesen. Aber eine, die in sich ruhte. Die es sich leisten konnte, mit nichts, was sie besaß, zu protzen, weil es letztlich selbstverständlich für sie war: das warme, gemütliche Haus. Der ruhig in der Sonne vor sich hin blühende Garten. Der bildschöne Hund. Nicht zuletzt der attraktive, erfolgreiche Ehemann.

Vanessas Welt. Die ihr nicht einfach in den Schoß gefallen sein konnte. Sie war das Produkt dessen, was sie war, was sie darstellte, was sie geleistet und erreicht hatte.

Zum ersten Mal an jenem Samstag war mir ganz klar geworden, dass die Beziehung zwischen mir und Matthew nicht nur deshalb stagnierte, weil er seine Erinnerungen und Schuldgefühle nicht in den Griff bekam. Ich war genauso daran beteiligt: wegen meiner Komplexe gegenüber Vanessa. Ich gestand mir plötzlich ein, wie unterlegen ich mich ihr fühlte. Ich verglich mich ständig mit einer Frau, die ich nicht kannte, die ich aber – vielleicht zu Unrecht –

in meiner Vorstellung überhöhte. Um welches Gebiet es auch ging, der Vergleich fiel stets zu meinen Ungunsten aus.

Tief in mir zögerte und zauderte ich, in Vanessas Fußstapfen zu treten und die Frau an Matthews Seite zu werden. Weil ich mich als nicht gut genug empfand. Ich kannte diesen Zug bisher nicht an mir. Ich hatte depressive Phasen gehabt und mir mehr als einmal vorgeworfen, zu viele Dinge in meinem Leben falsch angefangen und dadurch vergeigt zu haben, aber echte anhaltende Minderwertigkeitsgefühle gegenüber einer bestimmten Person hatte ich noch nie erlebt. Das mochte jedoch auch daran liegen, dass ich noch nie mit jemandem zu tun gehabt hatte, der verschwunden und gleichzeitig allgegenwärtig war. Das Problem mit Vanessa war, dass sie für mich nicht wirklich ein Mensch, sondern eher so etwas wie ein Geist war. Man konnte alles Mögliche in sie hineininterpretieren. Wenn ich mir einbildete, dass sie eine phantastische Frau gewesen war, klug, schön, souverän, dann zementierte sich dieses Bild in meinem Inneren und erhielt keine Sprünge und Kratzer. Ein Mensch aus Fleisch und Blut offenbart immer irgendwann auch Fehler und Schwächen und rückt damit jeden noch so enthusiastischen Kult, der möglicherweise um seine Person veranstaltet wird, auf ein zumindest halbwegs normales Maß zurecht. Die Strahlenkrone, die ich um Vanessa Willards Haupt flocht, blieb hingegen unangetastet.

Und blockierte mich und Matthew.

Während ich die steilen Treppen zu meiner Wohnung hinaufstieg, fragte ich mich, was wohl Garrett zu der seltsamen Konstellation sagen würde, in der ich lebte. In einer rein platonischen Beziehung zu einem Mann, den ich höchst anziehend fand, dessen spurlos verschollene Ehefrau mich jedoch derart in Schach hielt, dass ich es nicht wagte, mich ihm unsittlich zu nähern. Garrett hätte das faszinierend gefunden und sowohl mich als auch sämtliche andere Protagonisten in dem Stück ausführlich analysiert. Ich merkte plötzlich, dass ich gern mit ihm darüber geredet hätte, dass mir überhaupt die Gespräche mit ihm fehlten. Garrett konnte entsetzlich zynisch sein, und er war es oft genug auch auf meine Kosten gewesen, aber er war außerdem an allem, was um ihn herum geschah, hoch interessiert und nahm intensivsten Anteil. Wir hatten nächtelang miteinander geredet, ohne dass es je langweilig geworden wäre. Ich hatte mich nach der Trennung manchmal entsetzt gefragt, was ich wohl für eine gestörte, vielleicht kranke Persönlichkeitsstruktur haben musste, dass ich es acht Jahre lang nicht geschafft hatte, mich von einem aufgeblasenen Wichtigtuer zu trennen. Jetzt verstand ich, dass ich gar nicht so streng mit mir zu sein brauchte. Es war einfach so, dass Garrett seine guten Seiten gehabt hatte, und sie hatten lange Zeit die schlechten für mich aufgewogen oder zumindest relativiert. Als sie es nicht mehr vermochten, war ich gegangen.

Als ich die Wohnung betrat, klingelte das Telefon. Ich ließ meine Plastiktüte mit den Einkäufen fallen und erreichte gerade noch den Apparat, ehe der Anrufbeantworter ansprang.

»Ja?« Meine Stimme klang keuchend. Das kam vom Treppensteigen.

»Jenna? Ich bin es, Matthew. Störe ich gerade?«

»Nein. Überhaupt nicht. Ich bin eben zur Tür reingekommen.« Ich bemühte mich, nicht zu schnaufen wie eine alte Lokomotive. Matthew hatte mir einmal erzählt, dass Vanessa jeden Morgen fünf Kilometer gejoggt war. Sicher wäre sie die Treppen zu meiner Wohnung in federnden Sprüngen hinaufgelaufen, und ihre Atmung hätte sich um nichts geändert. Ich hingegen pfiff aus dem letzten Loch.

Wieder mal ein fetter Minuspunkt.

»Wie war dein Tag?«, fragte er. Er klang dabei irgendwie unkonzentriert. Er hatte etwas Konkretes auf dem Herzen, wollte aber nicht direkt mit der Tür ins Haus fallen.

»Normal. Okay. Nichts Besonderes. Und wie war dein Tag?«

»Nicht gut. Ich wurde von dem Pflegeheim angerufen, in dem Vanessas Mutter lebt. *Lebte*. Sie ist gestern Abend gestorben.«

»Matthew – das tut mir leid!« Ich konnte seiner Stimme anhören, dass ihm dieser Verlust wirklich naheging. Nicht, weil ihm die demente alte Frau, die er seit jenem verhängnisvollen Sonntag im August 2009 gar nicht mehr gesehen hatte, wirklich fehlen würde. Aber sie war Vanessas Mutter. Ein Teil von Vanessa, der nun auch gegangen war.

»Sie ist sanft eingeschlafen«, sagte Matthew. »Jedenfalls sagt das die Heimleiterin, und ich hoffe, dass es stimmt.«

»Sicher. Warum sollten sie dich belügen?«

»Im Heim kümmern sie sich um alle Formalitäten. Sie soll am kommenden Freitag beerdigt werden.«

»Wirst du hinfahren?«

Er seufzte tief. »Ich muss. Sie ist meine Schwiegermutter. Ich habe mich ohnehin viel zu wenig um sie gekümmert, seitdem … Ich habe mich *gar nicht* gekümmert, genauer gesagt. Ich muss jetzt wenigstens an ihrem Begräbnis teilnehmen.«

»Das wird nicht leicht für dich.« Es war klar, dass es nicht nur um den Abschied ging. Die Fahrt nach Holyhead hinauf würde eine Menge aufwühlen in Matthew. Von dort waren sie damals gekommen. Vanessas Mutter war der letzte Mensch gewesen, mit dem sie gemeinsame Zeit verbracht hatten, ehe die Katastrophe geschah. Er würde wieder überschwemmt werden von Bildern und Gefühlen.

»Nein«, gab er zu, »das wird absolut nicht leicht.« Er zögerte, dann fragte er: »Würdest du mich begleiten?«

Ich hatte das nicht erwartet. Ich war immer noch nicht die offizielle Partnerin an seiner Seite. Immerhin aber war ich eine gute Freundin. Freunde stehen einander bei in schwierigen Situationen. Andererseits...

»Es könnte problematisch werden«, gab ich zu bedenken. »Sicher kommen eine Menge Verwandte, und sie werden... nun, sie werden möglicherweise nicht verstehen, dass es eine andere Frau in deinem Leben gibt, ohne dass sich Vanessas Schicksal bislang zweifelsfrei geklärt hat. Sie unterstellen vielleicht...«

»Was? Dass wir eine Beziehung haben? Ich denke, das geht niemanden etwas an«, sagte Matthew. »Im Übrigen glaube ich kaum, dass viele Leute kommen. Vanessa hat keine Geschwister, zu den Onkeln und Tanten, den Cousins und Cousinen bestand kaum Kontakt. Und nach ihrer Mutter hat sowieso kein Hahn mehr gekräht. Ich vermute eher, dass wir beide völlig allein am Grab stehen werden.«

Und wenn ich nicht mitkam, stand er dort am Ende ganz allein. Das mochte ich ihm keinesfalls antun. Also stimmte ich zu. Ich würde ihn begleiten.

Wir verabredeten, am Donnerstagabend nach der Arbeit loszufahren. Am Freitagvormittag würde die Beerdigung stattfinden. Freitagabend wären wir dann zurück in Swansea. Ich musste einen Tag freinehmen, würde aber am Samstag das Versprechen, das ich Alexia gegeben hatte, einhalten und auf Motivsuche gehen können.

Wir beendeten das Gespräch. Ich wollte gerade die Pfannkuchen auspacken, da klingelte das Telefon schon wieder.

Ich dachte, Matthew hätte etwas vergessen. Aber es war nicht Matthew.

Es war Garrett.

Er sagte, dass er mich vermisse und mich sehen wolle. Er würde nach Swansea kommen. Wann immer es mir recht wäre.

2

Er hatte die Frau in das Haus hineingehen sehen, und nachdem zwei Stunden vergangen waren und sie ihre Wohnung nicht wieder verlassen hatte, nahm er an, dass sie es an diesem Abend auch nicht mehr tun würde. Hinter den Fenstern im Dachgeschoss ging jetzt das Licht an. Er wusste nicht sicher, in welcher Etage des Hauses sie wohnte, hielt es aber für möglich, dass sie unter der Dachschräge lebte. Sie wirkte jung und unkonventionell. Es hätte zu ihr gepasst.

Er musste nach Hause. Es war ein gutes Stück bis Pembroke Dock, und irgendwann würde sich Nora fragen, wo er bliebe. Er hatte behauptet, Debbie besuchen zu wollen, was Nora nicht gerade glücklich gestimmt hatte, aber sie hatte nicht versucht, ihn davon abzubringen. Ryan konnte spüren, dass Nora Angst hatte, ihn an die andere Frau zu verlieren, dass sie sich aber zurückhielt, um nicht durch Quengeln und Nörgeln die Lage zu verschlechtern. Er selbst wusste, dass er und Debbie aus vielen verschiedenen Gründen nie wieder ein Paar werden würden, aber darüber mochte er mit Nora nicht reden.

Er redete über so vieles nicht mit ihr. Vor allem nicht über die entscheidenden Dinge.

Es hatte ihm keine Ruhe gelassen, nachdem er von seiner Mutter erfahren hatte, dass die Umstände ihrer Entführung nach wie vor unklar waren und dass niemand wusste, um wen es sich bei den eigentlichen Tätern handelte. Damit war alles offen, vor allem die bedrückende Möglichkeit, dass Damon und seine Leute ihr Unwesen trieben. Sowie die noch bedrückendere Variante, dass das alles irgendwie mit Vanessa Willard zu tun hatte. Von dieser Vorstellung konnte Ryan innerlich kaum mehr loskommen. Er hatte wieder begonnen, von Vanessa zu träumen, so wie es während des ersten halben Jahres im Gefängnis Nacht für Nacht der Fall gewesen war. Er erinnerte sich mit Grauen an diese Zeit, an die Bilder, die ihn gequält und verfolgt hatten. Und an die ganz allmählich Raum fassende Erleichterung, als die Eindrücke schwächer wurden. An Konturen verloren und sich langsam in den Bereich der Verdrängung abschieben ließen.

Und nun brach alles wieder auf. Als sei nicht ein Tag vergangen, so deutlich und klar und scharf umrissen standen die Ereignisse jenes lang zurückliegenden Wochenendes vor ihm. Er schreckte nachts aus seinen Horrorträumen auf, und er ertappte sich tagsüber dabei, dass er abglitt in quälende, schwarze Gedankenspiralen. Selbst Dan, seinem Chef, der mit keinerlei Sensibilität gesegnet war, schien eine Veränderung an ihm aufzufallen.

»He, sag mal, bist du überhaupt *da*?«, hatte er eines Tages gefragt und ihn scharf angesehen. »Oder was geistert dir gerade durch den Kopf? Du bist ständig total abwesend, und du hast einen ganz komischen Ausdruck im Gesicht!«

»Ich mache meine Arbeit ordentlich, oder? Alles andere geht dich, glaube ich, nichts an.«

»He, nicht gleich so patzig! Ich werde mich wohl erkundigen dürfen, oder? Sei doch froh, wenn jemand Anteil an dir nimmt. Du siehst aus wie ein Gespenst, weißt du das?

Bleich und hohläugig. Irgendetwas stimmt doch nicht mit dir!«

Da Dan der letzte Mensch war, dem sich Ryan anvertraut hätte, schwieg er einfach, und irgendwann hatte Dan aufgegeben, hatte etwas von *Undankbarkeit* gemurmelt, aber Ryan zumindest in Frieden gelassen. Was Ryans Probleme nicht löste, ihm aber den Druck nahm, sich zu ihnen äußern zu müssen.

Und dann hatte er es eines Abends getan. Er hatte Nora gesagt, er werde Debbie besuchen. Stattdessen war er nach Mumbles gefahren. Die Adresse hatte sich seit jenem Sonntag in sein Gedächtnis eingebrannt und würde ihn bis zu seiner Todesstunde nicht mehr verlassen: die Adresse, die ihm eine völlig verängstigte Vanessa Willard genannt hatte, damit er ihren Mann kontaktieren und so schnell wie möglich alles in die Wege leiten konnte, um ihre Freilassung herbeizuführen.

Mumbles. Und er wusste auch noch die Straße und die Hausnummer. Er wusste nur nicht, ob Matthew Willard dort noch wohnte.

Kurz bevor er in die betreffende Straße eingebogen war, war ihm schlecht geworden; er hatte angehalten und sich aus dem Wagen gelehnt, hatte aber, da er den Tag über kaum etwas gegessen hatte, nur etwas Galle ins Gras gespuckt. Dann war er einen Moment lang im Auto sitzen geblieben, ohne weiterzufahren, hatte erwogen, sein Vorhaben abzubrechen. Was sollte es ihm bringen? Herauszufinden, ob Vanessa Willard lebte? Angenommen, er sah sie tatsächlich in ihrem Garten herumspazieren – was dann? Damit wusste er noch lange nicht, ob sie etwas mit den Überfällen auf Debbie und Corinne zu tun hatte. Sah er sie nicht, hieß das umgekehrt immer noch nicht, dass sie tot war. Und wäre sie wirklich damals befreit worden oder hätte sich sogar aus eigener Kraft befreien können, wäre das nicht längst zu ihm vorgedrungen? Zweifellos wäre die Geschichte durch alle Zeitungen des Landes gegangen, und auch im Gefängnis war man nicht so abgeschirmt, dass man nicht etwas davon mitbekommen hätte. Es sei denn, Vanessa hatte es nicht an die große Glocke gehängt. War unauffällig in ihr altes Leben zurückgekehrt oder sogar ganz woanders untergetaucht. Auf den Homepages verschiedener Organisationen, die sich mit spurlos verschwundenen Menschen beschäftigten, wurde sie noch immer als vermisst geführt, das hatte Ryan bereits überprüft. Konnte etwas aussagen. Musste aber nicht.

Letztlich war er weitergefahren, nun, da er schon so nah war. Das Haus hatte er sofort gefunden und als Erstes den schwarzen BMW in der Einfahrt gesehen. Den BMW, an den er sich so gut erinnerte. Die Willards wohnten hier also noch. Zumindest Matthew, der Ehemann.

Er hielt gegenüber dem Haus an und versuchte, die körperlichen Symptome einer extremen Stressreaktion in den Griff zu bekommen. Vielleicht handelte es sich sogar um eine beginnende Panikattacke. Sein Körper wurde innerhalb weniger Sekunden von Schweiß überschwemmt. Die Übelkeit verstärkte sich wieder. Im Rückspiegel konnte er sein Gesicht sehen. Es hatte eine ungesunde graue Farbe angenommen, die Haut glänzte feucht.

Seine Hände zitterten.

Es war schlimmer als damals. Schlimmer sogar als in den ersten Stunden nach der Tat, und auch da war es ihm sehr schlecht gegangen. Er versuchte, tief durchzuatmen.

Wenn es Vanessa ist, die dich schikaniert, wie hat sie herausfinden können, dass du dahintersteckst? Und warum zeigt sie dich nicht einfach an? Weil ihr eine Gefängnisstrafe nicht ausreichen würde? Weil sie eine andere Rache will, grausamer und böser, als es eine Haftstrafe sein kann? Und wie macht sie das? Woher kennt sie die Verbrecher, die sie engagiert hat? Wovon bezahlt sie sie? Ist das alles zu weit hergeholt?

Vielleicht. Aber es ist nicht ausgeschlossen. Sie hatte Zeit. Über zwei Jahre. Um alles zu planen und in die Wege zu leiten.

Er hatte kurz die Augen geschlossen, um sich auf seine Atemübungen zu konzentrieren – er hatte sie während des Anti-Aggressions-Trainings gelernt, aber sie schienen ihm auch für diese Situation tauglich –, und als er wieder zum Haus hinüberblickte, sah er ihn: Matthew Willard. Den Mann, den er vermutlich in einen Abgrund von Verzweiflung gestürzt hatte. Er zweifelte nicht daran, dass es sich um ihn handelte. Schon wegen des riesigen, langhaarigen Schäferhundes, der an seiner Seite lief. Vanessa hatte den Hund damals erwähnt. Wieder begriff Ryan, dass er mehr Glück als Verstand gehabt hatte: Das Tier hätte ihn zerlegt, wenn es ihn dabei überrascht hätte, wie er gerade sein Frauchen betäubte und in sein Auto schaffte.

Auf der anderen Seite von Willard ging eine Frau.

Und sie war eindeutig nicht Vanessa.

Er war tiefer in seinen Sitz gerutscht und hatte angestrengt hinübergespäht. Die Frau war kleiner als Vanessa und deutlich jünger. Darüber hinaus ein völlig anderer Typ: dunkelbraune lange Haare, dunkle Augen, soweit er das erkennen konnte, dazu aber eine sehr helle Haut. Die Frau mochte um die dreißig Jahre alt sein, sah sehr gut aus, kleidete sich aber eher einfach, bei Weitem nicht so teuer, wie es Vanessa getan hatte. Sowohl die khakifarbene Baumwollhose als auch das weiße T-Shirt stammten sichtbar aus einem Billigladen. Sie trug weiße Turnschuhe. Um ihr rechtes Handgelenk hatte sie mehrere bunte Glasperlenbänder geschlungen. Sie strahlte eine gewisse Unverwüstlichkeit aus. In Ryans Augen passte sie nicht besonders gut zu dem ernsten Matthew Willard. Ein sehr verschlossener Mann, so schien es ihm. Sein Gesichtsausdruck hatte etwas Starres. So als sei Matthew die ganze Zeit über darauf konzentriert, bloß keine Gefühle, Gedanken, Empfindungen nach außen dringen zu lassen.

Hatte er sich mit einer neuen Frau getröstet?

Wie ein Liebespaar wirkten die beiden nicht. Sie gingen ein kurzes Stück die Straße entlang, dann bogen sie in den kleinen Park ab, der sich unmittelbar an die Siedlung anschloss. Sie hielten einander nicht an den Händen.

Vielleicht eine ganz neue Bekanntschaft? Oder einfach eine alte Freundin? Man musste auch andere Möglichkeiten in Erwägung ziehen: Vielleicht handelte es sich um Willards Schwester. Ihre Anwesenheit schloss nicht unbedingt aus, dass Vanessa zurückgekommen war. Obwohl Ryan es nicht glaubte. Dafür schien der Alptraum in den Augen Matthew Willards zu gegenwärtig.

Er hatte gewartet, und überraschend schnell waren die beiden von ihrem Spaziergang zurückgekehrt. Es war ein sehr warmer Abend, und Ryan hatte sehen können, dass der langhaarige Hund wesentlich schleppender lief als beim Aufbruch. Dem Tier zuliebe hatte man offenbar nur eine kurze Runde gedreht. Alle drei stiegen sie in Willards Auto und fuhren los. Ryan hatte rasch reagiert, seinen Wagen gewendet und war ihnen gefolgt. Auf diese Weise hatte er herausgefunden, wo die dunkelhaarige junge Frau wohnte. Er hatte sich von da an noch einige Male vor ihrem Haus postiert, abwechselnd aber auch vor dem von Willard in Mumbles. Was er herausgefunden hatte: Beide kamen sie abends jeder von seiner Arbeit, verschwanden in ihren jeweiligen Häusern, gingen weder später noch einmal weg, noch empfingen sie Besuch. Was immer Willard und die junge

Frau verband, das klassische Liebespaar waren sie jedenfalls nicht. Dafür trafen sie sich eindeutig zu selten.

Eigentlich bin ich kaum einen Schritt weitergekommen, dachte Ryan.

An diesem Abend nun überlegte er, ob er damit aufhören sollte, Willard und die Fremde zu beschatten. Sich Gedanken zu machen. Um Vanessa oder Damon oder um alle beide zu kreisen. Vielleicht sollte er einfach abwarten, was als Nächstes geschah. Obwohl gerade das so viele Nerven kostete. Zu wissen, dass im Verborgenen ein Feind lauerte. Dass er jederzeit zuschlagen konnte. Dass man nicht den geringsten Hinweis hatte, wann und wo das sein würde.

Er verließ seinen Beobachtungsposten und fuhr nach Pembroke Dock zurück. Er fragte sich, wie es sich wohl anfühlen würde, wenn das Leben normal wäre. Wenn er ein unbescholtener Bürger wäre, der von der Arbeit kam und nach Hause fuhr und sich keine andere Frage stellte als die, was es wohl zum Abendessen gab und ob er danach noch fernsehen würde. Er fragte sich vor allem, ob er das jemals haben würde: ein normales Leben.

Nein, entschied er, kaum.

Das Schreckliche war, dass man sich tatsächlich so tief in den Sumpf reiten konnte, dass man irgendwann einfach nicht mehr herauskam. Man erhielt eine ganze Reihe von Chancen im Leben, jede Menge Möglichkeiten für einen Neuanfang, und irgendwann war damit Schluss. Man dachte bloß, dass es immer so weitergehen müsste, aber dann verstand man, dass man den Moment der tatsächlich letzten Gelegenheit verpasst hatte. Dass von jetzt an ein Desaster dem anderen folgen würde und dass man dem nicht würde entgehen können.

In seinem Fall hieß das: Damon würde sich irgendwann melden und sein Geld wollen. Er würde es nicht zahlen können. Damon würde darauf mit Konsequenzen reagieren, die Ryan am Ende womöglich nicht überlebte.

Oder Vanessa würde ihn weiterhin terrorisieren – beziehungsweise sein persönliches Umfeld von bezahlten Schlägern terrorisieren *lassen*. Und irgendwann zum finalen Schlag ausholen. Entweder in der direkten Abrechnung mit ihm oder indem sie ihn doch noch der Polizei auslieferte. Was dann wieder Gefängnis hieß. Ironischerweise würde dies wiederum Schutz vor Damon bieten, aber das war das einzig Gute, was sich darüber sagen ließ.

Ryans Lebenssituation, vor allem seine Perspektive, war ein Alptraum. Er überlegte, dass es das Beste wäre, gegen die nächstbeste Mauer zu rasen, wusste aber, dass er dafür zu feige war. Wie er überhaupt feige war. Seine Feigheit trug einen nicht unerheblichen Anteil daran, dass er sich überhaupt in diese ausweglose Lage katapultiert hatte.

Es war fast halb elf, als er in Pembroke Dock ankam. Die Straßenlaternen brannten, und nur ganz im Westen lag noch ein hellerer grauer Schein über dem nachtschwarzen Himmel. Die Nächte wurden um diese Jahreszeit nicht mehr völlig dunkel. Der Sommer stand unmittelbar bevor. Ryan konnte sich daran nicht freuen.

Er parkte, stieg aus, schloss den Wagen ab. Innerlich wappnete er sich. Es war wirklich spät geworden, sicher machte Nora sich Sorgen. Sie würde das Gespräch mit ihm suchen. Ihn fragen, weshalb er ihr und den gemeinsamen Abenden auswich. Wissen wollen, was los war. Er mochte das nicht. Er wollte allein sein. Er wollte mit niemandem reden.

Die Männer standen plötzlich wie aus dem Boden gewachsen neben ihm. Der eine rechts, der andere links. Er hatte sie nicht kommen hören und hätte nicht zu sagen gewusst, wo sie vorher gewesen waren.

»Ryan Lee?«, fragte der eine von ihnen.

Kurz überlegte Ryan, ob es Bullen waren. Sie sahen allerdings eher wie Zuhälter aus. Nicht grell gekleidet oder mit Schmuck behangen, aber sie wirkten brutal und vollkommen gefühllos. Killermaschinen. Und solche Polizisten hatte Ryan noch nie erlebt.

»Ja?«, antwortete er fragend.

Eine Hand schloss sich fest um seinen Oberarm. Der Griff war nicht schmerzhaft, aber dennoch drohend. Er war klar als Warnung zu verstehen: Ryan brauchte an eine mögliche Flucht nicht einmal zu denken.

»Damon möchte dich sprechen. Wir bringen dich zu ihm.«

Jetzt also war es so weit.

Jetzt hatten sie ihn.

3

Damon empfing Leute wie Ryan nicht in *seinem* Büro oder in *seinem* Wohnhaus, überhaupt nicht in einem Gebäude, das später in irgendeinen Zusammenhang mit ihm gebracht werden konnte. Das erste Mal vor vielen Jahren hatte Ryan ihn im Hinterzimmer eines Pubs getroffen, beim zweiten Mal in einer Hotelsuite. Er wusste, dass in diesen Fällen alle Vorkehrungen getroffen waren, dass Damons Anwesenheit an jenen Orten später nie nachweisbar wäre. Offiziell hatte es die Begegnungen nicht gegeben. Sollte der Besucher später nicht mehr leben, würde niemand wissen, dass er zuvor an den entsprechenden Plätzen gewesen war.

Irgendwie schaffte es Damon, trotz der Blutspur, die er hinter sich herzog, stets unsichtbar zu bleiben. Es war Ryan schon immer ein Rätsel gewesen, wie dieses System funktionierte, aber er wusste auch, dass eine kleine Nummer wie er nie dahintersteigen würde.

Er saß auf dem Rücksitz einer Limousine, einer der Männer neben ihm, der andere am Steuer. Sie hatten ihn auf Waffen untersucht, aber natürlich nichts gefunden. Halb hatte er erwartet, dass man ihm die Augen verbinden würde, aber das geschah nicht; offensichtlich sah man keinen Anlass, den Weg, den sie nahmen, zu vertuschen. Ryan kannte sich in der Gegend, in die sie kamen, nachdem sie Pembroke Dock verlassen hatten, nicht aus. Südwestliche Richtung würde er schätzen, war sich aber nicht ganz sicher. Sie kamen durch zwei verschlafene Dörfer, dann schienen sie jede menschliche Ansiedlung hinter sich gelassen zu haben. Ryan sah rechts und links der schmalen Landstraße weite Ebenen, Felder und Wiesen. Gelegentlich ein Bauernhaus.

Wahrscheinlich waren sie dicht am Meer.

Er wartete auf seine übliche Panikreaktion, aber sie stellte sich nicht ein. Dafür, dass er möglicherweise zusammengeschlagen oder am Ende sogar erschossen werden würde, blieb er erstaunlich ruhig. Und gefasst. Natürlich hatte er Angst. Aber die Angst war irgendwo tief in ihm verschlossen. Zusammengeballt in einem festen Klumpen, der sie festhielt. Sie konnte sich nicht in Ryan ausbreiten. Das war die Art Angst, die er immer gekannt hatte. In seinem Leben vor Vanessa.

Sie bogen von der Landstraße ab und fuhren eine Auffahrt entlang, die zwischen einigen ausladenden Bäumen hindurchführte. Die Auffahrt öffnete sich zu einem kiesbestreuten Platz, der sich vor einem imposanten Haus befand. Ein schlichtes Gemäuer, das aber durch seine Größe und

Wuchtigkeit beeindruckte. Der typische Wohnsitz irgendeines kleineren Landadligen. Mit Sicherheit nicht Damons Haus. Aber wahrscheinlich stand er mit dem Eigentümer in irgendeiner Verbindung und nutzte es hin und wieder. Womöglich handelte es sich sogar um einen Politiker. Ryan hielt das nicht für ausgeschlossen.

Sie stiegen aus. Der Kies knirschte unter ihren Füßen. Die Luft roch stark nach Meerwasser. Ryan konnte sich vorstellen, dass gleich hinter dem Haus die Klippen begannen. Vielleicht würden sie ihn dort hinunterwerfen. Er würde zerschellen und ins Wasser rutschen, und irgendwo würde er angeschwemmt und gefunden werden. Wahrscheinlich hielt man ihn für einen Wanderer, der unachtsam gewesen und ausgerutscht war. Tragisch, aber diese Dinge geschahen immer wieder. Sein Tod würde nicht einmal für eine Zeitungsnotiz reichen.

Die Männer eskortierten ihn ein paar Stufen hinauf zur Haustür, die sie mit einem leichten Stoß öffneten. Kühle, abgestandene Luft schlug ihnen entgegen. Ein steinernes Treppenhaus, ein schwarz-weiß gemusterter Fußboden. Ein paar Gemälde an den Wänden, die ziemlich kitschig dargestellte Landschaften zeigten. Ein Hirschgeweih. Eine Krokodilhaut, die an die Täfelung neben der Treppe genagelt war. Rote Läufer auf den Stufen.

Das waren ein paar Momentaufnahmen, die Ryan im Vorbeigehen aufschnappte, ohne wirklich zu realisieren, was er eigentlich sah. Dann wurde schon eine weitere Tür geöffnet, und seine Bewacher schoben ihn in einen Raum. Eine Art Salon, etwas überladen möbliert, ebenfalls muffig und staubig.

Und mitten darin Damon, der in einem wuchtigen Ledersessel fast versank. Der aufstand und lächelte, als habe er einen alten Freund vor sich.

»Hallo, Ryan«, sagte er, »wie schön, dass du kommen konntest!«

Als sei Ryan freiwillig einer Einladung gefolgt. Und nicht von zwei muskulösen Typen hierher genötigt worden.

»Hallo, Damon«, sagte Ryan. Seine Stimme hörte sich gepresst an.

»Möchtest du etwas trinken?«, fragte Damon und wies auf einen Servierwagen, der neben einem Sofa stand und eindrucksvoll mit jeder Menge Flaschen bestückt war: verschiedene Whiskysorten, soweit Ryan das erkennen konnte, aber auch etliche Liköre und Schnäpse.

»Nein, danke«, sagte er.

Damon lächelte noch immer. Wieder einmal war Ryan überrascht, wie harmlos dieser Mann auf ihn wirkte, obwohl er so viel über all den Schrecken wusste, den Damon und seine Schlägertrupps verbreiteten. Dennoch war sein Erstaunen immer wieder echt. Damon war eher klein, zumindest fast einen Kopf kleiner als Ryan, und er war so mager, dass es den Anschein hatte, er leide unter irgendeiner heimtückischen, ihn langsam auszehrenden Krankheit. Er hatte eine hellrosafarbene Haut, hellblaue Augen und graubraune Haare, trug einen grauen Leinenanzug, darunter ein blaues Hemd. Er wirkte vollkommen unscheinbar, ein Mann, den man sich nur schwer merken konnte. Hätte Ryan nicht gewusst, wen er vor sich hatte, er hätte auf einen Buchhalter getippt, vielleicht auch auf den Filialleiter eines Supermarktes.

Aber niemals auf einen der gefährlichsten Gangsterbosse Englands, der seine Finger in so vielen illegalen Geschäften hatte, dass einem schwindelig werden konnte.

»Setz dich doch, Ryan«, sagte Damon und wies auf einen Sessel.

Zögernd nahm Ryan Platz. Er fragte sich, wo die beiden Männer geblieben waren, die ihn hergebracht hatten. Wahrscheinlich standen sie draußen vor der Tür und warteten auf ihren Einsatz – wie immer der aussehen würde.

Auch Damon setzte sich wieder.

»Nun, Ryan, wie ist es dir ergangen? Du warst im Gefängnis, wie ich hörte?«

»Ja.«

»Dumme Sache. Ich nehme an, du wolltest den Jungen damals nicht so schwer verletzen, oder?«

»Nein. Natürlich nicht.«

»Ja. Manchmal laufen die Dinge einfach aus dem Ruder. Und Knast ist eine elende Erfahrung!«

»Das stimmt«, pflichtete Ryan bei. Er wünschte, Damon würde endlich zur Sache kommen. Er hatte ihn mit Sicherheit nicht hierherbringen lassen, um ein wenig Small Talk zu betreiben.

»Tja, und nun bist du schon seit März wieder draußen«, sagte Damon, »seit zwei Monaten. Ehrlich gesagt, ich bin ein bisschen enttäuscht, dass du dich gar nicht bei mir gemeldet hast. Ich dachte eigentlich, wir sind so etwas wie alte Freunde?«

Ryan erwiderte nichts. Was hätte er auf eine so offensichtlich zynische Bemerkung auch sagen sollen?

»Und schließlich«, fuhr Damon fort, »gibt es zwischen uns ja auch noch das eine oder andere zu klären, nicht wahr?«

»Damon, ich…«, hob Ryan an, doch Damon brachte ihn mit einer Handbewegung zum Schweigen.

»Zwanzigtausend Pfund. Die gilt es zu klären.«

Ryan seufzte.

Damon zog einen Zettel aus seiner Jacketttasche, faltete ihn auseinander und tat so, als müsste er ihn eindringlich studieren. Dabei, davon war Ryan überzeugt, wusste er ohnehin genau, was dort stand.

»Hm. Zwanzigtausend Pfund *waren* es mal, wie ich hier sehe. Es sind ganz schön viele Zinsen aufgelaufen in der Zwischenzeit. Immerhin hast du ja mit der Tilgung nicht einmal *begonnen*!«

»Ich war im Gefängnis. Wie hätte ich ...?«

»Ja, sicher, das verstehe ich ja. Man häuft dort nicht gerade ein Vermögen an. Auf der anderen Seite war es natürlich nicht meine Schuld, dass du hinter Gittern gelandet bist. Du kannst für deine Fehler nicht andere verantwortlich machen, Ryan!«

»Nein«, sagte Ryan.

Damon studierte wieder den Zettel. »Also, wenn ich mir das hier so ansehe... Da ist ganz schön was zusammengekommen, Ryan, in all der Zeit. Nicht schlecht. Wir sind jetzt bei ... warte mal ... ja, bei achtundvierzigtausend Pfund. Genau. So viel schuldest du mir. Achtundvierzigtausend Pfund!«

Wäre seine Lage nicht so gefährlich, so hoffnungslos gewesen, Ryan hätte müde gegrinst. Absurder ging es kaum. Achtundvierzigtausend Pfund. Die wahrscheinlich täglich, stündlich, mit jeder Minute noch anwuchsen.

Er konnte das nie bezahlen. Und natürlich wusste Damon das.

»Das ist ... sehr viel Geld«, sagte er, um irgendetwas zu sagen.

Damon nickte gewichtig. »Stimmt. Viel Geld. Du wirst verstehen, dass ich auf so viel Geld nicht verzichten kann.«

»Damon«, sagte Ryan verzweifelt, »ich habe das nicht. Ich habe ein fast leeres Konto. Ich habe im Gefängnis gearbeitet und ein bisschen verdient, aber das meiste davon ist jetzt schon wieder verbraucht. Ich arbeite in einem Copyshop, und ich bekomme da wirklich *fast nichts*. Und ich kann mir auch keine andere Arbeit suchen, im Gegenteil, ich muss froh sein, überhaupt etwas gefunden zu haben. Wer stellt denn jemanden wie mich ein?«

»Hm«, machte Damon. Er zeigte einen besorgten Gesichtsausdruck. Von dem Ryan wusste, dass er keineswegs echt war: Damon war eiskalt und ohne jedes Gefühl. Ohne jedes Mitleid jedenfalls. Eine ausgeprägte Freude an sadistischem Verhalten war ihm sicherlich nicht abzusprechen.

»Aber darf ich dir eine Frage stellen, Ryan?«, fuhr er fort. »Ich meine, du wirst verstehen, dass ich das fragen muss: Was, bitte schön, geht mich das an? Welchen Job du hast und was auf deinem Konto ist und wie deine Zukunftsprognose aussieht? Das ist *dein* Leben. Du hast es dir gestrickt. Ob du das geschickt gemacht hast oder nicht, ob du immer clever warst oder eher die eine oder andere Dummheit begangen hast – das zu beurteilen steht mir nicht zu. Das würde ich mir nicht anmaßen.«

»Ja«, sagte Ryan und schluckte trocken.

»Wie wollen wir das mit der Rückzahlung handhaben?«, fragte Damon. »Wann, meinst du, kannst du mir das Geld geben?«

Ryan schluckte erneut. Sein Hals fühlte sich eng an.

»Damon, ich habe kein Geld«, sagte er leise. »Wirklich, so gut wie überhaupt keines.«

Damon drehte den Kopf und hielt in einer übertriebenen Geste seine Hand an sein Ohr. »Bitte? Ich habe dich nicht verstanden.«

»Ich habe kein Geld«, wiederholte Ryan lauter.

»Aber du hast einen Plan, wie du an Geld kommen kannst, oder? Ich kann mir nicht vorstellen, dass du dir achtundvierzigtausend Pfund bei jemandem leihst und dir keinerlei Gedanken über die Rückzahlung machst!«

Er hatte sich nie so viel geliehen. Der Betrag hatte nur

durch Damons Wucherzinspolitik zustande kommen können. Aber Ryan hütete sich, das zu sagen.

»Ich kann es abstottern«, bot er an. »In ziemlich kleinen Beträgen allerdings. Weil ich ja kaum etwas verdiene.«

»Wie viel kannst du mir monatlich geben?«

»Äh ... vielleicht hundert Pfund?«

»Hundert Pfund? Ist das dein Ernst? Ich meine, zusammen mit den weiter ansteigenden Zinsen sind wir beide steinalte Urgroßväter, bis ich endlich den gesamten Betrag zusammenhabe. Wenn es überhaupt je so weit kommt!«

»Zweihundert Pfund«, bot Ryan verzweifelt an. »Aber dann wird es schon verdammt eng für mich.«

»Zweihundert Pfund? Das ändert gar nichts. Was ist mit der Braut, bei der du lebst? Kann sie dich unterstützen? Finanziell?«

Ryan zuckte zusammen. Im Prinzip hatte er es gewusst, aber es durchfuhr ihn doch wie ein elektrischer Schlag, als Damon es so gelassen aussprach. *Die Braut, bei der du lebst.* Sie wussten über alles Bescheid. Sie kannten Nora, wussten, dass er bei ihr wohnte. Nora könnte die Nächste sein, die sie im Visier hatten.

»Haben deine Leute Debbie überfallen?«, brach es aus ihm heraus. »Und meine Mutter?«

Damon sah ihn an. »Deine Mutter wurde überfallen? Das ist ja schrecklich. Was ist passiert? Und wer ist Debbie?«

Der Mann war wirklich abgebrüht. Kein Muskel in seinem Gesicht verriet ihn. Ryan hätte nicht zu sagen gewusst, ob er ihm etwas vorspielte oder nicht. Beides war möglich: dass er völlig ahnungslos war. Und ebenso, dass er der Drahtzieher war.

»Debbie ist eine Freundin von mir. Wir haben ein paar Jahre zusammengelebt und uns dann getrennt, aber wir sind Freunde geblieben. Sie wohnt in Swansea.«

»Verstehe. Wieso wurden denn deine Mutter *und* deine Ex überfallen?«

»Das frage ich mich eben auch«, sagte Ryan.

»Die Welt ist ein böser Ort«, sagte Damon.

Was hast du erwartet?, fragte sich Ryan. Dass er dir ins Gesicht lacht und mal so nebenher ein paar Straftaten gesteht? Vergewaltigung, Entführung, Freiheitsberaubung? Er ist schließlich nicht blöd. Entweder er hat damit nichts zu tun, dann ist es ihm sowieso egal, was mit irgendwelchen Menschen in deinem Umfeld passiert. Oder er steckt dahinter, und dann reicht es ihm, dass du dich mit deinen Ängsten herumschlagen musst. Mehr will er gar nicht.

»Ich will dir dein Geld zurückzahlen«, sagte Ryan, »aber ich brauche Zeit. Ich kann einen solch hohen Betrag nicht so einfach auftreiben. Niemand, den ich kenne, kann das.«

»Weißt du, Ryan, es gibt ein paar Regeln im Leben, die sollte man einhalten, sonst wird es ungemütlich«, sagte Damon und lehnte sich entspannt in seinen Sessel zurück. »Eine Regel zum Beispiel lautet, dass man am besten nie mehr Schulden macht, als man innerhalb eines angemessenen Zeitraums auch zurückzahlen kann. Immer nur nehmen und nehmen und sich keine Gedanken darüber machen, wie man das wieder in Ordnung bringt, funktioniert einfach nicht. Das macht den Gläubiger nämlich ziemlich unglücklich, verstehst du? Und irgendwann ist er nicht mehr bloß unglücklich, sondern richtig verärgert. Und dann wütend. Und dann hat man ein echtes Problem.«

»Ja«, sagte Ryan leise.

Damon blickte wieder auf seinen Zettel. »Also, ich habe mir überlegt, dass ich dir eine Frist einräumen werde«, sagte er. »Wir haben heute Montag, den 21. Mai. Ich bin großzügig. Sagen wir, am Samstag, dem 30. Juni gibst du mir das

Geld zurück. Es sind sechs Wochen bis dahin. Ein faires Angebot, wie du zugeben musst!«

»Ende Juni?«, fragte Ryan entsetzt. Damon hätte genauso gut *übermorgen* sagen können.

»Ende Juni«, bestätigte Damon. »Zusammen mit den bis dahin anfallenden Zinsen sind es dann fünfzigtausend Pfund. Das ist eine schöne runde Summe. Fünfzigtausend Pfund am 30. Juni! Das gefällt mir. Habe ich dir schon mal gesagt, dass ich am 30. Juni übrigens Geburtstag habe?«

»Nein«, flüsterte Ryan.

»Ja, siehst du, das wird rundherum ein Freudentag für mich. Wann hast du Geburtstag, Ryan?«

»Am… am 7. September«, krächzte Ryan. Irgendwie gehorchte ihm seine Stimme plötzlich nicht mehr richtig.

»Am 7. September. Und du möchtest deinen nächsten Geburtstag natürlich gerne erleben, stimmt's?«

»Ja.«

»Bitte? Ich habe nicht verstanden?«

»Ja«, wiederholte Ryan lauter.

»Gut, das habe ich mir gedacht. Du möchtest ihn schön feiern, zusammen mit deiner netten neuen Freundin. Ein hübsches Mädchen übrigens. Und so… wie soll ich sagen? Solide. Ein sauberes, solides Mädchen. Eine, die sich jede Mutter für ihren Sohn wünscht, nicht wahr?«

»Sie ist nicht meine Freundin. Oder Lebensgefährtin«, sagte Ryan. »Sie hat mir ins Gefängnis geschrieben und kümmert sich jetzt um mich.« Vielleicht konnte er Nora vor Damon und seinen Leuten beschützen, indem er ihrer beider Beziehung so weit wie möglich herunterspielte.

»Wie auch immer«, meinte Damon. »Es wäre schade, wenn gerade jetzt einem von euch etwas zustoßen würde. Sie ist noch so jung. Du bist endlich aus dem Gefängnis draußen. Du hast einen Job. Du versuchst es mit ehrlicher

Arbeit, und das ist gut. He, Junge, das ist der Moment, da kannst du dein Leben in die richtige Spur bringen. Du kannst aus dir noch einen anständigen Kerl machen, und du kannst dir eine schöne, spießige Existenz aufbauen. Und sag nicht, dass du nicht genau davon träumst! Typen wie du träumen alle irgendwann davon!«

»Ich weiß nicht, wie ich so viel Geld in so kurzer Zeit auftreiben soll«, sagte Ryan. »Ich weiß es wirklich nicht, Damon. Ich würde alles tun, aber ich weiß nicht, was.«

Damon sah ihn an. Ryan blickte in vollkommen kalte Augen. Die Gefühllosigkeit seines Gegenübers ließ ihn schaudern. Er begriff auf einmal wieder, was ihn vor nunmehr bald drei Jahren den aberwitzigen Plan hatte fassen lassen, eine Frau zu entführen und sein Glück mit einer Erpressung zu versuchen. Später im Gefängnis hatte er sich selbst nicht mehr verstehen können, hatte sich immer wieder gefragt, wie er so verrückt, so wahnsinnig, so von allen guten Geistern hatte verlassen sein können. Was war bloß in ihm vorgegangen?

Jetzt aber verstand er. Er war genau in derselben Lage gewesen wie jetzt. Mit dem Rücken zur Wand, vollkommen hilflos. Vor sich einen Gegner, der ihm keine Sekunde lang das Gefühl vermittelte, ihn möglicherweise nur mit einem Schrecken davonkommen zu lassen. Im Gegenteil: Der Gegner war hochgefährlich und absolut gnadenlos. Wer sich mit ihm anlegte, konnte nur verlieren. Ryan gab sich keinen Augenblick lang der Illusion hin, das in freundschaftlichem Ton geführte Gespräch mit Damon könnte etwas anderes zum Inhalt gehabt haben als die Drohung, man werde ihn, und vielleicht auch Nora, umbringen, wenn er bis Ende Juni nicht zahlte. Und dabei war nicht einmal sicher, dass es schnell und schmerzlos passieren würde. Damon war vor allem für seine Freude an sadistischer Rache bekannt. Ab dem 30. Juni musste Ryan jede Sekunde damit rechnen, auf offener Straße entführt und an irgendeinem entlegenen Ort langsam zu Tode gefoltert zu werden. Es würde keinen Platz auf der Welt geben, an dem er sich verstecken konnte, jedenfalls nicht für längere Zeit.

Wenn er nicht zahlte, würde er als ein Gejagter leben. Immer. So lange, bis sie ihn hatten. Und das würde nur eine Frage der Zeit sein.

»Jeder kann Geld auftreiben«, sagte Damon. »Es gibt immer Wege. Warum würde es sonst so vielen Menschen täglich gelingen? Lass dir etwas einfallen, Ryan. Du bist kein Dummkopf, das weiß ich. Und es steht eine Menge auf dem Spiel!«

Er hätte das nicht betonen müssen. Ryan wusste, was auf dem Spiel stand: sein Leben. Nicht mehr und nicht weniger.

Damon erhob sich zum Zeichen, dass er das Gespräch als beendet ansah. Er streckte Ryan die Hand hin.

»Mach's gut, Ryan. War wirklich schön, mal wieder mit dir geplaudert zu haben. Freunde sollten einander nicht zu lange aus den Augen verlieren.«

Ryan rang sich ein Lächeln ab. Er spürte, dass seine Mundwinkel dabei unkontrolliert zuckten. »Wiedersehen, Damon. Wir werden uns ja …«

»… spätestens am 30. Juni wieder treffen«, sagte Damon. »Ich freue mich darauf.«

»Wie kann ich Kontakt aufnehmen?«

Damon grinste breit. »Mach dir da bloß keine Sorgen. Und keine Umstände. Wir werden auf dich zukommen. Versprochen!«

»In … in Ordnung«, sagte Ryan.

Immerhin, er würde nicht heute Abend sterben. Kein

Sturz über die Klippen. Kein Zementblock um die Füße und dann ab ins nächste Hafenbecken. Keine Grube im Garten, in die man ihn lebend und bei vollem Bewusstsein hineinlegte und dann mit Erde zuschaufelte. Es ging das Gerücht, Damon habe das mal mit einem Mann gemacht, der ihm Geld schuldete. Ryan mochte sich diese Art zu sterben am liebsten nicht einmal vorstellen.

Die beiden Männer, die ihn vor Noras Haus abgefangen hatten, betraten das Zimmer. Vielleicht hatten sie draußen mitgehört, oder es gab sonst irgendeine geheime Verbindung zwischen ihnen und Damon. Wortlos nahmen sie Ryan in ihre Mitte und eskortierten ihn hinaus.

Ryan warf einen kurzen Blick zurück.

Damon stand mitten im Zimmer und lächelte. Hob sogar kurz die Hand und winkte.

Ein Abschied unter Freunden.

Am liebsten hätte sich Ryan zum zweiten Mal an diesem Abend übergeben.

4

Die Beerdigung von Lauren French, Vanessas Mutter, fand am Freitag, dem 25. Mai statt. Unseren ursprünglichen Plan, schon am Donnerstagabend nach Holyhead zu fahren, um uns am Freitag dann nicht so abhetzen zu müssen, hatte Matthew am Donnerstagmittag gekippt. Er hatte mich in der Redaktion angerufen und mir erklärt, ein Abendessen mit einem wichtigen Kunden zu haben, das er nicht absagen könne.

»Wir schaffen das auch noch am Freitag«, sagte er. »Ist es okay für dich, wenn ich dich schon um sieben Uhr morgens abhole und wir dann gleich losfahren?«

Was hätte ich sagen sollen? Ich willigte ein, auch wenn ich das Gefühl hatte, dass Matthew gerade ein Ausweichmanöver vollführte. Ich glaubte ihm, dass es den Kunden gab und auch das Abendessen, aber aus irgendeinem Grund war ich überzeugt, dass er die ganze Sache ohne Probleme an einen Mitarbeiter hätte delegieren können und dass er das auch zunächst vorgehabt hatte. Er klang, als habe er ziemlich schlechte Laune, und mir wurde klar, dass diese Reise für ihn eine riesige Belastung darstellte, die umso schwerer wog, je näher sie rückte. Am liebsten würde er überhaupt nicht fahren, konnte das aber nicht mit seinem Gewissen vereinbaren. Innerlich wappnete ich mich. Der Tag würde nicht einfach werden.

Nach dem Anruf von Matthew nutzte ich meine Mittagspause, um mir in der Stadt noch schnell ein Kleid zu kaufen. Ursprünglich hatte ich meinen schwarzen Hosenanzug, der mir seit Jahren bei allen besonderen Anlässen gute Dienste leistete, vorgesehen, aber nachdem es schon während der vergangenen Wochen ungewöhnlich warm gewesen war, wurde es an jenem Donnerstag geradezu heiß, und der Wetterdienst kündigte ein »Traumwochenende« mit Temperaturen bis 30 Grad an. Ich würde zerfließen in dem Anzug. Ich fand ein ziemlich schickes schwarzes, ärmelloses Etuikleid aus Leinen, das mir genau richtig erschien, auch wenn es eigentlich zu teuer war und ein schmerzhaftes Loch in meine Ersparnisse riss. Als ich es abends daheim noch einmal anzog, wurde mir klar, dass es für eine Beerdigung viel zu kurz war und dass es knitterte, wenn man es nur scharf ansah. Die unbedeckten Arme schickten sich wahrscheinlich auch nicht.

Egal, zu spät. Außer dem Pfarrer würde uns ja wohl sowieso niemand sehen.

Alexia hatte mich bei unserer Verabschiedung beschworen, nur ja nicht mein Vorhaben am Samstag zu vergessen. Wir hatten vereinbart, dass ich morgens mit dem Bus zu ihr kommen und dann ihr Auto übernehmen würde. Sie würde den Tag wie üblich in der Redaktion verbringen und entweder mit ihrem Fahrrad oder mit Kens Kleinmotorrad dorthin fahren.

»Natürlich vergesse ich das nicht«, versicherte ich. »Ich bin am Samstag da. Matthew und ich kommen ja schon am Freitagabend zurück. Bitte mach dir keine Sorgen!«

»Deswegen sicher noch am wenigsten«, murmelte Alexia. Ich hoffte, dass sie meine Bemerkung nicht als zynisch empfunden hatte: Schließlich bestand sie praktisch nur noch aus Sorgen.

Ich war fest entschlossen, ihre Situation jedenfalls nicht noch zu verschlimmern. Ich würde ihr wunderbare Motive für die geplante Reportage suchen und alles tun, um den alten Widerling in London zufriedenzustellen – obwohl mir längst klar war, dass das nichts nützen würde. Er wollte Alexia um jeden Preis abschießen. Er ließ sie bloß noch ein wenig zappeln.

Noch lange blieben die Beisetzungsfeierlichkeiten und die Stunden, die ihnen vorausgingen, in meinem Gedächtnis als ein höchst bizarres Ereignis zurück. Als seltsam, verwirrend, fast grotesk. Matthew holte mich morgens zur vereinbarten Zeit ab. Er hatte Max in die Obhut seiner Zugehfrau gegeben, aber diese Information stellte auch schon fast die einzigen Worte dar, die er an mich richtete, bis wir Holyhead erreichten. Ansonsten schwieg er verbissen. Wenigstens hatte er mein viel zu kurzes Kleid nicht kommentiert, aber wahrscheinlich hatte er es gar nicht wahrgenommen. Ich betrachtete ihn ein paarmal von der Seite und konnte erkennen, wie vollkommen verkrampft er war und dass er die ganze Zeit über seine Lippen fest zusammenpresste.

Einmal wagte ich es, ihn anzusprechen. »Wie war es denn gestern Abend mit diesem Kunden von euch?«, fragte ich. »Bist du zufrieden?«

»Ja«, kam es knapp von ihm. Das war alles.

Ich hatte jede Menge Gelegenheit, eigenen Gedanken nachzuhängen. Ich dachte an das Telefonat mit Garrett am Anfang der Woche. Es hatte mich ziemlich umgehauen, nach all der Zeit plötzlich wieder mit ihm zu reden. Das war noch einmal etwas anderes, als bloß seine Stimme auf dem Anrufbeantworter zu hören. Und Garrett war charmant, interessiert und anteilnehmend gewesen – so, wie er eben sein konnte, wenn er einen Menschen für sich gewinnen wollte. Ich hatte nur im Laufe der Jahre zu oft erlebt, wie schnell das kippte, wenn er sein Ziel erreicht hatte. Ich hatte ganze Tränenströme über seine gleichgültige, zynische, abweisende Art vergossen und mir geschworen, nie wieder auf seine guten Seiten hereinzufallen, aber während jenes Telefongesprächs hatte ich gemerkt, wie sehr er mich noch immer in seinen Bann ziehen konnte. Er wollte wissen, wie denn *mein Leben so liefe,* und ich hatte ein wenig über die Arbeit bei *Healthcare* erzählt und schließlich sogar Matthew erwähnt.

»Aha. Dein neuer Freund?«

Garrett hatte immer verkündet, dass ein Gefühl wie Eifersucht für ihn nicht in Frage komme, da dies für ihn »ein paar Nummern zu klein« sei, aber ich meinte doch, etwas von dieser Regung herauszuhören.

Geschah ihm recht.

Dennoch blieb ich ehrlich und erklärte, dass es einige

Probleme gab. Ich erzählte von Vanessa und wie sehr ihr Schatten noch immer über Matthew und damit über unserer sich anbahnenden Beziehung lastete. Garrett war vollkommen fasziniert. Er fragte mir geradezu Löcher in den Bauch, um alles über den Fall Vanessa Willard zu erfahren, und ich war überzeugt, dass er nach unserem Gespräch auch noch das Internet durchforstete. Wieder einmal wurde ich auf meine alten Gefühle mit Nachdruck hingewiesen. Wenn Garrett so drauf war wie jetzt, dann war es wunderbar, mit ihm zusammen zu sein.

Schließlich war er auf meinen Geburtstag zu sprechen gekommen. Ich bin am 12. Juni geboren, und der fiel in diesem Jahr auf einen Dienstag, nicht gerade ideal für einen Besuch. Aber das kümmerte Garrett nicht.

»Ich nehme mir frei. Ich könnte zu dir kommen. Hast du denn schon etwas vor?«, fragte er.

Das war in der Tat eine gute Frage. Natürlich könnte ich mich mit Matthew verabreden, aber das war keineswegs eine sichere Option. Er war seinen Stimmungsschwankungen dermaßen ausgeliefert, dass man sich auf ihn nicht verlassen konnte. Und Alexia? Die würde bis zum späten Abend arbeiten, dann vielleicht noch irgendwo einen Drink mit mir nehmen und dabei gegen ihren drohenden Nervenzusammenbruch ankämpfen. Alles in allem waren das keine erhebenden Aussichten, und es war gut denkbar, dass ich meinen Geburtstagsabend mutterseelenallein in meiner Dachwohnung verbringen und durch die schrägen Fenster traurig in den Himmel starren würde. Insofern war ein blendend gelaunter Garrett, der sich ganz offenbar zurzeit überschlug, um in meiner Gunst wieder nach oben zu klettern, keine allzu schlechte Alternative.

»Ich überlege mir das«, sagte ich schließlich, »es ist nicht so einfach, weißt du.«

»Klar«, sagte er mit sanfter Stimme, die mir einen Schauer über den Rücken jagte, »das kann ich doch verstehen.«

Wir plauderten noch ein wenig, ich erzählte von der geplanten Fotoreportage, für die ich am Wochenende auf Motivsuche gehen würde, in dem alten Auto der Familie Reece, weil ich meinen eigenen Wagen aus Kostengründen verkauft hatte. Garrett mokierte sich über die schlechte Bezahlung, die ich offenbar bei *Healthcare* bekam, und dann beendeten wir das Gespräch, indem wir einander eine gute Nacht wünschten. Ich fühlte mich hinterher nicht besonders wohl. Ich hatte den Eindruck, Garrett den kleinen Finger gereicht zu haben, und ich kannte ihn: Er würde nun alles daransetzen, den ganzen Arm zu bekommen. Mindestens.

Wir kamen pünktlich in Holyhead an, verfuhren uns aber dann auf der Suche nach dem Friedhof, landeten mehrmals am Hafen, wo gerade eine der vielen täglichen Fähren nach Dublin abgefertigt wurde, und erreichten unser Ziel schließlich völlig entnervt knappe zwei Minuten vor dem offiziellen Beginn des Trauergottesdienstes.

Was mich zuerst überraschte und gleich darauf entsetzte, war der Anblick der vielen parkenden Autos, und dann sah ich auch schon, dass sich an die dreißig Personen vor der Kapelle versammelt hatten.

Ich starrte Matthew an. »Matthew! Du hast gesagt, es kommt niemand! Wer sind diese Leute?«

Matthew wirkte noch angespannter als schon die ganze Zeit zuvor. »Das ist ausgesprochen merkwürdig«, sagte er. Er stieg aus, nahm sein schwarzes Jackett vom Rücksitz und zog es an. Ich stieg ebenfalls aus und stellte fest, dass die Autofahrt meinem Kleid nicht im Geringsten bekommen war. Es hatte sich endgültig in hundert Knitterfalten verwandelt, wodurch der anstößig kurze Rock noch kürzer geworden war. Ich kam mir vollkommen unpassend vor, und dazu hatte es nun den Anschein, dass ich einer ganzen Verwandtenschar der verstorbenen Lauren French und somit der verschwundenen Vanessa Willard gegenübertreten musste. Als die neue Frau an Matthews Seite, denn einen anderen Eindruck konnten wir kaum vermitteln.

Wo hat er denn die aufgegabelt?, würden sie tuscheln. *Was ein Absturz! Erinnert ihr euch, wie elegant Vanessa immer war? Wie stilvoll? Und nun hat er dieses junge Ding, das nicht weiß, wie man sich richtig anzieht. Hat er denn keine Augen mehr im Kopf?*

Ich hätte am liebsten die Flucht ergriffen, aber das ging natürlich nicht, und so stöckelte ich, so hoheitsvoll ich konnte, neben Matthew her auf die Trauergemeinde zu. Ganz schwach hegte ich die Hoffnung, es möge sich um eine andere Begräbnisfeierlichkeit handeln; vielleicht war ja vor uns schon jemand dran gewesen, und die Gruppe hatte sich noch nicht aufgelöst, oder wir hatten uns in Zeit und Ort geirrt, aber bei unserem Näherkommen erstarben die Gespräche, alle Köpfe drehten sich zu uns um, und die Neugier und Kälte, die uns empfingen, machten mir sofort klar, dass ich nicht auf ein Wunder zu hoffen brauchte: Die gehörten ganz klar zu uns. Und wir zu ihnen.

Eine knapp fünfzigjährige Frau löste sich aus der Gruppe und trat uns entgegen. Sie trug ein dem Anlass entsprechendes perfektes schwarzes Kostüm, war gut frisiert und geschminkt und verzog den Mund nicht einmal zu der Andeutung eines Lächelns.

»Ach, Matthew«, sagte sie, »wir dachten schon, du kommst nicht.«

»Hallo, Susan«, erwiderte Matthew. »Tut mir leid, dass wir so knapp dran sind. Aber es ist doch eine recht weite Strecke von Swansea hierher.«

Susan nickte in einer Art, die so aussah, als wolle sie eigentlich sagen: *Dann fährt man eben früher los!* Sie wandte sich mir zu, taxierte kurz meine unmögliche Garderobe und zog dabei ganz leicht die Augenbrauen hoch.

»Susan, das ist Jenna Robinson«, stellte Matthew uns vor. »Jenna, das ist Susan Collins. Sie ist eine Nichte von Lauren.«

»Eine Cousine von Vanessa«, fügte Susan überflüssigerweise hinzu, und es war klar, dass es ihr nur darum ging, diesen Namen ins Spiel zu bringen und mich daran zu erinnern, dass es eine Mrs. Willard gab – auch wenn sie derzeit verschwunden war.

»Freut mich«, sagte ich und hatte den Eindruck, damit irgendwie das Falsche gesagt zu haben. Aber wahrscheinlich konnte ich an diesem Tag, in dieser Umgebung sowieso nur alles falsch machen. Es war schon falsch, dass ich mit Matthew hierhergekommen war.

Wir begrüßten nun auch die übrigen Gäste, wobei sich herausstellte, dass auch Matthew die wenigsten von ihnen kannte oder sich ihrer höchstens dunkel im Zusammenhang mit lang zurückliegenden kurzen Begegnungen bei irgendwelchen familiären Anlässen entsann. Susan versah ihre Aufgabe jedoch mit großer Gewandtheit, fügte bei jedem Gast hinzu, in welchem Verhältnis er zu der Verstorbenen stand. Dabei wurde deutlich, dass sich auch der entfernteste Cousin, jede um fünf Ecken verwandte Tante aufgemacht hatte, der guten Lauren French das letzte Geleit zu geben, was mehr als seltsam war, wenn man bedachte, dass sich laut Matthew keiner von ihnen je bei der noch lebenden alten Frau im Pflegeheim hatte blicken lassen.

»Ich hatte keine Ahnung«, flüsterte mir Matthew zu, als wir die Kapelle betraten, vor deren Altar der blumengeschmückte dunkelbraune Sarg aufgebahrt stand. »Wirklich, die alle haben sich einen Dreck um Lauren geschert! Ich begreife nicht, weshalb sie ausgerechnet jetzt anrücken!«

Aber ich begriff, und ich ärgerte mich, dass ich mir das nicht vorher klargemacht hatte: Sie waren natürlich wegen Matthew gekommen. Wie bei den meisten Menschen in unserer Gesellschaft bestand auch für sie der Alltag überwiegend aus vorhersehbaren Ereignissen und ewig gleichen Abläufen; Langeweile und Überdruss waren die Todfeinde Nummer eins. Vanessas Verschwinden und all die Möglichkeiten und Gerüchte, die sich darum rankten, hatten wunderbaren frischen Wind in die Eintönigkeit gebracht. Vanessa war eine von ihnen, aber man stand sich nicht nah genug, um wirklich um sie zu trauern oder an der Ungewissheit ihres Schicksals zu zerbrechen. Dafür konnte man jedoch spekulieren, rätseln, gewagte Theorien aufstellen, Hobbydetektiv spielen, schaurigen Bildern anhängen, sich richtig gruseln... und was sonst noch alles. Es gehörte nicht viel Phantasie dazu, sich vorzustellen, dass Matthew Willard eine nicht unbedeutende Rolle in ihren Überlegungen spielte. Der Ehemann, der Vanessa als Letzter gesehen hatte. Der mit ihr in die einsame Wildnis des Pembrokeshire Coast National Park gefahren und ohne sie zurückgekehrt war. Ja, sicher, die Polizei hatte ihn bestimmt überprüft und offensichtlich nichts gefunden, na ja, ihm zumindest *nichts nachweisen* können, aber in neun von zehn solchen Fällen war es der Partner, der Dreck am Stecken hatte, das wusste doch jeder, der auch nur ein bisschen aufmerksam verfolgte, was in den Zeitungen stand. Aber auch wenn er unschuldig war, er blieb eine interessante Figur: Wie war er mit der Katastrophe umgegangen, die so plötzlich über sein Leben hereingebrochen war? Wie ging er heute damit um? Wem würde man gegenüberstehen? Einem gebrochenen Mann? Einer tragischen Gestalt? War er zum

Spinner geworden oder zum Alkoholiker, hatte er seinen Job verloren? Brach er in Tränen aus, wenn man ihn auf Vanessa ansprach? Fragen über Fragen. Und niemand wollte sich die Antworten entgehen lassen. Deshalb waren sie heute hier und heuchelten Trauer über Laurens Tod. In Wahrheit verrenkten sie sich die Köpfe, um nicht die kleinste Geste, die kleinste Regung oder gar ein gesprochenes Wort von Matthew zu verpassen.

Und wir, das musste man uns lassen, hatten sie nicht enttäuscht. Ob sie auch mit dieser Variante gerechnet hatten? Ein aufrechter Matthew im gut geschnittenen schwarzen Anzug, nach wie vor erfolgreich in seinem Beruf, ernster und verschlossener sicher als früher, aber offensichtlich noch voll funktionstüchtig in seinem Leben, *mit einer neuen Frau an seiner Seite*! Einer, die deutlich zehn Jahre jünger war als er und ein viel zu kurzes Kleid trug. Die Vanessa das Wasser nicht reichen konnte, aber ziemlich hübsch, knapp über dreißig und wahrscheinlich klasse im Bett war. Ich spürte, dass sie genau das dachten. Sie waren empört. Und sie verachteten mich. Matthew auch ein bisschen, aber mich noch mehr. Ich war die Schlampe. Er der Mann, der nicht hatte widerstehen können.

Ich wünschte mich an das andere Ende der Welt.

Nach der Beisetzung, die zumindest nach vorgegebenen Ritualen ablief und uns dadurch eine Schonfrist einräumte, gab es noch einen Imbiss in einem kleinen Gasthof nahe dem Friedhof. Trotz der Mittagsstunde und der Hitze, die mit jeder Minute anstieg, wurde reichlich Alkohol ausgeschenkt, was die ganze Gesellschaft im unguten Sinne auflockerte. Ich beobachtete, dass Matthew eisern beim Mineralwasser blieb. Ich hatte mir ein Glas Sekt für die Nerven geholt, trank aber nur in kleinen Schlucken und war entschlossen, es dabei bewenden zu lassen.

Sei vorsichtig, Jenna. Hier ist jede Menge Potenzial für einen handfesten Eklat, und du wirst es nicht sein, die ihn auslöst. Du lässt dich nicht provozieren.

Susan kam auf mich zu. Sie schwitzte stark in ihrem Kostüm, das konnte man sehen. Es erfüllte mich mit einer gehässigen Freude. In meinem unpassenden Nichts von einem Kleid blieb ich zumindest angenehm kühl.

»Sie sind also Matthews neue Freundin?«, fragte sie. Noch immer lächelte sie nicht. Vielleicht wusste sie gar nicht, wie das ging.

»Ich bin *eine* Freundin«, betonte ich.

»Immerhin stehen Sie ihm nah genug, dass er Sie zu einem so intimen familiären Ereignis mitnimmt«, meinte Susan. »Er und Lauren mochten einander sehr, müssen Sie wissen. Bevor Laurens Demenz ausbrach und sie niemanden mehr erkannte, war sie hin und weg von Matthew. Der Traumschwiegersohn. Aber es war ja auch eine Traumehe. Zwischen Matthew und Vanessa. Ein so schönes Paar. Und so glücklich.«

Die Worte waren Messerstiche, und als solche waren sie auch gedacht, aber ich beherrschte mich. »Ja. Das habe ich schon öfter gehört.«

»Sie kannten aber Vanessa nicht?«

»Nein. Ich kenne ja auch Matthew erst seit März dieses Jahres.«

Wieder fuhren die Augenbrauen in die Höhe. »Das ging dann aber schnell zwischen Ihnen!«

Ich hatte plötzlich keine Lust mehr, ständig zu beteuern, dass nichts zwischen uns war. Wieso auch? Es *war* etwas. Bei allen Schwierigkeiten, mit denen wir zu kämpfen hatten: Wir standen nicht wegen *nichts* heute hier bei dieser Trauerfeier zusammen. Er hatte mich gebeten, ihn zu begleiten, weil ich eine Rolle für ihn spielte und ihm wichtig war. Ich war nicht bloß ein Abenteuer oder für eine kurze Zeit sein Betthäschen, nein, genau das konnte man ja nun weiß Gott nicht behaupten!

»Ja«, bestätigte ich, »das ging alles sehr schnell.«

»Sucht er eigentlich noch nach Vanessa?«, erkundigte sich Susan. »Ich erinnere mich, dass er am Anfang ganz besessen davon war, den Fall aufzuklären. Er trat sogar öfter in Fernsehsendungen auf, die sich mit dem Thema vermisster Personen beschäftigten. Er war in einem Verein, den Angehörige spurlos verschwundener Menschen gegründet hatten. Aber seit einiger Zeit ist es still um ihn geworden. Und damit um Vanessa.«

Es klang vorwurfsvoll.

Ich hatte wenig Lust, mich mit Susan zu unterhalten, aber irgendwie musste ich nun einmal die Situation durchstehen, und abweisendes Schweigen war wahrscheinlich keine gute Methode.

»Er kann nicht immerzu nur suchen und suchen«, sagte ich. »Er muss ja auch irgendwann wieder leben.«

Jetzt verzog sie tatsächlich ein wenig die Mundwinkel, aber was dabei herauskam, war nicht wirklich ein Lächeln. Es war eine Emotion, angesiedelt irgendwo zwischen Spott und Verächtlichkeit.

»Nun ja, dass er sich wieder dem Leben zugewandt hat, sieht man ja«, bemerkte sie anzüglich, und einmal mehr glitt ihr Blick zu meinem zerknitterten Rocksaum, der viel zu hoch oberhalb der Knie verlief. Ich musste an mich halten, nicht sofort mit der Hand über mein Kleid zu streichen und dabei den einen oder anderen Zentimeter herauszuholen. Plötzlich war ich überzeugt, dass alles besser gelaufen wäre, hätte ich bloß meinen schlichten Hosenanzug angezogen.

»Ich…«, setzte ich zu einer Erwiderung an, aber gerade

da wurde meine Aufmerksamkeit abgelenkt, weil ein Mann, der ungefähr mein Alter haben musste, an Matthew herantrat und ihn mit ziemlich lauter Stimme fragte: »Und, Matthew? Das Leben geht also weiter?«

Die Gespräche ringsum verstummten. Die Frage war nicht eigentlich anstößig, aber der Tonfall, in dem sie gestellt wurde, enthielt eine eindeutige Provokation. Auch die Lautstärke. Der Typ suchte Streit, und er wollte dafür ein Publikum.

Dunkel entsann ich mich, dass er Bill hieß und mir vorhin vor der Kirche als der Stiefsohn des Neffen von Vanessas Patenonkel vorgestellt worden war. Auch jemand, der Lauren kaum gekannt haben dürfte und heute hier nichts zu suchen hatte.

Jede Familie hat entweder in ihren eigenen Reihen oder im Kreise der Freunde einen echten Versager, einen richtigen Armleuchter, und zweifellos kam diese Rolle Bill zu. Ein fade aussehender Mann, etwas übergewichtig, stark schwitzend, weil er trotz der Hitze nicht aufhörte, Alkohol in sich hineinzuschütten. Er war jemand, bei dem ich sofort den Verdacht hegte, dass er im Alltag nicht viel zu sagen hatte und selten Aufmerksamkeit oder Beachtung fand und dass ihn dies zutiefst frustrierte. Jetzt jedoch hatte er sich Mut angetrunken. Ihm stand der Sinn nach Streit. Um sich auf irgendeine Weise in den Mittelpunkt zu spielen.

»In der Tat«, entgegnete Matthew ruhig, »das Leben geht weiter.«

Was hätte er auf eine solche Plattitüde auch anderes erwidern sollen?

Bill machte eine Kopfbewegung in meine Richtung. »Und das ist sie nun? Die Zeit nach Vanessa?«

»Ich weiß nicht genau, was du meinst«, sagte Matthew.

Bill lachte. Er lachte zu laut und zu anhaltend. Es war ganz deutlich, dass der Alkohol schon begonnen hatte, seine Kontrollfunktionen aufzulösen. »Na ja, hätte mich auch gewundert, wenn einer wie du allein geblieben wäre. Gut aussehender Typ, jede Menge Kohle, tolles Auto, tolles Haus, toller Job … Du kannst die Angebote kaum abwehren, stimmt's?«

Wenn er nicht gerade sturzbesoffen war, platzte Bill vermutlich fast vor Neid auf Matthew. Und hasste ihn wie die Pest.

»Die Angebote halten sich durchaus in Grenzen«, erwiderte Matthew.

Bill lachte wieder. »Aber dass Vanessa tot ist, weißt du immer noch nicht sicher?«

Ein erschrockenes Seufzen ging durch den Raum. Das Wort *tot* im Zusammenhang mit Vanessa hätte niemand so offen in den Mund genommen.

»Niemand weiß etwas«, sagte Matthew. »Das ist leider fast drei Jahre nach ihrem Verschwinden noch immer nicht anders.«

Bill schaute wieder zu mir herüber. »Na ja, mittlerweile wäre es ja auch zu dumm, wenn sich daran etwas ändern würde. An der Ungewissheit, meine ich. Wo du gerade dein Leben so schön neu geordnet hast!«

»Ich kann nichts Gutes daran finden, mit Ungewissheit leben zu müssen«, meinte Matthew, noch immer bemüht, es nicht zu einer Eskalation kommen zu lassen.

Bill hatte mich fest im Blick. »Aber das würde eine Menge Probleme mit sich bringen. Wenn Vanessa nicht tot wäre und auf einmal wieder vor eurer Haustür stünde, oder? Ich meine, du hättest dann plötzlich zwei Frauen, und wir alle wissen … das geht nicht gut auf die Dauer. Schafft Ärger ohne Ende.« Er fuhr sich mit der Zunge über die

Lippen. »Niedlich, die Kleine. Nicht so … kühl wie Vanessa, schätze ich?«

Matthew stellte sein Glas ab. »Es reicht, Bill«, sagte er. »Du solltest nichts mehr trinken heute. Aber das ist nur ein guter Rat. Ob du ihn befolgst oder nicht, werde ich mir nicht mehr ansehen.«

Er trat auf mich zu. »Wir sollten gehen«, sagte er leise.

Mir war das nur allzu recht. Erleichtert stellte auch ich mein Glas ab und reichte Susan gewissermaßen in Vertretung aller anderen die Hand. »Auf Wiedersehen, Susan. Es hat mich ungeheuer gefreut, Sie alle kennenzulernen.«

»Äh … uns auch«, erwiderte Susan perplex.

Matthew nahm meinen Arm. »Nichts wie weg«, murmelte er, »sonst vergesse ich mich noch und haue dem Kerl eine rein!«

Im Hinausgehen vernahmen wir noch einmal Bills Stimme. Er konnte einfach nicht darauf verzichten, das letzte Wort zu haben.

»Ich an Ihrer Stelle wäre nervös, Jenna!«, tönte er. »Richtig nervös! Was machen Sie, wenn Vanessa wieder auftaucht? Haben Sie da schon einen Plan? *Was machen Sie dann?*«

Ich antwortete nicht, sondern trat gefolgt von Matthew hinaus in die Sonne. Dankbar begriff ich, dass ich es überstanden hatte, dass sie alle hinter mir zurückblieben: Vanessas Verwandte und Bekannte und mit ihnen die giftige Mischung aus Sensationslust, Heuchelei, Verachtung und Neid, die mich stundenlang umgeben hatte.

Eines aber blieb: der Satz, den Bill zuletzt gesagt hatte. Der Ausspruch eines betrunkenen Idioten, aber ich wurde ihn trotzdem nicht los, sosehr ich mich bemühte, nicht daran zu denken.

Er dröhnte in meinen Ohren.

Was machen Sie, wenn Vanessa wieder auftaucht?
Was machen Sie dann?

5

»Hast du nicht Lust, uns zu besuchen?«, fragte Vivian.
»Morgen Abend? Das Wetter ist herrlich. Wir könnten bei
uns im Garten grillen.«

Uns. Vivian lebte mal wieder in einer festen Beziehung,
der Neue war sogar schon bei ihr eingezogen. Adrian hieß
der Traummann, und es war deutlich, dass Vivian darauf
brannte, ihn vorzustellen. Bestimmt sah er gut aus, war erfolgreich und seriös. Und hatte mit Sicherheit eine solidere
Biographie vorzuweisen als Ryan.

Nora, die gerade ihre Tasche im Umkleideraum zusammenpackte, seufzte unterdrückt. Seit jener missglückten
Party gab sich Vivian alle Mühe, aber es funktionierte einfach nicht mehr zwischen ihnen. Es war nicht so, dass Nora
ihr nicht hätte verzeihen können: Vivian hatte sich hundertmal entschuldigt und zugegeben, dass sie unberechenbar und unausstehlich war, wenn sie Alkohol trank, und
eigentlich hätte es damit gut sein können. Nora war nie
ein nachtragender Mensch gewesen. Aber diesmal konnte
sie einfach nicht so tun, als sei nichts gewesen, vielleicht
wollte sie es nicht einmal. Weil Vivian allzu zielgenau ins
Schwarze getroffen hatte? Oder lagen die Dinge noch einfacher – oder komplizierter, wie man es nahm: Sich mit
Vivian wirklich auszusöhnen hätte bedeutet, in die Normalität einzusteigen, die es vor jenem Vorkommnis zwi-

schen ihnen gegeben hatte, und Nora war nicht sicher, ob *Normalität* das war, was sie im Augenblick hinbekommen würde. Mit einem Mann wie Ryan an ihrer Seite. Würde das alles nicht nur in eine ständige, sich steigernde Anstrengung münden? So zu tun, als sei alles in Ordnung, wenn in Wahrheit nichts in Ordnung war. Gar nichts.

»Deinen Ryan bringst du natürlich mit«, fügte Vivian hinzu. »Das ist doch klar.«

Eben nicht. Das war überhaupt nicht klar. Nora hatte keine Ahnung von Ryans Wochenendplänen, aber das würde sie natürlich niemandem gegenüber zugeben. Weil sie damit auch die peinliche Tatsache hätte einräumen müssen, dass es eben keine gemeinsamen Pläne gab so wie bei anderen Paaren. Nach außen hin hatte sie das Bild des echten Zusammenlebens errichtet. Ryan galt als ihr Freund, eigentlich sogar schon als ihr Lebensgefährte. Die Wahrheit sah völlig anders aus, da Ryan sie als gute Bekannte empfand und als einen Menschen, der ihm nach seinem Gefängnisaufenthalt in der schwierigen Phase der Wiedereingliederung in den normalen Alltag zur Seite stand. Im Grunde hatte Nora das gewusst, hatte aber auf die Entwicklung der Dinge gehofft. Und nicht wirklich einkalkuliert, dass sich alles anders entwickeln mochte, als es ihr vorschwebte. Gerade in den letzten Wochen schien es, als bewege sich Ryan eher von ihr fort als zu ihr hin. Er war viel unterwegs, meist zog es ihn nach Swansea hinüber, wo er seine alte Freundin Debbie besuchte. Nora wusste, dass es Debbie schlecht ging, und irgendwie verstand sie, dass Ryan glaubte, sich um sie kümmern zu müssen, aber sie litt Qualen, wenn er bei ihr war, und musste alle Kraft, die sie hatte, aufbieten, um ihn später nicht mit Tränen und Vorwürfen daheim zu empfangen. Hundertmal sagte sie sich, dass die beiden zwar vor langer Zeit ein Paar gewesen waren, sich aber schließlich getrennt hatten, und das sprach ja dafür, dass ihre Liebe irgendwann verloren gegangen war. Warum sollte das plötzlich anders sein? Sie waren gute Freunde, mehr nicht. Ryan hatte ihr erzählt, dass er bei Debbie hatte wohnen dürfen, damals, kurz bevor er ins Gefängnis musste, weil sein Geld nicht für eine eigene einigermaßen anständige Wohnung gereicht hatte. Debbie hatte sich um ihn gekümmert. Jetzt kümmerte er sich um sie. Das war normal. Immerhin hatte sie ihn nicht einmal im Gefängnis besucht. Das sprach nicht gerade für das Vorhandensein großer Gefühle, die jederzeit wieder aufflammen konnten.

Nora beschwichtigte ihre Ängste, aber es gelang ihr nicht, sie zu überwinden. Gern hätte sie mit irgendjemandem über all das gesprochen, aber die Freunde und Kollegen, allen voran Vivian, schieden aus, weil sie ihr natürlich mehr oder weniger deutlich gesagt hätten: *Siehst du? Haben wir es nicht prophezeit? Was hast du eigentlich geglaubt, als du dir einen Strafgefangenen geangelt hast? Dass du einen erwischst, der deine Heile-Welt-Träume mit dir teilt?*

Niemals würde sie zugeben, dass es große Probleme für sie gab. Probleme, die seit Anfang der Woche noch massiver geworden waren. Denn am vergangenen Montag war Ryan selbst für seine Verhältnisse ungewöhnlich spät nach Hause gekommen, und Nora hatte diesmal nicht an sich halten können.

»Warst du wieder bei ihr?«, hatte sie gefragt. »Warum bleibst du eigentlich nicht gleich die ganze Nacht? Sicher hätte sie nichts dagegen, wenn du ihr bis in die frühen Morgenstunden das Händchen hältst und ihren Schlaf bewachst.«

Normalerweise wäre er über eine solche Bemerkung wütend geworden, hätte sich ihre Einmischung verbeten. Doch an jenem Abend, in jener Nacht hatte er nichts erwidert, war nur auf einen Stuhl gesunken und dort bewegungslos sitzen geblieben, ein Zittern in den Händen, das er nicht kontrollieren konnte. Sie hatte begriffen, dass etwas vorgefallen war, irgendetwas sehr Ernstes, das vielleicht gar nichts mit Debbie zu tun hatte. Sie hatte vor ihm gekauert, ihn angeschaut, ihn gebeten, um Gottes willen zu sagen, was los war.

Und dann hatte er es erzählt.

Von den beiden Typen, die ihn zu Damon gebracht hatten. Von den fünfzigtausend Pfund. Von der Frist, die ihm blieb. 30. Juni.

»Von dem Tag an«, hatte er gesagt, »ist mein Leben keinen Pfifferling mehr wert.«

Nach allem, was sie seit der Reise nach Yorkshire bereits über Damon wusste, hatte Nora sofort verstanden, dass er nicht übertrieb.

Sie zuckte zusammen, als Vivian mit lauter Stimme wiederholte: »Was ist? Kommt ihr morgen? Du und Ryan?«

Nora nahm ihre Tasche. »Nein. Wahrscheinlich besuchen wir Ryans Mutter über das Wochenende. Oben in Yorkshire.«

»Wie schade«, sagte Vivian.

Nora zuckte mit den Schultern. Vivian hatte sich noch nicht fertig umgezogen. Sie war etwas gehandicapt, seit sie in der Woche zuvor beim Training auf dem Laufband mit dem Fuß umgeknickt war. Der Arzt hatte eine Zerrung festgestellt, und nun wollte der Knöchel nicht abschwellen, schmerzte und verhinderte, dass Vivian in normale Schuhe passte. In früheren Zeiten hätte Nora ihr beim Ausziehen der Strümpfe geholfen und geduldig gewartet, bis sie fertig war, nun aber verließ sie mit einem gemurmelten Abschiedsgruß den Umkleideraum und dann auch mit schnellen Schritten das Krankenhaus. Nach dem langen Aufenthalt in den klimatisierten Räumen traf sie die Hitze draußen wie ein Schock. Es mussten an die dreißig Grad sein. Sie schaute auf die Uhr. Kurz nach vier. Freitags kam sie meist früher los. Ihr letzter Patient war eine Calcaneus-Fraktur gewesen, eine gebrochene rechte Ferse. Ein anstrengender Mann. Missglückter Selbstmordversuch, keine Seltenheit bei dieser Art von Verletzung. Die Leute versuchten, sich aufzuhängen, aber der Strick löste sich oder die Verankerung, an der er befestigt war, hielt nicht, und sie rauschten in die Tiefe. Kamen senkrecht auf, meist mit einem Bein zuerst, und dann war die Ferse zertrümmert. Operation und langwierige Heilgymnastik folgten. Niemand riss sich um die gescheiterten Selbstmörder, und meist wurden sie Nora zugeteilt. Sie hatte den Ruf, einfühlsam mit diesen Menschen umgehen zu können und ihnen neben der Physiotherapie auch gleich noch eine Seelenmassage zu bieten.

»Nora hat eben ein Helfersyndrom«, sagten die Kollegen oft.

Wahrscheinlich stimmte das. Wahrscheinlich hatte diese Ader in ihr sie auch dazu gebracht, eine Brieffreundschaft mit einem Gefängnisinsassen zu beginnen. Die Frage war nur immer: Welches Defizit befriedigte eine Frau mit Helfersyndrom? Nora hätte sich früher energisch gegen die mit der Frage allzu deutlich ausgesprochene Unterstellung gewehrt. Inzwischen gestand sie sich längst ein, dass etwas Wahres daran war. Sie hatte sich einen Mann gesucht, der sie brauchte. Und von dem sie daher hoffen durfte, er werde sie nicht verlassen.

Sie hatte Angst vor dem Alleinsein. Darin lag ihr großes Defizit.

Sie hatte schon den Weg nach Hause einschlagen wollen, blieb jedoch stehen. Warum sollte sie nicht an einem so schönen, sonnigen Tag ein wenig durch die Stadt schlendern und dabei auch im Copyshop vorbeischauen? Vielleicht konnte Ryan gleich mitkommen. Sie würden irgendwo etwas trinken, und sie könnte ihm sagen, was sie sich überlegt hatte. Er brauchte Hilfe, und sie sah nur einen Weg.

Sie saßen in einem Café, so abseits wie möglich in einer Ecke. Ryan hatte darauf bestanden. Nora wollte über Damon reden, und Ryan hatte Angst, dass irgendjemand etwas mitbekommen könnte. Sie bestellten jeder einen Kaffee, dazu eine Flasche Wasser. Ryan sah müde und angespannt aus.

»Eines ist völlig klar«, sagte Nora. »Du musst das Geld zurückzahlen. Und dich von da an nie wieder auch nur in die Nähe dieses Damon oder eines ähnlichen Typen begeben. Du darfst keinen Fuß mehr in die kriminelle Welt setzen, Ryan. Sonst hört das nie auf!«

Er starrte in seinen Kaffee. »Was hört nie auf?«

»Dass eines zum anderen kommt«, sagte Nora. »Das meine ich.«

Er nickte. Sie wusste ja gar nicht, wie recht sie hatte.

»Okay«, sagte er, »das Geld zurückzahlen. Die Kleinigkeit von fünfzigtausend Pfund. Äh … du hast nicht auch schon zufällig eine Idee, woher ich die nehmen soll?«

»Ich habe die ganzen letzten Tage praktisch über nichts anderes nachgedacht.« Das stimmte. Selbst ihren Patienten war aufgefallen, dass Nora völlig geistesabwesend ihre tägliche Arbeit verrichtete. »Und mir ist dabei klar geworden, dass wir nur eine einzige Möglichkeit haben.« Sie machte eine kurze Pause. Sie wusste, dass ihr Vorschlag Ryans Protest hervorrufen würde, und wollte daher von vornherein ihren Worten möglichst viel Gewicht verleihen. »Unsere einzige Möglichkeit sind deine Mutter und Bradley.«

»Wie bitte? Wie sollen denn die uns helfen?«

»Sie haben ein Haus, das ihnen gehört.«

Ryan schüttelte den Kopf. »Das ist Bradleys Haus. Nicht das meiner Mutter. Glaubst du allen Ernstes, er wird eine Hypothek aufnehmen, um dem völlig verkommenen Sohn seiner Frau *fünfzigtausend Pfund* mal eben über den Tisch zu schieben?«

»Es wird nicht leicht. Aber es ist die einzige Hoffnung, die wir haben.«

»Vergiss es, Nora«, sagte Ryan. »Das macht er nicht. Und ich werde ihn nicht fragen und mir eine Abfuhr abholen!«

»Tut mir leid, Ryan, aber deinen Stolz musst du für den Moment zur Seite schieben«, erklärte Nora. »Du kannst ihn dir nicht leisten. Wir haben beide keine fünfzigtausend Pfund, und du weißt genau, dass es nicht die geringste Chance gibt, einen solchen Betrag innerhalb der nächsten Wochen aufzutreiben. Es sei denn, wir überfallen eine Bank, aber das hielte ich, ehrlich gesagt, für den noch schlechteren Plan.«

»Bradley wird mir nicht helfen. Er kann mich nicht ausstehen. In seinen Augen bin ich ein hoffnungsloses Individuum, mit dem er am liebsten so wenig wie möglich zu tun hat. Du musst das doch gemerkt haben, als wir dort waren!«

»Ich habe aber auch gemerkt, dass er deine Mutter sehr liebt und dass sie sehr wichtig für ihn ist. Er wird es nicht dir zuliebe tun, Ryan. Aber vielleicht deiner Mutter zuliebe.«

»Meine Mutter hat gerade etwas sehr Schlimmes erlebt. Glaubst du, es tut ihr besonders gut, wenn ich nun bei ihr aufkreuze und ihr erkläre, dass ich mich mit einem Gangsterboss eingelassen habe und auf dessen Abschussliste stehe, falls ich nicht sofort fünfzigtausend Pfund liefere? Sie denkt, dass in meinem Leben endlich alles in Ordnung ist, weil ich mit einer netten Frau zusammenlebe und einen Job habe. Ich will ihr diesen Glauben nicht nehmen.«

»Dieser Damon ist aber ein Teil deiner Vergangenheit. Und dass die nicht astrein war, weiß sie doch sowieso«, sagte Nora.

Nur um irgendetwas zu tun, schaufelte Ryan zwei Löffel Zucker in seinen Kaffee, obwohl er Kaffee mit Zucker überhaupt nicht mochte. Er spürte, dass er wütend auf Nora wurde, aber zugleich auch auf sich selbst, weil er genau wusste, dass sein Ärger ungerecht war. Nora hatte mit jedem Wort, das sie sagte, recht, und so unangenehm, ja, geradezu unerträglich der Weg war, den sie ihm aufzeigte, so deutlich verstand er doch, dass es keine Alternative gab. Er konnte kaum noch einmal eine Frau verschleppen, verstecken und ein Lösegeld zu erpressen versuchen. Und der einzige Mensch, den er persönlich auf der Welt kannte, der das Geld lockermachen konnte, war tatsächlich Bradley.

»Ich muss mir das überlegen«, sagte er.

»Ich komme mit nach Yorkshire, wenn du mit Bradley und Corinne sprichst«, bot Nora an.

»Wir müssen dort hinfahren?«

»Du kannst das nicht am Telefon abhandeln. Dann geht es garantiert schief!«

Sie hatte vermutlich schon wieder recht.

»Ich überlege es mir«, wiederholte er.

»Ja, aber nicht zu lange. Ryan, du musst dieses Milieu verlassen. Das Milieu, das Typen wie dieser Damon verkörpern. Du sagst, er wird dich umbringen, wenn du nicht zahlst. Kann sein. Es kann aber auch sein, dass er dich von da an ständig benutzt. Er hat dich ja völlig in der Hand. Es kann passieren, dass du zum Laufburschen eines hochkriminellen Verbrechers wirst. Ryan«, sie sah ihn eindringlich und bittend an, »Ryan, du hast jetzt die Chance, ein neues Leben zu beginnen. Ein ehrliches und anständiges Leben. Und ich weiß, dass das die Art Leben ist, die zu dir passt. Das ist der echte Ryan. Nicht der Ganove. Sondern der Mann, der seiner Arbeit nachgeht und den Kopf hoch tragen kann, weil er sich nichts zuschulden kommen lässt. Lass dir das jetzt nicht kaputt machen!«

Er trank einen Schluck Kaffee. Er schmeckte widerlich süß.

»Woher willst du wissen, was zu mir passt?«, fragte er aggressiv. »Du kennst mich doch überhaupt nicht!«

Sie zuckte ganz leicht zusammen. »Ich glaube, ein wenig kenne ich dich schon«, sagte sie tapfer.

Er schob seine Tasse weg. Er würde dieses Gebräu nicht trinken. Er schaute hinaus in den sommerlichen Tag. Eine Gruppe lachender Jugendlicher schlenderte gerade vorbei, unbekümmert und sorglos. Sie beide hier drinnen waren wie ausgegrenzt von allem: von den fröhlichen Menschen. Von der Sonne, dem Licht. Vom Leben.

Warum, zum Teufel, tat sich Nora das an? Er konnte das nicht nachvollziehen, und es verunsicherte ihn. Und setzte ihn unter Druck. Machte ihn unwillig und unwirsch. Und müde. Und schuldbewusst. Und Gott weiß was noch alles.

Er wäre jetzt am liebsten aufgestanden und zu Debbie hinüber nach Swansea gefahren. Wozu er aber natürlich schon wieder Noras Auto hätte nehmen müssen. Er hätte Debbie gerne von seinen Sorgen erzählt, hätte sie um Rat und Hilfe gefragt. Aber er machte sich nichts vor: Debbie mochte es richtig schlecht gehen zurzeit, und sie mochte so angewiesen sein auf Freunde wie nie vorher in ihrem Leben, aber in der Frage, ob sie sich in irgendetwas Illegales hineinziehen ließe, würde sie die alte unbeirrbare, knallharte Debbie sein. Sie begab sich nicht einmal in die Nähe solcher Versuchungen. Sie würde ihn abblitzen lassen. *Ich habe dich immer gewarnt, dich mit Typen wie diesem Damon einzulassen. Tut mir leid, ich kann dir nicht helfen. Sieh zu, wie du das Problem löst!*

Aber seltsamerweise kam er mit diesem Verhalten besser zurecht als mit dem, das Nora an den Tag legte. Vielleicht, weil er es verstand. Noras Engagement konnte er zutiefst *nicht* verstehen. Er erwartete, dass er dafür einen Preis würde zahlen müssen.

Und das wollte er nicht. *Das wollte er einfach nicht.*

So wenig, wie er vor Bradley, diesem hochnäsigen Erzspießer, zu Kreuze kriechen wollte. So wenig, wie er seiner Mutter erklären wollte, dass er schon wieder in der Bredouille steckte.

So wenig, wie er von Damons Leuten ermordet werden wollte.

Immer wieder und unendlich drehe ich mich im Kreis, dachte er.

Er konnte Noras Hand auf seinem Arm spüren. »Lass uns nach Hause gehen, Ryan«, sagte sie. »Lass uns dort weitersprechen. Vielleicht nicht mehr heute Abend. Aber morgen, übermorgen. Wir haben nicht endlos Zeit!«

Sie hatte recht.

Er zog seinen Arm ruckartig weg, und ihre Hand platschte auf die Tischplatte. Er schaute sie nicht an, aber er wusste, dass sie jetzt wieder den Ausdruck eines verwundeten Rehs im Gesicht tragen würde. Er wollte das nicht sehen.

Vielleicht regte sie ihn deshalb manchmal so auf: Sie hatte einfach immer recht.

6

Matthew wollte fort von Holy Island, so schnell er konnte. Ihm reichte es, und er war wütend. Ich wäre gern noch etwas geblieben, jetzt, da das unangenehme Ereignis hinter uns lag und ich wieder entspannt durchatmen konnte. Holy Island – zumindest das, was ich auf unserer raschen Durchfahrt sehen konnte – faszinierte mich: die Hochebenen, die kaum eine Begrenzung für das Auge boten, die Klippen aus hellgrauem Stein, das flach gedrückte, bräunliche Gras, die vielen weidenden Pferde überall, die Kirchen und Keltenkreuze. Es war ein Katzensprung von hier nach Dublin und Dún Laoghaire hinüber, und die ganze Anmutung war so, als befände man sich bereits in Irland. Matthew sagte, dass er Holy Island natürlich schon bei schönem Wetter, jedoch noch nie bei solcher Hitze erlebt hatte. Meist sei es hier kühl, windig und oft regnerisch. Ich stellte mir Vanessa vor, die hier aufwuchs. Mit ihrer Mutter hoch über den Klippen spazieren ging, im blauen Faltenrock auf den Schulbus wartete, später als Teenager an verregneten Samstagabenden in der örtlichen Diskothek von aufregenderen Orten träumte. Ich vermutete, dass Teenager von hier fortstrebten, sich am liebsten nach London gebeamt hätten oder in den Ferien irgendwohin, wo es trockener und die Nächte lebendig und vielversprechend waren. Vanessa hatte es immerhin nach Swansea geschafft. Und war eine angesehene, geschätzte und beliebte Universitätsdozentin geworden.

Nicht schlecht für ein Mädchen aus Anglesey.

Über die Four-Mile-Bridge verließen wir Holy Island, und von da an hatte ich den Eindruck, dass sich auch Matthew etwas entspannte. Er sprach immer noch nicht viel, aber er wirkte gelöster, glatter im Gesicht.

Als wir uns wieder Richtung Süden wandten, sagte er unvermittelt: »Es tut mir leid. Es muss scheußlich für dich gewesen sein.«

Ich fand nicht, dass er sich für irgendetwas entschuldigen musste. »Nein, im Gegenteil«, sagte ich, »es tut *mir* leid.«

»Wieso das denn?«

»Na ja«, ich blickte an mir hinunter, »dieses unmögliche Kleid zum Beispiel. Es eignet sich für eine Cocktailparty, aber nicht für eine Beerdigung. Ich glaube, deine Verwandten fanden mich ziemlich … unpassend.«

»Es sind nicht meine Verwandten«, korrigierte er sofort, »sondern die von Vanessa. Und was stört dich an deinem Kleid?«

»Es ist viel zu kurz!«

Er schaute zu mir herüber. Jetzt im Sitzen bedeckte das schreckliche Kleid gerade einmal den Ansatz meiner Oberschenkel. Ich glaube, Matthew nahm mich zum ersten Mal an diesem Tag bewusst wahr.

Er grinste plötzlich. »Oh, es ist in der Tat …« Er suchte nach einem passenden Wort.

»Frivol?«, schlug ich vor. »Unanständig? Provozierend?«

»Alles zusammen«, sagte er lächelnd. »Aber du hast phantastische Beine. Ich wette, Susan, der Drache, ist fast geplatzt vor Neid!«

Ich erwiderte sein Lächeln. Es war der Augenblick, an dem sich der ganze Tag unverhoffterweise vollständig wendete. Heiß, fast unerträglich heiß, war es die ganze Zeit über gewesen. Aber nun war auf einmal auch eine Wärme zwischen uns beiden spürbar, die nichts mit den Temperaturen draußen zu tun hatte.

»Ich weiß nicht, wie es dir geht«, sagte Matthew, »aber ich habe absolut keine Lust, heute schon nach Hause zu fahren. Ich finde, wir haben etwas Besonderes verdient. Irgendeine malerische Ecke, ein schönes Restaurant, ein tolles Hotel. Was meinst du?«

Ich war überrascht. Von mir aus hätte ich es nie gewagt, einen solchen Vorschlag zu machen. Aber mir war klar, dass es unklug wäre, jetzt abzulehnen. Matthew würde sich dann vielleicht nie wieder so weit vorwagen.

Mein Plan, am nächsten Morgen in aller Frühe bei Alexia zu sein und mit ihrem Auto auf Motivsuche zu gehen, hätte sich dann allerdings erledigt. Aber ich konnte ihr eine SMS schicken, die Umstände erklären und ihr versichern, den Auftrag einen Tag später auszuführen. Ob ich am Samstag oder am Sonntag auf Motivsuche ging, blieb sich völlig gleich. Vor Montag würde Alexia ohnehin nicht mit Fotografen und Models telefonieren und die Dinge ins Rollen bringen können. Also hatte ich Zeit.

»Ich finde, das ist eine großartige Idee«, sagte ich. »Ich bin nicht scharf darauf, heute noch in meine Wohnung zurückzukehren.«

Und das stimmte. Allein dort oben in dem kleinen Backofen zu sitzen und nicht zu wissen, wohin mit all den Empfindungen, Gefühlen, Gedanken, die dieser Tag in mir ausgelöst hatte – es war eine fast alptraumhafte Vorstellung.

Und so landeten wir am späten Nachmittag in der Cardigan Bay an der Westküste von Wales. Da wir nicht gerade passend für eine Wanderung angezogen waren, fuhren wir ein wenig mit dem Auto umher, kamen dann nach Cardigan hinein, bummelten durch die Geschäfte und tranken jeder einen Eistee in einem Café. Matthew erkundigte sich nach einem guten Hotel, und man empfahl uns das Llys Meddyg in Newport.

»Immer die alte Fishguard Road entlang. Dann kommt

Newport, und gleich hinter dem Ortseingang befindet sich das Hotel.«

Es war ein bezauberndes kleines Haus mit wunderschönen, komfortablen Zimmern, eingerichtet im Landhausstil, mit geblümten Vorhängen an den Fenstern und bunten Patchworkdecken über den Betten. Zum Glück hatten sie noch etwas frei. Wir boten sicher einen etwas ungewöhnlichen Anblick, Matthew in seinem schwarzen Anzug, ich im schwarzen Kleid mit schwarzen Strümpfen und beide ohne ein einziges Gepäckstück. Ich hatte nichts bei mir als meine Handtasche. Der Mann an der Rezeption stellte allerdings keine Fragen. Offenbar vermittelten wir trotz allem einen seriösen Eindruck.

Oben im Zimmer sagte Matthew, er werde jetzt als Erstes seine Zugehfrau anrufen, um zu fragen, ob sie Max bis zum nächsten Tag bei sich behalten konnte. Während er telefonierte, lehnte ich mich aus dem Fenster. Ich blickte in einen kleinen gepflasterten Hof. Die Hitze war nicht mehr drückend, erste Abendkühle streichelte mein Gesicht. Ich hatte Herzklopfen. Ich war immer noch glücklich.

»Alles okay«, sagte Matthew. »Max kann bleiben, solange wir wollen. Das wäre geklärt.«

Er verschwand im Bad, weil er unbedingt duschen wollte. Während das Wasser rauschte, schrieb ich eine SMS an Alexia:

Hi, Alexia, ich bin in Newport! Mit M. im Hotel ☺ *!! Kann morgen früh nicht kommen, aber ich erledige alles am Sonntag. Fest versprochen!! Jenna xx*

Die Alexia von früher hätte etwa eine halbe Minute später mit einer aufgeregten Antwort reagiert. *Mit M. im Hotel??? Na endlich!!! Du erzählst mir alles, verstanden? OMG, wie spannend!!!*

Etwas in dieser Art. Die Alexia von heute, die vor lauter

Sorgen die Welt ringsum nicht mehr von ihrer abenteuerlichen und schönen Seite wahrnahm, antwortete nach etwa drei Minuten.

Okay, aber ich kann mich darauf verlassen, dass du am Sonntag da bist? Alexia

Ich seufzte und simste zurück: *Felsenfest! Bitte mach dir keine Sorgen! Alles wird gut. Jenna xx*

Darauf bekam ich dann keine Antwort mehr, aber ich nahm an, dass die Sache damit in Ordnung war. Matthew und ich hatten alles, was anstand, geordnet. Den Hund gut untergebracht, meinen Auftrag verschoben. Uns stand nichts mehr im Weg. Höchstens noch wir selbst, aber ich mochte gar nicht über die vielen Probleme nachdenken, mit denen wir uns seit Wochen herumschlugen. Zumal ich den Eindruck hatte, dass sich diesmal wirklich etwas verändert hatte. Vielleicht hatte das einfach etwas damit zu tun, dass wir Menschen doch ziemlich oft einfach gestrickten psychologischen Gesetzmäßigkeiten folgen: Die ganze Zeit über war Matthew von Bekannten und Freunden umgeben gewesen, die ihm rieten, nach vorn zu schauen, die Vergangenheit ruhen zu lassen, wie schmerzhaft das auch sein mochte, und sich dem Leben nicht länger zu verschließen. Oft hatte es den Anschein gehabt, als ließe ihn gerade dieses Ansinnen fast zwanghaft in seiner Treue zu Vanessa verharren. Jeder verließ sie – musste er da nicht wenigstens bleiben?

Heute nun hatten sich die Vorzeichen umgekehrt. Plötzlich war Matthew mit Menschen konfrontiert gewesen, die das genaue Gegenteil von ihm erwarteten und die seine vermeintliche Abkehr von Vanessa und seine Hinwendung zu einer anderen Frau naserümpfend quittierten. Er hatte ihre unterschwellige Kritik gespürt, die Arroganz, mit der sie über ihn urteilten. Das hatte seinen Trotz geweckt.

Was wollten sie? Eine Art männliche Witwenverbrennung? Sollte er im Schatten dahinvegetieren, so lange, bis Vanessas Schicksal geklärt war, und wenn es sich nie klärte, dann ging sein Leben darüber eben auch verloren? Das Ausmaß ihrer Anmaßung hatte ihn erschüttert und tief verärgert. Aber auch etwas in seiner Sichtweise verschoben. Wollte er tun, was sie erwarteten? Nie wieder leben?

Schließlich tauchte er aus dem Bad auf, frisch geduscht, aber unvermeidlicherweise wieder in dem schwarzen Anzug steckend, den er schon den ganzen Tag über getragen hatte. Auch ich ging nun duschen, zog dann das inzwischen wirklich grauenhaft zerknitterte Kleid an, ließ aber die Strümpfe weg. In meiner Handtasche hatte ich einen Kamm, sodass ich mir wenigstens die Haare etwas in Ordnung bringen konnte. Ich zog meine Lippen nach, betrachtete mich prüfend im Spiegel. Ich sah aufgeregt und erwartungsvoll aus und irgendwie *leuchtend*. Meine Augen waren groß und glänzend, meine Haut schimmerte rosig. Der Tag, so anstrengend und unangenehm er zunächst gewesen war, schien in einen wunderbaren Abend zu münden, der, das spürte ich einfach, eine Wende bringen würde. Einen echten Neuanfang diesmal, der nicht in seinen ersten Anläufen stecken bleiben würde wie jener gescheiterte Versuch, den Matthew vor einigen Wochen gestartet hatte. Wir hatten die entscheidende Schwelle erreicht; wir würden sie überschreiten und die Zeit der Unklarheit und des Unglücks hinter uns lassen. Ich wusste es. Ich hätte nicht erklären können, weshalb ich so sicher war.

Unvermittelt vernahm ich in diesem Moment die Stimme von Bill.

Was machen Sie, wenn Vanessa wieder auftaucht?

Auf einmal war es, als lege sich ein Schatten über das Badezimmer. Vielleicht war es tatsächlich so, vielleicht war wirklich eine Wolke über den makellosen Sommerhimmel gesegelt und hatte sich für einen Moment vor die Sonne geschoben. Ich war alt genug, um zu wissen, dass das Leben manchmal auf eine ziemlich zynische Weise gemein sein konnte. Wenn das Schicksal vorgesehen hatte, Vanessa wieder aufkreuzen zu lassen, dann wäre jeder Moment von jetzt an ganz besonders perfide. Matthew und ich würden uns nun aufeinander einlassen. Fast drei Jahre lang hatte Matthew gehofft, seine Frau wiederzusehen, aber wenn sich sein Wunsch jetzt erfüllte, würde das dramatische Konsequenzen nach sich ziehen.

Ich mochte gar nicht daran denken, wie schmerzhaft sich die Dinge für mich womöglich noch entwickeln konnten.

»Dann denk auch nicht darüber nach«, sagte ich laut zu meinem Spiegelbild. Ich schaute kurz zum Fenster hinaus: Der Schatten war reine Einbildung gewesen. Es gab nicht die kleinste Wolke am Himmel.

Ich verließ das Badezimmer, und dann gingen wir hinunter, um in dem Restaurant, das zu dem Hotel gehörte und dessen kulinarische Köstlichkeiten weithin gerühmt wurden, zu Abend zu essen. Wir wurden zunächst in die Bar im Keller gebeten, um dort einen Drink zu nehmen. Es war ein gemütlicher Raum, der uns empfing, mit teilweise weiß gekalkten, teilweise holzgetäfelten Wänden. Es gab zwei große Ledersofas, aber auch einzelne kleine Tische mit Stühlen darum herum. Überall brannten Teelichter. Es waren bereits etliche Gäste versammelt, die mit ihren Gläsern in der Hand zwanglos herumstanden oder saßen. Einige kannten einander offenbar, denn sie unterhielten sich lebhaft und fröhlich. Matthew und ich blieben für uns und tranken unseren Sherry. Ich spürte, dass wir einige verstohlene Blicke auf uns zogen, auffällig, wie wir nun einmal waren in unserer schwarzen Kleidung.

Eine Dame, die ebenfalls ohne Anschluss war, sprach uns schließlich an.

»Sie sind heute angekommen?«, fragte sie.

Ich nickte. »Ja. Vor einer Stunde.«

»Bleiben Sie länger?«

»Nur bis morgen«, sagte Matthew.

»Sie müssen unbedingt über den Klippenpfad wandern«, sagte die Dame. »Und außerdem sollten Sie sich das Vogelschutzgebiet ansehen. Es liegt hier fast hinter dem Haus. Einzigartige, seltene Seevögel brüten dort. Ein unglaublich friedlicher, schöner Ort.«

Ich blickte auf meine schwarzen hochhackigen Schuhe hinunter und stellte mir vor, wie sich darin die Wanderung über einen Klippenpfad anfühlen mochte.

Die Dame senkte ihre Stimme. »Sie kommen von einer Beerdigung?«, fragte sie anteilnehmend.

»Meine Schwiegermutter«, erklärte Matthew mit erster leiser Ungeduld in der Stimme. Die Frau ging ihm auf die Nerven.

Sie verzog schmerzlich das Gesicht und wandte sich dann an mich. »Mein herzliches Beileid«, sagte sie.

Ich brauchte eine Sekunde, um zu kapieren, dass sie die Verstorbene für meine Mutter hielt. Und somit mich für Matthews Ehefrau. Obwohl das ein Missverständnis und eigentlich unwichtig war, erfüllte es mich mit einer stolzen, kindlichen Freude. Wir passten zusammen. Man hielt uns sogar für verheiratet. An diesem einzigartigen Abend schien plötzlich alles auf eine so wunderbare Art *in Ordnung* zu sein.

Irgendwie gelang es uns, die einsame Dame, die sich uns gerne angeschlossen hätte, loszuwerden und oben zum Essen einen Tisch für uns zu ergattern. Wir tranken Wein und aßen die wirklich vorzüglich zubereiteten Speisen. Wir redeten nicht viel. Zwischen den einzelnen Gängen hielten wir einander an der Hand. Es war eine Selbstverständlichkeit zwischen uns, die Worte überflüssig machte, die ein einvernehmliches Schweigen, das nie in eine unangenehme Stille abglitt, ermöglichte. Wir waren einfach zusammen, und nur das zählte.

Nach dem Essen gingen wir hinauf in unser Zimmer, in diesen romantischen kleinen Raum, der direkt unter dem Dach lag und mit seinen schrägen Wänden und kleinen Dachgauben so gemütlich und warm und friedlich war. Ich vibrierte innerlich. Nach meinen wilden Jahren, in denen ich mit mehr Männern im Bett gewesen war, als ich es jemals irgendjemandem würde beichten dürfen, war ich erstaunt, wie aufgeregt ich noch sein konnte. Fast nervös. Wir standen einander gegenüber, Matthew sah mich an und sagte: »Du bist unglaublich schön. Und mich hat noch nie eine Frau so fasziniert wie du.«

Es war der Moment, in dem ich mich endgültig mit dem schwarzen kurzen Kleid versöhnte, denn so unpassend es den ganzen Tag über gewesen sein mochte, für *diesen* Anlass nun war es haargenau richtig. Ich wusste, dass ich darin noch jünger wirkte, als ich war, und dass es mich sehr sexy machte. Ich konnte das an Matthews Gesicht sehen. Er machte einen Schritt auf mich zu und küsste mich, und dann fingen wir an, uns gegenseitig auszuziehen, wobei er sehr behutsam war, während ich natürlich mal wieder ausgesprochen hastig und sehr leidenschaftlich das Tempo vorantrieb. Als wir auf dem Bett lagen, stellte ich wie schon vorher so oft fest, dass ich seinen Geruch liebte. Ich mochte das Gefühl seiner Haut unter meinen Fingern, und glücklich spürte ich, wie erregt ich umgekehrt auf seine Berührungen reagierte. Seine Finger glitten an dem Träger meines BHs entlang, streichelten mich dabei so sanft, dass ich meinte, dort und allmählich überall am Körper zu brennen. Als er den mit kleinen Strasssteinen verzierten Verschluss erreichte, hielt er inne.

»Ist es okay?«, fragte er leise. »Oder geht dir das alles zu schnell?«

Ich musste an mich halten. Zu schnell! Ich war die Jenna Robinson, die früher in dem Ruf gestanden hatte, mit einem Mann entweder überhaupt nicht zu schlafen oder gleich in der ersten Nacht. Dazwischen gab es nichts. Das hier, dieses wochenlange Hin und Her, ehe wir endlich im Bett gelandet waren, stellte eine absolute Premiere dar, bloß sollte Matthew das besser nie erfahren. Letztlich war er ein ziemlich konservativer Typ. Ganz sicher hielt er mich nicht für die Unschuld vom Lande, aber er konnte sich mein früheres Leben in seinen wildesten Träumen nicht vorstellen, und dabei sollte es auch bleiben. Dennoch erwiderte ich flüsternd: »Verdammt, Matthew, ich warte seit fast drei Monaten. Bitte mach jetzt keine Probleme mehr!«

Ich hörte ihn lachen.

»Alles klar«, sagte er.

7

Der neue Tag fing genauso an, wie der alte aufgehört hatte. Wir erwachten und schliefen sofort wieder miteinander, dann lagen wir eine Weile einfach nur eng umschlungen da, unterhielten uns leise, flüsterten einander romantische, kitschige Zärtlichkeiten ins Ohr. Das war so völlig anders als bei Garrett: Hatte ich mit ihm einen harmonischen Abend und eine wirklich großartige Liebesnacht verbracht, so brach er garantiert am nächsten Morgen aus irgendeinem nichtigen Anlass heraus einen Streit vom Zaun, griff entweder mich oder einen mir nahestehenden Menschen mit giftigen, bösartigen Äußerungen an und ruhte nicht, ehe nicht die ganze Stimmung zerstört war und die Erinnerung an den schönen Abend im Nachhinein einen schalen Geschmack in sich trug. Ich kannte nicht die tiefere Ursache dafür, aber offenbar war Garrett ein Mensch, der Frieden, Glück und Liebe nicht über einen allzu langen Zeitraum ertrug. Er musste immer anecken und provozieren. Wie oft hatte er mich damit zum Weinen gebracht.

Mit Matthew gab es dieses Problem nicht. Er war genauso glücklich wie ich und hegte nicht die geringste Ambition, die wunderbare Atmosphäre zu stören. Wir gingen zum Frühstück hinunter, genossen Kaffee, Orangensaft, Spiegeleier und Toastbrot, dann gingen wir wieder hinauf und noch einmal zusammen ins Bett, und anschließend fuhren wir los, um etwas zum Anziehen zu kaufen, das uns etwas mehr Bewegungsfreiheit zugestehen würde. In Cardigan wurden wir fündig. Wir kauften uns jeder eine Jeans, ein T-Shirt, Sportsocken und ein Paar Turnschuhe, außerdem Zahnbürsten und Zahnpasta und ein Sonnenschutzmittel. So ausgerüstet kehrten wir ins Hotel zurück, zogen uns um, zahlten unsere Rechnung und checkten aus und machten uns anschließend daran, das Vogelschutzgebiet zu erkunden und wenigstens ein Stück weit den Klippenpfad entlangzuwandern. Im Vogelschutzgebiet zog sich ein Meeresarm tief ins Land hinein, und da gerade Ebbe herrschte, war er durchsetzt von Sandbänken und schlickrigen Tümpeln, in denen das Schilf wuchs. Ehrlich gesagt, wir achteten gar nicht so sehr auf die Vögel, wir waren viel zu sehr mit uns beschäftigt. Aber es war wunderbar, über den breiten Strand zu laufen, die Meeresluft zu riechen und den leichten Wind im Gesicht zu spüren. Über eine fast parkähnliche Anlage erreichten wir das Ende der Bucht und nahmen den Klippenpfad in Angriff, der steil und endlos schien und einen herrlichen Blick über das Meer bot. Man hatte hier schon Wale gesehen, allerdings zeigten sich an diesem Tag keine. Schließlich wurde es uns zu heiß. Es gab irgendwann keinen Baum und keinen Strauch mehr, nichts, was uns noch etwas Schatten hätte spenden können. Wir kehrten um, blieben aber noch eine Weile am Strand. Schließlich schlenderten wir durch Newport, aßen in einem kleinen Pub im Ort Fish and Chips und beschlossen dann, den Heimweg anzutreten. Es war schon Nachmittag, als wir aufbrachen. Ich nahm mir vor, hierher zurückzukehren. In das entzückende Hotel, in die traumhafte Gegend. Hier würde ich mich immer an eines der vollkommensten Wochenenden meines Lebens erinnern. Von den Ereignissen, die unmittelbar bevorstanden und die einen tiefen Schatten über das Wochenende werfen würden, ahnten wir zu diesem Zeitpunkt noch nichts.

Wir ließen uns Zeit mit der Heimfahrt und kamen am frühen Abend in Swansea an. Als Erstes holten wir Max bei seiner Betreuerin ab. Er geriet völlig außer sich vor Freude, bellte, sprang an uns hoch, umkreiste uns, wedelte mit dem Schwanz. Wir machten noch einen langen Spaziergang mit ihm und aßen anschließend in dem Pub zu Abend, in dem wir uns auch bei unserem ersten Date getroffen hatten. Dann fuhr mich Matthew nach Hause. Wir hätten die Nacht zusammen verbringen können, aber ich wollte mich noch gründlich auf den nächsten Tag vorbereiten, die Route ausarbeiten, die ich nehmen würde, und dann bald ins Bett gehen, um Alexia am nächsten Morgen fit und ausgeschlafen gegenüberzutreten. Sie sollte den beruhigenden Eindruck gewinnen, dass ich meine Aufgabe zuverlässig und konzentriert erfüllen würde. Auch Matthew wollte den Sonntag über arbeiten, um den ausgefallenen Freitag nachzuholen.

Also verabschiedeten wir uns an meiner Wohnungstür. Seltsamerweise hatte ich kein Problem, ihn gehen zu lassen. Ich fühlte mich seiner so sicher. Wir hatten uns für den nächsten Abend verabredet, und das war völlig in Ordnung.

Als ich allein war, schrieb ich erneut eine SMS an Alexia.

Hi, Alexia, ich bin zurück in Swansea! Bin morgen um sieben Uhr bei dir, ist das in Ordnung? Ich freue mich auf dich! Jenna

Ich duschte und zog das übergroße weiße T-Shirt an, in dem ich zu schlafen pflegte, dann kramte ich verschiedene Karten und Reiseführer über den Pembrokeshire Coast National Park hervor, die ich mir gleich, nachdem ich von Alexia mit der Recherche beauftragt worden war, gekauft hatte. Ungefähr eine Stunde später hatte ich einen sehr genauen Plan, wohin ich zuerst fahren und welche Gebiete ich aufsuchen wollte. Ich freute mich auf die vor mir liegende Aufgabe, und ich freute mich, gleich danach Matthew wiederzusehen. Ich war so glücklich, dass ich leise vor mich hin summte. In meiner Wohnung stand die Hitze, doch das war mir egal. Nichts konnte meine gute Stimmung trüben.

Um kurz nach elf telefonierte ich noch einmal mit Matthew. Alexia hatte noch immer nicht auf meine Nachricht reagiert, aber vielleicht lag ihr Handy irgendwo herum und sie hatte die SMS einfach noch nicht bemerkt. Sicherheitshalber sandte ich ihr eine weitere Nachricht: *Alexia, ist sieben Uhr morgen okay? Oder ist das zu früh? Gib doch bitte kurz Bescheid! Jenna*

Ich legte mich ins Bett, konnte aber natürlich nicht einschlafen. Wegen der Hitze und wegen all dem, was mir an Bildern und Gedanken durch den Kopf ging.

Es war schon Viertel vor zwölf, als mein Handy klingelte. Ich war noch immer hellwach und meldete mich sofort.

»Hallo?«

»Jenna? Hier ist Ken.«

»Oh ... Ken!« Ich setzte mich im Bett auf. Von einer Sekunde zur nächsten beschleunigte sich mein Herzschlag. Wenn Ken um diese Uhrzeit bei mir anrief, bedeutete das aller Wahrscheinlichkeit nach nichts Gutes.

»Tut mir leid, Jenna, dass ich störe, ich weiß, es ist unmöglich spät, aber ...«

»Was ist passiert?«

»Alexia ist nicht zufällig bei dir?«, fragte Ken.

Idiotischerweise ließ ich tatsächlich für einen kurzen Moment meinen Blick durch das Zimmer schweifen, in einer Art sinnlosem Reflex. »Nein. Ist sie denn nicht zu Hause?«

»Nein. Und langsam mache ich mir riesige Sorgen.«

»In der Redaktion ist sie auch nicht mehr?«

»Nein. Dort war sie heute auch gar nicht. Sie ist in aller Frühe in Richtung Westküste aufgebrochen, um auf Motivsuche zu gehen. Wegen dieser großen Reportage, die sie plant.«

»Was?« Ich schrie es fast. Das Handy fest an mein Ohr gepresst, sprang ich aus dem Bett. Es hielt mich dort einfach nicht mehr. »Wieso das denn? *Ich* wollte das doch morgen machen! So war es verabredet!«

Ken klang wahrscheinlich völlig unbeabsichtigt etwas vorwurfsvoll. »Verabredet war, dass du es *heute* hättest machen sollen!«

Oh Gott! Ich hätte es mir denken müssen.

»Ken«, sagte ich mit bemüht ruhiger Stimme, »Matthew und ich waren gestern bei der Beerdigung von Vanessas

Mutter. Es war ausgesprochen unschön dort. Wir wollten danach nicht sofort nach Hause. Wir haben eine Nacht und einen Tag in Newport verbracht. Ich habe das Alexia per SMS mitgeteilt und ihr versichert, dass ich meinen Auftrag lediglich um einen Tag verschiebe. Sie war einverstanden.«

Ich konnte es nicht sehen, aber geradezu fühlen, dass er sich mit der Hand über die Augen strich und dass diese Augen müde und gerötet waren.

»Ich weiß«, sagte er. »Sie saß neben mir, als deine SMS gestern Abend ankam. Sie hat sich ziemlich … aufgeregt.«

»Aber warum?«

»Sie hat dir geantwortet, dass das okay ist, aber in Wahrheit … war es eben nicht okay für sie. Sie machte sich Sorgen, obwohl ich sie zu beschwichtigen versuchte. Ich habe ihr gesagt, dass diese vierundzwanzig Stunden absolut keine Rolle spielen, aber sie bezweifelte, dass du am Sonntag tatsächlich da sein würdest. Sie war überzeugt, dass du im Rausch der Gefühle nun das gesamte Wochenende …« Er brach ab, verschluckte, was er hatte sagen wollen. Und was Alexia gesagt *hatte.*

Ich konnte es mir auch so denken. »Dass ich das ganze Wochenende mit Matthew im Bett verbringen würde. Das hat sie behauptet.«

»So ähnlich«, bestätigte Ken. Ich kannte Alexia, wenn sie wütend war. Sie hatte es wahrscheinlich ziemlich vulgär ausgedrückt.

Nervös ging ich im Zimmer auf und ab. »Und bis jetzt ist sie nicht nach Hause gekommen?«

»So ist es. Und ich meine … das kann doch gar nicht sein! Es ist dunkel. Sie ist seit heute früh sieben Uhr unterwegs. So lange kann man doch gar nicht nach Motiven suchen, oder? Und warum geht sie nicht an ihr Handy?«

Ich versuchte, einigermaßen rational zu agieren. »Wann

hast du sie zuletzt gesprochen? Sie hat dich doch bestimmt von unterwegs mal angerufen!«

Er atmete schwer und tief. Er war ziemlich fertig. »Eben nicht. Sie hat nicht angerufen. Und ich auch nicht. Wir sind im Streit auseinander heute früh. Wir haben uns nicht angebrüllt oder so ... aber ich habe ihr gesagt, dass ich es für ziemlich verrückt halte, was sie da tut, und dass sie seit einiger Zeit nicht mehr normal tickt. Sie fauchte nur zurück, dass ich sie eben nicht verstehe. Dann fuhr sie davon. Ich habe sie den ganzen Tag über nicht angerufen, weil mir klar war, dass sie in Ruhe gelassen werden will, und ich wunderte mich auch nicht, dass sie mich ihrerseits nicht anrief. Es passte zu ihr, es beunruhigte mich nicht. Inzwischen allerdings ...«

Ich überlegte. »Hat sie gesagt, wo genau sie hinwollte?«

»Nein.«

»Ein Unfall ...«

»Ich habe die Krankenhäuser der gesamten Umgebung angerufen heute Abend«, erklärte Ken. »Niemand, auf den Alexias Beschreibung auch nur ansatzweise zutrifft, ist dort eingeliefert worden.«

»Du bist dir aber ganz sicher, dass sie nicht in der Redaktion ist?«, fragte ich, obwohl das eigentlich klar war. Wenn Ken schon die Krankenhäuser abtelefonierte, hatte er mit Sicherheit zunächst näherliegende Möglichkeiten sondiert.

»Ich habe den Hausmeister aufgescheucht, bevor ich die Krankenhäuser angerufen habe«, berichtete Ken. »Ich konnte ja nicht selbst nachsehen, ich habe zwar das Motorrad hier, aber darauf kann ich die Kinder nicht mitnehmen. Der Hausmeister hat nachgesehen. Es ist niemand dort.«

Ich merkte, wie meine Beine weich und zittrig wurden. Das klang alles nicht gut. Ganz und gar nicht.

»Hältst du es für möglich, dass sie in irgendeiner Pension

abgestiegen ist?«, fragte ich. »Um morgen weiterzumachen. Und dass sie dich nicht verständigt und auch nicht an ihr Handy geht, weil sie zu wütend ist?«

»Das wäre natürlich möglich«, meinte Ken zögernd.

Je mehr ich darüber nachdachte, umso mehr glaubte ich, dass es sich genau so verhielt. Ich kannte Alexia, kannte sie vielleicht sogar besser als Ken, zumindest wesentlich länger. Ich wusste, wie empfindlich sie war, wie aufbrausend, wie heftig in all ihren Gefühlen. Niemand konnte so tief und so anhaltend beleidigt sein wie sie, und manchmal verhielt sie sich geradezu rachsüchtig, oft genug hatte ich während unserer Kindheit und Jugend unter diesem Wesenszug gelitten. Im Grunde passte es perfekt zu ihr: Ken hatte sein Unverständnis für ihr Verhalten geäußert, sie war stocksauer auf ihn, und nun ließ sie ihn schmoren. Mietete sich irgendwo ein Zimmer, schmollte dort vor sich hin, verkroch sich geradezu in ihrem Elend und ignorierte mit einer gewissen Wollust ihr Handy. Sollte er sich ruhig sorgen und grämen und sich fragen, wo sie steckte. Geschah ihm ganz recht.

»Ken, ich denke wirklich, du musst dir nicht allzu viele Sorgen machen«, sagte ich. »Gerade weil ihr im Streit auseinandergegangen seid, muss Alexia nun…« Ich zögerte kurz, aber warum sollte ich es nicht so sagen, wie es war?

»Du kennst sie doch. Manchmal muss sie eine solche Show abziehen. Anders beruhigt sie sich nicht wieder. Sie fühlt sich unverstanden, und das ist immer das Schlimmste für sie. Nun schlägt sie zurück. Jede Wette, dass sie morgen wieder auftaucht und sich dann einigermaßen normal benimmt!«

»Wahrscheinlich hast du recht«, sagte Ken. Seine Stimme klang etwas befreiter, nicht mehr ganz so sorgenvoll und unglücklich. Offenbar hatte ich ihn zumindest halbwegs überzeugt. »Aber falls sie sich bei dir meldet…«

»…sage ich dir sofort Bescheid«, versprach ich. »Das ist doch klar. Und umgekehrt bitte auch. Egal zu welcher Uhrzeit.«

Wir beendeten das Gespräch, und ich ging ins Bett zurück. Allerdings konnte ich nun erst recht nicht einschlafen. Zwar machte ich mir nicht wirklich ernsthafte Sorgen, weil ich ziemlich sicher war, mit meiner Theorie recht zu haben, aber ich musste doch ständig an Alexia denken und daran, dass sie unter einem so zermürbenden Druck stand. Es ging so nicht weiter. Man konnte Alexia inzwischen mit Fug und Recht als ein Mobbingopfer bezeichnen, und als solches brauchte sie Hilfe. Vor allem Menschen, die ihr klarmachten, dass sie sich das Verhalten ihres Chefs nicht länger gefallen zu lassen brauchte. Sie musste weg von *Healthcare*. Sie musste sich unbedingt eine neue Stelle suchen.

Aber würde das wirklich so einfach sein? Die Jobs lagen nicht gerade auf der Straße. Einen neuen Arbeitgeber würde Alexia überzeugen müssen, dass man es mit dem alten Argilan tatsächlich nicht hatte aushalten können, aber bei Geschichten dieser Art geriet man unweigerlich auch selbst immer in den Verdacht, derjenige gewesen zu sein, mit dem kein Auskommen möglich gewesen war, der sich nicht hatte anpassen können, der sich nicht teamfähig gezeigt hatte und was sonst noch alles. Vielleicht würden sich etliche neue Probleme vor ihr auftun, wenn sie kündigte, und die Reeces hätten eine Durststrecke vor sich – die bei ihnen schnell in ein Desaster münden konnte. Vier Kinder waren zu versorgen, dazu kam die Abzahlung für das Haus. Ken konnte sich wieder eine Stelle als Schiffsbauingenieur suchen, aber wer wusste, wie bald er Erfolg haben würde? Es konnte schnell eng für die Familie werden.

Zum ersten Mal verstand ich in jener Nacht wirklich den Druck, mit dem Alexia lebte, und die Sorgen, die sie sich machte, und plötzlich tat es mir leid, dass ich sie im Stich gelassen hatte. Ich hatte kein Problem darin gesehen, ihre Bitte einen Tag später zu erfüllen als geplant, und tatsächlich gab es auch kein Problem, aber hätte ich mich etwas sensibler in sie hineingedacht, wäre mir klar gewesen, dass es darum gar nicht ging. Entscheidend war, was Alexias Nerven derzeit aushielten, und da ging die Tendenz gegen null. Ich hätte das wissen müssen. Ich hätte sie zumindest anrufen müssen, anstatt ihr nur eine SMS zu schicken. Dann hätte ich mit ihr sprechen, sie beruhigen und trösten können.

Plötzlich kam ich mir vor wie ein riesengroßer Trampel. Ich konnte nur hoffen, dass ich keine Katastrophe ausgelöst hatte.

Ich stand schließlich auf und stellte mich unter eines meiner weit geöffneten Dachfenster. Ich starrte hinauf in den wolkenlosen, tiefschwarzen, sternenübersäten Nachthimmel. Ich hätte gern an Matthew gedacht.

Stattdessen dachte ich an Alexia.

Und irgendwie hatte ich auf einmal ein richtig schlechtes Gefühl.

8

»Wo kommst du her? Wo, verdammt noch mal, warst du *so lange*?« Noras Stimme bebte, sie zitterte vor Wut und vor mühsam zurückgehaltenen Tränen, mit denen sie seit Stunden kämpfte. Es war nach Mitternacht. Ryan hatte am Samstagvormittag gearbeitet, war direkt danach verschwunden. Mit Noras Auto natürlich. Ohne etwas zu sagen. Sie war weg gewesen, um für das Wochenende einzukaufen, und als sie wiederkam, saß kein Ryan in der Wohnung, und der Autoschlüssel hing nicht an seinem Platz. Sie hatte im Copyshop angerufen und erfahren, dass Ryan um zwölf Uhr gegangen war.

Sie hatte die Einkaufstüten auf den Küchentisch gewuchtet, sich dann in ihr Wohnzimmer gesetzt und hätte am liebsten geheult. Sie verbiss es sich. Sie wollte ihn nicht vertreiben, und sie wusste, dass ihr das mit Tränen und Vorwürfen nur zu leicht gelingen konnte.

Der lange, heiße Tag hatte sich dahingeschleppt. Nora hatte keine Lust gehabt, etwas von den vielen guten Dingen zu essen, die sie gekauft hatte, hatte nur lustlos ein paar Cracker gekaut. Welch ein Glück, dass sie Vivians Einladung zum Grillen nicht angenommen hatte! Denn selbst mit einer festen Verabredung vor Augen – oder gerade dann – wäre Ryan womöglich ohne eine Erklärung verschwunden, und Nora könnte sich bei Vivian den Mund fusselig reden, um seine Abwesenheit zu erklären. Wissend, dass Vivian ihr ohnehin nicht glauben würde. In diesen Dingen hatte sie einen untrüglichen Instinkt.

Irgendwann brach die Nacht herein, und Nora saß noch immer im Wohnzimmer, das Fenster weit geöffnet. Auch als es dunkel wurde, herrschten draußen noch mindestens dreiundzwanzig Grad. Eigentlich war es eine wundervolle Nacht. Man hätte eine Flasche Rotwein öffnen können, man hätte zusammen die Sterne betrachten und sich unterhalten können. Stattdessen saß sie hier mutterseelenallein. Am meisten kränkte es sie, dass er es nicht einmal für nötig hielt, seine Abwesenheit anzukündigen. Ihr zu sagen, dass er fortging, ihr zu sagen, wohin er überhaupt ging. Obwohl sie es sich denken konnte. Vermutlich war er wieder in

Swansea bei Debbie. Nora begann diese Frau allmählich zu hassen. Und sie begann auch Ryan zu hassen, aber auf die tief unglückliche Art, mit der man einen Menschen hasst, von dem man Wärme, Zuwendung und Nähe erhofft, aber nicht bekommt. Sie war enttäuscht von ihm und fühlte sich gedemütigt, aber sie konnte nicht aufhören zu hoffen, dass er eines Tages die Rolle in ihrem Leben annehmen würde, in der sie ihn so verzweifelt gerne gesehen hätte: der Mann an ihrer Seite. Ihr Freund, ihr Lebensgefährte.

Den Begriff *Ehemann* wagte sie schon kaum mehr zu denken.

Er steckte bis zum Hals im Schlamassel, das war klar, und als die Nacht voranschritt und Noras Kummer mehr und mehr in Aggression überging, begann sie sich zu fragen, woher er die Chuzpe nahm, in seiner Lage noch die einzige Hand auszuschlagen, die sich ihm in helfender Absicht entgegenstreckte. Er brauchte fünfzigtausend Pfund, und es gab nur den Weg über seinen Stiefvater, um an die Summe zu kommen, und Bradley Beecroft würde sich absolut nicht überschlagen, ihm aus der Patsche zu helfen. Nora wusste jedoch, dass sie bei Bradley einen Stein im Brett hatte, und sie nahm an, dass auch Ryan das klargeworden war. Ryan hätte sich mit ihr gut stellen, hätte hoffen müssen, dass sie sich bei Bradley für ihn einsetzte. Vielleicht konnte sie ihm das Geld aus den Rippen leiern. Ryan schien sich keine Sorgen zu machen, dass sie sich darum bemühen würde, auch wenn er sie wie einen Fußabstreifer behandelte.

Nora war schließlich so wütend, dass sie, als gegen halb eins in der Nacht endlich die Wohnungstür aufging und Ryan nach Hause kam, alle guten Vorsätze vergaß. Sie hatte ihm keine Vorwürfe machen wollen, aber sie wäre geplatzt, wenn sie jetzt mit einem milden Lächeln über sein mieses Benehmen hinwegging.

Sie schoss auf ihn zu und hätte ihm am liebsten eine geknallt, beherrschte sich aber gerade noch. Stattdessen schleuderte sie ihm genau die Sätze entgegen, die sie unbedingt hatte vermeiden wollen.

»Wo kommst du her? Wo, verdammt noch mal, warst du *so lange*?«

Er hängte den Autoschlüssel an den Haken.

»Ich war bei Debbie«, sagte er. Dann sah er sie an. »Sonst noch etwas?«

»Ja, allerdings. Bei Debbie? So lange? Und ohne mir ein Wort zu sagen?«

»Ich muss mich nicht an- und abmelden bei dir. Darüber hatten wir doch schon gesprochen. Soll ich mir vorkommen, als sei ich noch im Gefängnis und höchstens ab und zu auf Freigang?«

»Das hier ist kein Gefängnis«, sagte Nora.

»Aber du benimmst dich wie ein Gefängniswärter!«

Sie war so wütend, dass die Luft vor ihren Augen zu flimmern begann. »Wie ein Gefängniswärter? Wie ein Gefängniswärter? Das wagst du mir zu sagen? Nach allem, was ich für dich getan habe? Was ich ständig für dich tue?«

»Was tust du denn?« Er klang nun auch wütend, mühsam beherrscht. »Du hast mich in deine Wohnung aufgenommen, aber ich beteilige mich an allen Kosten. Du stellst mir dein Auto zur Verfügung, aber ich habe nie einen einzigen Tropfen Benzin verfahren, den ich nicht bezahlt hätte. Klar, ich würde schlechter leben ohne dich. Aber du auch ohne mich. Denn du hältst das Alleinsein fast nicht mehr aus, und du genießt es, bei deinen Bekannten damit zu protzen, nun endlich einen Mann an deiner Seite zu haben. Selbst wenn es ein Exknacki ist. Immer noch besser als nichts, in deinen Augen jedenfalls. Also erzähle mir nichts von der reinen Selbstlosigkeit, die dich treibt!«

»Wie kannst du nur …«, setzte sie an, brach aber mitten im Satz ab, verstummte hilflos, weil sie nicht wusste, was sie sagen sollte. Und weil er recht hatte. Es war eine unerträgliche Vorstellung für sie, er könnte sie verlassen und das Bild vernichten, das sie zumindest nach außen hin errichtet hatte: Nora und Ryan. Ryan und Nora. *Ich habe nun auch jemanden, der zu mir gehört.*

Die Wut flutete aus ihr heraus wie Luft aus einem Ballon, und wie ein leerer Ballon blieb auch sie schlaff und klein und müde zurück.

»Bitte«, sagte sie leise, »behandle mich nicht so.«

Er sah sie überrascht an. Als er die Wohnung betreten hatte, hatte ihn eine Frau erwartet, die aggressiv wie eine Hornisse zu sein schien. Von einer Sekunde zur nächsten war die Aggression verschwunden. Er hatte Nora noch nie so verletzlich gesehen.

»Ich war nur kurz bei Debbie«, sagte er. Irgendwie ging es ja meist um Debbie, wenn sich Nora aufregte, und sie tat ihm auf einmal so leid, dass er ihr zumindest *diesen* Stachel ziehen wollte. »Heute Abend. Ich habe nur vorbeigeschaut, aber es ging ihr ganz gut, sie saß vor dem Fernseher und wollte eigentlich nicht gestört werden. Sie arbeitet wieder.«

»Wo warst du die ganze übrige Zeit?«

»Ach«, er machte eine unbestimmte Handbewegung. »Mal hier, mal dort. Ich bin herumgefahren, habe Plätze aufgesucht, die ich von früher kenne, habe nachgedacht. Ich habe so viele Probleme. Ich sehne mich immer danach, allein zu sein, wenn ich Probleme habe.«

Sie berührte sacht seinen Arm. Seine Haut fühlte sich so schön an, das hatte sie schon oft gedacht.

»Du hast eigentlich nur ein einziges Problem, Ryan. Damon und seine Forderung. Wenn wir das vom Tisch haben, sieht die Welt völlig anders aus.«

»Ja, aber das bekommen wir nicht vom Tisch. Ich habe wirklich über deinen Vorschlag nachgedacht, Nora. Ich würde meinen Kopf dafür verwetten, dass Bradley mir nie im Leben das Geld geben wird. Nicht einmal dir oder meiner Mutter zuliebe. Weil er nämlich genau weiß, dass er es nie zurückbekommen wird. Er müsste eine Hypothek aufnehmen, müsste Zinsen dafür zahlen und bekäme den Gesamtbetrag in diesem Leben nicht mehr von mir abgestottert, weil er mindestens hundertdreißig Jahre alt werden müsste, um das noch zu erleben. Was verdiene ich denn in dem blöden Copyshop? Selbst wenn ich mich bis zum Äußersten einschränke, dauert es Jahrzehnte, bis ich es auf fünfzigtausend Pfund bringe. Sollte Bradley auch die Zinsen von mir erstattet haben wollen, was ja sein gutes Recht wäre, dauert es noch viel länger.«

»Du wirst nicht ewig in diesem Copyshop arbeiten. Ich bin sicher, du findest etwas, das besser bezahlt wird, und dann …«

»Du bist naiv«, unterbrach er sie. Er ging an ihr vorbei ins Wohnzimmer, ließ sich in einen Sessel fallen. Im Schein der Stehlampe erkannte Nora, wie erschöpft und gequält er aussah. Plötzlich reute sie ihre Wut, mit der sie ihn empfangen hatte. Dieser Mann hatte sich mit Sicherheit keinen schönen Tag gemacht. Er war ein Getriebener, ein Gehetzter. Er stand mit dem Rücken zur Wand, gequält von Todesangst, und allem Anschein nach war diese Angst berechtigt.

»Du bist so etwas von naiv, Nora«, wiederholte er. »Ein anderer Job? Was glaubst du, wie leicht findet jemand einen Job, der zweieinhalb Jahre im Gefängnis saß? Und auch davor schon vorbestraft war? Aber selbst wenn ich diesem verdammten Copyshop eines Tages den Rücken kehren kann, so wird die nächste Stelle mit Sicherheit nichts sein, wo ich nennenswert mehr Geld verdiene. Schon vergessen, dass ich praktisch nichts kann? Ich habe keinen Schulabschluss. Ich habe keine Lehre zu Ende gebracht. Ich habe keine Zeugnisse, weil ich mich mit Gelegenheitsarbeiten durchgeschlagen habe, falls ich mein Geld nicht gerade mit Einbrüchen und Diebstählen verdient habe. Mein Bewährungshelfer ist nicht umsonst vor Glück fast in Ohnmacht gefallen, als mir Dan, diese Mistfliege, die Arbeit in seinem Laden angeboten hat. Er weiß nämlich auch, dass ich praktisch nicht vermittelbar bin. Und Bradley, um auf ihn zurückzukommen, weiß das ebenfalls. Der Alte ist nicht völlig blöd. Und da soll er mir fünfzigtausend Pfund über den Tisch schieben? Vergiss es!«

»Wir müssen es wenigstens versuchen«, sagte Nora. »Weil wir keine andere Chance haben. Ich bin auch noch da. Ich habe ein sicheres Einkommen. Ich werde mich bei Bradley dafür verbürgen, dass er sein Geld zurückbekommt.«

Er sah sie an. Sie gewahrte ein Flackern in seinen Augen.

Es macht ihn rasend, sich in Abhängigkeit von mir zu begeben, dachte sie.

»Bitte, Ryan. Lass dir helfen. Ich ... will nichts dafür.«

»Du willst zumindest, dass ich bei dir bleibe.«

»Ja. Aber nicht mehr als das. Ich ...« *Ich bin längst verliebt in ihn,* dachte sie, *und ich wünschte, ich könnte herausfinden, ob sich seine Haut überall so wunderbar anfühlt wie an seinen Händen und Armen.*

»Ich will nichts als deine Freundschaft«, sagte sie und wunderte sich, dass sie an dieser Lüge nicht erstickte, während sie sie aussprach.

Zum ersten Mal, seit er in dieser Nacht nach Hause gekommen war, lächelte er, aber er wirkte nicht glücklich dabei, sondern absolut resigniert. »Du wirst mir nicht helfen können, Nora. Niemand kann es. Aber ich danke dir, dass du es versuchst.«

9

Irgendwann gegen Morgen, als die Luft, die durch meine Dachfenster in die Wohnung strömte, etwas kühler und frischer wurde, schlief ich ein. Als ich aufwachte, war es schon nach acht. Mein erster Blick galt meinem Handy, aber niemand hatte mir eine SMS geschickt oder versucht, mich anzurufen. Auch auf meinem Anrufbeantworter befand sich keine Nachricht. Ich rief bei Ken an, und er meldete sich beim ersten Klingeln. Offenbar stand er direkt neben seinem Telefon, und das war kein gutes Zeichen.

»Du hast nichts von Alexia gehört?«, fragte ich gleich, aber es war eher eine Feststellung.

Ken klang entsetzlich müde. »Nein. Ich habe die ganze Nacht über immer wieder ihr Handy angewählt. Ich dachte mir, irgendwann muss es sie doch entnerven, aber ... nichts.«

»Vielleicht hat sie es ausgeschaltet. Mein Gott, Ken, du hast nicht eine Sekunde geschlafen, oder?«

»Ich habe es versucht. Aber ich konnte nicht ruhig liegen. Also bin ich wieder aufgestanden, habe mir einen Kaffee nach dem anderen gekocht und versucht, meine Frau zu erreichen. Jenna, das alles ist ... Da stimmt irgendetwas nicht!«

»Pass auf, ich komme jetzt gleich zu dir«, bot ich an.

»Ich kann dich nicht abholen«, sagte Ken, »Alexia hat ja das Auto.«

»Kein Problem, ich nehme den Bus. Bis dann!« Ich legte auf, lief ins Bad, duschte, zog mich an, machte mir einen schnellen Espresso und war auch schon fertig zum Aufbruch. Meine Haare waren noch nass, als ich das Haus verließ.

Auf dem Weg zur Bushaltestelle klingelte mein Handy. Es war Matthew, der mir einen guten Morgen wünschen wollte. Er wähnte mich auf dem Weg in den Pembrokeshire Coast National Park und war entsetzt, als ich ihm berichtete, was geschehen war.

»Wo bist du jetzt?«, fragte er.

»An der Bushaltestelle«, erklärte ich. »Ich fahre zu Ken. Er ist vollkommen fertig.«

»Ich komme auch dorthin«, sagte Matthew. »Bis gleich!«

Da es Sonntag war, fuhren alle Busse viel seltener als sonst, und ich musste ewig warten, bis endlich die richtige Linie ankam. Als ich bei Ken eintraf, war Matthew schon dort. Die beiden Männer saßen bei einem Kaffee am Küchentisch und diskutierten mit ernsten Gesichtern die Situation. Max lag mitten im Wohnzimmer und ließ sich von Evan den Bauch kraulen.

Matthew erschien mir ziemlich schuldbewusst. Es war seine Idee gewesen, in die Cardigan Bay zu fahren und dann in Newport zu übernachten, und er sah sich als denjenigen an, der den unheilvollen Stein ins Rollen gebracht hatte. Ich widersprach seinen Andeutungen sofort. »Nein. Das konntest du nicht vorhersehen. Du hast Alexia seit Wochen nicht mehr getroffen, du wusstest nicht, wie schlecht es ihr ging. Mir hätte klar sein müssen, dass es ein Fehler ist, unsere Vereinbarung zu verschieben. Alexia ist mit den Nerven am Ende, das merke ich seit Langem. Trotzdem habe ich das nicht richtig eingeschätzt. Es tut mir entsetzlich leid.«

Ken blickte von seiner Kaffeetasse auf. Man sah ihm

an, dass er die ganze letzte Nacht nicht geschlafen hatte. »Bitte, Jenna, mach dir keine Vorwürfe. Und du auch nicht, Matthew. Ihr habt euch völlig normal verhalten. Alexia hat überreagiert, aber das ist nicht eure Schuld. Dass sie so durchdreht, konnte niemand ahnen. Wenn überhaupt jemand die Verantwortung übernehmen muss, dann bin ich das. Ich habe sie ja erlebt am Freitagabend. Ich hätte sie am nächsten Morgen auf keinen Fall losziehen lassen dürfen.«

Matthew schüttelte den Kopf. »Wie hättest du sie denn daran hindern sollen, Ken? Sie wollte los, und du hattest gar nicht das Recht, ihr das zu untersagen. Und nicht die Möglichkeit.«

Ken seufzte. Er sah aus, als werde sein Kopf jeden Moment auf die Tischplatte sinken, und dann würde er, trotz aller Not und Sorgen, einfach einschlafen. Er konnte kaum noch die Augen offen halten.

»Ken, du legst dich jetzt mal eine Stunde ins Bett«, bestimmte ich, »Matthew und ich kümmern uns hier um alles. Bitte. Niemand hat etwas davon, wenn du irgendwann zusammenklappst.«

Ken war so am Ende, dass er sich meinem Wunsch ohne jede Widerworte fügte. Als er oben in seinem Schlafzimmer verschwunden war, sahen Matthew und ich einander an.

»Das kann ganz harmlos sein«, sagte ich. »Ich kenne Alexia. Es ist absolut denkbar, dass sie das alles inszeniert, weil sie einfach nur wütend und verstört ist. Ken und sie hatten Streit, bevor sie aufbrach. Er hat ihr deutlich zu verstehen gegeben, dass sie seiner Ansicht nach nicht ganz richtig tickt. So etwas lässt sich Alexia nicht sagen, ohne in irgendeiner Weise zu reagieren.«

»Hoffen wir es«, murmelte Matthew. Nach allem, was er erlebt hatte, war er wenig optimistisch, was einen guten

Ausgang unheilvoller Geschichten anging. Er machte sich große Sorgen, das sah ich ihm an.

Während Ken schlief, machte Matthew einen Spaziergang mit Max und nahm Kayla und Meg, die beiden ältesten Kinder, mit. Ich kümmerte mich solange um die Kleinen, räumte außerdem die Küche auf und füllte die Waschmaschine, vor der sich wahre Berge an Schmutzwäsche auftürmten. Als Ken nach drei Stunden auftauchte, sah die Küche sauber und ordentlich aus und roch nach gerade aufgegossenem Kaffee, der Wäscheständer mit frisch gewaschenen Kleidungsstücken stand auf der Terrasse in der Sonne, alle Kinder hatten Kakao und Pfannkuchen bekommen, und ich hatte sogar noch die Kraft gefunden, das Wohnzimmer staubzusaugen. Allerdings war ich nun auch völlig kaputt. Ich hätte nie geglaubt, dass ein Haushalt mit vier Kindern so anstrengend sein könnte. Ein ganzer Tag in der Redaktion kam nicht gegen den Lärm und Stress an, dem man im Hause Reece innerhalb einer einzigen Stunde ausgesetzt war.

»Wo ist Matthew?«, fragte Ken. Er sah etwas erholter aus, aber Angst und Sorge sprachen aus seinen Augen.

Ich wies nach draußen, wo Matthew damit beschäftigt war, ein kaputtes Spielzeugauto von Evan zu reparieren. »Wir haben alles im Griff«, sagte ich. »Du kannst ruhig noch etwas schlafen.«

Er schüttelte den Kopf. »Ich habe nachgedacht. Ich werde nicht länger warten. Ich gehe jetzt zur Polizei.«

»Du weißt, es ist gut möglich, dass Alexia in ein paar Stunden völlig unversehrt vor der Tür steht«, gab ich zu bedenken.

»Trotzdem. Dann ziehe ich den Alarm eben zurück. Ich muss etwas tun, Jenna. Ich werde sonst verrückt.«

Ich verstand ihn. Matthew bot an, ihn zu begleiten, und

Ken nahm das dankbar an. Die beiden Männer fuhren in Matthews Auto los, um die nächste Polizeiwache aufzusuchen und dort den diensthabenden Beamten aus seiner Sonntagsruhe zu schrecken. So stellte ich mir das jedenfalls vor. Der sonnige Tag schien so friedlich. Ich konnte mir nicht denken, dass es irgendwo hektischer zugehen konnte als hier in der still vor sich hindösenden Siedlung. Abgesehen von dem Lärm, den Alexias Kinder veranstalteten. Aber der schien zu dem Tag zu gehören wie das Zwitschern der Vögel und das Summen der Bienen.

Wie zu erwarten gewesen war, kehrten Matthew und Ken eher frustriert als gestärkt zurück. Auf dem Revier war mehr los gewesen als gedacht, sowohl der Sonntag als auch das ungewöhnlich warme Wetter trugen offenbar dazu bei, dass in vielen Familien die Streitigkeiten eskalierten und die Polizei zu Hilfe gerufen wurde. Es hatte ziemlich lange gedauert, bis sich ein Beamter fand, der die Vermisstenanzeige aufnahm, und es hatte, so berichtete Ken deprimiert, nicht den Anschein, als werde er sich nun überschlagen, um eine Suche nach Alexia einzuleiten. Er hatte sich alles notiert, aber darauf hingewiesen, dass es zu früh sei, von einem Unglück auszugehen, zumal Ken durch sein Herumtelefonieren bei den Krankenhäusern bereits festgestellt hatte, dass niemand, auf den Alexias Beschreibung zutraf, dort eingeliefert worden war.

»Es hat an diesem Wochenende keinen größeren Unfall in der Gegend gegeben«, hatte der Polizist erklärt. »Schon deshalb können wir etwas in dieser Art höchstwahrscheinlich ausschließen.«

»Und dann«, berichtete Ken, »hat er natürlich gefragt, ob wir Streit hatten.«

»Das war auch bei mir damals eine der ersten Fragen«, sagte Matthew. »Und das Ärgerliche ist, dass sie sich von dem Moment an, da man den Streit erwähnt, alle zunächst einmal ganz entspannt zurücklehnen. Weil sie davon ausgehen, dass der Vermisste bewusst den Abstand sucht und ganz von selbst zurückkehren wird, wenn sich die Wogen geglättet haben. Sollte dann zu viel Zeit vergehen, ohne dass der Vermisste auftaucht, haben sie gleich einen bequemen Verdächtigen: den Partner, der während des Streits die Kontrolle verloren hat. Ich vermute, es sind immer dieselben Abläufe.«

Ken blickte noch unglücklicher drein. »Ich hätte den Streit vielleicht gar nicht zugeben sollen.«

»Doch«, sagte Matthew. »Es ist in jedem Fall das Beste, die Wahrheit zu sagen. Du hast alles richtig gemacht, Ken.«

»Ja, und was werden sie denn nun tun?«, fragte ich.

Matthew zuckte mit den Schultern. »Erst einmal abwarten. Der Beamte hat uns deutlich zu verstehen gegeben, dass er nun keineswegs Hundertschaften in Bewegung setzen wird, um nach Alexia zu suchen. Dafür ist sie noch nicht lange genug verschwunden, und er hält die Möglichkeit für sehr plausibel, dass ihre Motivsuche länger dauert als geplant und dass sie ihren Mann nicht anruft, weil sie noch immer böse auf ihn ist. Er nimmt das alles nicht allzu ernst, und das ist doch zumindest auch für uns ein gutes Zeichen. Bestimmt hat er Erfahrung in solchen Fällen.«

Er wollte Ken aufmuntern, aber ich wusste, dass er nicht ganz aufrichtig war. Gerade Matthew hatte inzwischen nur noch wenig Vertrauen in die Fähigkeiten der Polizei. Sie hatten auch ihn damals hingehalten, als er Vanessas Verschwinden meldete, sie hatten die ganze Angelegenheit zunächst bagatellisiert, später dann ihn selbst eines Verbrechens verdächtigt und schließlich den Fall zu den Akten gelegt, ohne auch nur einen einzigen Schritt weitergekommen zu sein. Matthew war ein gebranntes Kind, aber er gab sich alle Mühe, dies seinen Freund nicht merken zu lassen.

»Immerhin«, sagte Ken, »fand es der Polizist gut, dass wir eine Meldung gemacht haben. Wenn jetzt irgendetwas geschieht, was in einem Zusammenhang mit uns stehen könnte, weiß er sofort, wen er verständigen kann. Das heißt aber auch, dass wir nun warten müssen.«

Der Tag verging zäh und quälend. Es wurde unerträglich schwül. Die Kinder stritten und quengelten. Sie wollten unbedingt ihr Planschbecken aufgebaut haben, aber nach Evans Attacke mit den Dartpfeilen hatte Ken es entsorgt, und ein neues gebe es nicht so schnell, wie er streng erklärte. Meg und Evan antworteten mit Gebrüll. Ich kam schließlich auf die Idee, den Gartenschlauch anzustellen und die Kinder unter dem Wasserstrahl herumspringen zu lassen, was die Stimmung vorübergehend hob. Ken und Matthew diskutierten die Möglichkeit, mit dem Auto loszufahren und nach Alexia zu suchen, verwarfen den Plan aber, weil das in Frage kommende Gebiet zu groß und die Aussicht auf Erfolg zu gering war. Ich wusch noch mehr Wäsche und probierte zwischendurch immer wieder, Alexia auf ihrem Handy zu erreichen. Aber nach wie vor meldete sich nur die Mailbox.

Gegen Abend zog sich der Himmel zu, in der Ferne grollte Donner. Wir räumten Spielsachen, Schuhe, Badeanzüge, Saftgläser und all die anderen Gegenstände ins Haus, die sich über den Tag hinweg im Garten verteilt hatten. Als wir fertig waren, türmten sich bereits bedrohlich schwarze Wolken über uns. Wir würden ein heftiges Unwetter bekommen. Und Alexia war noch immer nicht daheim.

Es gab Tiefkühlpizza zum Abendessen, aber außer den Kindern hatte niemand Appetit. Ken hatte Siana auf dem

Schoß und schob ihr kleine Stücke gebutterten Toast in den Mund. Matthew streichelte Max, der Angst vor dem Gewitter hatte und am ganzen Körper zitterte. Ich schnitt die Pizza für die Kinder zurecht. Draußen rauschte der Regen. Immer wieder zuckten Blitze, gefolgt von krachendem Donner. Es hätte gemütlich sein können, wie wir da alle zusammen in der Küche saßen, sicher und trocken. Aber keiner von uns empfand das so. Im Gegenteil: Das Inferno draußen verstärkte unsere Angst.

Es war Punkt acht Uhr, als es an der Haustür klingelte. Wir fuhren alle zusammen und starrten einander an.

»Alexia!«, sagte ich und sprang auf.

»Aber sie hat einen Schlüssel«, sagte Ken.

Wir liefen alle zur Haustür. Ich war als Erste da und öffnete. Eine Frau stand vor mir, mit nassen Haaren und nassen Flecken auf ihrer Kleidung. Es war nicht Alexia.

Unaufgefordert machte sie einen Schritt ins Haus, um sich vor dem unvermindert heftig strömenden Regen in Sicherheit zu bringen. Dabei zückte sie einen Ausweis.

»Detective Inspector Olivia Morgan«, sagte sie, »South Wales Police, Swansea CID.«

CID. Criminal Investigation Department. Ich schluckte trocken und vernahm plötzlich ein Rauschen in den Ohren. Das kam nicht vom Regen. Sondern von meiner Angst.

»Wer von Ihnen ist Mr. Kendal Reece?«, fragte Inspector Morgan.

Ich drehte mich um. Ken stand hinter mir, gleich neben Matthew. Er hielt noch immer Siana auf dem Arm. Um ihren Mund klebten Toastkrümel, und sie strahlte die Polizistin unbefangen an. Ken war grau im Gesicht.

»Ich«, sagte er, »ich bin Kendal Reece.«

Inspector Morgan schob ihren Ausweis in ihre Tasche zurück und strich sich die nassen Haare aus der Stirn.

»Sie haben heute Ihre Frau als vermisst gemeldet«, sagte sie.

»Ja«, antwortete Ken.

Morgan seufzte. »Es scheint da etwas Seltsames geschehen zu sein«, erklärte sie.

10

Die Polizei hatte Alexias Auto gefunden. Genau genommen war es ihnen gemeldet worden. Von einer Familie, der es merkwürdig vorgekommen war, dass ein Auto mit geöffneter Tür auf einem Rastplatz stand. Der Zündschlüssel steckte. Auf dem Beifahrersitz lagen eine Handtasche und eine Fototasche mit Fotoapparat darin, außerdem ein dicker Spiralblock und mehrere Kugelschreiber. Eine Sonnenbrille lag im Fußraum des Beifahrersitzes. Von Alexia selbst weit und breit keine Spur.

Ich wagte nicht, Matthew anzusehen, während Inspector Morgan die Situation beschrieb. Ihm musste das wie ein schlechter Scherz vorkommen.

Wir saßen im Wohnzimmer. Es war Ken gelungen, die Kinder nach oben zu schaffen, indem er ihnen in seinem und Alexias Schlafzimmer den Fernseher einschaltete und eine DVD einlegte. Siana hatte er in ihr eigenes Bett gelegt, und zum Glück war sie so müde, dass sie sofort einschlief.

»Wo«, fragte Ken, »wurde das Auto denn gefunden?«

Morgan strich sich erneut eine nasse Haarsträhne aus der Stirn. Sie kommt mit ihren Haaren nicht zurecht, wahrscheinlich auch dann nicht, wenn sie trocken sind, dachte ich. Gleichzeitig wunderte ich mich. War das jetzt wichtig? Aber vielleicht flüchtet man in banale Gedankengänge, wenn Ereignisse eintreten, die einen nur noch sprachlos machen.

»Auf einem Rastplatz im Pembrokeshire Coast National Park«, sagte Morgan, »ziemlich einsam gelegen. Der nächste größere Ort ist Fishguard, aber auch der ist ein gutes Stück entfernt. Eigentlich würde die Angelegenheit in den Zuständigkeitsbereich der Dyfed Powys Police fallen, aber ... es gab vor drei Jahren einen fast identischen Fall. Auf demselben Parkplatz. Eine Frau war spurlos verschwunden, und alles, was zurückblieb, war ihr Auto mit ihren sämtlichen Habseligkeiten darin. Die Frau stammte aus Mumbles, und ihre gesamten Lebensumstände wurden untersucht, daher hat in dem Fall dann letztlich die South Wales Police ermittelt. Jetzt geht es wieder um eine Frau aus dieser Region hier, und dazu kommen diese wirklich sehr überraschenden Parallelen, und daher hat man uns verständigt.«

Niemand rührte sich. Es herrschte eine atemlose Stille im Raum. Nun schaute ich doch Matthew an. Er schien gefasster, als ich es mir vorgestellt hatte.

»Ich weiß«, sagte er, »denn ich bin der Ehemann der Frau, die damals verschwand. Matthew Willard.«

Nun blickte Inspector Morgan völlig perplex drein. »Sie sind ... Das gibt es doch nicht!«, sagte sie fassungslos.

»Sie waren aber damals nicht mit den Ermittlungen befasst, Inspector«, sagte Matthew. »Ich würde mich sonst erinnern. Ich habe über ein halbes Jahr praktisch täglich mit der Polizei gesprochen.«

»Nein, ich bin erst seit Anfang des Jahres bei dieser Einheit«, erklärte Inspector Morgan. »Aber ich bin mit der Geschichte vertraut.« Sie sah uns alle an. Ihr Blick blieb an mir haften. »Sie sind ...?«

»Jenna Robinson«, erwiderte ich. »Ich bin …«

»Jenna Robinson gehört zu mir«, erklärte Matthew.

»Ich verstehe.« Aber es war offenkundig, dass Inspector Morgan im Moment nicht allzu viel verstand. Man konnte es förmlich hinter ihrer Stirn rattern hören.

»Sie sind befreundet?«, fragte sie schließlich. »Ich meine, Mr. Willard, Sie sind mit den Reeces befreundet?«

»Ja«, sagte Matthew.

»Ich auch«, sagte ich. »Und außerdem arbeite ich mit Alexia Reece zusammen. Alexia ist Chefredakteurin von *Healthcare,* und ich bin dort angestellt.«

»Ich verstehe«, sagte Morgan erneut. Sie machte sich ein paar hektische Notizen in einem kleinen Buch, das sie aus ihrer Handtasche gefischt hatte.

»Also, das alles kann ja kein Zufall sein«, meinte sie dann. »Mr. Willard, weshalb sind Sie hier? Wie gut kennen Sie Mrs. Reece? Was ist überhaupt genau passiert?«

Matthew gab eine rasche Zusammenfassung. Er berichtete, dass er die Reeces schon länger kannte und dass Vanessa und Alexia enger befreundet gewesen waren. Dass er bei Alexia und Ken Trost und Unterstützung gefunden hatte, nachdem Vanessa spurlos verschwunden war. Dass Alexia ihn und mich im März bei einem Abendessen zusammengebracht hatte. Und dass wir nun hier waren, um Ken beizustehen, der von seiner Frau seit Samstagmorgen nichts gehört hatte und sich große Sorgen machte.

An dieser Stelle übernahm ich das Wort und berichtete von der Aufgabe, die Alexia mir übertragen hatte und die ich am Samstag hätte ausführen sollen. Dass dies wegen des Begräbnisses von Matthews Schwiegermutter am Freitag nicht möglich gewesen war und ich ihr deshalb per SMS mitgeteilt hatte, erst einen Tag später auf Motivsuche zu gehen.

»Ich wollte heute in aller Frühe bei ihr sein«, berichtete ich, »und mir ihr Auto ausleihen. Ich habe leider keinen eigenen Wagen. Aber... gestern spät am Abend rief mich Ken an und sagte, Alexia sei nun selbst gefahren. Am Samstag. Wie es ursprünglich für mich geplant war.«

Morgan legte die Stirn in Falten. »Verstehe ich das richtig? Eigentlich hätte gestern Miss Robinson unterwegs sein sollen? Mit dem Auto der Reeces?«

»Ja«, sagte Ken.

»Wann genau hat diese Familie das Auto von Alexia entdeckt?«, fragte Matthew. Schneller als wir anderen hatte er begriffen, welcher Gedanke Inspector Morgan durch den Kopf gegangen war.

»Gestern am späten Nachmittag«, berichtete Morgan. »Sie stellten dort ihr eigenes Auto ab und machten sich auf den Weg in den Park. Sie wollten bis in den späten Abend hinein wandern, dann in einer Pension übernachten und am nächsten Tag zurückwandern. Mrs. Reece' Auto fiel ihnen auf, weil die Fahrertür offen stand, aber sie dachten, der Fahrer sei irgendwo in der Nähe. Erst heute Nachmittag, als sie von ihrem Ausflug zurückkehrten und das Auto unverändert vorfanden, begannen sie sich Gedanken zu machen. Sie entdeckten dann auch die Tasche und sahen, dass der Schlüssel steckte. Daraufhin riefen sie die Polizei an. Die Beamten prüften Alexia Reece' Ausweis, und schnell war klar, dass es sich um eine Frau aus Swansea handelte, die wenige Stunden zuvor von ihrem Ehemann als vermisst gemeldet worden war. Ja, und dann natürlich die seltsame Übereinstimmung mit einem Fall, der drei Jahre zurückliegt... Das versetzte uns in Alarmbereitschaft.«

»Das heißt«, sagte Matthew, »was immer mit Alexia geschehen ist, es ist gestern passiert. Irgendwann zwischen dem Morgen, an dem sie ihr Haus hier verließ, und dem späten Nachmittag, an dem einer Familie das Auto auf dem Parkplatz auffiel.«

»Ja, vermutlich«, stimmte Morgan zu.

»Es ist an dem Tag passiert, an dem eigentlich Jenna hätte unterwegs sein sollen. Mit diesem Auto.«

Er und die Polizistin sahen sich an.

»Schon wieder«, sagte Matthew, »schon wieder hätte es eine Frau treffen können, die mit mir in einem engen Zusammenhang steht.«

Ken verstand nun auch. »Du meinst, was immer passiert ist, es ging eigentlich um Jenna?«

»Um mich?«, fragte ich perplex.

»Oder letzten Endes um Matthew Willard«, sagte Inspector Morgan. »Möglicherweise ist er der Kern der Geschichte, aber ich muss zugeben… das ist vollkommen rätselhaft. Absolut undurchschaubar. Wir müssen den Umstand, dass, wenn alles wie geplant gelaufen wäre, Jenna Robinson gestern den Coast Park aufgesucht hätte, nicht aus den Augen verlieren, aber wir dürfen uns auch nicht den Blick davon verstellen lassen.«

Wir nickten alle, so als wären wir ihre Schüler und sie hätte uns gerade einen Einblick in die Grundlagen der Polizeiarbeit gegeben. Dabei versuchte sie wahrscheinlich nur, ihre eigenen Gedanken in irgendeine Ordnung zu bringen. Der Fall entwickelte sich zweifellos komplizierter, als sie sich das vorgestellt hatte.

»Fakt ist«, fuhr sie fort, »dass Alexia Reece verschwunden ist. Wir müssen herausfinden, was ihr zugestoßen ist.« Sie wandte sich an Ken, und die nächste Frage schoss sie mit unerwarteter Schärfe in der Stimme ab. »Bei dem Kollegen hier auf dem Revier haben Sie angegeben, dass Ihre Frau gestern früh um sieben Uhr das Haus verließ. Und dass Sie zuvor Streit mit ihr hatten?«

Ich dachte daran, was Matthew prophezeit hatte: Der Streit zwischen Ken und Alexia wurde nun zum Aufhänger für die Polizei.

»Von meiner Seite aus war es eigentlich kein richtiger Streit«, sagte Ken. »Ich fand es nur völlig übertrieben, dass sie losfuhr, anstatt darauf zu vertrauen, dass Jenna am nächsten Tag schon kommen und die Sache erledigen würde. Sie warf mir daraufhin vor, kein Verständnis für ihre Situation zu haben. Dann knallte sie die Tür zu und startete den Wagen mit aufheulendem Motor. Daran merkte ich, wie aggressiv sie war. Ich selbst fühlte mich eigentlich nur ... bedrückt.«

»Für welche Situation Ihrer Frau hatten Sie kein Verständnis, Mr. Reece?«, fragte Inspector Morgan. »Was meinte sie damit?«

Ken warf mir einen hilflosen Blick zu. Ich sprang ein. »Alexia wird gemobbt«, erklärte ich, »und zwar von dem Eigentümer der Zeitschrift, deren Chefredakteurin sie ist. Es ist eindeutig, dass er sie loswerden will. Er hält nichts von Frauen in Führungspositionen, daher hat Alexia auch praktisch keine Chance. Er *will* sie nicht anerkennen. *Healthcare* hat ein paar Anzeigenkunden verloren, und einige Abonnenten sind abgesprungen, aber das ist bei anderen Zeitungen auch passiert. Es ist nicht Alexias Schuld. Aber er hat sich völlig auf sie eingeschossen, und sie ist ganz verzweifelt deswegen.«

»Sie arbeitet Tag und Nacht«, ergänzte Ken, »und an sämtlichen Wochenenden. Sie schläft nachts schlecht und macht sich ständig Sorgen. Sie versucht alles, um ihren Chef zufriedenzustellen, und merkt nicht, dass es darum gar nicht geht. Sie steht auf der Abschussliste. So oder so.«

»Wie heißt der Chef?«, fragte Inspector Morgan.

Ich nannte den Namen und sagte, dass er in London

lebte. »Ich glaube allerdings nicht, dass er in ihr Verschwinden involviert ist«, fügte ich hinzu. »Das kann ich mir jedenfalls nicht vorstellen.«

»Wenn Alexia Reece unter solchem Druck stand«, sagte Morgan, »wäre es dann auch denkbar, dass sie ...« Sie zögerte.

Ken erriet, worauf sie hinauswollte. »Sie meinen, dass sie etwas ... Unüberlegtes tut?«

»Ja. Das meine ich. Sie sprechen von Mobbing. Wenn es wirklich um Mobbing geht, dann ist das sehr ernst. Viele Selbstmorde geschehen aus diesem Grund.«

Das Wort *Selbstmord* hing wie ein hässlicher Geruch im Raum, schockierend und verstörend.

»Sie hat ... wir haben vier Kinder«, sagte Ken schließlich leise. »Ich kann mir nicht vorstellen, dass sie ... so etwas tun würde.«

»Und würde sie dann ausgerechnet auf den Parkplatz fahren, wo eine gute Freundin drei Jahre zuvor verschwunden ist?«, fragte ich.

Morgan zuckte mit den Schultern. Sie hatte sich wieder ein paar Stichpunkte notiert.

»Rein routinemäßig muss ich Sie fragen, Mr. Reece, was Sie gestern den Tag über getan haben«, sagte sie. »Waren Sie zu Hause?«

»Ja. Wie gesagt, wir haben vier Kinder. Ich kann nicht einfach weg. Wir sind relativ früh am Vormittag einkaufen gegangen, aber nur in den kleinen Gemüseladen, der sich eine Straße weiter befindet. Dort erinnert man sich bestimmt an uns. Es muss gegen neun Uhr gewesen sein, ein paar Minuten danach vielleicht. Ansonsten ...«, er hob hilflos beide Hände, »waren wir daheim. Im Garten hauptsächlich, weil ja das Wetter sehr schön war. Ich denke, dass die Nachbarn uns gesehen haben. Ich habe natürlich noch die Kinder selbst als Zeugen, aber die zählen vermutlich nicht.«

»Wenn Ihre Kinder bestätigen, dass Sie ständig mit ihnen zusammen waren, hat das durchaus eine Bedeutung«, meinte Inspector Morgan. Sie blickte sich in dem Wohnzimmer um, das voller Spielzeug war. Ich hatte mehrfach an diesem Tag aufgeräumt, aber trotzdem herrschte schon wieder jede Menge Chaos um uns herum.

»Ihre Frau ist Chefredakteurin einer Zeitschrift, Mr. Reece. Kümmern Sie sich generell um die Kinder?«

»Ja. Ich selbst habe derzeit keinen anderen Job.«

»Das heißt, wenn Ihre Frau ihre Stelle verliert, könnten Sie das finanziell nicht auffangen?«

»Nicht auf die Schnelle. Ich plane, ein Buch über Segelschiffe zu schreiben, aber ich bin noch nicht weit gekommen. Einen Verleger habe ich auch noch nicht. Insofern … Das wäre erst einmal ein ziemliches Desaster. Trotzdem hatte ich meiner Frau geraten zu kündigen. Sie muss sich diese Behandlung nicht gefallen lassen.«

»Offenbar legt es ihr Arbeitgeber ja darauf an. Dass sie kündigt, meine ich«, sagte Morgan.

»Natürlich. Dann muss er keine Abfindung zahlen. Das ist der einzige Grund, weshalb er sie noch nicht von sich aus gefeuert hat!«, sagte ich wütend.

Morgan fixierte mich scharf. »Obwohl Sie die Verzweiflung Ihrer Freundin kannten, setzten Sie nicht alles daran, rechtzeitig von diesem Begräbnis zurück zu sein? Wäre das denn nicht möglich gewesen?«

Ich beschloss, bei der Wahrheit zu bleiben. Alles andere würde mich nur in Schwierigkeiten bringen. »Es wäre möglich gewesen, ja. Aber wir … Es war so schönes Wetter, wir waren frustriert von der Beerdigung, und wir dachten …«

»Wir wollten noch nicht nach Hause«, mischte sich

Matthew ein, »und fuhren in die Cardigan Bay. Wir haben dann in Newport übernachtet und den Samstag hauptsächlich am Meer verbracht. Ich wusste, dass Jenna wegen der Fotoreportage unterwegs sein sollte, aber genau wie sie hielt ich die Verschiebung um einen Tag für völlig unerheblich. Offenbar haben wir beide Alexias psychische Situation falsch eingeschätzt.«

»Newport«, sagte Inspector Morgan. »Das ist nicht allzu weit von der Stelle, an der Mrs. Reece' verlassenes Auto stand.«

»Das stimmt«, pflichtete Matthew bei.

Inspector Morgan notierte wieder irgendetwas. Ich fragte mich, ob wir nun auch auf die Liste ihrer möglichen Verdächtigen gesprungen waren. Wir hatten uns am Tag von Alexias Verschwinden relativ nah am Tatort aufgehalten – wenn man den Rastplatz als solchen bezeichnen konnte –, und wir hatten keinen wirklich überzeugenden Grund dafür, außer dem, dass das Wetter schön gewesen war und wir nicht hatten nach Hause fahren wollen. Welche Gedanken machte sie sich über Matthew? Er war damit nun zum zweiten Mal in der Nähe eines mysteriösen Geschehens gewesen. Beide verschwundenen Frauen hatte er gut gekannt, war mit der einen verheiratet, mit der anderen seit Jahren befreundet gewesen. Aber welches Motiv sollte er haben? Welches Motiv sollte *ich* haben?

Aber wahrscheinlich sah Inspector Morgan ebenfalls noch keinen roten Faden. Sie sammelte Informationen und hoffte inständig auf eine Erleuchtung, einen Geistesblitz, irgendetwas, das sie aus all dem Wirrwarr heraus plötzlich anspringen würde.

»Mr. Willard«, sagte sie, »Sie und Miss Robinson sind ein Paar?«

Er zögerte nur den Bruchteil einer Sekunde. »Ja.«

»Könnte es jemanden geben, der etwas dagegen hat? Immerhin ist das Schicksal Ihrer verschollenen Frau bis heute nicht geklärt. Es wäre doch vorstellbar, dass Ihre Beziehung zu Miss Robinson Anstoß erregt?«

»Natürlich«, räumte Matthew ein, »natürlich wäre das vorstellbar. Und ich will Ihnen auch offen sagen, dass die Verwandten meiner Frau, die wir bei dem Begräbnis meiner Schwiegermutter trafen, unverhohlen ihr Unverständnis zeigten. Allerdings kann ich mir nicht vorstellen, *absolut nicht* vorstellen, dass sie deswegen gewaltsam gegen Jenna vorgehen würden. Und dann auch noch aus Versehen Alexia erwischen sollten. Abgesehen davon wusste niemand von der Fotoreportage, von Jennas Auftrag, natürlich auch nicht davon, dass sie Alexias Auto nehmen würde. Nein, ich bin sicher, dieser Gedanke führt zu nichts.«

Mir schoss unvermittelt durch den Kopf: Vanessa selbst. Wenn sie noch lebte, hätte sie etwas gegen Matthew und mich. Aber warum sollte sie dann nicht längst wieder in Erscheinung getreten sein? Und würde sie Alexia mit mir verwechseln?

Aber vielleicht war der Verwechslungsaspekt nicht geeignet, bestimmte Personen auszugrenzen. Denn es konnte jemand die Frau am Steuer des Autos für mich gehalten haben – weil er oder sie sicher war, dass ich es sein *musste*. Während des Überfalls hatte der Täter vielleicht schnell seinen Irrtum bemerkt, konnte aber nicht mehr zurück und musste nun Alexia zum Schweigen bringen.

»Wer wusste alles, dass Sie diesen Rechercheauftrag hatten, Miss Robinson?«, fragte Morgan. »Und dass Sie Mrs. Reece' Auto benutzen würden?«

Ich dachte kurz nach.

»Ich glaube, nur wenige in der Redaktion wussten davon«, sagte ich dann. »Und wahrscheinlich wusste niemand, dass ich Alexias Auto nehmen würde. Das war eine Absprache nur zwischen Alexia und mir. Ob sie es jemandem erzählt hat, weiß ich natürlich nicht.«

»Wir werden mit jedem Mitarbeiter von *Healthcare* sprechen«, kündigte Inspector Morgan an. »Wer wusste außerhalb Ihres Arbeitsplatzes Bescheid?«

»Matthew und Ken«, sagte ich. »Sonst fällt mir niemand ein.«

Aber irgendein Gedanke nagte in meinem Kopf. Ich hatte die unbestimmte Ahnung, jemanden zu vergessen, aber für den Moment war ich ratlos, um wen es sich handeln könnte.

»Die ganze Geschichte ist ausgesprochen mysteriös«, bemerkte Morgan. »Und ich muss Sie alle drei bitten, sich auf jeden Fall zu meiner Verfügung zu halten. Es werden sich noch eine Menge Fragen ergeben.«

»Was ist denn Ihrer Vermutung nach mit meiner Frau geschehen?«, fragte Ken. Inspector Morgans Ankunft und alles, was sie berichtet hatte, hatten ihn in eine Art fassungslose Betäubung versetzt, aus der er nun langsam erwachte. Seine Frage klang drängend und verzweifelt. Wahrscheinlich dämmerte ihm gerade, dass ihn womöglich dasselbe Schicksal erwartete, das auch Matthew ereilt hatte: niemals zu erfahren, was wirklich passiert war.

»Um ganz ehrlich zu sein, Mr. Reece, ich kann Ihnen im Moment keine Antwort geben«, sagte Inspector Morgan. »Ich kann verstehen, wie quälend diese Situation für Sie ist, und ich wünschte, ich würde klarer sehen, aber momentan erscheint mir alles äußerst rätselhaft und verworren. Wir werden alles tun, Ihre Frau zu finden, das kann ich Ihnen jedenfalls versprechen.«

»Was tun Sie als Nächstes?«, fragte Ken.

»Natürlich wird das Gelände rund um den Fundort des Autos weiträumig durchkämmt«, erklärte Morgan, »und das

Auto selbst wird kriminaltechnisch gründlich untersucht. Ich werde mit den Mitarbeitern Ihrer Frau sprechen und höchstwahrscheinlich auch ein Gespräch mit dem Eigentümer der Zeitung suchen. Wir werden uns zudem mit der Presse zusammentun. Es ist gut möglich, dass sich Zeugen melden, die gestern in der entsprechenden Gegend unterwegs waren und etwas Wichtiges beobachtet haben. Gerade solche Aussagen liefern oft den entscheidenden Hinweis, der dann den Durchbruch bringt.«

»Und wenn das alles nicht funktioniert? So wie bei Vanessa? Wenn ich so wie Matthew noch in drei Jahren hier sitze und nicht weiß, was aus meiner Frau geworden ist?« In Kens Stimme hatte sich ein Anflug von Panik geschlichen. Er war am Ende seiner Kräfte, und er tat mir entsetzlich leid. »Was soll ich dann meinen Kindern sagen?«

»Mr. Reece, ich kann mir Ihre Besorgnis vorstellen«, sagte Morgan in beruhigendem Ton, »aber Sie sollten noch nicht vom Schlimmsten ausgehen. Ihre Frau ist seit gestern verschwunden, und gerade jetzt laufen die Ermittlungen erst an. Es gibt noch keinen Grund, davon auszugehen, dass die Polizei lange im Dunkeln tappen wird. Das alles kann sich auch ganz schnell klären.«

Es war Ken anzusehen, dass er das ganz und gar nicht glaubte. Und wer sollte ihm das verdenken, nach allem, was sein Freund Matthew hatte erleben müssen?

Inspector Morgan klappte ihr Notizbuch zu und erhob sich. Sie bemühte sich, kompetent und souverän zu wirken, aber es gelang ihr nicht recht. Das Gespräch mit uns hatte keinerlei Licht ins Dunkel gebracht, im Gegenteil, es hatte deutlich gemacht, wie steil der Weg sein würde, der vor den ermittelnden Beamten lag.

»Ich werde morgen Vormittag in die Redaktion von *Healthcare* kommen«, sagte sie zu mir, »und ich wäre Ihnen dankbar, wenn Sie dafür sorgten, dass alle Mitarbeiter dann anwesend sind.«

»Ich kümmere mich darum«, versprach ich, und im selben Augenblick fiel mir ein, wer noch von meinem Ausflug in den Coast Park wusste. Und wer zudem über Matthew und über das Verschwinden von Vanessa detailliert unterrichtet gewesen war.

»Garrett«, sagte ich, »Garrett Wilder. Mein Exfreund!«

Alle starrten mich fragend an.

»Ihm habe ich auch davon erzählt. Von der geplanten Recherche im Park und dass ich mir dafür das Auto der Familie Reece ausleihen würde.« Ich entsann mich des langen Gesprächs. Garrett hatte sich von seiner Schokoladenseite gezeigt: interessiert an mir und meinem Leben, an meinem Vorhaben. Engagiert und bereit, mir endlos zuzuhören.

Aber warum hatte ich das jetzt eigentlich gesagt? Im selben Moment, da ich den Satz zu Ende gesprochen hatte, hätte ich ihn am liebsten ungeschehen gemacht. Ich bereitete Garrett wahrscheinlich Schwierigkeiten – und zwar völlig überflüssigerweise. Denn dass er etwas mit Alexias Verschwinden zu tun hatte, war ein vollkommen absurder Gedanke.

»Wo lebt Ihr Exfreund?«, fragte Morgan.

»In Brighton. Aber, Inspector, ich habe das nur erwähnt, um eine vollständige Aussage zu machen. Nie im Leben hat Garrett etwas mit der ganzen Sache zu tun.«

»Seit wann sind Sie getrennt?«

»Seit September letzten Jahres.«

»Und von wem ging die Trennung aus?«

»Von mir.« Mir war mulmig zumute. Morgan stellte zu viele Fragen. Ich wollte nicht, dass sie sich in Garrett verbiss.

»Weshalb?«

»Hören Sie, Inspector, es ist wirklich nur …«

Sie unterbrach mich. »Weiß Ihr Exfreund, dass Sie eine neue Beziehung haben?«

Was das anging, musste ich kurz nachdenken. Bis Freitag hatte ich eigentlich selbst nicht gewusst, ob ich eine neue Beziehung hatte oder nicht. Aber, ja, ich hatte Garrett von Matthew berichtet. Und Garrett hatte mit leiser Eifersucht reagiert. Er wollte zu meinem Geburtstag kommen. Ich war Garrett ein halbes Jahr lang vollkommen egal gewesen, aber plötzlich hatte er sehr bemüht gewirkt. Vielleicht wollte er mich nicht endgültig verlieren, noch dazu *an einen anderen Mann.*

»Er weiß es«, sagte ich wahrheitsgemäß. Garrett hatte es definitiv schon *vor* mir gewusst.

»Hat er aggressiv auf die Nachricht reagiert?«, fragte Morgan.

»Nein.« Aber das wusste man nicht. Man wusste nie, wie es in Garretts Innerem aussah. Er war ja stets obercool. Bedeutete die Tatsache, dass ich Garretts Eifersucht trotzdem gespürt hatte, dass Wut und Hass in Wahrheit in ihm geradezu brodelten? Es war ihm nicht gelungen, komplett ungerührt zu bleiben. Hieß das, hier hatte ein Kessel kurz vor seiner Explosion gestanden?

Es gelang mir offenbar nicht, meine Unsicherheit vor der Polizistin zu verbergen. Inspector Morgan schlug ihr Notizbuch noch einmal auf.

»Ich möchte bitte Adresse und Telefonnummer von Mr. Wilder«, sagte sie.

11

Dienstag, der neunundzwanzigste Mai. Es kam Ryan vor, als ticke eine Uhr. Oder vielleicht eher eine Zeitbombe. Minuten, Stunden, Tage. Selten zuvor hatte er die Zeit als etwas empfunden, das ihm geradezu davonraste. Im Gefängnis war sie geschlichen, und ansonsten hatte er sie nie wirklich bewusst wahrgenommen. Die Zeit verging eben, und wie man wusste, tat sie das stets in exakt derselben Geschwindigkeit.

Jetzt jedoch galoppierte sie. Der Mai war schon fast zu Ende. Dann blieb nur noch der Juni. Nora drängte darauf, am kommenden Wochenende nach Yorkshire zu fahren und mit Bradley und Corinne zu sprechen. Ryan wurde übel, wann immer sie davon sprach. Er wusste nicht genau, ob das daran lag, dass er den Gesichtsverlust fürchtete, den er hinnehmen musste, wenn er den verhassten Bradley um Geld bat. Oder das Ganze war noch eine Ecke komplizierter: Vielleicht hegte er eine tiefe, furchtbare Angst vor dem Moment, in dem sein Stiefvater seine Bitte um Hilfe unverblümt und unverrückbar ablehnen würde. Im Moment bestand noch ein winziger Funken Hoffnung, danach gab es dann keinen mehr. Deswegen gar nicht erst zu fragen war keineswegs logisch. Aber Ryans Leben wurde im Augenblick vorwiegend von Panik bestimmt, nicht von Logik.

Er saß am Frühstückstisch, trank seinen Kaffee, ließ das Brot aber unberührt im Toaster stecken. Wenn er morgens aufwachte, dachte er als Erstes an Damon, und das verhagelte ihm schon den Appetit. Nur noch ein paar Minuten, dann würde Nora ihm gegenüber Platz nehmen und ihn fragen, ob er zu einer Entscheidung bezüglich der Reise nach Yorkshire gelangt war. Er würde *nein* sagen, und sie würde beginnen, auf ihn einzureden.

Wie in den letzten Tagen.

Er blätterte in der Zeitung. Nicht dass ihn irgendetwas von dem, was darin stand, interessierte, er hatte derart große Probleme, dass er für das, was im Land und in der Welt passierte, keinen Sinn mehr hatte, aber vielleicht lenkten ihn die Fotos und der ganze Mist, der drum herum geschrieben stand, ein wenig ab. In London hatte eine große Party stattgefunden, zu der jede Menge High-Society-Größen erschienen waren, es gab ein paar Bilder von Frauen in mondänen Abendkleidern und Männern in dunklen Anzügen. Er betrachtete den Schmuck, den die Damen an Hals, Ohren und Armen trugen. Wahrscheinlich hätte ihm ein einziges solches Armband, ein Ring, eine Kette aus der Patsche geholfen. Die Frauen stellten ihre Juwelen mit einer Lässigkeit zur Schau, als käme ihnen nicht eine Sekunde lang in den Sinn, dass der Anblick dieser Bilder in anderen Menschen schieren Hass erzeugen konnte. Wie sollten sie ahnen, dass das Leben eines Mannes von fünfzigtausend Pfund abhängen könnte?

Eine andere Welt, dachte er, eigentlich bewegen wir uns gar nicht auf demselben Planeten.

Er blätterte die letzte Seite um.

Und erstarrte.

Vanessa Willard schaute ihn an.

Er verschüttete etwas Kaffee, während er mit zitternder Hand die Tasse absetzte. Das musste ein Irrtum sein. Das war nie im Leben Vanessa. Vermutlich nur eine Frau, die ihr auf erschreckende Weise ähnlich sah.

Er wagte kaum die Bildunterschrift zu lesen: *Seit August 2009 spurlos verschwunden: Dr. Vanessa Willard, Universitätsdozentin aus Swansea.*

Sie war es. Er hatte sich nicht getäuscht. Und im Grunde war ihm das auch klar gewesen. Denn wenn sich etwas unauslöschlich in sein Gehirn eingebrannt hatte, dann das Gesicht der Frau, die er …

Er presste beide Hände gegen seine Augen. *Nicht zu Ende denken!*

Es dauerte eine Weile, bis er die Hände wieder wegnahm. Es half nichts, er musste wissen, worum es in diesem Artikel ging. Wieso, verdammt, setzten die fast drei Jahre nach ihrem Verschwinden Vanessa wieder in die Zeitung?

Er las die Überschrift: *Doch ein Verbrechen? Ein mysteriöser Fall scheint sich zu wiederholen.*

Jetzt sah er das zweite Bild auf der Seite. Es zeigte ebenfalls eine Frau, auch blond, ungefähr Vanessas Alter. Darunter stand: *Vermisst seit dem vergangenen Samstag: Alexia Reece, 35, Journalistin aus Swansea.*

Mit steigender Verzweiflung überflog er den Text, der Alexia Reece' rätselhaftes Verschwinden beschrieb. Dann wurde der Fall Vanessa Willard noch einmal ausgebreitet, das mysteriöse Verschwinden einer Frau, von der bis zu diesem Tag jede Spur fehlte. Und um die ganze Sache vollends undurchdringlich zu gestalten, hatte sich nun auch noch herausgestellt, dass Vanessa Willard und Alexia Reece einander gut kannten und befreundet gewesen waren. Offensichtlich schien beide Frauen dasselbe Schicksal ereilt zu haben, aber es gab nicht den geringsten Anhaltspunkt dafür, wie dieses Schicksal aussehen könnte. Die Polizei tappte völlig im Dunkeln und bat dringend um Hilfe in der Bevölkerung. Hatte jemand Alexia Reece am Samstag, dem 26. Mai in der Gegend von Fishguard gesehen? War jemandem ihr abgestelltes Fahrzeug im Pembrokeshire Coast National Park aufgefallen? Hatte jemand etwas Verdächtiges in der Nähe des betreffenden Parkplatzes beobachtet? Es wurde eine Telefonnummer genannt, unter der man anrufen konnte, wenn man glaubte, einen Hinweis geben zu können.

Vier Kinder warten sehnsüchtig auf ihre Mummie. Mit diesem pathetischen Satz endete der Artikel.

Ryan starrte auf das Blatt. Ihm war speiübel.

Das war kein Zufall. Das sah ja auch die Polizei ganz offensichtlich so. Hier hatte jemand ganz gezielt eine Szenerie nachgestellt. Die Polizei vermutete, dass derjenige, der für Vanessa Willards Verschwinden verantwortlich war, auch mit Alexia Reece zu tun hatte, konnte aber natürlich auch einen Trittbrettfahrer nicht ausschließen. Alle Details des damaligen Falls waren wochenlang in verschiedenen Zeitungen zu lesen gewesen und konnten im Internet noch immer abgerufen werden. Insofern wäre der Fall Willard für jedermann leicht nachzustellen gewesen.

Ryan wusste eines: Der Täter von damals war nicht der Täter von heute. Aber er war überzeugt, dass es um den Täter von damals ging, nämlich um ihn. Nach allem, was sich sonst in seinem Umfeld ereignet hatte, was Debbie und seiner Mutter zugestoßen war, konnte er nicht davon ausgehen, dass mit dieser Sache *nicht er* gemeint war. Aber das hieß, jemand wusste, dass er es war, der Vanessa Willard hatte verschwinden lassen.

Das konnte nicht Damon sein. Unmöglich. Er hatte absolut keine Idee, wie Damon diese Geschichte hätte herausfinden können. Vor allem: Mit diesem Wissen wäre er schon längst in einer viel direkteren Form herausgerückt. Mit einer solchen Bombe in der Hand hätte er den Umweg über Debbie und Corinne nicht gebraucht.

Es gab tatsächlich nur einen einzigen Menschen auf der Welt, der ihn mit dem Verschwinden Vanessa Willards in Verbindung bringen konnte, und das war Vanessa selbst.

Zwar hatte er sich getarnt, war völlig inkognito geblieben, logischerweise. Aber wie verrückt liefen die Dinge manchmal? Am Ende hatte Vanessa im Laufe von fast drei Jahren herausgefunden, wer sie damals verschleppt hatte. Sie blieb untergetaucht und startete einen perfiden Rachefeldzug. Heuerte Männer an, die sich Debbie vornahmen. Heuerte Männer an, die sich Corinne vornahmen. Und zog die Schlinge immer enger. Alexia Reece, eine Freundin von ihr. Was immer sie mit ihr angestellt haben mochte: Dies nun war der bösartigste Fingerzeig.

Sie wollte ihn fertigmachen. Was kam als Nächstes?

Er versuchte, seine Kaffeetasse zu greifen, gab aber auf, weil seine Hände so sehr zitterten. Er fuhr zusammen, als plötzlich Nora am Tisch auftauchte.

»Guten Morgen, Ryan. Ich...« Sie unterbrach sich. »Oh Gott! Was ist los? Wie siehst du denn aus?«

Er strich sich mit der Hand über das Gesicht. Offenbar sah er ungefähr so aus, wie er sich fühlte. »Mir... ist nicht so gut«, murmelte er.

»Du siehst absolut krank aus«, stellte Nora fest. Kurz legte sie ihre Hand auf seine Stirn.

»Ich glaube nicht, dass du Fieber hast. Aber du hast überhaupt keine Farbe im Gesicht. Deine Hände zittern ja!«

Er hatte die Seite umgedreht, die er gerade gelesen hatte. Nora sollte keine Rückschlüsse ziehen, die dann am Ende der Wahrheit gefährlich nahekamen.

»Wir rufen Dan an«, sagte Nora, »und sagen, dass du heute nicht zur Arbeit kommst.«

»Doch... es geht schon«, flüsterte er. Hier daheim herumzusitzen wäre noch schlimmer.

Sie nahm ihm gegenüber Platz, schenkte sich einen Kaffee ein, wandte dabei aber keinen Moment lang ihren Blick von ihm ab. »Hat sich … Damon wieder gemeldet?«, fragte sie mit einer wohl unwillkürlich gesenkten Stimme.

»Nein. Hat er nicht.«

Sie trank einen Schluck Kaffee, stellte dann die Tasse nachdrücklich ab. »Es geht aber um Damon? Oder um Bradley? Du kommst nicht damit klar, dass du ihn um Hilfe bitten musst. Aber, Ryan, überleg doch mal, dass …«

Sie redete auf ihn ein, aber er hörte nicht mehr richtig hin. Ihre Stimme plätscherte irgendwo in weiter Ferne. Eine neue Welle von Übelkeit erfasste ihn, als er sich vorstellte, was er tun musste, um Klarheit zu gewinnen: Er würde in das Tal des Fuchses gehen müssen. Er musste die Höhle aufsuchen. Die Steine vom Eingang räumen, falls sie dort noch aufgeschichtet lagen, was er fast vermutete. Wenn Vanessa entkommen war und einen Rachefeldzug führte, hatte sie sicher dafür gesorgt, dass niemand ihr Gefängnis entdecken konnte. Mit den Steinen vor dem Einstieg war es praktisch unmöglich, die Höhle zu finden.

Er sah sich, wie er sich gebückt durch den niedrigen, engen Gang tastete, durch den er als kleiner Junge so behände geglitten war und der es einem erwachsenen Mann so viel schwerer machte, bis in die eigentliche Höhle vorzudringen. Noch dazu, wenn er … ja, wenn er eine betäubte, gerade erst aus ihrer Narkose mühsam erwachende Frau … hinter sich herzog …

Er schluckte. Gott, war ihm schlecht. Wahrscheinlich kotzte er gleich quer über den Frühstückstisch.

Würde der Deckel der Kiste offen stehen? Selbst wenn er noch verschraubt wäre, müsste er hineinschauen, anderenfalls gab es keine Gewissheit.

Er sah ein seltsames Flimmern vor den Augen. Am Ende hatte Nora recht. Er konnte heute nicht zur Arbeit gehen. Er fühlte sich so krank wie noch nie in seinem Leben.

Krank, kaputt und verzweifelt. Wie sollte er das schaffen? Er war jahrelang nicht fähig gewesen, an jenen Augustabend des Jahres 2009 auch nur zu denken. Dort nun hinzugehen würde bedeuten, alles noch einmal zu durchleben. Den ganzen Alptraum, den ganzen Wahnsinn.

Er vernahm jetzt wieder Noras Worte. »Und deshalb sollten wir am Wochenende nach Yorkshire fahren«, sagte sie gerade.

»Wir müssen in das Tal des Fuchses fahren«, sagte er mit einer Stimme, die klang, als wäre es nicht seine.

Nora sah ihn verwirrt an.

»Das Tal des Fuchses? Was ist das? Wo ist das?«

Er konnte nicht mehr. Nicht mehr reden, nicht mehr denken. Er konnte sich nicht mehr aufrecht halten. Er war am Ende.

Er kippte nach vorn, sein Kopf krachte auf den Tisch. Heißer Kaffee spritzte auf seine Haut, er hörte, wie eine Tasse klirrend auf dem Fußboden zerbrach. Er wünschte, er würde das Bewusstsein verlieren, es würde ihm gelingen, alldem wenigstens für einige Momente zu entfliehen. Panik, es war schiere Panik, die ihn umklammert hielt.

Eine Hand schob sich unter seine Stirn. »Ryan, was ist los? Bitte, sag mir doch, was passiert ist.«

Er drehte den Kopf. Er blickte in Noras Augen. Nora kniete neben ihm, ihr Gesicht war direkt vor seinem. Sie schien sehr besorgt, aber daneben strahlte sie Sanftheit und Ruhe aus. Sie hatte jeden Tag mit Patienten zu tun, oft genug mit völlig verzweifelten Menschen, die unter Schmerzen litten oder ihren Körper nicht mehr normal bewegen konnten. Sie geriet nicht aus der Fassung, wenn jemand in ihrer Gegenwart psychisch zusammenbrach.

»Erzähl es mir«, sagte sie. »Erzähl mir doch einfach, was los ist.«

Sein Kopf lag noch immer auf dem Tisch, mitten in einer Lache aus Kaffee. Die Tränen liefen ihm über das Gesicht, aber das merkte er erst später, weil seine Haut sowieso nass war vom Kaffee.

Er begann zu sprechen.

12

»Garrett Wilder ist verschwunden. Nicht einmal seine Arbeitskollegen wissen, wo er sein könnte!« Inspector Morgan stand vor meinem Schreibtisch in der Redaktion von *Healthcare* und sah mich fast anklagend, zumindest ziemlich vorwurfsvoll an. Als sei ich verantwortlich für diesen Mann, von dem ich nunmehr schon ein Dreivierteljahr lang getrennt lebte. »Haben Sie eine Idee, wo er sich aufhalten könnte?«

Inspector Morgan und einer ihrer Kollegen, Detective Sergeant Jenkins, waren schon am Vortag in der Redaktion gewesen und hatten mit den Mitarbeitern von *Healthcare* gesprochen. Ich vermutete, dass sie dabei kaum etwas herausgefunden hatten, was sie weiterbrachte. Untereinander kannten wir alle kein anderes Thema mehr, aber für mich hatte sich dabei herausgestellt, dass niemand wirklich etwas über Alexia wusste. Jeder konnte bestätigen, dass sie in den letzten Wochen unter größtem Stress gestanden hatte, nervös, gereizt und ziemlich durch den Wind gewesen war, aber das war es eigentlich auch schon, was man über sie in Erfahrung bringen konnte. Von der geplanten Reportage hatten alle gewusst, aber die meisten hatten keine Ahnung gehabt, dass ich es war, die auf Motivsuche hätte gehen sollen, und dass dies für das vergangene Wochenende vorgesehen gewesen war. Alle waren aufgeregt und verstört, aber niemand konnte etwas zur Klärung dieses mysteriösen Vorkommnisses beitragen. Die stellvertretende Chefredakteurin, die wusste, dass sie nun auf unabsehbare Zeit in die Schusslinie von Ronald Argilan geraten würde, flatterte nur noch wie ein kopfloses Huhn durch die Gänge. *Sie* war tatsächlich mit der Aufgabe überfordert, die unvermittelt über sie hereingebrochen war.

Und jetzt tauchte die Polizistin an diesem Dienstagmorgen schon wieder auf und wollte wissen, wo Garrett war.

»Nein, ich habe keine Ahnung«, erwiderte ich auf Morgans Frage. »Vielleicht macht er Urlaub?«

»Hätte er sich dann nicht an seinem Arbeitsplatz abgemeldet?«, fragte Morgan zurück.

Garrett arbeitete zurzeit, genauer: seit etwa zwei Jahren, für eine Eventagentur. Genau wie ich hatte er nicht wirklich etwas gelernt, sagte aber von sich selbst, dass er ein hochkreativer Mensch sei, den es dazu dränge, seine vielen Gedanken, Bilder und Einfälle praktisch umzusetzen. Er hatte schon als Werbetexter, als Fotograf, als Designer sein Geld verdient, und da er ein Auftreten besaß, das Menschen in seinen Bann zog, dauerte es immer eine ganze Weile, bis sein Umfeld bemerkte, dass er im Wesentlichen heiße Luft und sonst nichts absonderte. Er hatte ein feines Gespür für Stimmungen, und so verließ er eine Arbeitsstelle immer dann, wenn er witterte, dass man ihn demnächst dazu auffordern würde. Natürlich redete er sich das ebenfalls schön.

»Gleichmaß ist tödlich für jede Kreativität. Veränderung, Wechsel, immer neue Herausforderungen, das ist es, was ein Künstler braucht. Merk dir, Jenna, bleib nie zu lange an einem Ort. Bleib nie zu lange in einem Job!«

Anfangs hatte er mich mit derlei Statements tief beeindrucken können. Zum Glück wurden selbst Menschen wie ich irgendwann reifer und schlauer. Heute lächelte ich nur noch müde, wenn ich an all seine vielen Weisheiten und Theorien und vor allem an sein geradezu gnadenloses Selbstbewusstsein dachte.

»Vielleicht hat er gar nicht vor, an seinen Arbeitsplatz zurückzukehren«, antwortete ich auf Morgans Frage. »Er ist jetzt seit zwei Jahren bei dieser Agentur. Für ihn eine lange Zeit. Es könnte durchaus sein, dass er seine Zelte dort abgebrochen hat.«

»Dann hätte er gekündigt.«

»Nicht unbedingt. Er gefällt sich manchmal darin, ausgesprochen unkonventionell aufzutreten. Er sieht sich als Künstler, für den so banale Formalitäten wie beispielsweise eine Kündigung keine Bedeutung haben.«

»Die Kollegen in Brighton haben gestern mehrfach versucht, ihn in seiner Wohnung anzutreffen, aber dort war er nicht. Die Mieter im Haus haben ihn seit vergangenen Donnerstag nicht mehr gesehen.«

»Ich weiß wirklich nicht, wo er stecken könnte, Inspector.«

Morgan zog sich einen Stuhl heran und setzte sich. Ich hatte völlig versäumt, ihr einen Platz anzubieten. Sie sah entnervt aus, und dauernd fielen ihr die Haare in die Augen. Ich hatte ein paar Haarspangen in meiner Schreibtischschublade und ertappte mich bei dem Gedanken, dass ich ihr gern eine davon angeboten hätte. Natürlich tat ich es nicht.

»Was für eine Art Mensch ist Garrett Wilder? Wie lange waren Sie mit ihm zusammen?«

Ich seufzte, absichtlich laut und deutlich. Sie sollte registrieren, dass ich die Spur, die sie zu verfolgen gedachte, abwegig fand. Hätte ich bloß Garrett gar nicht erst erwähnt! Inspector Morgan verschwendete jetzt jede Menge Zeit mit ihm, und sie würde dabei keinen Schritt in ihren Bemühungen, Alexia zu finden, vorankommen.

»Ich war acht Jahre lang mit ihm zusammen. Ich lernte ihn kennen, als ich vierundzwanzig war. Mit zweiunddreißig trennte ich mich von ihm.«

»Sie verließen ihn, wie Sie sagten. Es war also nicht direkt eine einvernehmliche Trennung?«

»Nein, aber wir gerieten auch nicht in Streit. Es stimmte schon lange nicht mehr zwischen uns. Als ich ihm sagte, dass ich gehen würde, nahm er das ziemlich gleichmütig auf.«

Geradezu verletzend gleichmütig, hätte ich ehrlicherweise sagen müssen. Aber das ging Inspector Morgan eigentlich nichts an.

»Mitarbeiter von ihm haben auf die Fragen der Polizei geantwortet, er sei ein äußerst undurchsichtiger Mensch. Kaum zu durchschauen. Jemand, von dem man nie wüsste, was hinter seiner Fassade eigentlich vorgeht. Er könne zudem sehr aggressiv und verletzend auftreten, besonders dann, wenn eigentlich kein Grund vorliege und niemand ihn seinerseits angegriffen hätte. Würden Sie das auch so sehen?«

»Ja. Das beschreibt ihn ziemlich deutlich.« Noch deutlicher wäre gewesen: Er kann manchmal ein aufgeblasener, unerträglicher Idiot sein!

»Könnte es sein, dass die Gleichmütigkeit, mit der er auf die Trennung reagierte, nur vorgetäuscht war? Nach immerhin acht Jahren Zusammensein ist Gleichmut in einer solchen Situation eher ungewöhnlich, finden Sie nicht?«

»Nicht bei Garrett. Er ist sehr von sich überzeugt. Er ist mit Sicherheit sowieso davon ausgegangen, dass ich zurückkommen würde. Ich glaube nicht, dass er sich ernsthaft vorstellen kann, dass ihn eine Frau verlässt. Er kommt schließlich gleich nach dem lieben Gott. Oder vielleicht sogar noch vor ihm.«

Zu spät merkte ich, dass ich einen Fehler gemacht und Morgans Theorie, was Garrett betraf, in die Hände gespielt hatte. »Wenn er die ganze Zeit über glaubte, dass Sie zurückkommen würden, muss es ihn ja erschüttert haben, als er von Ihrer Beziehung zu Matthew Willard erfuhr. Wann genau haben Sie ihm davon erzählt?«

Ich musste nicht lange überlegen. Das war wenige Tage vor Laurens Beerdigung gewesen.

»Montag letzter Woche«, sagte ich. »Er rief mich an. Das war das letzte Mal, dass wir telefonierten.«

»Rief er Sie öfter an?«

»Zwei- oder dreimal in der ganzen Zeit.«

»Haben Sie ihm in demselben Gespräch auch von Dr. Willard und ihrem Verschwinden erzählt?«

»Ja.«

»Und von Ihrer geplanten Recherche in den Gebieten des Pembrokeshire Coast National Park?«

»Ja.«

»Davon, dass Sie Alexia Reece' Auto ausleihen würden?«

»Ja, aber...« Ich sprach nicht weiter. Das klang alles so schief. So als sei Garrett noch immer jemand, dem ich detailliert über jedes noch so kleine Vorkommnis in meinem Leben Bericht erstatten würde. Was gar nicht stimmte. Ich war nur irgendwie etwas einsam gewesen an jenem Abend. Dadurch redselig. Und Garrett war nett gewesen und charmant und der gute Zuhörer, der er sein konnte, wenn er wollte.

»Am 21. Mai ruft Ihr Exfreund Sie an«, rekapitulierte Inspector Morgan, »und erfährt erstmals, dass es einen anderen Mann in Ihrem Leben gibt. Dass Sie also womöglich doch nicht kleinlaut zu ihm zurückkommen werden. Zugleich erhält er jede Information, die er braucht, um haarklein über Ihr nächstes Wochenende Bescheid zu wissen. Am Donnerstag, bevor Alexia Reece verschwindet, wird er zum letzten Mal an seinem Arbeitsplatz und in seinem Wohnhaus gesehen. Seitdem hat er sich in Luft aufgelöst und niemand weiß, wo er stecken könnte.«

»Inspector, weshalb sollte er Alexia statt meiner etwas antun? *Er* hätte nun wirklich sofort gemerkt, dass er die falsche Frau vor sich hat!«

»Vielleicht war es schon zu spät, als er das merkte. Er hatte vielleicht schon irgendetwas getan, was er Mrs. Reece nicht als harmlos verkaufen konnte. Also musste er sie zum Schweigen bringen.«

»Sie verrennen sich. Wirklich. So ist Garrett nicht. Ich meine, er kann ein echter Kotzbrocken sein, aber er ist nicht kriminell. Und nicht gewalttätig. Das passt einfach nicht zu seinem Typ!«

»Ich denke, er konnte aggressiv werden?«

»Mit Worten. Ausschließlich mit Worten.«

Morgan strich sich zum hundertsten Mal während unseres Gesprächs ihre Haare aus der Stirn. »Es wäre einfach gut, wenn ich mit ihm reden könnte«, sagte sie. »Es verkompliziert die ganze Sache, dass er nun plötzlich verschwunden ist.«

Kurz überlegte ich, ob ich ihr sagen sollte, dass er vorhatte, zu meinem Geburtstag in der übernächsten Woche zu kommen, aber dann entschied ich mich dagegen. Es tat nichts zur Sache und würde bei ihr nur den Eindruck verstärken, dass er noch immer hinter mir her war. Sowieso hoffte ich, dass er sich vorher bei mir melden würde. Ich musste ihm sagen, dass er nicht kommen konnte. Meinen Geburtstag würde ich ohnehin nur dann feiern, wenn Alexia bis dahin wieder aufgetaucht war, und untergründig hatte ich eine Ahnung, dass das nicht der Fall sein würde. Irgendetwas Furchtbares war ihr zugestoßen, und es sah nicht so aus, als würde die Polizei schnell herausfinden, was passiert war. Jedenfalls nicht, wenn Inspector Morgan weiterhin so verbissen hinter dem harmlosen Garrett Wilder her war.

»Hat sich sonst irgendetwas ergeben?«, fragte ich.

Morgan schüttelte den Kopf. »Nichts, was uns wirklich weiterbringt. Das Auto wurde auf Spuren untersucht, aber es befinden sich hauptsächlich die Fingerabdrücke der Familie darin. Es sind auch häufig Freunde der Kinder mitgefahren, von ihnen dürften die anderen Spuren stammen. DNA-Spuren werden noch ausgewertet, aber ich vermute, da ist es dasselbe: die Reeces sowie Freunde und Bekannte der Familie. Es sieht auch nicht so aus, als sei in dem Wagen gekämpft worden. Abgesehen davon, dass er eine fahrende Müllhalde zu sein scheint, aber das ist wahrscheinlich bei einer Großfamilie normal.«

Ich wusste, was sie meinte. Das Auto der Reeces, eine Art Kleinbus, musste man gesehen haben, um es zu glauben. Es herrschte darin dasselbe Chaos wie im Haus, nur konzentriert auf einen viel kleineren Raum. Bonbonpapier, Haarspangen, einzelne Socken, Sonnencreme, Pappbecher, leer gegessene McDonald's-Tüten, Windeln, Puppenkleider, Filzstifte ohne Verschlusskappe, nackte Barbiepuppen mit abgedrehten Köpfen – all das flog in munterem Durcheinander vor allem im hinteren Teil des Wagens herum. Mindestens einmal pro Woche verkündete Alexia, sie werde das Auto aufräumen und jeden erschießen, der es danach wieder zumüllte, aber es kam nie dazu. Weder zum Aufräumen noch zum Erschießen.

»Wie es aussieht, hat Mrs. Reece auf dem Parkplatz das Auto freiwillig verlassen. Was dann geschehen ist ...« Morgan hob die Schultern.

»Auf dem Handy waren jede Menge unbeantworteter Anrufe«, fuhr sie dann fort, »von Ihnen und von Mr. Reece. Sonst hat niemand versucht, sie zu erreichen. Ich habe auch Ihre verschiedenen SMS gefunden.«

Ich merkte, dass meine Wangen heiß wurden, weil ich an die SMS von Freitagabend denken musste. *Ich bin mit M. im Hotel* ☺ Eine Frau wie Inspector Morgan fand zumindest das Smiley dahinter sicher ziemlich teenagerhaft. War es wahrscheinlich auch.

»Es waren auch andere, ältere Nachrichten gespeichert«, sagte Morgan, »aber die scheinen alle einen ausschließlich beruflichen Hintergrund zu haben. Nichts, was geeignet wäre, etwas Licht ins Dunkel zu bringen.«

»Haben Sie mit Ronald Argilan gesprochen?«, fragte ich.

»Ja. Telefonisch. Er konnte mir überhaupt nichts zu dem ganzen Vorfall sagen und regte sich vor allem wegen der Arbeit auf, die nun womöglich liegen bleibt. Alexia Reece' Schicksal schien ihn weniger zu interessieren. Er war mir ziemlich unangenehm, aber er wirkte absolut glaubhaft.«

Ja. Ich konnte Argilan nicht ausstehen, aber es war tatsächlich kaum vorstellbar, dass er von London aus an die Westküste von Wales reiste, um sich dort auf einem abgelegenen Rastplatz seiner ungeliebten Chefredakteurin zu entledigen. Das war völlig abwegig.

Morgan zögerte, dann sagte sie: »Wir müssen uns auch Kendal Reece sehr genau ansehen. Das verstehen Sie sicher?«

Es war mir zumindest klar gewesen. Ich wusste ja von Matthew, dass in derlei Fällen der Ehepartner geradezu automatisch als Hauptverdächtiger fungierte.

»Seine Kinder, wobei wir zumindest die Älteste mit ihren sieben Jahren durchaus ernst nehmen können, bestätigen, dass er das ganze Wochenende über mit ihnen zusammen war. Sie waren gemeinsam einkaufen, wie er gesagt hat, und der Ladenbesitzer erinnert sich an die lärmende Truppe. Tatsächlich scheint es für mich kaum eine Möglichkeit zu geben, wie er es hätte schaffen sollen, zusammen mit seiner Frau bis in die Gegend von Fishguard hinaufzufahren, ihr dort etwas anzutun, das Auto zurückzulassen und sich irgendwie nach Swansea zurück durchzuschlagen. Er wäre viel zu lange unterwegs gewesen. Inzwischen hätten die Kinder das Haus auseinandergenommen und sich bestimmt auch deutlich erinnert, dass niemand da war, als sie aufwachten. Außerdem hätte er es vormittags nicht in diesen Gemüseladen schaffen können.« Sie zog ihren Notizblock aus der Tasche, blätterte darin herum. »Ja, hier habe ich es. Eine Nachbarin sagt aus, sie habe Alexia Reece am Samstag früh losfahren sehen. Der Wagen kam direkt an ihrem Wohnzimmer vorbei. Zufällig begannen genau in diesem Moment die Sieben-Uhr-Nachrichten im Radio, daher kann sie die Zeit genau benennen. Das deckt sich mit Reece' Angaben, dass seine Frau *gegen sieben Uhr* früh aufgebrochen ist. Angenommen, er hätte mit ihr im Auto gesessen, dann hätte er selbst unter den denkbar günstigsten Umständen nicht vor zehn Uhr am Vormittag zurück sein können. Er hat aber den Kindern ganz normal das Frühstück gemacht und ist dann mit ihnen losgezogen und um kurz nach neun in dem Gemüseladen gewesen. Insofern ist es wirklich schwer, da etwas zu konstruieren.«

»Ich bin sicher, er hat nichts damit zu tun«, sagte ich, »mit Alexias Verschwinden, meine ich. Irgendwie hängt das alles mit Vanessa Willard zusammen. Zwei Frauen, die befreundet sind und im Abstand von knapp drei Jahren auf genau dieselbe Weise spurlos verschwinden … Da muss es etwas geben, das keiner von uns sieht.«

Sie nickte, aber sie schien nicht allzu überzeugt. Wahrscheinlich war die von mir angedeutete Möglichkeit in ihren Augen die schlimmste Variante. Ein drei Jahre alter Fall, der ungelöst geblieben war und der nun in einem direkten Zusammenhang mit einem weiteren völlig mysteriösen Fall stand. Eine Niederlage würde zur nächsten führen, eine sicherlich beinahe unerträgliche Vorstellung für Inspector Morgan. Ein Nachahmungstäter, der lediglich den Anschein hatte erwecken wollen, die ganze Geschichte habe etwas mit Vanessa Willard zu tun, würde ihr wesentlich gelegener kommen; sie sah darin offenbar eine größere Chance, den Fall klären zu können. Ihre Lieblingsverdächtigen, das glaubte ich deutlich zu erkennen, waren Ken und Garrett. Ken, weil er als Alexias Ehemann statistisch gesehen der erste Anwärter auf die Rolle des Täters war und weil sich zwischen Eheleuten nach so vielen Jahren wohl immer genügend Ärgernisse angesammelt haben, die zu Kurzschlusshandlungen führen können. Noch etwas mehr tendierte sie allerdings zu Garrett: Er hatte ein sichtbares Motiv, nämlich seine Eifersucht mir gegenüber, und außerdem war er urplötzlich wie vom Erdboden verschluckt, was schon für sich genommen sehr verdächtig erschien. Gegen ihn ließe sich möglicherweise noch etwas konstruieren, was, wie sie ja selbst bereits zugegeben hatte, bei Ken schwierig werden dürfte, da er nachweislich im entscheidenden Zeitraum daheim gewesen war und die Kinder versorgt hatte. Natürlich würde Morgan auch in andere Richtungen ermitteln, aber sie war voreingenommen, und das machte mir Sorgen.

»Es war reiner Zufall, dass Sie und Matthew Willard sich

am Samstag in der Nähe jenes ominösen Rastplatzes aufhielten?«, fragte sie unvermittelt.

Das konnte ich nun wirklich zu hundert Prozent ehrlich
bejahen. »Ja. Wir hatten ursprünglich fest vor, am Freitagabend wieder in Swansea zu sein, sonst hätte ich Alexia ja
von Anfang an nicht zugesagt, am Samstag loszufahren. Es
war ein vollkommen spontaner Entschluss.«

»Das Seltsame daran ist«, sagte Morgan, »dass Matthew
Willard zweimal in der Nähe eines einsamen Rastplatzes
war, von dem eine Frau verschwand. Einmal ganz unmittelbar, als er den Hund in einiger Entfernung spazieren führte.
Und diesmal lagen zwar ein paar Meilen dazwischen, aber
im Grunde war das noch immer ein Katzensprung.«

Ich starrte sie an. Täuschte ich mich, oder schoss sie sich
gerade auf ihren dritten Lieblingsverdächtigen ein? Jetzt
also Matthew. Der wiederum eindeutig die Theorie stützen
würde, dass beide Fälle klar zusammenhingen. War Morgan doch offen für alles und keineswegs voreingenommen –
egal, wie verrückt und weit hergeholt einzelne Varianten
klingen mochten? Mir begann zu dämmern, dass man vorsichtig sein sollte, diese etwas übergewichtige Polizistin mit
der unglücklichen Frisur zu unterschätzen.

»Für Matthew lege ich beide Hände ins Feuer«, sagte ich.
»Er war den ganzen Tag mit mir zusammen. Jede einzelne
Minute. Und weshalb sollte er Alexia etwas antun? Woher
sollte er überhaupt wissen, dass sie auf Motivsuche gehen
würde? Ich wusste es ja auch nicht!«

Sie erwiderte nichts, kritzelte nur ein paar Notizen in ihr
Buch. Weshalb sollte sie mir glauben? Schließlich konn-
ten Matthew und ich gemeinsame Sache gemacht haben.
Schon bei Vanessa. Warum? Vielleicht hatte sie die Erfah-
rung gemacht, dass das *Warum* oft keineswegs klar auf der
Hand lag. Dass der Täter nicht immer der war, der auf den

ersten Blick als der wahrscheinlichste erschien. Der Ehemann. Ein eifersüchtiger Exfreund.

Vielleicht verdächtigte sie in Wahrheit gar nicht Ken und
Garrett.

Am Ende verdächtigte sie Matthew und mich.

JUNI

1

Der blaue Toyota fiel mir durch einen Zufall am darauf-
folgenden Freitagabend ein. Matthew war bei mir wie an
jedem Abend. In einer stillschweigenden Übereinkunft
hatten wir meine Wohnung zum Treffpunkt und Ort unseres Zusammenseins erkoren und sein Haus – und damit
Vanessas Haus – ausgeblendet. Ob das auch so gewesen
wäre, wenn Alexia nicht verschwunden und die Geschehnisse um Vanessa damit nicht noch einmal dramatisch aufgewühlt worden wären, weiß ich nicht. Immerhin waren wir
tatsächlich einen riesengroßen Schritt, vielleicht sogar hundert riesengroße Schritte, weiter: Der Matthew aus der Zeit
vor dem vergangenen Freitag hätte sich im Licht der Ereignisse sofort wieder von mir zurückgezogen und wäre auf
Tauchstation gegangen.

Der Matthew von heute hielt daran fest, dass wir eine
Beziehung begonnen hatten und zusammengehörten. Er
schien mir jedoch in sich gekehrter und verschlossener. In
seinem Inneren spielte sich mit Sicherheit viel mehr ab, als
er preisgab.

An jenem Abend des 1. Juni kündigte sich Regen an, die
Temperaturen draußen waren deutlich gesunken, und ein
kühler Wind wehte vom Meer her ins Land. Wir hatten
alle Dachfenster geöffnet, um die frische Luft hereinzulas-
sen. Matthew saß auf dem Sofa und arbeitete noch an sei-

nem Laptop, ich studierte Broschüren und Studienpläne, die ich mir aus dem Sekretariat der Universität geholt hatte. Max lag auf seiner Decke und schnarchte leise. Ich hatte am Nachmittag gegen vier Uhr die Redaktion verlassen und war noch rasch bei Ken vorbeigefahren. Es gab nichts Neues, aber das hatte ich auch nicht erwartet, ich wollte einfach nur nach ihm sehen und ihn wissen lassen, dass er nicht allein war. Das Gute war – wenn man in seiner Situation überhaupt von etwas Gutem sprechen konnte –, dass er wegen der Kinder und des Haushalts nicht dazu kam, depressiv herumzusitzen und zu grübeln. Er sagte mir, dass er nachts nicht schlafen könne, und das sah man ihm auch an: Er war deutlich am Rande der völligen Erschöpfung. Wegen der Kinder musste er irgendwie durchhalten, und ich hoffte, dass ihn das letztlich nicht nur Kraft kosten, sondern ihm auf eine andere Art auch Kraft zuführen würde. Genau wie Matthew es seit drei Jahren tat, grübelte auch er permanent darüber nach, was geschehen sein konnte.

»Und wenn sie einfach wegwollte?«, fragte er, als wir bei einem Kaffee, den ich schnell gekocht hatte, am Küchentisch saßen. »Wenn sie den Druck nicht mehr ertragen hat? Sie stand kurz vor einem Nervenzusammenbruch, Jenna, und vielleicht wollte sie nur noch weg. Einfach verschwinden, nichts mehr hören, nichts mehr sehen.«

»Aber warum dann diese Inszenierung?«, fragte ich zurück. »Wozu die Nachahmung von Vanessas Verschwinden?«

»Um uns abzulenken«, meinte Ken. »Niemand weiß, was damals mit Vanessa geschehen ist, aber die Meinung der Polizei tendierte in Richtung Verbrechen, das war deutlich herauszuhören. Diese Theorie bekommt nun noch mehr Gewicht, und zwar sowohl was Vanessa als auch Alexia angeht. Wenn sich die Polizei auf die Suche nach einem Verbrechensopfer macht, konzentriert sie sich nicht auf die Suche nach einer lebenden Frau. Verstehst du, was ich meine?«

»Ja. Aber das erscheint mir doch als ein recht ausgeklügelter Plan, dafür, dass er von einer Frau stammen soll, die das alles deshalb tat, weil sie gerade endgültig die Nerven verlor. Sie wusste ja bis kurz vorher nicht, dass sie die Recherchen übernehmen würde. Sie fährt spontan los, dreht komplett durch, beschließt zu verschwinden und allen Problemen zu entkommen, und baut dann aber mit kühlem Kopf ein Bild nach, das Jahre zuvor im Zusammenhang mit dem Verschwinden ihrer Freundin durch die Presse ging? Passt das zusammen? Und im Übrigen, wie soll sie dann von dieser einsamen Stelle weggekommen sein? Per Anhalter, was nicht gerade unauffällig ist, wenn später nach ihr gesucht wird? Ich könnte mir eher vorstellen, dass sie mit dem Auto kopflos ans andere Ende von England brettert und dann dort irgendwo untertaucht, wenn sie unter keinen Umständen aufgespürt werden möchte.«

»Das klingt plausibler«, gab Ken zu. Er stützte den Kopf in die Hände, starrte auf die Tischplatte. Es war einfach derselbe Alptraum wie bei Matthew: grübeln, rätseln, kreisen, von einer Theorie zur nächsten springen und am Ende immer die Erkenntnis, dass man es eben nicht wusste.

Er berichtete, dass Inspector Morgan jeden Tag bei ihm gewesen sei, er aber den Eindruck hatte, dass sie und ihre Kollegen nicht weiterkamen.

»Auf den Zeitungsbericht vom Dienstag hin hat es Rückmeldungen gegeben, aber nichts davon hat die Polizei elektrisiert, wie Morgan es nannte. Man geht den Hinweisen jetzt natürlich nach, aber für mich war es deutlich zu erkennen, dass sich niemand viel davon verspricht.«

Schließlich hatte Ken beginnen müssen, das Abendessen vorzubereiten, und ich war nach Hause gefahren, mit schwerem Herzen und dem Gefühl, nicht genug für den verzweifelten Mann meiner besten Freundin zu tun. Aber eben auch nicht zu wissen, was ich tun konnte. Es war alles so verfahren und verworren.

Matthew war noch immer in seinen Computer vertieft, aber Max hob den Kopf, gähnte, stand auf, streckte sich und ging zur Wohnungstür, wo er schwanzwedelnd stehen blieb.

»Ich glaube, Max muss raus«, sagte ich. »Ich gehe gerade eine Runde mit ihm durch den Park, okay?«

Matthew murmelte irgendetwas. Ich schnappte mir die Leine und verließ die Wohnung.

Max und ich liefen ein gutes Stück. Es war zehn Uhr, als wir zum Haus zurückkehrten, aber es dämmerte gerade erst.

Die Magie der Juninächte.

Ich sah das blaue Auto, das gegenüber meiner Haustür parkte, und da erkannte ich es. Das Auto, das mir schon ein paarmal aufgefallen war. Mit dem Mann darin, der stundenlang bewegungslos dort zu sitzen und auf irgendetwas zu warten schien. Oder der etwas beobachtete. Oder *jemanden* beobachtete. Ich hatte das zwar als merkwürdig registriert, mir dann jedoch keine weiteren Gedanken gemacht. Jetzt, im Zusammenhang mit all dem, was geschehen war, bekam das Ganze eine andere Brisanz.

Beim Näherkommen stellte ich fest, dass es sich nicht um das Auto handelte, das mir eigentümlich vorgekommen war, sondern um ein ganz anderes. Es hatte dieselbe Farbe, aber eine ganz andere Marke. Es saß auch niemand darin. Ein völlig harmloses Auto. Aber es war wichtig gewesen: Es hatte meiner Erinnerung auf die Sprünge geholfen.

Ich rief Inspector Morgan an und war überrascht, sie so spät am Freitagabend noch in ihrem Büro zu erreichen.

»Es ist zu viel liegen geblieben in der letzten Woche«,

antwortete sie auf meine entsprechende Bemerkung, »und Anfang nächster Woche haben wir die zwei Feiertage hintereinander. Also muss ich mich ranhalten. Was gibt es?«

Ich berichtete ihr von dem Auto und dem Mann, der bewegungslos darin gesessen und die Häuser angestarrt hatte. Morgan reagierte hochinteressiert.

»Welche Häuser hat er angestarrt? Das Haus, in dem Sie wohnen?«

»Das kann ich nicht so genau sagen«, bekannte ich. »Ich habe nicht wirklich darauf geachtet. Aber, ja, es kann mein Haus gewesen sein. Einmal parkte er direkt gegenüber, einmal schräg gegenüber.«

»Aber das Auto, das Sie eben auf diesen Gedanken brachte, ist mit Sicherheit nicht dasselbe?«

»Ganz sicher. Es ist ein Renault. Das andere war ein Toyota.«

»Sie kennen sich da aus?«

»Nicht besonders, aber dafür reicht es. Es war ein Toyota Corolla, das könnte ich beschwören«, sagte ich.

»Das Kennzeichen …?«

»Ich weiß es nicht. Ich habe nicht darauf geachtet. Ich ahnte ja nicht …«

»Wie sollten Sie auch«, sagte Inspector Morgan, als ich verstummte, aber sie klang frustriert. »Ein blauer Toyota Corolla. Hm.«

Mir war klar, was sie dachte: Da haben wir ja dann nur ein paar zehntausend.

»Können Sie den Mann darin beschreiben?«, fragte sie hoffnungsvoll.

Ich bemühte mich angestrengt, das Bild, das ich einmal vor Augen gehabt hatte, wieder abzurufen.

»Ich meine, er war jung«, sagte ich zögernd, »noch keine vierzig. Blonde, etwas längere, unordentliche Haare. Ich glaube, er hatte ein ziemlich mageres Gesicht. Ja, fast ausgemergelt.« Mehr fiel mir beim besten Willen nicht ein. »Das hilft Ihnen wahrscheinlich nicht weiter«, meinte ich.

»Doch. Ihre Beobachtung ist äußerst wichtig, und es ist gut, dass Sie gleich angerufen haben«, entgegnete Morgan. »Sie wissen nicht zufällig, ob Mr. Willard ein solches Auto auch in seiner Straße in Mumbles aufgefallen ist?«

Bevor ich Inspector Morgan anrief, hatte ich natürlich mit Matthew über meine Entdeckung gesprochen.

»Matthew Willard ist gerade hier bei mir, Inspector«, sagte ich, »und er kann sich nicht erinnern, ein solches Auto bemerkt zu haben. Leider. Vielleicht hat es ja auch mit alldem nichts zu tun.«

»Vielleicht aber doch. Wir werden Matthew Willards Nachbarn befragen. Es ist manchmal erstaunlich, woran sich die Leute erinnern, wenn man ihnen ganz konkrete Fragen stellt. Sollten wir wegen des Autos nicht weiterkommen, würde ich Sie möglicherweise auf das Revier bitten, damit wir eine Phantomzeichnung von dem Fahrer erstellen können. Vielleicht fallen Ihnen ja noch ein paar Details ein, wenn wir uns eingehend mit seinem Gesicht beschäftigen.«

Ich glaubte das nicht. Ich hatte ihn nur so kurz wahrgenommen. Weder hatte ich eine Vorstellung von seinen Augen noch von Nase und Mund, vom Haaransatz oder von seinen Ohren. Ich hätte nicht einmal sagen können, ob er rasiert oder stoppelig gewesen war oder was er anhatte. Trotzdem stimmte ich natürlich zu. »Klar. Rufen Sie an, wenn Sie mich brauchen, Inspector. Ansonsten … gibt es wahrscheinlich nichts Neues?«

»Leider nein. Wir arbeiten eine ganze Reihe von Hinweisen ab, aber bislang zeichnet sich kein Durchbruch ab. Trotzdem, wir geben natürlich nicht auf, und ich bin guten Mutes!«

Wenn ich ihr etwas nicht abnahm, dann diesen letzten Satz. DI Morgan war alles andere als guten Mutes. Aber natürlich war ich nicht der Mensch, mit dem sie über ihre Zweifel und Sorgen gesprochen hätte.

Wir verabschiedeten uns und beendeten das Gespräch. Ich blieb mitten im Zimmer stehen, legte den Kopf zurück, starrte durch das geöffnete Dachfenster in den nun endlich dunkel werdenden Himmel. Er war voller Wolken, und die Luft roch schon nach dem Regen, der jeden Moment kommen musste.

Warum tust du uns das an, Alexia? Deinen Kindern und Ken? Mir? Spätestens seit Vanessa weißt du, was Menschen durchmachen, wenn jemand, der ihnen nahesteht, einfach verschwindet. Du hast Matthew jahrelang erlebt. Alle seine Ängste, seine Qualen, seine Unfähigkeit, normal zu leben. Wenn du weggelaufen bist, dann musst du doch gewusst haben, was das für deine Familie bedeuten würde. Warum?

Im selben Moment, da ich diese Fragen dachte, kannte ich auch schon die Antwort: Alexia war nicht weggelaufen. Die Alexia, die ich seit meiner Kindheit kannte, *lief nicht weg.* Sie konnte impulsiv und überstürzt handeln, sie konnte schnelle, hitzige und letztlich falsche Entscheidungen treffen, sie war ein hochemotionaler Mensch, der manchmal unberechenbar erschien. Aber sie lief nicht weg. Sie versteckte sich nicht, drückte sich nicht.

Ich kannte Alexia gut genug, um dies mit aller Sicherheit zu wissen.

Etwas Furchtbares war ihr zugestoßen. Etwas, worauf sie keinen Einfluss gehabt und was sie nicht gewollt hatte. Was sie aber nicht hatte verhindern können.

Vielleicht war Alexia schon tot. Vielleicht war sie verschleppt worden, wurde irgendwo gefangen gehalten. Litt entsetzliche Qualen und betete um Hilfe.

Ich fing plötzlich an zu weinen, und gleichzeitig trafen die ersten Regentropfen mein Gesicht. Ich stand da, mit hängenden Armen, gelähmt von Kummer und Angst, und es war nur gut, dass Matthew da war, dass er schnell alle Fenster schloss und mich dann tröstend in die Arme nahm. Ich weinte an seiner Schulter, während Max herankam und meine Hand leckte. Über uns prasselte der Regen auf das Dach.

Obwohl das irgendwie unsinnig war, musste ich noch mehr weinen bei der Vorstellung, dass Alexia jetzt womöglich fror und nass wurde.

Ich wollte bei ihr sein, wollte sie retten, sie beschützen.

Ich ahnte, dass dies wahrscheinlich nicht in meiner Macht stand.

2

Alles hatte sich verändert. Nichts war wie zuvor. Und als sie ihm gesagt hatte, sie würde jetzt nicht anders über ihn denken, da hatte sie gelogen. Reflexartig, um ihn zu trösten, um seiner Verzweiflung und seiner Angst die Spitze zu nehmen. Für den Augenblick hatte er den Trost akzeptiert. Inzwischen spürte sie, dass er es wusste. Dass die Welt eingestürzt war und dass sie zwischen den Trümmern herumirrte, dass, ganz gleich, was sie irgendwann vielleicht wieder aufbauen konnte, ein vollkommen anderes Bild entstehen würde.

Er hatte ihr alles gesagt, rückhaltlos. Er hatte dabei den Kopf nicht aus der Kaffeelache gehoben, und er hatte geweint. Furchtbarerweise war ihr klar gewesen, dass er nicht log. Seitdem sie herausgefunden hatte, dass er sie beschwindelt hatte, was seine angeblich so schreckliche Kindheit betraf, hatte sie manchmal überlegt, was denn nun von all dem, was er sagte und berichtete, stimmte und was nicht. Ihr war klar geworden, dass er der Typ war, der zu schnellen Notlügen griff, wenn er sich damit aus heiklen Situationen winden konnte, und er tat das möglicherweise häufiger und unreflektierter als andere Menschen. Er hatte ihr gegenüber einen bedeutenden Teil seiner eigenen Biografie, ohne mit der Wimper zu zucken, umgeschrieben, und er war dabei so überzeugend gewesen, dass sie keinen Moment an ihm gezweifelt hatte. Er war geübt im Lügen. Dieser Tatsache hatte sie leider ins Auge blicken müssen.

Aber jetzt log er nicht. Er erfand keine wilde Räuberpistole, aus welchen Gründen auch immer er das hätte tun sollen. Alles, was er über Vanessa Willard und sich erzählte, über das, was sich an jenem Augusttag drei Jahre zuvor und in den Wochen danach zugetragen hatte, stimmte. Sie musste nur seinen völligen seelischen Zusammenbruch miterleben, den er durchlitt, während er sprach, um das zu wissen: Er sagte die Wahrheit. Eine Wahrheit, die furchtbarer war, als ein Mensch sie ertragen konnte.

»Ich bin ein Monster«, hatte er schluchzend hervorgestoßen, »du siehst das auch, nicht wahr? Du weißt jetzt, dass ich ein Monster bin!«

»Du bist Ryan«, hatte sie gesagt. »Nach allem, was ich jetzt weiß, denke ich nicht anders über dich als vorher.«

Damit hatten sie die Rollen getauscht: Er sagte die Wahrheit. Und sie log. Auch deshalb, weil sie das, was sie tatsächlich empfand, nicht hätte in Worte fassen können.

Schließlich hatte sie auch begriffen, was seinen Zustand ausgelöst hatte. Er hatte eine völlig verworrene Geschichte von einer anderen Frau erzählt, die verschwunden war, und ihr schließlich die Zeitung zugeschoben, und dann hatte Nora es selbst gelesen: von Vanessa Willard, die drei Jahre zuvor auf einem einsam gelegenen Parkplatz möglicherweise gekidnappt worden war und deren Mann bis heute verzweifelt herauszufinden suchte, was geschehen war. Und von Alexia Reece, die seit dem vergangenen Wochenende vermisst wurde und deren verlassenes Auto man auf demselben Parkplatz in demselben Zustand gefunden hatte.

»Wie seltsam«, sagte sie, und Ryan starrte sie aus wilden, verzweifelten Augen eine Weile lang an, ehe er entgegnete: »Jemand versucht, mich fertigzumachen. Jemand, der alles weiß!«

Sie begriff nicht gleich. »Wieso? Der Fall Willard ging wochenlang durch die Presse. Selbst ich erinnere mich jetzt. Vielleicht ahmt irgendjemand aus irgendeinem Grund die Umstände nach. So etwas passiert doch manchmal. Deshalb muss noch niemand etwas über dich wissen.«

»Aber zusammen mit allem anderen, was geschehen ist ... Debbie. Meine Mutter. Jetzt das hier!«

»Wir haben vermutet, dass Damons Leute hinter den Überfällen auf Debbie und deine Mutter stecken.«

»Und wenn nicht? Wenn das alles zusammengehört, dann kann es nicht auf Damons Konto gehen. Damon kann Vanessa Willard nicht mit mir in Verbindung bringen. Das ist ausgeschlossen. Unmöglich.«

Sie verstand endlich seine Gedankenkette. Debbie. Corinne. Alexia Reece in Nachahmung von Vanessa Willard. Was Debbie und Corinne anging, war Damon ein naheliegender Verdacht gewesen. Zählte man diese Geschichte jetzt hinzu – was sein konnte, genauso gut aber auch nicht –, dann schränkte das den Kreis der Täter sehr ein. Genau genommen ...

»Aber wer auf dieser Welt sollte denn Vanessa Willard mit dir in Verbindung bringen können, Ryan? Ich bin doch der erste Mensch, dem du davon erzählst, oder?«

Er setzte sich aufrecht hin. Der Kaffee klebte in seinen Haaren. Ein braunes Rinnsal lief seitlich über seinen Hals und versickerte in seinem weißen T-Shirt.

»Du bist der erste Mensch, ja. Deshalb gibt es auch nur eine einzige Möglichkeit.«

»Welche?«

»Vanessa«, sagte er. »Vanessa selbst. Sie weiß es.«

Nora war wie vor den Kopf geschlagen. »Aber wie sollte sie... Ich meine... eine... äh, zugeschraubte Kiste...« Es fiel ihr schwer, die Details auszusprechen. Es war einfach zu entsetzlich. »Die Steine vor der Höhle... Es war doch unmöglich!«

»Vielleicht ist jemand vorbeigekommen und hat ihre Schreie gehört. Hat sie befreit.«

»Aber dann wäre sie längst zu Hause. Die Polizei wüsste Bescheid. Derjenige, der sie befreit hat, hätte Alarm geschlagen. Warum sollte sie untertauchen? Drei Jahre lang?«

»Um einen Rachefeldzug gegen mich zu starten.«

»Sie hat ihren Mann in quälender Ungewissheit gelassen, nur um es dir ungestört heimzuzahlen? Das kann ich mir nicht vorstellen«, sagte Nora.

Ryan schüttelte den Kopf. »Was wissen wir über diese Ehe? Vielleicht hat sie auch ihm etwas heimzuzahlen?«

»Und ihr Befreier?«

»Womöglich hat sie sich ja auch allein befreit. Ich weiß es nicht. Woher soll ich es wissen?«

»Du warst nie mehr dort, oder?«

Er sah sie geradezu entsetzt an. »Nein! Nein, um Himmels willen!«

»Woher könnte sie wissen, dass du der Täter warst?«, fragte Nora. »Du warst maskiert.«

An dieser Stelle hatte sie zum ersten Mal gedacht: Was für ein absurdes Gespräch führe ich hier! Gott steh mir bei. Ich sitze neben einem hochkriminellen Mann, und wir unterhalten uns sachlich über die verschiedenen Möglichkeiten, die sich aus einem absolut grauenhaften Verbrechen ergeben haben könnten.

»Vielleicht hat sie mein Auto wahrgenommen, bevor ich sie … überfiel«, mutmaßte Ryan. »Oder meine Stimme erkannt oder was weiß ich. Ich weiß es nicht, Nora. Aber es ist etwas im Gange. Was mit Debbie und Corinne passiert ist, war kein Zufall. Und das jetzt hier, mit dieser Alexia Reece, ist vielleicht auch keiner.«

»Aber du kennst diese Frau nicht?«

»Nein.«

»Das unterscheidet sie von Debbie und deiner Mutter.«

»Ja. Aber die Umstände ihres Verschwindens haben eindeutig etwas mit mir zu tun.«

»Sie haben etwas mit einem Fall zu tun, der ausgiebig durch die Presse ging«, berichtigte Nora. »Sie *müssen* nichts mit dir zu tun haben.«

Aber natürlich verstand sie, was sich in ihm abspielte. Und es war weiß Gott keine verrückte Theorie, der er anhing. Sie war nachvollziehbar und schien Nora nicht allzu weit hergeholt. Ganz im Gegenteil.

Irgendwie, langsam, schleppend und schrecklich, war die Woche vergangen. Es fiel Nora schwer, sich auf ihre Arbeit zu konzentrieren, aber noch schwerer fiel es ihr, abends nach Hause zu gehen und dann dem schweigenden, völlig in sich gekehrten Ryan am Tisch gegenüberzusitzen und ihn zu beobachten, wie er keinen Bissen runterbrachte und düstere Gedanken wälzte. Am allerschlimmsten jedoch waren die Nächte. Nora lag wach, Stunde um Stunde, und fragte sich, was sie tun sollte. Sie war jetzt Mitwisserin. Sie wusste um ein Verbrechen. Sie wusste, dass es einen Mann gab, der keine Ruhe fand, weil er keine Ahnung hatte, was mit seiner Frau passiert war. Eine zweite Frau war verschwunden, und die Polizei stocherte offenbar im Nebel, jedenfalls hatte es in dem Zeitungsartikel so geklungen. Es gab mögliche Anhaltspunkte, die nur Ryan und sie kannten. Nora konnte sich kaum etwas vormachen: Es war ihre Pflicht, zur Polizei zu gehen. Und alles zu sagen, was sie wusste.

Und dann gab es noch diese Stimme, die unaufhörlich in ihr Ohr wisperte: Du hast dich getäuscht, Nora! Du hast dich gründlich in Ryan geirrt! Haben dich nicht alle gewarnt? Allen voran deine Freundin Vivian, die du dafür gehasst hast. Sie hat immer gesagt, dass du zu wenig von ihm weißt und dass es eine Menge gibt, was er dir vermutlich verschweigt. Du wolltest den netten, labilen Jungen in ihm sehen, der zwar ständig mit dem Gesetz in Konflikt gerät, der aber im Grunde seines Wesens ein anständiger Kerl ist. Der einfach nur eine starke Frau an seiner Seite braucht, eine Beschützerin, und dann kommt alles in Ordnung. Wie konntest du das alles als Lappalie sehen? Sein Vorstrafenregister? Die Kneipenschlägerei, bei der ein junger Mann so schwer verletzt wurde, dass er daran hätte sterben können? Alles halb so wild, alles nicht seine Verantwortung. Wie naiv warst du?

Oder: wie bedürftig?

Und jetzt, Nora? Willst du damit fortfahren? Ihn für schuldunfähig erklären und beide Augen zudrücken? Diese Sache mit Vanessa Willard hat eine verdammt andere Dimension als alles bisherige, das weißt du genau. Entführung, Freiheitsberaubung, geplante Erpressung, am Ende Mord. Selbst wenn sie sich befreien konnte, was unwahrscheinlich genug erscheint, dann bleibt ganz klar bestehen, dass er ihren Tod mehr als billigend in Kauf genommen hat. Ihren qualvollen Tod. Dafür geht er richtig lange ins Gefängnis. Und zwar zu Recht.

Willst du weiter mit ihm leben, als ob nichts geschehen ist? Ach, und, Nora, vergiss Damon nicht. Und die fünfzigtausend Pfund. Damon wird nicht taktvoll in den Hintergrund treten, nur weil Ryan gerade ein noch größeres Problem zu bewältigen hat. Damon wird am 30. Juni auf der Matte stehen, und es ist fraglich, ob sich seine Inkassotruppe dann damit zufriedengibt, nur an ihm ein Exempel zu statuieren. Vielleicht erwischt es dich genauso. Du hast dich mit einem Kriminellen eingelassen. Und wenn du nicht blitzschnell die Kurve kriegst, landest du selbst genau dort, im kriminellen Milieu. Ein schönes Bild, die starke Frau, die den gestrauchelten Mann hinauf ans Licht zieht, aber wie es gerade aussieht, zieht der gestrauchelte Mann die starke Frau stattdessen hinunter in die Hölle.

Warum hast du dir nie überlegt, dass auch diese Variante eintreten kann?

Wegen der Feierlichkeiten zum diamantenen Thronjubiläum der Queen begann die neue Woche erst am Mittwoch. Obwohl sich das überlange Wochenende besonders gut für eine Reise nach Yorkshire geeignet hätte, war Nora nicht mehr darauf zurückgekommen. Sie und Ryan waren beide in eine Art Schockstarre gefallen, was nicht dazu angetan war, ihre zahlreichen Probleme auch nur ansatzweise zu lösen, aber keiner von beiden fand die Kraft, die Dinge anzugehen, nicht einmal die bodenständige, praktische Nora. Sie hatte mehrere Nächte hintereinander fast überhaupt nicht geschlafen, und als sie im Krankenhaus erschien, musterte Vivian sie mit dem Ausdruck echter Bestürzung im Gesicht.

»Bist du krank, Nora? Du siehst erschreckend schlecht aus. Hast du Sorgen?«

»Nein«, sagte Nora und wandte sich ab. *Außer dass mein Leben gerade völlig entgleist, aber das Schlimmste ist, ich kann mit niemandem darüber sprechen. Ich kann mir nirgends Rat und Hilfe holen. Wem auch immer ich diese Geschichte mit Vanessa Willard erzähle, fällt erst in Ohnmacht und rennt, kaum daraus erwacht, zur Polizei.*

Sie hatte einen Patienten nach dem anderen an diesem Morgen, kam kaum dazu, zwischendurch ein paar Schlucke Tee zu trinken oder wenigstens tief durchzuatmen, aber vielleicht war das ganz gut so. Zum Glück war sie professionell genug, die jeweiligen Übungsprogramme routiniert abspielen zu können, während sie mit ihren Gedanken ganz woanders weilte. Zwei der Patienten sprachen sie ebenfalls auf ihr krankes Aussehen an, aber sie wiegelte ab.

»Ich schlafe zurzeit ein bisschen schlecht. Das habe ich manchmal. Wird schon wieder.«

In der Mittagspause blieb sie im Umkleideraum, während die anderen mit Sandwiches und Kaffee in den Garten gingen. Es war ein trockener, etwas windiger, schöner Tag. Nora hoffte, es würde niemandem auffallen, dass sie zurückblieb. Sie wollte keine besorgten Fragen mehr hören. Es gab nichts, was sie darauf hätte antworten können.

Sie hatte sich gerade zurückgelehnt und den Deckel ihrer Thermoskanne mit Tee aufgeschraubt, froh über die Ruhe und das Dämmerlicht hier drinnen, als an die Tür geklopft wurde. Eine Frau streckte den Kopf in den Raum.

»Miss Nora Franklin?« Sie hielt einen Ausweis in die Höhe. »Detective Inspector Olivia Morgan. Wir kennen uns. Ich war vor einigen Wochen schon einmal bei Ihnen daheim in Ihrer Wohnung.«

Nora richtete sich auf. Sie erinnerte sich an die Polizistin. Sie hatte Ryan damals wegen des Überfalls auf Debbie sprechen wollen. Weshalb kam sie diesmal? Noras Herz begann zu rasen. Sie hoffte, dass man ihr ihre Angst nicht anmerkte.

»Ja?«, sagte sie fragend.

Ein Mann tauchte hinter Morgan auf.

»DS Jenkins«, stellte sie ihn vor. Sie strich sich eine Haarsträhne aus der Stirn. »Ihre Kolleginnen haben uns gesagt, wo wir Sie finden.« Sie war wahrscheinlich im ganzen Krankenhaus herumgeirrt.

»Ich habe gleich den nächsten Patienten«, behauptete Nora.

Morgan schüttelte den Kopf. Unaufgefordert nahm sie auf einem der Klappstühle Platz, während DS Jenkins an den Türrahmen gelehnt stehen blieb. Das Betreten eines Damenumkleideraums schien ihm höchst unangenehm zu sein.

»Ich habe Ihren heutigen Dienstplan gesehen«, sagte Morgan. »Den nächsten Patienten haben Sie um 14 Uhr. Uns bleibt also eine gute halbe Stunde.«

»Okay?«, entgegnete Nora wachsam. Im Zusammenhang mit allem anderen bedeutete das Auftauchen der Polizisten hier in der Klinik mit Sicherheit nichts Gutes.

Wie sich herausstellte, ging es um den Fall der verschwundenen Alexia Reece aus Swansea. Auf Morgans Frage hin bejahte Nora: Sie hatte davon gelesen.

»Nun, es führt im Augenblick zu weit, Ihnen alle Details zu schildern«, sagte Morgan, was die höfliche Umschreibung dafür war, dass sie Nora natürlich nicht in die Feinheiten der Ermittlungsarbeit einweihen würde, »aber Sie haben sicherlich auch gelesen, dass der Fall Reece erhebliche Parallelen zu einem anderen Fall aufweist, der sich vor knapp drei Jahren in Pembrokeshire zugetragen hat: der Fall Dr. Vanessa Willard.«

»Ja«, sagte Nora. Ihr brach der Schweiß aus. Sie schüttelte ihren Pony nach vorn. Sicher sah man die Perlen auf ihrer Stirn.

»Wir haben den Hinweis bekommen, dass jemand, der einen blauen, schon ziemlich alten Corolla fährt, das Haus von Matthew Willard, Vanessa Willards Ehemann, mehrfach … observiert hat.«

»Blauer Corolla«, wiederholte Nora mit matter Stimme.

Morgan musterte sie scharf. »Um aufrichtig zu sein, Miss Franklin, wir haben nicht das komplette Kennzeichen. Aber wir haben es teilweise, und damit konnten wir die Zahl der in Frage kommenden Fahrzeuge zumindest erheblich einschränken. Sie gehören somit in den Kreis derer, die wir ansprechen.«

»Ich … kann Ihnen vermutlich nicht helfen«, sagte Nora. Sie räusperte sich. Ihre Stimme hörte sich komisch an. Matthew Willard observieren. *Wieso?*

»Kennen Sie eine Jenna Robinson aus Swansea?«, fragte Morgan.

»Nein. Wer ist das?«

»Die neue Lebensgefährtin von Matthew Willard. Ihr fiel das besagte Auto vor ihrer Haustür auf. Sie hat uns darauf aufmerksam gemacht. Wir haben uns noch am Samstag in der Straße in Mumbles umgehört, in der Matthew Willard lebt, und tatsächlich hat sich gestern Abend eine Anwohnerin von dort, die über das Wochenende verreist war und verspätet von unseren Nachforschungen erfuhr, bei uns gemeldet. Sie hatte ebenfalls dieses Fahrzeug bemerkt und sich darüber gewundert. Zum Glück bekam sie sogar noch Teile des Kennzeichens zusammen.«

»Ich habe niemanden observiert«, sagte Nora. »Weshalb sollte ich das auch tun?«

»Sie nicht, Miss Franklin. Es war ein junger Mann, der

in dem Auto saß. Seine Beschreibung deckt sich ziemlich mit dem Aussehen Ihres... Wie soll ich ihn nennen? Untermieter? Mitbewohner? Lebensgefährte?«

»Sie meinen Ryan Lee«, sagte Nora. Ihr Herzschlag wollte sich nicht beruhigen. Verdammt, verdammt, verdammt. Er hatte ihr immer noch nicht alles gesagt. Sie dachte an die vielen Stunden, in denen er mit ihrem Auto unterwegs gewesen war, sich entweder angeblich bei Debbie aufgehalten hatte oder *einfach so herumgefahren* war. Sie zweifelte keinen Moment daran, dass er derjenige war, der vor Willards Haus herumgelungert hatte und vor dem dieser... wie hieß sie? Jenna Robinson. Was hatte er herausfinden wollen? Ob Vanessa dort irgendwo ihre Bahnen zog? Sie hoffte es, hoffte es zutiefst. Was, wenn er irgendetwas mit dem Verschwinden dieser Alexia Reece zu tun hatte?

Sie merkte, dass Morgan sie eindringlich musterte. Der Beamtin entging es wahrscheinlich nicht, dass sie fieberhaft Gedanken wälzte.

»Ich weiß von alldem nichts«, sagte sie. Sie fand, dass ihre Stimme noch immer völlig unnatürlich klang. »Ryan kann mein Auto haben, wann immer er will, und ich frage ihn auch nicht, was er tut und wohin er fährt. So eng ist unsere Beziehung nicht, Inspector.«

Leider!

»Ich kann Ihnen nicht helfen«, fuhr sie fort. »Es tut mir leid. Sie müssen ihn selbst fragen. Er arbeitet bei...«

»Wir waren schon dort«, unterbrach Morgan, »in dem Copyshop in der Dimond Street. Er war in der Mittagspause, und obwohl wir einige Zeit warteten, kehrte er nicht zurück. Seine Jacke hängt allerdings noch an der Garderobe, darin befinden sich seine Brieftasche und seine Papiere. Einer unserer Beamten ist jetzt vor Ort. Hoffen wir, dass er sich bald wieder blicken lässt. Ohne Geld kann er nicht allzu weit kommen.«

Hatte er Lunte gerochen? War abgetaucht?

»Was immer Alexia Reece zugestoßen ist«, sagte Inspector Morgan, »es gibt etliche Anhaltspunkte dafür, dass sie nicht gemeint war. Sie wurde an jenem Tag möglicherweise überfallen, aber eigentlich hätte Jenna Robinson in ihrem Auto unterwegs sein sollen. Möglich, dass man sie im Visier hatte. In diesem Zusammenhang interessiert es uns, wer sie weshalb über mehrere Tage immer wieder beobachtet hat.«

»Ja. Natürlich.« Lieber Gott, er wird doch so etwas *nicht noch einmal* geplant haben? In seiner verzweifelten Notlage, von Damon und seinem Killerkommando bedrängt und bedroht? Er wird doch nicht schon wieder eine Frau entführt haben, um an Geld zu kommen? Willards Lebensgefährtin? Die er dann verwechselt hatte. War er deshalb vielleicht zusammengebrochen vor einer Woche? Weil er der Zeitung entnommen hatte, dass er die Falsche geschnappt hatte?

Aber weshalb hätte er mir das dann alles erzählt? Mich zu seiner Mitwisserin gemacht? Hätte er dann nicht, verdammt noch mal, auf jeden Fall die Klappe gehalten?

»Wissen Sie, wo sich Ryan Lee jetzt aufhält?«, fragte Morgan mit ruhiger Stimme.

Nora holte tief Luft. »Nein.« Da konnte sie jedenfalls ehrlich sein. »Ich weiß es wirklich nicht, Inspector. Und ich weiß auch nichts davon, dass er Leute beobachtet hat. Ich kann es mir auch nicht vorstellen. Vielleicht geht es doch um ein anderes Auto?«

»Möglich.« Aber es war klar, dass Morgan das nicht glaubte. »Es ist seltsam mit Ryan Lee, finden Sie nicht? Erst diese Geschichte mit seiner Exfreundin. Die in Swansea überfallen wurde. Und jetzt diese Sache. Was wissen Sie eigentlich über den Mann, den Sie da bei sich aufgenommen haben, Miss Franklin?«

»Genug, um ihm zu vertrauen, Inspector. Er hat einigen Mist gebaut in seinem Leben, aber er ist nicht schlecht.«

Wie kannst du so lügen, Nora?

Morgan erhob sich. »Seien Sie vorsichtig, Miss Franklin. Menschen, die im Gefängnis landen, geraten dort nicht immer nur deshalb hin, weil sie schwach sind. Labil, aber im Kern gut, wie man womöglich glauben möchte. Manchmal sind sie im Gefängnis, weil sie absolut böse sind. Amoralisch. Gewissenlos. Ohne Skrupel. Und durchaus in der Lage, anderen etwas vorzumachen.« Sie reichte Nora ihre Karte. »Hier. Noch mal meine Karte. Rufen Sie mich an, wenn Ihnen etwas einfällt. Wir müssen sehr dringend mit Mr. Lee sprechen. Sie könnten Schwierigkeiten bekommen, wenn Sie seinen Aufenthaltsort kennen und ihn uns verschweigen. Man nennt das Behinderung der polizeilichen Ermittlungsarbeit.«

»Ich weiß wirklich nicht, wo er ist.«

Sie spürte, dass Morgan und ihr Kollege ihr nicht glaubten. Aber wenigstens hauten sie endlich ab. Nora hätte keinen Moment länger durchgehalten, dann wäre sie in Tränen ausgebrochen, und die ganze Situation hätte in einem völligen Fiasko enden können. Sie wartete, bis die Beamten den Fahrstuhl erreicht haben mussten, dann stand sie auf. Ihre Beine zitterten, mochten sie kaum tragen. Sie würde jede Menge Ärger verursachen, aber sie würde jetzt sämtliche Termine für den Nachmittag canceln. Sie war krank.

Sie konnte nicht mehr.

3

DI Olivia Morgan kam um sieben Uhr nach Hause, ungewöhnlich früh für ihre Verhältnisse. Ihre Frustration hatte sie aus dem Büro getrieben. Der Fall Reece schien immer komplizierter zu werden: Inzwischen hatten sie nicht nur eine verschwundene Frau, sondern auch zwei verschwundene Verdächtige. Garrett Wilder, Jenna Robinsons ominöser Exfreund, schien seit nunmehr fast zwei Wochen wie vom Erdboden verschluckt zu sein, und nun war anscheinend auch Ryan Lee, ein Gewohnheitsverbrecher, der sich mehr als verdächtig benommen hatte, untergetaucht. Er hatte sich den ganzen Nachmittag über nicht mehr in dem Copyshop blicken lassen, obwohl er, wie sein Arbeitgeber widerwillig einräumte, bislang recht zuverlässig gewesen war. Er hatte ein einziges Mal unentschuldigt gefehlt und war einmal zu spät gekommen. Für einen Mann wie Ryan Lee zeigte dies ein ungewöhnlich ausgeprägtes Bemühen, sich wieder in die Gesellschaft einzugliedern, und es hieß außerdem, dass es einen guten Grund für ihn gab, aus der Mittagspause nicht zurückzukehren. Er musste bemerkt haben, dass die Polizei da war. Morgan hatte kräftig geflucht, als ihr dies klar wurde.

Morgan und Jenkins waren dann zu Noras und Ryans Wohnung gefahren, hatten Ryan dort jedoch nicht angetroffen. Dafür zu ihrer Überraschung eine verweinte Nora, die ihnen im Morgenmantel und mit bloßen Füßen öffnete und etwas von einer Migräneattacke murmelte, derentwegen sie sich für den Rest des Tages habe beurlauben lassen. Morgan hatte erneut nach Ryan gefragt und dabei versucht, in die Wohnung zu spähen. Sie und ihr Kollege hatten keine Ermächtigung, sich dort umzusehen, aber Nora hatte sie bereitwillig hereingelassen, hatte sogar die Tür zu Ryans Zimmer geöffnet. »Er ist nicht da. Wenn er nicht an seinem Arbeitsplatz ist, dann weiß ich auch nicht. Keine Ahnung.«

Morgan fragte sich, ob man ihr glauben konnte. Auch jetzt, während sie daheim ihre Schuhe von den Füßen streifte, sich die Hände wusch und eine ziemlich verdorrte Zimmerpflanze mit Wasser versorgte, dachte sie über Nora Franklin nach. Morgan waren Frauen, die gezielt Beziehungen mit Männern aufbauten, die im Gefängnis saßen, ein totales Rätsel. Sie wusste, dass eine romantische und meist völlig realitätsferne Verklärung der Männer und ihrer kriminellen Lebensumstände eine Rolle spielte, und es wunderte sie natürlich nicht sehr, dass eine Frau wie sie selbst, mit ihrem Beruf, dieser Verklärung nur kopfschüttelnd gegenüberstehen konnte. Die Nora Franklins dieser Welt waren meist völlig unbescholtene, rechtschaffene Bürgerinnen, die dann jedoch für einen Schwerverbrecher das Blaue vom Himmel herunterlogen, um ihn zu schützen und abzusichern. Mädchen, die sich außer einem Strafzettel für falsches Parken noch nie etwas hatten zuschulden kommen lassen, leisteten plötzlich bereitwillig einen Meineid und riskierten es, selbst mit einem Bein im Gefängnis zu stehen und ihre ganze Zukunft dabei aufs Spiel zu setzen. Morgan fand das einfach nur schrecklich und tragisch. Denn schließlich bekamen diese Frauen ihre rückhaltlose Hingabe von den Männern keineswegs in Form von Liebe, Dankbarkeit und ewiger Treue vergolten, sondern wurden einfach nur ausgenutzt und schließlich fallen gelassen, wenn sie nicht mehr gebraucht wurden. Die Abläufe waren absolut vorhersehbar und wiederholten sich dennoch immer wieder.

Allerdings hatte Morgan bei ihrem zweiten Zusammentreffen mit Nora Franklin heute den Eindruck gehabt, dass diese Frau tatsächlich nicht wusste, wo Ryan steckte. Sie machte sich große Sorgen und war völlig aufgelöst, und das schien nicht gespielt zu sein. Ryan Lee war nicht an seinen Arbeitsplatz zurückgekehrt und hatte wahrscheinlich noch keine Gelegenheit gehabt, sich mit Nora in Verbindung zu setzen, daher tappte auch sie noch über seinen Verbleib im Dunkeln.

Olivia Morgan stand in der Küche und überlegte, ob sie sich die Mühe machen sollte, ein richtiges Abendessen zu kochen, oder ob es einfacher wäre, sich ein Glas Wein einzuschenken und dazu ein Stück Cheddarkäse aus der Hand zu essen. Vielleicht rief sie auch ihren Freund an und fragte ihn, ob sie sich in einem Pub treffen wollten. Als sie gerade die Hand nach ihrem Telefon ausstreckte, klingelte der Apparat. Sie nahm noch während des ersten Läutens ab. »Ja?«

»Meine Güte, Inspector, haben Sie selbst daheim das Telefon an sich kleben?« Es war DS Jenkins. »Sie haben mich jetzt richtig erschreckt, so schnell, wie Sie sich gemeldet haben!«

»Tut mir leid. Was gibt's?«

»Ich habe ja meine Fühler ausgestreckt, um Erkundigungen über diesen Ryan Lee einzuziehen, und dabei habe ich herausgefunden, dass er eine Mutter und einen Stiefvater in Yorkshire hat. Sein leiblicher Vater lebt nicht mehr.«

»Könnte er versuchen, sich dorthin durchzuschlagen? Zu seiner Mutter?«

»Möglich, aber unwahrscheinlich. Er hat ein extrem schlechtes Verhältnis zu seinem Stiefvater. Der hält ihn für einen Taugenichts und will eigentlich nichts mit ihm zu tun haben.«

»Nachvollziehbar, aber...«

»Moment, Inspector, das Beste kommt noch: Ich habe

mit einem DS Fuller von der Yorkshire Police gesprochen. Von ihm weiß ich auch über die Familienverhältnisse Bescheid. Er hatte nämlich Ende April erst mit den Beecrofts – so heißt die Mutter seit ihrer Heirat – zu tun. Corinne Beecroft wurde auf offener Straße entführt, mit einem Auto verschleppt und inmitten der Hochmoore einfach ausgesetzt. Konnte sich aber zu einer abgelegenen Farm durchschlagen, wo ihr geholfen wurde.«

Morgan hielt den Atem an. »Das ist ja …«

»Der Fall war in den Nachrichten«, sagte Jenkins, »allerdings nur kurz, weil er sich rasch löste. Es gab bei uns eine Anfrage aus Yorkshire nach Ryan Lee, das wurde jedoch weder an mich noch an Sie weitergegeben. Offenbar war schnell klar, dass er nichts damit zu tun hatte, und dann war die Mutter ja auch schon wieder unversehrt daheim.«

»Weiß man …?«

»Man weiß nichts. Die Umstände dieser Entführung sind völlig rätselhaft. Es gab keine Lösegeldforderung, was auch ziemlich absurd gewesen wäre, da die Beecrofts alles andere als reich sind. Die ganze Sache hätte etwas von einem Schülerstreich an sich haben können, wenn die Täter, zwei maskierte Männer, nicht ausgesprochen professionell zu Werke gegangen wären. So hat es das Opfer jedenfalls geschildert.«

Morgan versuchte, die vielen Informationen zu verarbeiten. »Es ist sicher, dass Ryan Lee nichts damit zu tun hatte?«

»Sein Stiefvater rief ihn an, nachdem die Mutter verschwunden war, und Ryan kam zusammen mit dieser Franklin sofort nach Yorkshire. Nein, unmittelbar kann er nichts damit zu tun gehabt haben. Zur Tatzeit war er an seinem Arbeitsplatz in Pembroke Dock, später bei einer Party, wo ihn jede Menge Gäste gesehen haben.«

»Eine bemerkenswerte Anhäufung an Vorkommnissen«, sagte Morgan. »Erst der Überfall durch zwei maskierte Männer auf Deborah Dobson in Swansea. Sie war einige Jahre lang mit Lee privat liiert und ist bis heute gut mit ihm befreundet. Dann Lees Mutter. Zwei Frauen, die ihm nahestehen. Und jetzt gerät er schon wieder in unser Visier, weil er sich offenbar für eine Frau interessiert hat, die womöglich als ein Entführungsopfer geplant war. Wieso steht er stundenlang vor Jenna Robinsons Haus und beobachtet es? Wieso ist er heute ausgerissen, als wir im Copyshop auf ihn gewartet haben? Verdammt noch mal, Jenkins, steigen Sie da noch durch?«

»Nein«, bekannte Jenkins, »nicht mal ansatzweise. Aber eines ist klar: Wir müssen Ryan Lee unter allen Umständen finden. Etwas stimmt ganz und gar nicht, und irgendwie hat er damit zu tun. Mit Alexia Reece' Verschwinden, meine ich.«

»Ja, und das heißt auch, wir müssen ihn vor allem *schnell* finden. Alexia Reece wird seit über einer Woche vermisst. Ihnen muss ich nicht sagen, was das bedeutet.«

»Nein«, sagte Jenkins. Er war lange genug dabei, um zu wissen, dass die Chancen, Alexia lebend zu finden, mit jedem Tag, der verging, sanken.

»Ich gehe morgen noch einmal zu Nora Franklin«, sagte Morgan. »Ich werde sehr eindringlich mit ihr sprechen. Sie muss wissen, worum es geht und was auf dem Spiel steht. Diese Frau ist keine Verbrecherin. Es muss möglich sein, an ihr Gefühl für Anstand und Moral zu appellieren.«

Sie verabschiedeten sich voneinander. Morgan hatte keine Lust mehr, ihren Freund anzurufen. Sie holte sich ein Glas Wein und setzte sich in ihrem Wohnzimmer auf das Sofa. Sie sah keine Zusammenhänge, aber es musste welche geben. Da Lee untergetaucht war, blieb jetzt nur die

Franklin, der einzige Ansatzpunkt, den sie im Moment hatten. Aber Morgan hatte sich nicht getäuscht, wie sie nun erkannte: Nora log für Ryan. Zwar hatten sie heute nicht nach der Geschichte um Corinne Beecroft gefragt, aber sie hatten den Fall Deborah Dobson angesprochen. Nora hätte in diesem Moment aus eigenem Antrieb von Corinne berichten müssen, wenn sie wirklich mit der Polizei kooperieren wollte.

Auch indem man schwieg, konnte man lügen.

Morgan griff noch einmal zum Telefon. Sie würde einen Beamten vor Noras Wohnhaus in Pembroke Dock postieren. Vielleicht tauchte Ryan auf. Oder Nora machte sich auf den Weg zu ihm.

Sie dachte an Alexia. An Ken. An die vier Kinder.

Notfalls würde sie Nora Franklin das Jüngste unter die Nase halten, damit sie den Ernst der Lage kapierte. Diese Frau war zum Reden zu bringen.

Man musste nur den richtigen Punkt finden, an dem man ansetzen konnte.

4

Freitag. Er war seit Mittwoch verschwunden. Hatte sich nicht blicken lassen, hatte sich nicht ein einziges Mal gemeldet.

Nora hatte sich für den ganzen Rest der Woche krankschreiben lassen. Sie fühlte sich so elend und verzweifelt, dass an Arbeit gar nicht zu denken gewesen wäre. Sie war zu einem Arzt gegangen, der schon nach einem einzigen

Blick auf sie bereit gewesen war, ihr ein Attest auszustellen. Organisch sei sie gesund, hatte sie ihm gesagt, aber sie sei zu Tode erschöpft, ausgelaugt, am Ende ihrer Kräfte.

»Sie bräuchten dringend eine Kur«, sagte der Arzt. »Meiner Ansicht nach stehen Sie kurz vor einem Burn-out, und damit ist nicht zu spaßen.«

Sie brauchte keine Kur, aber das konnte sie ihm nicht sagen. Sie brauchte eine Klärung ihrer Lebensumstände. Sie brauchte eine Erleichterung ihres Gewissens. Seitdem Ryan ihr von Vanessa Willard erzählt hatte, lief Nora mit einer Schuld auf ihren Schultern herum, die sie erdrückte. Und seitdem sie von Ryans seltsamem Verhalten, seinem stundenlangen Herumlungern vor fremden Häusern gehört hatte, hegte sie die entsetzliche Furcht, er könne auch mit dem Verschwinden von Alexia Reece etwas zu tun haben. Alexia Reece irgendwo in einer Kiste eingesperrt. Oder auch nur in einem Keller, in einer Höhle, wo auch immer. Eine vierfache Mutter, das jüngste Kind war eineinhalb Jahre alt. Detective Inspector Morgan war noch einmal da gewesen. Sie hatte von den verzweifelten Kindern erzählt. Von dem verzweifelten Ehemann. Von der Angst der Familie, der unerträglichen Ungewissheit.

Auch Melvin Cox war aufgekreuzt, Ryans Bewährungshelfer.

»Bitte, Sie helfen ihm nicht, wenn Sie ihn decken, Nora. Das ist falsch verstandene Treue. Er hat vielleicht überhaupt nichts Böses getan und einfach nur einen Riesenschreck bekommen, als er merkte, dass die Polizei bei seinem Chef war. Er könnte das womöglich ganz leicht aufklären, aber dazu müssten die Beamten mit ihm *reden* können. Weglaufen macht alles schlimmer. Seien Sie eine echte Freundin und sagen Sie mir, wo er ist.«

Aber sie wusste es wirklich nicht. Sie wusste allerdings

andere Dinge, und die hätte sie dringend weitergeben müssen. Doch das wäre Verrat gewesen. Sie wünschte so sehr, er würde sich in irgendeiner Art melden. Dann hätte sie alles darangesetzt, ihn zu einem Geständnis zu bewegen. *Erzähl der Polizei von Vanessa Willard. Erlöse ihren Mann von der Ungewissheit. Und wenn du weißt, wo Alexia Reece ist, dann sag es, bitte! Bitte!*

Aber er tauchte nicht auf, rief nicht an. Dabei ahnte sie, dass es ihm dreckig ging. Er hatte kein Geld, keine Unterkunft. Er musste sich ständig versteckt halten, aber es gab keinen sicheren Ort. Er hatte sich nicht an seine alte Freundin Debbie gewandt, das wusste Nora, weil DI Morgan ihr berichtet hatte, die Polizei sei mehrfach dort gewesen. Ob er versuchen würde, zu seiner Mutter zu fliehen? Die Beecrofts waren von der ganzen Sache in Kenntnis gesetzt worden, die Polizei in Yorkshire behielt sie im Auge. Nora hatte inzwischen bemerkt, dass auch vor ihrer Haustür ein Beamter postiert war, aber Ryan hätte anrufen können. Dass er das nicht tat, bewies ihr, dass er kein Vertrauen mehr zu ihr hatte, und das schmerzte sie am meisten. Er hatte ihre Gefühle nie erwidert, aber sie hatte doch während der letzten Monate zu spüren geglaubt, dass er sie als jemanden empfand, der fest an seiner Seite stand. Doch dann hatte er ihr von Vanessa Willard erzählt, weinend und zitternd, und sosehr sie sich bemüht hatte, ihre eigene Fassungslosigkeit, ihr fast atemloses Entsetzen zu verbergen, war ihm doch klar geworden, dass er sie jetzt in ihren Grundfesten erschüttert hatte. Sie war nicht mehr der Fels in der Brandung. Er hatte begonnen, in ihr jemanden zu sehen, der möglicherweise die Seiten wechseln würde. Vielleicht hatte er sogar geglaubt, sie habe an jenem Mittwoch die Polizei verständigt. Es sei auf Noras Initiative zurückzuführen, dass die Beamten plötzlich im Copyshop gestanden hatten.

Und dann würde er den Teufel tun, noch einmal in Kontakt mit ihr zu treten.

Am Freitagmittag war Nora völlig fertig mit den Nerven, und sie hatte den Eindruck, dass alles immer schlimmer wurde, je länger sie untätig in ihrer Wohnung herumsaß. Sie musste ständig an Alexia Reece denken. Wenn sie nicht bald handelte, würde sie noch verrückt werden. Doch sie wusste es nicht. Sie wusste ja nicht, ob Ryan etwas damit zu tun hatte, aber die Polizei würde davon überzeugt sein, sowie sie ihnen alles erzählte, und dann saß Ryan in der Falle, ob er schuldig war oder nicht. Na ja, schuldig im Hinblick auf Vanessa Willard war er sicher, aber andererseits, falls sich Vanessa hatte befreien können, sah die Sache ein wenig anders aus, zumindest war Ryan dann kein Mörder. Sollte sie Ryan ins Gefängnis bringen für eine Geschichte, über die er seinerzeit einfach die Kontrolle verloren hatte? Sie grübelte beständig darüber nach, mit wem sie über all das sprechen konnte, sie brauchte einen Rat, eine andere Meinung. Vielleicht brauchte sie auch einfach jemanden, der einen Teil der Last von ihren Schultern nahm. Es musste jemand sein, der sich diese ganze schreckliche Geschichte anhören würde, ohne danach sofort zur Polizei zu laufen. Jemand, der Ryan nahestand.

Sie hatte erwogen, seine Mutter anzurufen, aber sie schreckte davor zurück. Corinne stand Ryan zweifellos nahe, aber am Ende *zu nahe*. Was machte es mit einer Mutter, wenn sie erfuhr, dass ihr einziger Sohn ein so schwerwiegendes Verbrechen begangen hatte? Corinne war eine ältere Frau, die in der jüngsten Zeit Schweres erlebt hatte. Wäre sie überhaupt in der Lage, mit Nora einigermaßen sachlich über das alles zu sprechen und zu beratschlagen, was man tun könnte? Oder würde sie völlig zusammenbrechen und Nora damit das Gefühl geben, schon wieder einen großen Fehler begangen zu haben?

Eine andere Person begann sich in Noras Gedanken festzusetzen, ein Mensch, den sie eigentlich nie hatte kennenlernen wollen: Debbie, Ryans Uraltfreundin. Sie kannte ihn wie sonst kaum jemand. Jahrelang hatten sie eine Beziehung gehabt, hatten zusammengelebt, und auch nach der Trennung waren sie Freunde und Vertraute geblieben. Selbst in diesen Tagen konnte Nora nicht anders, als voller Eifersucht und Abneigung an die andere zu denken. Sie hatte Debbie nie persönlich getroffen, dennoch geisterte sie schon lange durch ihre Gedanken und manchmal sogar durch ihre Träume. Auf quälende Weise. Es waren keine angenehmen Gedanken und Träume.

Dennoch war Debbie der einzige Mensch, der ihr blieb, wenn sie ihre Probleme nicht mehr nur in ihrem eigenen Kopf bewegen und darüber noch den Verstand verlieren wollte. Debbie wusste auch, dass Ryan kein böser Mensch war. Sie würde die Sache mit Vanessa Willard einzuordnen wissen. Jeder andere würde Ryan für ein Monster halten.

Nach einigen Stunden des Grübelns und Zauderns stand Noras Entschluss fest. Sie würde nach Swansea fahren und ihre Rivalin aufsuchen. Die Adresse hatte sie bereits im Telefonbuch gefunden – eine ältere Ausgabe zum Glück. Sie vermutete, dass Debbie nach dem Überfall ihren Namen und ihre Anschrift löschen lassen hatte.

Der Beamte, der draußen im Auto postiert war, würde ihr wahrscheinlich folgen, aber das konnte ihr eigentlich egal sein. Alles, was er dabei herausfand, war, dass sie sich mit Ryans Exfreundin traf. Vielleicht kam das Inspector Morgan verdächtig vor, aber dem Inhalt des Gesprächs zwischen den beiden Frauen kam sie dabei keinen Schritt näher. Sollte sie deswegen nachhaken, würde Nora antworten, sie habe mit Debbie darüber sprechen wollen, ob es nicht einen Weg gab, mit Ryan Kontakt aufzunehmen – um ihm nahezulegen, sich bei der Polizei zu melden.

Sie wusste, dass Debbie bei einer Gebäudereinigungsfirma arbeitete, und hatte natürlich keine Ahnung von ihren Arbeitszeiten, aber sie hoffte, dass sie am Freitagabend Glück haben und die junge Frau daheim antreffen würde. Von Ryan wusste sie, dass Debbie seit dem Überfall im März sehr häuslich war und praktisch nicht mehr wegging, nicht einmal mit Freunden oder Kollegen zusammen. Wenn sie nicht arbeitete, saß sie zu Hause und grübelte.

Nora brach um sechs Uhr auf. Sie merkte, dass der Beamte ihr folgte, aber als sie Pembroke Dock verlassen hatte, konnte sie ihn nicht mehr hinter sich sehen. Ob er sie ebenfalls aus den Augen verloren hatte oder sie auf raffinierte Weise noch immer beschattete, wusste sie nicht. Sie erreichte Swansea ohne Probleme, verfuhr sich dann jedoch gründlich, was es einem möglichen Verfolger sicher nicht leichter machte, an ihr dranzubleiben. Als sie endlich vor dem Haus parkte, in dem Deborah Dobson wohnte, war es fast acht Uhr und Nora ziemlich erschöpft. Sie stieg aus, sah sich um. Niemand zu entdecken.

Sie sandte ein Stoßgebet zum Himmel. *Lieber Gott, lass sie daheim sein! Und zwar allein!*

Man konnte Debbie sofort ansehen, dass sie etwas mitgemacht haben musste, was sie schwer traumatisiert hatte. Zwar kannte Nora sie nicht aus der Zeit davor, aber manchmal hatte Ryan von ihr erzählt, und daraus hatte Nora das Bild einer resoluten, willensstarken, selbstbewussten und sehr eigenständigen Frau gewonnen. Von alldem war bei Debbie im Moment nicht mehr allzu viel zu bemerken, auch wenn sie sich Mühe gab, ihre Schreckhaftigkeit und Nervosität nach besten Kräften zu verbergen. Sie arbeitete an sich, auch das war deutlich. Ihren allerinnersten Kern, der eine Menge Entschlossenheit barg, hatten die Täter womöglich nicht berühren, zumindest nicht vollständig zerstören können. Debbie war gewillt, auf die Füße zu kommen und sich von dem Verbrechen, das an ihr verübt worden war, nicht für ihr ganzes weiteres Leben dominieren zu lassen. Dennoch, es war nun einmal geschehen, und mit bloßer Willenskraft zwang sie ihre Ängste nicht in die Knie. Zumindest nicht so schnell, wie sie das gern geschafft hätte. Auf Nora wirkte sie wie eine Frau, die gerade dabei war, zähneknirschend zu akzeptieren, dass sie Zeit brauchen würde, ob ihr das passte oder nicht.

»Ach, Sie sind Nora«, sagte sie, nachdem sie die Kette von der Wohnungstür ausgehakt und Nora hineingebeten hatte. »Ryan hat mir von Ihnen erzählt. Die Polizei war seinetwegen bei mir. Es geht um diese Geschichte, die in allen Zeitungen steht, nicht wahr? Diese beiden verschwundenen Frauen ...«

»Genau darüber muss ich mit Ihnen sprechen«, sagte Nora.

Sie stellte fest, dass Debbie offenbar keinerlei Aversionen gegen sie hegte, auch nicht im Geringsten eifersüchtig war. Im Gegenteil, sie schien sie sympathisch zu finden, war ihr vielleicht sogar dankbar, dass sie sich um Ryan, das ewige Sorgenkind, kümmerte. Was ihn betraf, hatte sie wohl tatsächlich keine anderen als freundschaftliche Absichten. Sie war eine sehr anziehende Frau, blond, feingliedrig. Große Augen, einen schönen vollen Mund. Schmerzhaft wurde Nora klar, dass Debbie um Klassen besser aussah als sie selbst, viel aparter, ausdrucksstärker, sinnlicher. Sie fand sie ebenfalls sehr sympathisch, aber ihre Eifersucht konnte sie noch immer nicht bändigen.

»Ryan hat sich noch viel, viel tiefer in die Bredouille katapultiert, als es die Polizei auch nur im Entferntesten ahnt«, fuhr Nora fort. »Bevor er verschwand – und egal, was die Polizei glaubt, ich weiß wirklich nicht, wo er steckt –, vertraute er sich mir an. Seitdem bin ich … praktisch krank. Ich muss mit jemandem sprechen, oder ich werde verrückt.«

Sie gingen ins Wohnzimmer. »Setzen Sie sich«, sagte Debbie.

Nora nahm auf einem Sessel Platz. »Vielleicht sollten Sie sich vorher einen Schnaps einschenken«, warnte sie.

»Nicht nötig. Fangen Sie an.« Debbie setzte sich ebenfalls.

Und Nora fing an.

Als sie fertig war, war Debbie grau im Gesicht. Sie stand auf, und Nora konnte sehen, dass ihre Beine zitterten.

»Sie haben recht, Nora«, sagte sie, »ich brauche tatsächlich einen Schnaps!«

Sie schenkte für sich und ihren Gast einen Schnaps ein, ging dann in die Küche und setzte Teewasser auf. Sie war so geschockt, dass Nora unwillkürlich dachte: Hoffentlich kippt sie nicht um. Hoffentlich war das jetzt nicht ein riesengroßer Fehler.

Als Debbie aus der Küche zurückkam, hatte ihr Gesicht noch immer keinen Anflug von Farbe, aber sie sah wenigstens nicht mehr so aus, als werde sie jeden Augenblick in Ohnmacht fallen. »Nora«, sagte sie, »Sie wissen, was Sie tun müssen? Was *wir* nun tun müssen?«

»Sie würden Ryan an die Polizei verraten?«

»Der Mann von dieser Vanessa Willard muss erfahren, was geschehen ist. Und die Polizei muss einen Hinweis darauf bekommen, was mit Alexia Reece passiert sein könnte. Um sie vielleicht noch zu retten.«

»Ryan schwört, dass er mit Alexia Reece nichts zu tun hat.«

»Er hat die Frau beobachtet, die an jenem Tag anstelle von Alexia Reece hätte unterwegs sein sollen. Vielleicht hat er ja eine harmlose Erklärung dafür, wenngleich ich mir das im Moment kaum vorstellen kann.«

Nora starrte in das Glas, das sie in den Händen hielt. Allein der Geruch des Alkohols schien sie schon zu benebeln. Ihr wurde bewusst, dass sie seit Tagen kaum noch etwas gegessen hatte. »Kennen Sie diesen Damon?«

»Nicht persönlich. Aber ich weiß, wer er ist. Ich habe Ryan immer wieder beschworen, sich nicht... Ach, was soll's! Das ist so typisch Ryan, wissen Sie. Diese Sache mit Damon. Diese Art, sich immer tiefer und heilloser in etwas zu verstricken. Deshalb habe ich mich ja damals von ihm getrennt. Ich wusste, er würde mich irgendwann ganz nach unten ziehen. Und da hatte ich ja wohl recht. Wenn es Damons Leute waren, die mich vergewaltigt haben, wie es Ryan für möglich hält, dann ist genau das eingetreten, was ich befürchtet habe. Und wenn es mit dieser Willard zu tun hat, dann auch. Wahrscheinlich bin ich schon viel zu spät abgesprungen. Liebe Güte, Nora, machen Sie bloß nicht den gleichen Fehler!«

»Ich will Ryan helfen«, sagte Nora.

Debbie starrte sie an. »Sie können ihm nicht helfen. Ich konnte es auch nicht, und, glauben Sie mir, ich bin ebenfalls ziemlich idealistisch an die Sache rangegangen. Aber es hat keinen Sinn.«

Der Kessel pfiff. Debbie verschwand in der Küche, kehrte dann mit einer Kanne Tee und zwei Tassen zurück. »Hier. Dieser Tee beruhigt mich immer ganz gut. In der letzten Zeit trinke ich ihn literweise.« Sie ließ sich auf das Sofa fallen. »O Gott, wie unfassbar das alles! Was tun wir jetzt?«

Nora zögerte. Debbie würde gleich den nächsten Schrecken bekommen, aber da musste sie nun durch. »Wir müssen zu dieser Höhle fahren«, sagte sie, »und nachsehen, ob sich Vanessa Willard damals hat befreien können.«

Debbie machte ein Gesicht, als zweifle sie am Verstand ihres Gegenübers. »*Was* müssen wir?«

»Ich habe mir das überlegt«, sagte Nora. Sie sprach schneller als sonst, um Debbie nicht die Gelegenheit zu geben, ihr ins Wort zu fallen und die Idee unwiderruflich als Unsinn abzutun. »Ich meine, wenn sich Vanessa Willard befreit hat und offenbar seit drei Jahren aus eigenem Antrieb nicht zu ihrem Mann zurückgekehrt ist, dann müssen wir doch auch nicht dafür sorgen, dass ihr Mann von der ganzen Sache erfährt. Dann handelt es sich doch offenbar um ein Problem zwischen den beiden, eines, das vielleicht noch aus der Zeit vor der Entführung stammt, für das Ryan nicht verantwortlich ist. Und wir somit auch nicht.«

»Das ist eine ziemlich kühne Gedankenführung«, sagte Debbie.

»Aber doch nicht von der Hand zu weisen. Natürlich, wenn Vanessa Willard in dieser … Höhle gestorben ist, dann müssen ihre Angehörigen das wissen, aber wenn nicht … Dann wäre sie vielleicht auch so weggelaufen und untergetaucht. Vielleicht ist ihr Mann ein richtiger Dreckskerl, und sie hätte jede Gelegenheit genutzt, ihm zu entkommen, und dann verdient er es auch nicht, von ihrem Schicksal zu erfahren.«

»Ob er es verdient oder nicht, können wir nicht beurteilen, Nora. Das steht uns auch nicht zu. Tatsache ist, wenn Ryan sie nicht verschleppt hätte, würde sie jetzt nicht einen Rachefeldzug gegen ihn starten. Denn dass sie genau das tut, ist ja wohl seine fixe Idee. Und dann wäre Alexia Reece nichts zugestoßen.«

»Und wenn Alexia Reece das Opfer eines Nachahmungstäters ist? Der auf diese Weise die Ermittlungen in eine falsche Richtung lenken will?«

Debbie seufzte. »Das sind alles reine Spekulationen. Wenn, wäre, vielleicht, möglicherweise … Ryan hat etwas sehr Schlimmes getan, das ist das Einzige, was wir mit Sicherheit wissen, und dieses Wissen gehört zweifellos an die Polizei weitergegeben, das ist Ihnen doch im Grunde so klar wie mir!«

»Wir zerstören damit Ryans Leben. Er wandert für viele Jahre ins Gefängnis. Bis er rauskommt, ist er ein kaputter, alter Mann.«

Debbie lehnte sich vor und sah Nora eindringlich an. »Nora! Jetzt zerfließen Sie nicht vor lauter Mitleid! Das tat er auch nicht, als er billigend in Kauf nahm, dass eine Frau unter unfassbaren Qualen sterben musste, nur weil ihm wieder einmal seine grenzenlose Feigheit im Weg stand.«

»Doch, Debbie. Mitleid hatte er. Und endlose Gewissensbisse. Sie hätten ihn erleben müssen, als er mir alles erzählte. Diese Geschichte zerfrisst ihn fast. Er weiß, was er angerichtet hat, und es macht ihn völlig fertig. Sie kennen ihn doch. Er ist nicht schlecht. Er ist kein Killer.«

»Aber er hat das schon fast bewundernswerte Talent, sich aus ohnehin aussichtslosen Schwierigkeiten in noch größere, noch aussichtslosere Situationen zu manövrieren, und das ist auch der Grund, weshalb man diesem Mann am Ende so oder so nicht wird helfen können. Wir können nicht ausschließen, dass er es in seiner Verzweiflung erneut mit einer Entführung versucht hat, um an das Geld für diesen Damon zu kommen.«

»Bei der Familie Reece ist keine Lösegeldforderung eingegangen. Das hätte mir die Polizistin sonst gesagt. Sie tappen ja deshalb so im Dunkeln, weil diese Frau zwar verschwunden ist, sich aber in dieser Sache nichts und niemand rührt.«

»Die Reeces haben vielleicht nicht viel Geld«, gab Debbie zu bedenken. »Und Alexia war ja möglicherweise die Falsche. Eigentlich wollte Ryan die Lebensgefährtin von Willard schnappen. Der scheint ja durchaus Kohle zu haben. Die Sache ist eben erneut gründlich schiefgegangen. Typisch Ryan, kann ich da nur sagen!«

Nora schloss für ein paar Sekunden die Augen. Als sie sie wieder öffnete, legte sie alles, was ihr an Eindringlichkeit und Kraft zur Verfügung stand, in ihren Blick und in ihre Stimme. »Bitte, Debbie. Geben Sie mir und ihm diese kleine Chance. Lassen Sie uns nachsehen, ob Vanessa Willard entkommen konnte und damit dann höchstwahrscheinlich am Leben ist. Und dann lassen Sie uns erneut beraten, was wir tun. Möglicherweise gibt es auch dann keine Möglichkeit, Ryan zu retten, aber am Ende finden wir vielleicht doch einen Weg, der ihn aus alldem heraushält. Bitte. Es ist nur eine Chance!«

»Wenn Vanessa lebt und weiß, dass Ryan ihr das angetan hat, kann sie auch jederzeit zur Polizei gehen«, sagte Debbie.

Nora schüttelte den Kopf. »Wenn das, was mit Ihnen geschehen ist, Debbie, Teil ihres Rachefeldzuges ist, kann sie nicht so leicht zur Polizei gehen. Denn dann hat sie sich selbst längst strafbar gemacht.«

»Allerdings«, sagte Debbie. Sie stand auf, trat ans Fenster, drehte sich dann wieder zu Nora um. Ihre Teetasse hielt sie fest umklammert. »Warum müssen Sie mich da hineinziehen, Nora? Ihr Plan stand doch sowieso schon fest! Sie wollen Ryan retten, Sie werden dabei scheitern, aber okay, vielleicht müssen Sie diese Erfahrung selbst machen! Aber weshalb müssen Sie mich damit belasten?«

»Weil ich das allein nicht schaffe«, antwortete Nora leise. »Vor meinem Gewissen nicht, aber auch ganz praktisch nicht. Ich kann nicht allein in dieses Tal fahren, die Höhle suchen, hineinkriechen und nachsehen, ob in der Kiste dort…« Sie sprach nicht weiter.

Debbie sah aus, als würde sie am liebsten lange und ausgiebig und voller Inbrunst fluchen. »Zum Teufel«, sagte sie stattdessen nur, »ich hätte mir auch etwas Netteres für das Wochenende vorstellen können! Wissen Sie denn, wo sich diese Höhle eigentlich befindet?«

»Er hat es mir ziemlich genau beschrieben. Ich denke, er hatte vielleicht selbst den Plan, dorthin zu gehen und nachzusehen, aber das schafft er nie im Leben. Seine Nerven spielen schon bei dem bloßen Gedanken völlig verrückt.«

»Ja, klar, Ryan schafft das nicht. Aber zum Glück gibt es ja immer ein paar selbstlose Frauen in seinem Leben, die bereit sind, die Kohlen aus dem Feuer zu holen.« Debbie griff sich an den Kopf. »Ich muss ehrlich eine völlige Idiotin sein, dass ich mich darauf einlasse!«

Die beiden Frauen sahen einander an. Die Sache war ausgemacht. Nora spürte, dass Debbie entgegen ihrer ruppigen Worte durchaus noch Gefühle für Ryan hegte. Sie mochte sich selbst dafür hassen, aber er war ein guter Freund, dieser Tatsache konnte sie sich nicht entziehen. Er war da gewesen, als es ihr nach dem Überfall so hundeelend ging. War immer wieder aufgekreuzt, hatte sie getröstet, sie im Arm gehalten, ihrem Weinen zugehört. Hatte für sie gekocht und sie geduldig ermutigt zu essen. Er hatte einen Anteil an ihrem psychischen Überleben. Er mochte den größten Mist unter der Sonne bauen, aber er würde da sein, wenn sie ihn brauchte. Das war seine andere Seite.

»Also – dann morgen?«, fragte Nora.

Debbie nickte. »Ich muss vormittags arbeiten, und ich

will keinen Verdacht erregen, indem ich fehle. Ich bin um zwölf Uhr fertig. Ich nehme an, da Ryan flüchtig ist, werden Sie und Ihre Wohnung bewacht?«

»Das ist ein Problem, ja. Der Beamte ist mir, glaube ich, auch heute Abend gefolgt. Kann aber sein, dass er mich unterwegs verloren hat.«

»Darauf, dass er Sie verliert, können wir uns aber morgen nicht verlassen. Auch bei mir fährt in regelmäßigen Abständen eine Streife vorbei, weil man offenbar glaubt, Ryan könnte hier auftauchen. Passen Sie auf, es ist umständlich, aber ich sehe nur diese Möglichkeit: Sie fahren morgen Mittag wieder zu mir. Seien Sie gegen halb eins hier und kommen Sie in meine Wohnung. Wir klettern aus dem Fenster und schlagen uns durch die Gärten zur Rückseite des Blocks durch. Dort parke ich vorher mein Auto. Während Ihr Bewacher dann noch glaubt, wir sitzen in meiner Wohnung und essen zu Mittag, fahren wir schon in Richtung Westküste. In Ihrem Fall also erst einmal die ganze Strecke zurück, aber alles andere wäre zu riskant.«

»Das ist ein guter Plan«, sagte Nora erleichtert.

Debbie stellte ihre Tasse ab und ging in die Küche. Sie kam mit einem ganzen Bündel an Teebeuteln zurück und drückte sie Nora in die Hand. »Hier. Trinken Sie davon noch etwas, wenn Sie zu Hause sind, und morgen früh auch. Er beruhigt wirklich. Sie sehen ganz so aus, als ob Sie seit vielen Nächten nicht mehr geschlafen haben, und Sie dürfen morgen nicht zusammenklappen. Wir brauchen unsere Nerven. Wahrscheinlich mehr als je zuvor in unserem Leben.«

»Danke«, sagte Nora.

Tiefer aus ihrer Seele war dieses Wort noch nie gekommen.

5

Er hatte Hunger, schmerzenden Hunger. Durst quälte ihn nicht, denn er suchte immer wieder öffentliche Toiletten auf und trank dort Wasser an den Waschbecken. In den Taschen seiner Jeans hatte er noch etwas Geld gefunden und davon in einem Billigmarkt ein Päckchen Schnittbrot, ein Stück in Plastik eingeschweißten Käse und zwei Schokoriegel gekauft. Damit hatte er seit Mittwoch auskommen müssen. Jetzt war Samstag. Seit Freitagfrüh hatte er nichts mehr zu essen gehabt, daher nun der quälende Hunger. Hinzu kamen die schmerzenden Knochen von den Nächten auf Parkbänken. Sommernächte zwar, aber das Wetter war jetzt ziemlich kühl geworden, und nachts stieg die Feuchtigkeit aus der Erde und ließ die Kleidung klamm und kalt werden. Abgesehen davon fand er sowieso kaum Schlaf, und das lag nicht nur an seinen unbequemen Liegestätten. Auch an der Angst. Die Polizei war hinter ihm her, er musste beständig auf der Hut sein. Wenn er doch einmal einschlief, schreckte er schon bald wieder hoch, fragte sich, ob da ein Geräusch gewesen war, ob sich gerade jemand an ihn heranschlich. Ständig erwartete er eine barsche Stimme: »Ryan Lee, Sie sind festgenommen!«

Und er wusste, dass es nur eine Frage der Zeit sein konnte, bis sie ihn hatten.

Es waren nur einige Tage seit seiner Flucht vergangen, und er war schon völlig am Ende. Das Schlimmste war, dass er nun überhaupt kein Geld mehr hatte, dadurch konnte er weder eine Nacht in einer Pension verbringen noch sich etwas zu essen kaufen oder sich irgendwo neu einkleiden, um nicht zunehmend wie ein Clochard auszusehen und damit Blicke auf sich zu ziehen. Andererseits hatte ihn genau der Umstand, dass er das Geld vergessen hatte, gerettet. Er hatte am Mittwoch in der Mittagspause den Copyshop verlassen, um sich eine Cola zu kaufen, aber kurz bevor er den Laden erreichte, war ihm aufgefallen, dass er seine Jacke, in deren Innentasche sich sein Geldbeutel befand, im Shop hatte hängen lassen. Also kehrte er um und konnte sehen, wie ein Mann und eine Frau soeben den Copyshop betraten. Die Frau kannte er. Sie war damals in Noras Wohnung gewesen, als er nach jener Nacht bei Debbie drüben in Swansea morgens zurückgekehrt war: Detective Inspector Morgan.

Die Bullen waren bei Dan. Und es stand für Ryan außer Frage, dass sie seinetwegen kamen.

Klar, dass er auf dem Absatz kehrtmachte. Er bemühte sich, unauffällig davonzugehen, nicht zu rennen, nicht wie jemand zu wirken, der auf der Flucht war. Aber sein Herz hatte wie rasend gehämmert. Sie hatte es gesagt. Nora. Sie hatte ihn verpfiffen, anders konnte es nicht sein. Als er ihr an jenem Morgen am Frühstückstisch alles erzählt hatte, die ganze Geschichte um Vanessa Willard, da war es in den ersten Minuten eine ungeheure Erleichterung gewesen. Endlich trug er die Last nicht mehr völlig allein, endlich hatte er sich jemandem geöffnet. Das Verbrechen wurde dadurch nicht harmloser, aber er hatte das Gefühl gehabt, dass der steinerne Klumpen aus Schuld und Verzweiflung in seinem Inneren nicht mehr so heftig schmerzte. Als wäre etwas in Bewegung gekommen dadurch, dass er sich mitteilte. Er war nicht mehr allein mit seiner Tat.

Aber genau daraus entwickelte sich in den folgenden Tagen das Problem. Er beobachtete Nora scharf und erkannte, dass er sie vollkommen erschüttert hatte. Sie versuchte so zu tun, als gehe sie souverän mit der Sache um, aber in Wahrheit hing sie vollkommen in den Seilen. Anstatt wie eine Klette an ihm zu kleben, sobald er nach Hause kam, wich sie ihm nun aus, suchte keine Gespräche mehr, fing nicht einmal mehr davon an, man müsse nach Yorkshire fahren und Bradley um das Geld anpumpen. Sie zog sich in sich zurück, verstört und fassungslos. So hatte er sie nie erlebt. Und er verstand, dass er in Gefahr war. Wenn Nora mit alldem nicht fertig wurde – und es sah ganz so aus, als werde ihr das nicht gelingen –, dann würde sie sich ihrerseits jemandem anvertrauen. Wenn nicht direkt der Polizei, dann doch jemandem, der garantiert zur Polizei gehen würde.

Und genau so war es gekommen, und nur ein Zufall hatte ihn vor der Verhaftung gerettet. Erst später, bereits auf der Flucht, entdeckte er das Kleingeld in seiner Hosentasche und dachte, welch ein Glück es war, dass er dort nicht nachgesehen hatte, als er sich seine Cola kaufen wollte. Dann wäre er nämlich etwas später erst in den Laden zurückgekehrt, und dort hätten ihn die Beamten schon seelenruhig erwartet. Er war wirklich um Haaresbreite entkommen.

Aber nun steckte er erst recht in der Klemme. Denn er hatte erkannt, dass er diese Flucht nicht durchstehen konnte. Ohne Geld. Ohne jemanden, der ihm half. Allein auf der Straße, gesucht von der Polizei. Wenn er nicht verhungern wollte, musste er demnächst einen Supermarkt beklauen, oder er musste einer alten Frau die Handtasche entreißen. Etwas in dieser Art. Früher hatte er so etwas ständig gemacht, jetzt erschien es ihm als die schlimmste aller Möglichkeiten. Er hatte sich geschworen, nie wieder kriminell zu werden. Andererseits, wegen Vanessa Willard bekam er so oder so lebenslänglich. Da fielen ein paar gestohlene Nahrungsmittel kaum noch ins Gewicht.

Er war erschöpft und verzweifelt. Längst hatte er Pembroke Dock verlassen. Der Ort war zu klein, sie hätten ihn dort sofort aufgestöbert. Per Anhalter war er in die Außenbezirke von Swansea gelangt, aber er wusste nicht, wie er von dort aus weiterkommen sollte. Er wagte nicht, sich erneut an den Straßenrand zu stellen und Autos zu stoppen, weil er befürchtete, dass sein Gesicht durch die Fahndungsmaßnahmen der Polizei inzwischen vielleicht schon bekannt war. Und wohin hätte er auch fliehen sollen? Welcher Ort in England bot ihm Sicherheit?

An diesem Samstagvormittag trieb er sich im *Swansea Enterprise Park* herum, dem großen Gewerbegebiet und Einkaufsgelände im Norden der Stadt. Ursprünglich hatte das Gebiet den Namen *Swansea Enterprise Zone* getragen und war die erste und zugleich größte sogenannte *Enterprise Zone* in Großbritannien gewesen. Dem Entstehen derartiger Gebiete lag ein Konzept zugrunde, das, um in eher strukturschwachen Gegenden Wirtschaft und Arbeitsmarkt anzukurbeln, bestimmte abgegrenzte Distrikte von staatlichen Einflüssen und Kontrollmechanismen weitestgehend freisetzte, um sie attraktiv für Unternehmer jeder Art zu machen. Bestimmte Bauvorschriften fanden dort keine Anwendung, Umweltschutzgesetze mussten unter Umständen nicht eingehalten werden, zudem gab es Steuererleichterungen. Jedoch konnten auch arbeitsrechtliche Bestimmungen umgangen werden, was zumeist zu Lasten der Arbeitnehmer ausging, und hier setzte vor allem die Kritik der Gegner des ganzen Projektes ein. Der *Swansea Enterprise Park* beherbergte Autowerkstätten, Autovermietungen und -verkäufe, Fahrradläden, Küchenfachgeschäfte, Möbelhäuser; es gab Niederlassungen, in denen man Fernseher, Computer und andere elektronische Geräte kaufen konnte, außerdem eine Vielzahl an Restaurants und Pubs. In der Mitte des Parks befand sich ein See, der *Lake Fendrod,* auf dem man Boot fahren konnte. Um ihn herum führte ein Wanderweg, der zugleich ein Trimmpfad war. Wie an jedem Samstag waren die Parkplätze ringsum voll belegt, und viele Familien mit Kindern bevölkerten die Straßen und Plätze. Der Tag war grau und wolkig, und es sah nach Regen aus, also fuhr man nicht ans Meer oder aufs Land, sondern stattdessen zum Einkaufen. Man konnte das Auto vollladen und hinterher preiswert essen, und die Kinder konnten sich später noch am See austoben.

Ryan war vor dem großen Garten- und Pflanzencenter gelandet und hing zwischen den davor geparkten Autos herum, spähte unauffällig hinein, probierte den einen oder anderen Türgriff. Seine Hoffnung war, ein Auto zu entdecken, dessen Besitzer vergessen hatten, es abzuschließen. Wenn er Glück hatte, lag etwas Geld im Handschuhfach; schon ein Pfund, um sich einen Cheeseburger zu kaufen, erschien ihm als der Gipfel der Seligkeit. Vielleicht fand er nur eine angebrochene Kekspackung oder eine Tüte Bonbons, aber auch dann würde er Gott auf Knien danken. Ihm war schwindelig vor Hunger, und er hatte sich in den Gedanken verrannt, ihm werde, wenn er erst etwas gegessen hätte, ein Einfall kommen, wie es weitergehen konnte. Natürlich war Nora keine Lösung mehr, sie hatte den Stein ins Rollen gebracht. Debbie? Fast vermutete er, dass ihr Haus überwacht wurde. Zudem würde Debbie für den Fall Vanessa Willard nicht das mindeste Verständnis haben. Corinne, seine Mutter? Es war weit bis nach Yorkshire hinauf, und dann war da auch noch Bradley. Ganz sicher wussten die beiden inzwischen Bescheid, Corinne weinte wahrscheinlich Tag und Nacht, und Bradley war bereit, dem ungeliebten Stiefsohn mit seinem Jagdgewehr im Anschlag entgegenzugehen, falls er sich blicken ließe.

Egal. Später. Schritt für Schritt. *Er musste etwas essen!*

Als er eine Stimme hinter sich hörte, die seinen Namen

nannte, erschrak er so, dass er fast reflexartig losgestürmt wäre, hakenschlagend zwischen den Autos hindurch, weg, nur weg, aber dann begriff er, dass die Stimme nicht barsch oder schroff geklungen hatte, sondern freundlich, und dass es sich kaum um einen Polizisten handeln konnte.

»Ryan? Bist du nicht Ryan Lee?«

Er drehte sich langsam um. Der junge Mann, der hinter ihm stand und einen Einkaufswagen schob, in dem sich Bretter stapelten, kam ihm bekannt vor, aber er konnte ihn nicht sofort einordnen. Doch dann dämmerte es ihm.

»Harry?«

Harry nickte und lächelte. Die Party bei Freunden von Nora, der Typ, der für seine neu eingerichtete physiotherapeutische Praxis geworben hatte. Im April war das gewesen, aber Ryan schien es Jahre her zu sein.

»Mensch, Ryan, was machst du denn hier?«, fragte Harry. Es klang so, als habe er einen alten Freund überraschend wiedergetroffen und freue sich riesig, ihn zu sehen. Instinktiv und blitzschnell erkannte Ryan, wie einsam und unglücklich Harry war. Seine Praxis lief vermutlich immer noch nicht, er saß die Woche über allein dort und wartete auf Patienten, die nicht kamen. Seine Freunde zogen sich vor seinem Scheitern zurück. Harry haftete die Erfolglosigkeit inzwischen an wie ein übler Geruch. Er war wild erpicht auf Gesellschaft, selbst wenn es die eines Exknackis war, den er eigentlich kaum kannte, und vielleicht konnte sich Ryan diesen Umstand zunutze machen. Zumal Harry ganz offensichtlich noch nichts davon wusste, dass Ryan polizeilich gesucht wurde. Sein Lächeln wirkte völlig unbefangen.

»Harry, nett, dich wiederzusehen!«, sagte Ryan. Er machte eine unbestimmte Handbewegung zu einem der hinter ihm parkenden Autos hin. »Ich warte gerade auf Nora. Sie ist drinnen einkaufen. Seit Stunden!« Er verzog das Gesicht.

»Frauen!«, meinte Harry verständnisvoll. Es fiel ihm zum Glück in diesem Moment nicht auf, wie befremdlich es war, dass Nora, die weder einen Garten noch einen Balkon besaß, Stunden in einem Pflanzencenter verbringen sollte.

»Tja, es ist leider kompliziert ...« Ryan setzte eine Miene auf, von der er hoffte, dass sich darin Trübsinn und Ärger mischten. »Zwischen uns stimmt es überhaupt nicht mehr«, vertraute er Harry mit gesenkter Stimme an. »Wir haben nur noch Streit, und manchmal behandelt sie mich wirklich wie den letzten Dreck.«

»Echt?« Harry war ziemlich perplex. »So wirkte das aber gar nicht ... bei der Party damals.«

»Na ja, damals ... Seitdem ist viel Zeit vergangen«, sagte Ryan, »und sie fühlt sich einfach als die Überlegene in unserer Beziehung. Sie will alles bestimmen, und sie setzt mich unter Druck, wenn ich nicht tue, was sie will. Du weißt ja, wie Frauen sein können.«

»Oh ja, das weiß ich«, versicherte Harry, der ohne jede Beziehungserfahrung war und keine Ahnung hatte, was Ryan genau meinte. »Wie schade für euch beide!«

»Sie wollte nicht einmal, dass ich mit hinein in das Geschäft komme«, sagte Ryan wütend, »und weißt du, was sie sagte, ehe sie mich vor ungefähr zwei Stunden hier stehen ließ?«

»Nein. Was?«

»Sie sagte sinngemäß, sie würde kein bisschen traurig sein, wenn sie mich hier bei ihrer Rückkehr nicht mehr anträfe. *Geh doch, ich weine dir bestimmt keine Träne nach!* Das waren ihre Worte. Und sie denkt natürlich, das kann sie ohne jedes Risiko heraustrompeten, weil ich ja so auf die Schnelle gar nicht weiß, wohin ich soll. Ich habe keine Familie, niemanden. Und meine Vergangenheit ... du weißt ja!«

»Ich finde das absolut unfair von Nora«, meinte Harry. »So sollte sie nicht mit dir umspringen! Kannst du dich denn gar nicht zur Wehr setzen?«

»Das Beste wäre, sie würde mal einen richtigen Schreck bekommen«, sagte Ryan. »Stell dir vor, sie käme nachher zu ihrem Auto zurück, und ich wäre wirklich weg. Sie stünde da und sähe, dass sie bekommen hat, was sie wollte. Ich glaube, sie würde endlich zur Besinnung kommen. Das Dumme ist nur, ich weiß wirklich nicht, wohin. So für zwei Tage oder so. Dann würde ich natürlich zu ihr zurückkehren, aber ich glaube, dann hätte sich manches zwischen uns geändert.«

Er hatte Glück. Harry biss an. »Warum kommst du nicht mit zu mir? Ich wohne hier ganz in der Nähe, und ich habe nichts vor dieses Wochenende.«

Harry hatte vermutlich höchst selten etwas vor, dachte Ryan.

Er zögerte. »Ich will niemandem zur Last fallen…«

»Aber du fällst mir kein bisschen zur Last«, versicherte Harry. Er deutete auf die Bretter in seinem Einkaufswagen. »Ich will heute Nachmittag ein Regal für meine Praxis zusammenbauen. Das sind eigentlich Bretter für den Garten, aber richtige Regale kann ich mir im Moment nicht leisten. Du könntest mir helfen, wenn du magst.«

»Klar! Gerne!«, sagte Ryan sofort.

»Und vorher essen wir schön zusammen zu Mittag«, schlug Harry vor, ohne zu wissen, dass es Ryan bei diesen Worten wieder schwindelig wurde. »Ich habe noch Hühnerfrikassee von gestern Abend daheim. Isst du das gerne?«

Ryan hasste Hühnerfrikassee, aber er hatte solchen Hunger, dass für den Moment seine Vorlieben und Abneigungen keine Rolle spielten.

»Super«, sagte er daher. »Ich bin ganz schön hungrig, muss ich gestehen.«

»Dann nichts wie los!« Harry strahlte, weil er völlig unerwarteterweise eine Möglichkeit geboten bekam, einem trostlosen und leeren Wochenende, das ihn wieder einmal auf sein ewiges Scheitern hingewiesen hätte, zu entgehen.

Ryan wusste, dass er sich auf keinen Fall zu lange bei Harry einnisten durfte. Der junge Mann schien ziemlich isoliert zu leben, aber trotzdem bestand die Möglichkeit, dass es zu irgendeinem Kontakt mit seinen früheren Kollegen aus dem Krankenhaus kam, und dort wusste man vielleicht schon, dass Ryan auf der Flucht war und von der Polizei gesucht wurde. Außerdem konnte natürlich jeden Moment im Fernsehen, Radio oder in der Zeitung davon berichtet werden. Aber wenn er nur bis Montagfrüh bliebe, bedeutete das doch schon, dass er für zwei Nächte von der Straße weg war, dass er ein Bett oder ein Sofa zur Verfügung hatte anstelle einer Parkbank. Er bekam etwas zu essen und konnte duschen und vielleicht sogar seine Kleidungsstücke waschen.

Er lächelte. »Danke, Harry!«

»Wir Männer müssen schließlich zusammenhalten«, sagte Harry.

6

Debbie und Nora erreichten Camrose gegen halb drei an diesem Samstagnachmittag. Es hatte zu regnen begonnen, und inzwischen goss es in Strömen. Angesichts dessen, was sie vorhatten, waren sie in ohnehin ziemlich düsterer Stimmung, und Nora dachte, dass Sonne und blauer Himmel nun wirklich notwendig gewesen wären, ihre Gemüter ein klein wenig aufzuhellen. Andererseits bot das schlechte Wetter auch einen erheblichen Vorteil. An einem sonnigen Samstag im Juni wären Wanderer, Ausflügler, Fahrradfahrer und Camper unterwegs gewesen, und die Frauen hätten Angst haben müssen, beim Freilegen des Höhlenzugangs von jemandem überrascht zu werden. Zwar befand sich die Höhle laut Ryans Erklärungen weitab aller gängigen Wanderwege und Landstraßen, aber natürlich gab es auch Leute, die sich querfeldein durch das Gebiet schlugen. Bei dem Regen würde jedoch kaum jemand unterwegs sein, und schon gar nicht in der schwer begehbaren Wildnis.

Hoffentlich finden wir sie überhaupt, dachte Nora beklommen. Sie erinnerte sich an Ryans Schilderungen, unter Tränen stoßweise hervorgebracht.

»Weißt du noch, wo diese Höhle ist?«, hatte sie gefragt, an jenem Morgen, und er hatte gesagt, ja, er wisse es noch genau, und dann hatte er es beschrieben, so als wolle er sich selbst vergewissern, dass er nichts vergessen hatte.

Debbie fuhr, und Nora hielt eine Straßenkarte auf dem Schoß, außerdem einen Zettel, auf dem sie sich am gestrigen Abend aus dem Gedächtnis heraus Ryans Angaben notiert hatte. Sie hatte eine ganze Kanne von Debbies Wundertee getrunken, und tatsächlich war sie ruhiger geworden. Sie war fast sicher, dass sie alle seine Angaben hatte rekonstruieren können. Obwohl sie jetzt, da sie sich tatsächlich auf dem Weg hin zu dem Ort des Schreckens befanden, nicht mehr wusste, ob es nicht auch begrüßenswert wäre, wenn sie die Höhle *nicht* fanden. Sie hatte Angst. Tiefe, schreckliche Angst, die ihr den Magen zusammenzog und sie immer wieder trocken schlucken ließ.

Diesmal war Noras Bewacher ihr ganz sicher gefolgt, das hatte sie im Rückspiegel ihres Autos feststellen können. Er hatte ein Stück entfernt von Debbies Haus geparkt, und Nora war hineingegangen, mit nichts bewaffnet als ihrer Handtasche. Debbie hatte gesagt, sie werde sich um Werkzeug und Taschenlampen kümmern, damit Nora keinen Verdacht erregte, indem sie sperrige Gegenstände mit sich führte.

Die beiden Frauen hatten keine Zeit verloren. Sie waren durch das Wohnzimmerfenster in einen kleinen Hof geklettert und hatten dann über etliche Zäune hinweg und schließlich durch einen schmalen Gang zwischen zwei Häusern hindurch die Straße auf der anderen Seite des Blocks erreicht. Hier parkte Debbies Auto, in dem sie bereits alles verstaut hatte, was sie möglicherweise brauchen würden. Vorsichtshalber nahmen sie einen großen Bogen durch die umliegenden Straßen, ehe sie Swansea verließen und in Richtung Westküste fuhren. Nora drehte sich immer wieder um, aber es war völlig klar, dass ihnen niemand folgte. Der Bewacher stand noch immer vor Debbies Haus und wartete, was geschehen würde.

Der erste Schritt hat jedenfalls geklappt, beruhigte sich Nora. Das Erfolgserlebnis beflügelte sie, vermochte jedoch nicht, ihre Furcht zu betäuben. Mit jeder Meile, die sie zurücklegten, näherten sie sich einem Alptraum. Was immer sie in der Höhle finden würden oder was immer sie auch *nicht* fanden, es stellte die Konfrontation mit einem Ryan Lee dar, den sie beide von dieser Seite nie im Leben hatten kennenlernen wollen.

Nun also waren sie in Camrose, dem Ort, in dem Ryan während seiner Kindheit gelebt hatte. Unter dem dunklen Himmel mit den tief hängenden anthrazitgrauen Wolken und in dem Regen sah es ziemlich trostlos aus. Eine Ansammlung von Häusern, Gärten, die von Nässe triefen, dicht belaubten Bäumen, die an einem Tag wie diesem alles noch düsterer erscheinen ließen.

»Wissen Sie, welches Haus das seiner Familie war?«, fragte Debbie.

Nora schüttelte den Kopf. »Nein. Aber ich versuche gerade, ihn hier als kleinen Jungen zu sehen. Der Fußball spielt und Fahrrad fährt und sich die Knie aufschlägt.«

»Es ist schwer vorstellbar«, meinte Debbie.

Ja, das war es. Es war praktisch überhaupt nicht vorstellbar. Der Weg, den Ryan Lee seitdem zurückgelegt hatte, war zu weit. Zu unübersichtlich. Zu schwer zu verstehen.

Kurz hinter dem Dorf mussten sie auf eine Straße abbiegen, die in Richtung Küste führte. Sie war so schmal, dass Nora den Atem anhielt bei der Vorstellung, ihnen könnte jetzt jemand entgegenkommen. Die Mauern rechts und links ließen kein Ausweichen zu. Über der Straße verschränkten sich die Kronen der Bäume, die den Rand säumten. Jenseits der Mauern dehnten sich Felder und Wiesen.

Sie kamen an einem kleinen Campingplatz vorbei, auf dem drei Wohnwagen mit aufgespannten Vorzelten standen. Niemand ließ sich blicken. Die Camper blieben drinnen und hofften, dass sich das Wetter bessern würde.

»Das hier ist das letzte Stück asphaltierte Straße«, sagte Nora schließlich. »Wir kommen dann an einen Feldweg, und schließlich müssen wir direkt durch die Wildnis. Ohne Weg.«

»Ich kann nur hoffen, dass mein Auto das schafft«, sagte Debbie besorgt. »Ich habe nicht viel Geld. Wenn der Wagen kaputtgeht, stehe ich ziemlich dumm da.«

»Es muss klappen«, sagte Nora. »Schließlich ist Ryan ja auch mit einem Auto ziemlich nah an die Höhle herangekommen. Er hatte eine bewusstlose Frau bei sich. Er konnte sie ja nicht meilenweit durch die Gegend tragen.«

»Aber an jenem Abend hat es wahrscheinlich nicht so geregnet. Wenn hier alles matschig ist, wird es schwierig.«

»Es regnet noch nicht lange. Bis alles aufweicht, haben wir Zeit«, beruhigte Nora. Sie studierte ihre Aufzeichnungen. »Langsam jetzt! Hier muss bald der Feldweg kommen, in den wir dann abbiegen.«

Der Feldweg war so hoch mit Gras bewachsen, dass sie ihn beinahe übersehen hätten. Klee, Sauerampfer und Löwenzahn wucherten wild durcheinander, es war die typische heftige Vegetation des Monats Juni. Nur mühsam konnte man erkennen, dass es dazwischen zwei Erdspuren gab, die darauf hinwiesen, dass es sich eigentlich um einen Weg handelte, der gelegentlich – allerdings eindeutig höchst selten – auch befahren wurde. Von wem auch immer.

»Hier!«, schrie Nora.

Debbie bremste, setzte ein Stück zurück und bog in den Weg ein. »Das Gras steht ganz schön hoch. Ryan ist damals ein ziemliches Risiko eingegangen.«

»Es war ein warmer, trockener Augustabend«, sagte Nora. »Der Weg hier sah bestimmt ganz anders aus.«

Sie waren eine ganze Weile auf der Straße unterwegs gewesen, und auch dem Feldweg mussten sie nun noch über eine erstaunlich lange Strecke folgen. Ryan hatte erzählt, dass er während mancher Jahre seiner Kindheit die Höhle fast täglich aufgesucht hatte. Er hatte sein Fahrrad benutzt, trotzdem musste er lange unterwegs gewesen sein. Die völlige Abgelegenheit der Höhle tief in einem unwegsamen Gebiet hatte ihm natürlich auch Sicherheit gegeben: So leicht konnte niemand sein Versteck finden.

Der Feldweg wurde immer schmaler, holpriger und unwegsamer, und schließlich hörte er ganz auf und ging in eine Wiese über, deren Gras fast einen Meter hoch stand. Debbie hielt an und schaltete den Motor aus.

»Tut mir leid, Nora, aber weiter wage ich es nicht. Irgendwie müssen wir ja später aus dieser Einöde auch wieder rauskommen. Ryan fuhr damals einen Kastenwagen, der um einiges höher lag als mein Auto, und vielleicht war die Wiese Ende August auch gemäht. Ich fürchte, wir müssen zu Fuß weiter.«

Die beiden Frauen stiegen aus. Der Regen war schwächer geworden, aber ein stetiges Nieseln hing in der Luft. Immer wieder einmal schrie ein Vogel, ansonsten war nichts zu hören. Kein Mensch schien in der Nähe zu sein.

Debbie trug ihren Werkzeugkasten, Nora die Taschenlampen und ihre Wegbeschreibung. Am Ende der Wiese befand sich ein kleines Waldstück.

»Da müssen wir durch«, sagte Nora. »Und da Ryan es mit dem Auto geschafft hat, scheint es einen Weg zu geben.«

Ihrer beider Hosenbeine waren nass bis zu den Schenkeln hinauf, nachdem sie die Wiese überquert hatten. Der Wald erwies sich im Näherkommen als lichter und weiter, als es zunächst den Anschein gehabt hatte. Es gab keinen offiziellen Weg, aber sie fanden einen Durchgang, den ein Auto nehmen konnte, falls der Fahrer bereit war, ziemlich rücksichtslos mit seinem Wagen umzugehen. Eines stand fest: Andere Fahrzeuge kamen hier nie im Leben hin, höchstens im Herbst ein Traktor, um die Wiese zu mähen. Auch befand sich hier keine offizielle Wanderroute. Eine Art Niemandsland, das Ryan entdeckt hatte.

Und beklommen dachte Nora: Hier soll jemand vorbeigekommen sein und Vanessa Willard befreit haben? Das ist kaum denkbar.

Der Wald öffnete sich, und sie fanden sich plötzlich auf einer kleinen Anhöhe wieder. Vor ihnen flachte das Land zu einem Tal ab, fast nicht mehr als eine lang gestreckte Senke, an deren anderem Ende nur noch wenige Bäume standen. Der Boden war hier mit Flechten und kurzem Heidekraut bewachsen und stellenweise von Felsen durchsetzt. Ein bestenfalls bei schönem Wetter als idyllisch zu bezeichnendes Fleckchen Erde, aber keineswegs spektakulär. Kein Ausflugsziel. Nichts Besonderes.

Die Frauen blieben stehen, betrachteten das flache, stille Tal.

Nora sprach als Erste. »Das Tal des Fuchses. So hat er es genannt.«

Debbie war so in Gedanken versunken, dass sie zusammenzuckte. »Das Tal des Fuchses? Wieso?«

»Diese Höhle, die er als Junge gefunden hat«, sagte Nora. »Er hielt sie zunächst für einen Fuchsbau. Aber es kann natürlich auch etwas anderes gewesen sein.«

Debbie räusperte sich. Sie sah aus, als würde sie am liebsten die Flucht ergreifen. Nora ging es genauso. Die beklemmende Einsamkeit und Verlassenheit des Ortes, die Düsternis des Tages, der Regen und das Wissen darum, was hier geschehen war, legten sich wie Blei über ihr Gemüt.

»Wo … ist denn nun die Höhle?«, fragte Debbie, während sie ihre Augen schweifen ließ, und fast im selben Atemzug fügte sie hinzu: »Oh, ich glaube, das dort hinten könnte es sein, oder?«

Nora folgte ihrem Blick. Rechterhand, dort, wo das Tal bereits wieder sanft anzusteigen begann, erhob sich ein großes Stück Felsen; wären sie an der Küste gewesen, hätte es eine Klippe sein können. Große Büschel Farn wucherten am Fuße des Felsens, von oben fielen lilafarbene Glockenblumen in langen Kaskaden an ihm hinunter. Das wirklich Interessante aber war die Ansammlung von Geröll, die man bei scharfem Hinsehen und nur dann, wenn man gezielt danach suchte, unter dem dichten Pflanzenbewuchs erkennen konnte.

»Sagte er nicht, er habe den Eingang der Höhle mit Steinen blockiert?«, fragte Debbie.

Nora nickte. »Ja. Die Stelle entspricht ziemlich genau seiner Beschreibung.«

Sie machten sich an den Abstieg hinunter in die Bodensenke. Der Hang war steiler, als es von oben den Anschein gehabt hatte, und der Boden nass und rutschig. Mehr als einmal ruderten die beiden Frauen heftig mit den Armen, um das Gleichgewicht zu halten. Unten angekommen stapften sie sofort in Richtung des Felsens. Im Näherkommen bemerkten sie, wie genial dieses Versteck tatsächlich war: Die einzelnen Steine verschmolzen optisch fast völlig mit der Felswand dahinter, der dichte Pflanzenbewuchs kaschierte mögliche Unebenheiten oder Lücken. Sollte sich tatsächlich ein Wanderer hierher verirren, würde er im Leben nicht darauf kommen, dass es dort einen Fuchsbau oder etwas Ähnliches gab, das groß genug war, einem Menschen Platz zu gewähren.

Debbie blieb stehen. Sie schob den Farn beiseite und versuchte, einen der Steine zu bewegen. Er rührte sich zunächst nicht, aber als sie kräftiger zupackte, gab er ein kleines Stück weit nach.

»Ich denke, wir haben es gefunden«, sagte sie, aber sie zögerte, weiterzumachen. Zu schrecklich mochte sein, was hinter diesem perfekt getarnten Zugang auf sie wartete.

Auch Nora stand wie angewurzelt da, starrte auf die Steine. Obwohl der Tag kühl war und ihre Kleidung nass vom Regen, fror sie nicht. Sie spürte ein inneres Brennen, von dem ihr warm wurde, ungesund warm. Sie merkte, dass ihr Kreislauf Probleme machte, und offenbar war es ihr anzusehen, denn Debbie musterte sie scharf und sagte: »Nora, wir müssen das hier nicht tun. Wir können jetzt auf der Stelle umkehren und nach Hause fahren, dann rufen wir die Polizei an und die sollen ihre Leute hierherschicken. Die sind ausgebildet für solche Sachen. Wir beide kippen am Ende um!«

»Und was wird dann aus Ryan?«, entgegnete Nora, legte die Taschenlampen auf die Erde, beugte sich vor und fing an, die Steine beiseitezuräumen.

Debbie seufzte, doch dann begann sie, Nora zu helfen. Es waren teilweise ziemlich große Felsbrocken, die sie abtragen mussten, und beiden lief nach kurzer Zeit der Schweiß in Strömen über den Körper. Debbie sprach als Erste aus, was jede von ihnen dachte: »Wenn Vanessa Willard tatsächlich befreit wurde oder sich selbst befreien konnte, dann hat sie sich anschließend eine Menge Mühe gemacht. Das hier aufzuschichten ist nicht einfach. Würde das eine Frau tun, die einem grauenhaften Tod knapp entkommen ist?«

Nora hielt inne und strich sich die nass verklebten Haare aus dem Gesicht. »Wenn sie einen bestimmten Plan verfolgt, zu dem es gehört, dass weder ihre Flucht noch das Versteck, in dem sie untergebracht war, entdeckt werden, dann vielleicht schon. Und dass ihr Entführer im Gefängnis saß und auf unabsehbare Zeit ohnehin nicht herkommen würde, konnte sie ja anfangs nicht ahnen.«

Debbie fragte sich, ob Nora das alles selbst glaubte. Sie verfluchte Ryan. Sie verfluchte ihre Gutmütigkeit, die sie dazu gebracht hatte, sich auf dieses Abenteuer hier einzulassen. Irgendwann, als ihre Kräfte schwanden, verfluchte sie bloß noch den Regen, der ihr inzwischen zum Kragen ihrer Jacke hineinlief und über ihren Rücken rann und der die Steine glitschig machte, sodass immer wieder die Finger abrutschten. Hatte sie nicht genug mitgemacht? War sie nicht noch immer, und vielleicht für den Rest ihres Lebens, vollauf damit beschäftigt, das Trauma ihrer Vergewaltigung irgendwie in den Griff zu kriegen? Musste sie nun tatsächlich hergehen und sich den nächsten Schrecken aufladen, der wieder für schlaflose Nächte, Angstzustände und Panikanfälle sorgen würde? Nur weil es sich diese Nora

Franklin, die sie bis zum gestrigen Tag nicht einmal persönlich gekannt hatte, in den Kopf gesetzt hatte, dafür zu sorgen, dass Ryan Lee irgendwie mit heiler Haut aus diesem Wahnsinn herauskam. Okay, er war ihr Lebensgefährte über Jahre gewesen, sie hatte ihn einmal geliebt, und heute war er ein guter Freund, aber das rechtfertigte noch nicht…

»Scheiße«, sagte sie laut, »Scheiße, das alles!«

Genau in diesem Moment räumten sie die letzten Steine beiseite. Vor ihnen lag eine Öffnung, so schmal und so hoch wie ein etwa zehnjähriges Kind. Eine Art breite Felsspalte, für einen Erwachsenen nur mühsam passierbar, aber es war zweifellos möglich, dort hineinzugelangen. Nora stellte sich Ryan vor, mit seinen ein Meter fünfundachtzig, und wie er dann noch eine bewusstlose Frau, die laut seiner Beschreibung ebenfalls nicht gerade klein gewesen war, hinter sich hergezerrt hatte. Sie merkte, dass sie noch immer hoffte, das Ganze werde sich als Prahlerei, als gigantisches Aufschneiden und als letztlich völlig unmöglich erweisen. Aber im Grunde wusste sie um die Vergeblichkeit dieser Hoffnung: Als er heulend über ihrem Frühstückstisch hing und das Unfassbare gestand, da war er von purer Verzweiflung getrieben worden und keinesfalls von dem Wunsch, ihr eine Schauergeschichte aufzutischen. Und unmöglich war es auch nicht: Der kleine Ryan war hier problemlos hineingekommen. Der große Ryan hatte sich ganz schön anstrengen müssen, aber es war keinesfalls ein Ding der Unmöglichkeit.

Schwer atmend und völlig erschöpft standen die beiden vor der Öffnung.

»So weit, so gut«, sagte Debbie auf ihre gewohnt burschikose Art, mit der sie ihre eigene Verletzlichkeit zu tarnen gelernt hatte. »Wer von uns hat jetzt das Vergnügen, als Erste hier hineinzukriechen?«

Nora hob die Nase. »Es riecht… nach Erde«, sagte sie anstelle einer Antwort. »Nach Feuchtigkeit. Etwas modrig. Aber es riecht nicht nach…«

»Verwesung?«, fragte Debbie. »Nein, nach drei Jahren bestimmt nicht mehr. Wenn sie da noch drin ist, dann ist von Vanessa Willard wahrscheinlich nichts übrig, was noch riechen könnte.«

»Ja, natürlich«, sagte Nora, und ihre Lippen bebten.

Debbie bemerkte es. »Ich gehe zuerst«, sagte sie. Sie wandte sich um, griff nach einer Taschenlampe und nahm aus ihrem kleinen Werkzeugkoffer einen Akku-Schrauber.

Für die Schrauben an der Kiste, dachte Nora, nahm ebenfalls eine Lampe und bemühte sich krampfhaft, den Schwindel niederzukämpfen, der sie in Wellen anfiel. Erneut begriff sie, wie gut beraten sie gewesen war, sich an Debbie zu wenden und sie um Hilfe zu bitten. Allein hätte sie diese ganze Geschichte nicht durchziehen können.

Debbie verschwand in der Felsöffnung. Sie war wesentlich zierlicher als Nora und es fiel ihr leichter, sich in der Enge zu bewegen. Nora, mit ihren breiten Schultern und kräftigen Oberarmen tat sich schwerer, aber sie sagte sich, dass es schließlich auch Ryan geschafft hatte, und der war deutlich größer und muskulöser als sie. Dennoch bekam sie Platzangst, als sie Debbie durch den schmalen Felsengang folgte. Das Tageslicht, das hinter ihnen am Eingang zu sehen war, spendete hier kaum noch Helligkeit, aber sie hatten ja die Taschenlampen. Im Lichtkegel sah Nora Debbies Rücken vor sich, was immerhin noch ein tröstlicher Anblick war. Ringsum gewahrte sie Fels und Erde und Wurzelgeflecht, und irgendwo hörte sie Wasser tropfen. Sie dachte an das Gras und die Blumen, die über ihnen wuchsen, an den wolkenverhangenen Himmel, den Regen, plötzlich sogar an den Campingplatz, an dem sie vorbeigekommen waren, an die Menschen, die in den Wohnwagen saßen und vermutlich trübsinnig in das schlechte Wetter hinausstarrten, an das Dorf, in dem Ryan gelebt hatte, und daran, in welch tiefem, dunklem, nassem Grün die Blätter der Bäume an einem Tag wie diesem glänzten. Das war die Welt, die Normalität, nach der sie sich auf einmal inbrünstig sehnte. Diese modrig riechende, feuchte Dunkelheit, durch die sie tappte, hingegen war wie ein Alptraum, in den man nachts geraten kann und aus dem man dankbar und erleichtert erwacht. Aber diesmal, das war ihr nur zu bewusst, würde sie nicht erwachen. Sie würde diesen Weg bis zum Ende gehen, zum Ende, Ende, Ende, Ende… Sie konnte plötzlich nur noch dieses eine Wort denken, im Rhythmus der Tropfen, die irgendwo hier in dieser Höhle gleichmäßig auf den Felsen schlugen.

Ende, Ende, Ende.

Und in diesem Moment blieb Debbie so unvermittelt stehen, dass Nora gegen sie prallte.

»Der Gang ist zu Ende«, sagte sie.

Nora hielt ihre eigene Taschenlampe gesenkt, spähte jedoch über Debbies Schulter und konnte im Schein der anderen Lampe den höhlenähnlichen Raum erkennen, in den der Gang mündete. Sie hatte geglaubt, hier kaum noch Luft zu bekommen, aber tatsächlich konnte man sogar besser atmen als im Gang. Es musste etliche Felsspalten ringsum geben, durch die Sauerstoff eindringen konnte. Man sah das auch an dem Wasser, das in Schlieren über die Wände lief. Regen, der seinen Weg nach innen fand.

Die Höhle war niedriger als der Gang. Nora schätzte, von ihrer eigenen Größe ausgehend, die Deckenhöhe des Ganges auf etwa einen Meter fünfundsiebzig. Sie hatte noch Spielraum nach oben, Ryan hatte mit Sicherheit den Kopf einziehen müssen. Die Deckenhöhe der Höhle betrug vielleicht knapp einen Meter fünfundsechzig.

Ein Traum für einen kleinen Jungen, dachte Nora, aber sie wusste, dass sie nur deshalb Ryan als niedlichen, abenteuerlustigen Jungen zu visualisieren versuchte, weil sie sich den erwachsenen Ryan und das, wozu er die Höhle genutzt hatte, nicht vorstellen wollte. Ihr war immer noch übel. Oder schon wieder? Oder war ihr eigentlich seit Tagen übel, ohne Unterlass? Vielleicht würde es ihr nie wieder gut gehen.

Vielleicht wird nie wieder etwas normal sein, dachte sie.

Debbie ließ den Schein ihrer Taschenlampe an den feuchten Felswänden entlanggleiten. Beide Frauen zuckten zusammen, als der Lichtkegel etwas zunächst Undefinierbares, Verschlungenes streifte, das von der Decke baumelte, aber dann erkannten sie, dass es sich um Teile einer Wurzel handelte, und atmeten auf.

Debbie richtete den Strahl tiefer nach unten. Sie hatte es bislang vermieden, den Boden der Höhle zu beleuchten, weil sie sich stärken musste für das, was sie dort womöglich sehen würde. Aber es half nichts. Sie waren so weit gegangen. Debbie war nicht der Mensch, der kurz vor dem Ziel aufgab.

Im Licht der Lampe gewahrten sie die lange, schmale Holzkiste, die auf dem Boden stand.

Nora schrie. So unermüdlich sie sich innerlich auf dieses Bild vorzubereiten versucht hatte, so wenig war es ihr gelungen, sich tatsächlich zu wappnen.

Sie drehte sich um und stolperte den Gang zurück, so schnell sie konnte und ohne Rücksicht darauf, dass sie mit ihren Armen und Schultern immer wieder gegen die Wände stieß und sich blutige Schrammen und Kratzer zuzog. Einmal knickte sie mit dem Fuß um, und ein stechender Schmerz zog ihr Bein hinauf, aber um nichts in der Welt wäre sie stehen geblieben. Sie humpelte durch die

Felsöffnung nach draußen, hinein in das Licht des Tages, in die Frische des Regens. Sie sank auf die Knie und erbrach sich in den Farn. Wieder und wieder. Als wolle sie nicht nur ihr Essen loswerden und den ganzen verdammten Tee, den sie getrunken hatte, sondern auch den Horror, in den sie geraten war, den Schrecken, der ihr Leben seit einiger Zeit so fest und gnadenlos umklammert hielt. Sie spuckte Schleim und Galle, und als nichts mehr ging, hockte sie sich in das nasse Gras, wischte sich mit dem Ärmel ihrer Jacke über den Mund und stellte dabei fest, dass ihre Hand haltlos zitterte.

Sie zog die Beine eng an den Körper, schlang die Arme fest um sie herum. Sie fror und schwitzte gleichzeitig. Der Regen war wieder stärker geworden, aber das nahm sie fast teilnahmslos hin. Ab und zu hob sie den Blick hinauf in die Wolken, ließ ihn dann wieder durch das kleine Tal schweifen, das friedlich wirkte mit seinen wilden Blumen, dem Wald darüber auf der Anhöhe, den nassen Felsplatten im Boden, den dicken Matten aus Moos, die sie stellenweise bedeckten.

Das Tal des Fuchses.

Ryan, der Fuchs.

Und Debbie, die dort drinnen jetzt mutterseelenallein versuchte, seinem düsteren Geheimnis auf die Spur zu kommen. Wie schaffte sie das? Wie stark war diese Frau? Deshalb also gelang es Ryan nicht, sie loszulassen, deshalb zog es ihn immer wieder zu ihr hin. In seiner Schwäche musste sie ihm als der einzige Halt in seinem Leben, als sein Anker, seine Hoffnung erscheinen. Von Debbie wollte er sich durch das Leben tragen lassen, weil er allein bei jedem einzelnen Schritt, den er tat, strauchelte. Aber Debbie wollte ihn schon lange nicht mehr halten, und nach alldem würde sie es noch weniger wollen. Auch das machte ihre

Stärke aus: die Kraft, abzustoßen, was sie hinunterzog. Sogar dann, wenn es ihr selbst wehtat.

Nora hatte keine Ahnung, wie viel Zeit vergangen war, seitdem sie aus der Dunkelheit ans Licht gestolpert war. Eine halbe Stunde? Eine Stunde? Vielleicht mehr, vielleicht weniger. Vielleicht tausend Jahre. Genug Zeit, dass die Welt nie wieder die sein würde, die sie gewesen war.

Sie vernahm ein Geräusch und blickte zum Eingang der Höhle hin. Debbie war dort aufgetaucht. Sie hielt noch ihre Taschenlampe in der Hand, nicht aber den Schraubenzieher. Sie hatte eine Gesichtsfarbe, wie Nora sie noch nie an einem lebenden Menschen gesehen hatte, ein wächsernes Gelb. Ihre Mutter hatte diese Farbe gehabt, nachdem sie im Krankenhaus gestorben war. Debbies Haut schien von einem feuchten Film überzogen, der aussah, als fühle er sich eiskalt an.

Sie machte ein paar wackelige Schritte zu Nora hin und ließ sich neben sie ins Gras fallen. In der Nässe hatten ihre blonden Haare begonnen, sich wild zu locken. Sie sah wie ein Rauschgoldengel aus. Ein Rauschgoldengel mit der Gesichtsfarbe einer Toten.

»Sie ist noch drinnen«, sagte sie nach einer Weile, während der das Schweigen in Noras Ohren langsam zu einem Dröhnen angeschwollen war. »In der Kiste.«

»Sie haben sie aufgeschraubt?«, fragte Nora. Was für eine überflüssige Frage, dachte sie.

Sie spürte Debbies Nicken mehr, als dass sie es sah. »Ja.«

»Und das ist sicher … ich meine, vom Zeitungsfoto her … Vanessa Willard?«

Von Debbie kam ein verächtlicher Laut. »Verflucht, Nora, das kann man wirklich nicht mehr erkennen. Aber wer sollte es denn sonst sein?«

Nora wünschte, das Rauschen in ihren Ohren würde nachlassen. Es war quälend, und ihr wurde schwindelig davon.

»Es liegt eine Taschenlampe in der Kiste«, fuhr Debbie fort, »und leere Wasserflaschen. Und irgendetwas ... also, da ist vielleicht Essen drin gewesen.«

»Gott«, flüsterte Nora.

»Da sind überall dunkle Flecken. Ich glaube Blutspuren. Und das Holz ist völlig zerkratzt. Sie hat mit aller Macht versucht ...« Debbies Stimme verlor sich, ging in ein Seufzen über, verschmolz mit dem Pladdern des Regens. Die Vögel schrien plötzlich so laut, aber vielleicht, dachte Nora, schreien sie gar nicht lauter als vorher. Es schien nur so.

Der Todeskampf der Vanessa Willard. Die Bilder gingen über alles hinaus, was sich Nora vorstellen konnte. Was sie sich vorstellen wollte.

Debbie stand so abrupt auf, dass Nora zusammenschrak. Sie zog ihr Handy aus der Hosentasche, starrte auf das Display.

»Wir gehen jetzt zum Auto zurück«, befahl sie, »und sowie wir wieder Handyempfang haben, was hier leider nicht der Fall ist, rufen wir die Polizei an. Sofort.«

»Debbie ... sollten wir nicht ... Ich meine, Ryan ...«

Debbies Lippen waren ein dünner Strich. Noch immer hatten ihre Wangen nicht den geringsten Anflug von Farbe.

»Wenn Sie jetzt noch Skrupel haben, Nora, dann kriechen Sie in die verdammte Höhle und schauen Sie sich genau an, was er mit dieser Frau gemacht hat. Vielleicht kuriert Sie das von Ihrer Fürsorge gegenüber diesem erbärmlichen Feigling.« Sie drehte sich um und ging los. Ihre Taschenlampe, die noch immer brannte, hatte sie achtlos auf der Erde liegen lassen.

Nora rappelte sich hoch. Ihr Fuß sandte Schmerzpfeile

das Bein hinauf, sie musste sich ihn schwer verstaucht oder gezerrt haben. Ihre Knie waren weich wie geschmolzene Butter.

»Warten Sie«, krächzte sie. »Ich komme mit.«

Aber Debbie wartete nicht. Sie ging einfach weiter, die Schultern gestrafft, der Rücken steif wie ein Brett.

»Dafür bezahlt er«, sagte sie.

7

Am Dienstag sah Ryan zum ersten Mal im Fernsehen, dass nach ihm gefahndet wurde.

Er war jetzt den vierten Tag bei Harry zu Hause, und er wusste, dass es dringend an der Zeit war, die nächsten Schritte zu tun. Er war überzeugt, dass sich unter Noras Kollegen im Krankenhaus längst herumgesprochen hatte, dass er auf der Flucht war und welches Verbrechen er verübt hatte, und selbst der vereinsamte Harry konnte jeden Moment von jemandem angerufen werden, der ihm die Geschichte brühwarm erzählte. Wenn Ryan das dann nicht sofort mitbekam und schnell das Weite suchte, würde Harry die Polizei verständigen, und sie konnten ihn hier in aller Seelenruhe verhaften.

Das Schlimme war, dass Ryan nicht einmal der Anflug einer Idee kam, wohin er gehen könnte, aber daran würde sich natürlich auch nichts ändern, wenn er noch länger hierbliebe. Er fand das Zusammensein mit Harry ziemlich schrecklich, aber zumindest hatte er ein Dach über dem Kopf, ein Sofa, auf dem er schlafen konnte, jeden Morgen eine heiße Dusche. Er konnte sich rasieren und hatte alle seine Klamotten gewaschen. Er hatte sich von Harry etwas Geld geliehen – nicht dass er wüsste, wie er das je zurückzahlen sollte – und sich einen Zehnerpack Unterhosen und mehrere Paar Socken zum Wechseln gekauft. Er hatte genug zu essen und zu trinken. Fast fühlte er sich schon wieder in einer bürgerlichen Existenz angekommen, nur dass all das auf tönernen Füßen stand und jeden Augenblick unter ihm zusammenbrechen konnte. Abgesehen davon war Harry auch überhaupt nicht in der Lage, ihn längerfristig mit durchzuziehen. Er wartete offensichtlich vergeblich auf Patienten, zumindest war den ganzen Montag über niemand erschienen, und lebte nur von dem kleinen Sparkonto, das ihm seine verstorbene Großmutter hinterlassen hatte. Von ihr stammte auch das Reihenhaus in Morriston, das Harry überhaupt erst auf die Idee gebracht hatte, sich in die Selbstständigkeit zu stürzen. Ein absoluter Wahnsinn, wie Ryan fand. Aus reinem Zufall kam hier überhaupt niemand vorbei, und selbst wenn jemand in der Innenstadt von Swansea von Harry hörte, würde er es sich dreimal überlegen, ob er den umständlichen Weg bis in den Außenbezirk auf sich nahm. Die Straße, in der Harry wohnte, wirkte ärmlich, fast etwas schmuddelig. Niemand würde erwarten, hier einen renommierten, erfolgreichen Physiotherapeuten anzutreffen. Harry würde aufgeben müssen. Aber Ryan hütete sich, ihm das zu sagen.

Natürlich hatte Harry auch bereits angedeutet, dass es nicht schlecht wäre, wenn sich Ryan am Kauf der Lebensmittel finanziell beteiligen würde, aber Ryan hatte, ebenfalls pokernd, daraufhin erwidert, es sei vielleicht wirklich an der Zeit, zu Nora zurückzukehren. Harry, der das Alleinsein fast nicht mehr ertrug, war sofort eingeknickt. »Nein, das wäre viel zu früh! Denk daran, wie sie mit dir umgesprungen ist, Ryan! Strafe muss sein. Und du kannst hierbleiben, solange du willst.«

An diesem Morgen nun saß Ryan in der Küche, trank seinen Kaffee und blickte durch die vergilbten Spanngardinen vor dem Fenster hinaus in den wolkenverhangenen Tag und auf das gegenüberliegende Haus, das genauso schmal, verwohnt und vergammelt aussah wie das, in dem er zurzeit hauste. In dem kleinen tragbaren Fernseher, den Harry auf die Anrichte gestellt hatte, liefen die Sendungen des Frühstücksfernsehens. Er achtete nicht auf das Programm, aber er zuckte zusammen, als er plötzlich seinen eigenen Namen hörte.

»Ryan Lee ist dringend verdächtig, der Entführung und Ermordung der damals siebenunddreißigjährigen Universitätsdozentin Dr. Vanessa Willard aus Mumbles im August 2009 schuldig zu sein. Ihre Leiche wurde jetzt im Pembrokeshire Coast National Park gefunden.«

Er fuhr herum und starrte in den Fernseher. Sein Gesicht bedeckte den gesamten Bildschirm. Ein Foto, das im Knast gemacht worden war. Er sah unglücklich und elend darauf aus.

»Weiterhin gibt es Anhaltspunkte dafür, dass er auch mit dem spurlosen Verschwinden der fünfunddreißigjährigen Alexia Reece, wohnhaft in Swansea, etwas zu tun hat. Alexia Reece wurde zuletzt am …«

Er sprang auf, schaltete hastig den Fernseher aus, eilte zur Küchentür und hielt Ausschau nach Harry. Hatte er etwas mitbekommen? Er hörte oben den Föhn brummen und atmete auf. Gott sei Dank, er war noch im Bad.

Sein Blick fiel auf das silberfarbene Drahtkörbchen, das an der Innenseite der Haustür unterhalb des Postschlitzes angebracht war. Zusammengerollt lag die Morgenzeitung darin. Er nahm sie, stopfte sie ganz nach unten in den

Mülleimer in der Küche, versteckte sie unter Kartoffelschalen, Joghurtbechern und einem klein gerupften Cornflakeskarton. Irgendwann später würde er sie sicherheitshalber entsorgen, aber für den Moment musste das reichen.

Er merkte, dass seine Beine zitterten. Der Boden hier war jetzt zu heiß geworden. Er konnte nicht jeden Morgen die Zeitung abfangen, und er konnte Harry nicht dauerhaft vom Fernsehen abhalten. Jeden Moment konnte er auffliegen. Jede Stunde, die er jetzt länger blieb, stellte eine Gefahr dar.

Er sank wieder auf seinen Stuhl, umklammerte den Kaffeebecher. Tröstliche Wärme strömte in seine eiskalten Finger. Ihm ging jetzt erst auf, dass er soeben Gewissheit erhalten hatte: Vanessa war tot. Sie hatte sich nicht selbst befreien können, es war auch niemand vorbeigekommen, der sie aus dem grabähnlichen Gefängnis geholt hatte.

Sie hatten ihre Leiche gefunden.

Ich bin ein Mörder, dachte er.

Er merkte, wie etwas in seinem Kopf blockierte. Es war jetzt überhaupt nicht gut, an diese ganze Sache zu denken. Daran, wie Vanessa gestorben war. An seine Schuld. An alles, was auf ihn zukam. Manchmal bestand das Nächstliegende einfach darin, dafür zu sorgen, dass man nicht wahnsinnig wurde. Nur einen Gedanken ließ er noch zu, eine kurze Verwunderung: Wieso erst jetzt? Nora war am Mittwoch der vergangenen Woche offenbar bei der Polizei gewesen. Und erst eine knappe Woche später fingen sie an, öffentlich nach ihm zu fahnden. Sie schienen Vanessas sterbliche Überreste gerade erst gefunden zu haben. Warum so spät? Aber dann überlegte er, dass sie vielleicht Schwierigkeiten gehabt hatten, das Tal des Fuchses zu finden. Er hatte Nora zwar den Weg beschrieben, aber sie hatte sich das wahrscheinlich nicht so genau merken können. Dieser Umstand hatte dann Zeit gekostet und alles erschwert.

So musste es gewesen sein.

Harry kam in die Küche, ausgemergelt und unattraktiv wie immer, intensiv nach seinem Duschgel duftend und gut gelaunt. »Guten Morgen, Ryan. Hast du die Zeitung?«

»War keine da«, sagte Ryan.

»Hm. Na ja, kann man nichts machen.« Harry setzte sich, schenkte sich Kaffee ein, strich Butter auf eine Toastscheibe und gab reichlich Marmelade darauf. Er sah Ryan an, der an seinem Kaffee nippte. »Keinen Hunger?«

»Nicht so richtig. Vielleicht später.«

»Ich habe gerade in meinen Kalender gesehen«, sagte Harry. »Ich habe heute um zehn Uhr eine Patientin.«

In deinen Kalender gesehen, dachte Ryan verächtlich. Auf die eine Patientin in dieser Woche lebst du wahrscheinlich seit Tagen hin, aber vor mir tust du jetzt so, als hättest du das eben festgestellt. Für wie blöd hältst du mich?

Laut sagte er jedoch: »Wie schön. Hoffentlich jemand, der dann öfter kommen wird.«

»Ja, das wäre nicht schlecht. Hör mal, Ryan, ich hoffe, du bist mir nicht böse, aber ...« Er zögerte.

Will er mich rauswerfen?, fragte sich Ryan. Weil er heute andere Unterhaltung hat?

»Es ist nur ... Könntest du in der Zeit dann oben bleiben?«, fragte Harry. »Wenn die Patientin da ist, meine ich. Weil, also ... die Leute denken schnell ... na ja, bei zwei Männern in einem Haus ... Du verstehst schon.« Er sah ihn bittend an. »Manche stören sich vielleicht daran.«

»Du meinst, man könnte dich für schwul halten? Okay, kein Problem. Ich bleibe oben.« Ryan kam das durchaus gelegen. Vielleicht hatte die Patientin das Frühstücksfernsehen angeschaut. Es war besser, wenn sie ihn nicht zu Gesicht bekam.

Harry hatte aus dem kleinen, nach hinten zum Garten

führenden Wohnzimmer des geerbten Häuschens seinen Praxisraum gemacht, ausgestattet mit einer komplizierten verstellbaren Liege und einer Reihe von Geräten, für deren Erwerb er einen Kredit hatte aufnehmen müssen. In dem noch kleineren Esszimmer daneben befand sich der Warteraum, in dem nie jemand wartete. Trotzdem standen dort dicht gedrängt sechs Stühle, und es lagen jede Menge Zeitschriften aus. Im ersten Stock des Hauses gab es ein Bad und zwei Schlafzimmer. In dem vorderen schlief Harry, das andere fungierte als Wohnzimmer und war vollständig zugestellt mit einer Couch, einem Tisch und zwei behäbigen Sesseln. Es war ein Kunststück, bis zum Fenster vorzudringen. Auf der Couch nächtigte derzeit Ryan.

»Toll, das ist nett. Danke für dein Verständnis«, sagte Harry erleichtert.

»Ist doch klar«, sagte Ryan. Er überlegte, ob er die Stunde, in der Harry vollauf beschäftigt sein würde, nutzen sollte. Um endlich abzuhauen.

Nur, verdammt noch mal, *wohin*?

Zwei Stunden später saß er oben im Wohnzimmer und dachte noch immer über diese Frage nach, als es an der Haustür klingelte. Er konnte hören, dass Harry aus seinem Praxisraum kam und dann eine Weile unten im Gang verharrte, um auf keinen Fall den Eindruck zu erwecken, er könnte es eilig haben. Dann wurde die Tür geöffnet.

»Hallo, hallo«, sagte Harry übertrieben fröhlich. »Nur immer hereinspaziert!«

»Meine Güte, mein Navi ist kaputt, und deine Wegbeschreibung hat mir wirklich kein bisschen geholfen«, entgegnete eine weibliche Stimme. »Ich bin ewig herumgekurvt!«

Die Stimme kam Ryan irgendwie bekannt vor. Er erhob sich aus seinem Sessel, schlich zur Tür und lauschte.

»Komm, wir fangen gleich an«, sagte Harry.

Die Frau schien es nicht so eilig zu haben. »Lass mich doch erst mal schauen, wie es hier bei dir so aussieht. Ah, das ist die Küche? Gemütlich.«

Harry und die Frau schienen alte Bekannte zu sein. Ryan verzog das Gesicht. Deshalb wollte Harry unbedingt, dass Ryan oben blieb. Er sollte nicht merken, dass es sich bei der ersten – und vermutlich einzigen – Patientin dieser Woche um eine Freundin handelte, die wahrscheinlich aus reinem Mitleid kam.

Wenn er nur wüsste, wo er die Stimme schon einmal gehört hatte! Sein Herz pochte plötzlich schneller. Wenn die Frau dort unten ihn, Ryan, ebenfalls kannte, bestand höchste Gefahr.

»Wollen wir nicht anfangen?«, fragte Harry. »Wir sollten keine Zeit verlieren. Du musst doch sicher danach zurück zur Arbeit?«

»Ich habe mir den ganzen Tag freigenommen. Ich will endlich mal alles erledigen, wozu ich sonst nicht komme. Friseur, Kosmetikerin, ein paar Einkäufe.«

»Und eine Behandlung beim Physiotherapeuten«, ergänzte Harry und lachte albern.

»Das habe ich natürlich niemandem erzählt. Die Kollegen wären sonst... na ja, vielleicht beleidigt, weil ich mit dem Fuß zu dir gehe und nicht zu einem von ihnen.«

Kollegen... Ryan runzelte die Stirn.

»Und der Knöchel ist immer noch nicht abgeschwollen?«, fragte Harry.

»Nein, deshalb meinte der Arzt ja, ich sollte es mal mit Lymphdrainage versuchen.«

In dem Moment wusste Ryan Bescheid. Verdammt, das war Vivian da unten. Harrys ehemalige Arbeitskollegin, Noras ehemalige beste Freundin. Er entsann sich, dass

Nora ihm vor ein paar Wochen erzählt hatte, dass Vivian auf dem Laufband umgeknickt war. Er hatte kaum hingehört, die ganze Person war ihm herzlich egal. Jetzt jedoch nicht mehr. Jetzt stellte sie eine Bedrohung dar. Jede Wette, dass sie Bescheid wusste.

»So, und dies ist also meine Praxis«, hörte er Harry sagen. Offenbar gelang es ihm endlich, Vivian in den Therapieraum zu lotsen.

»Sag mal, von dieser unfassbaren Geschichte hast du gehört?«, fragte Vivian.

»Von welcher Geschichte?«

»Na, die mit Ryan. Ryan Lee, Noras Freund. Weißt du das nicht? Weißt du nicht, dass er von der Polizei gesucht wird? Wegen *Mordes*?«

Ryans Herz schien auszusetzen. Von unten kam sekundenlanges Schweigen.

»*Was?*«, fragte Harry dann und setzte gleich darauf zischelnd hinzu: »Jetzt komm endlich ins Zimmer! Mach die Tür zu!«

Ryan blickte sich um wie ein gehetztes Wild. Raus, er musste sofort raus hier und nichts wie weg. Vivian erzählte Harry gerade brühwarm, was los war, und als Nächstes riefen sie die Bullen, das war klar. Sein erster Gedanke war, aus dem Fenster zu klettern und die Regenrinne hinunterzurutschen, aber dabei sahen sie ihn natürlich unten vom Praxisraum aus. Außerdem war er dann im Garten, an dessen Ende sich die Gärten der nächsten Reihenhauskette anschlossen. Es brachte ihm nicht viel, hier durch die schier endlosen Gärten und Straßen der Siedlung zu irren.

Er hatte einfach zu lange gewartet. Er hätte gleich heute früh verschwinden sollen. Nachdem er sein eigenes Bild im Fernseher gesehen hatte.

Ein Auto! Er brauchte ein Auto.

Harrys Auto parkte vor dem Haus. Der Schlüssel lag meist in der Küche. Allerdings dort nicht an einem bestimmten Platz. Harry warf ihn immer irgendwohin. Ryan hatte jetzt schon mehrfach erlebt, wie er ihn händeringend suchte.

Egal, er musste es riskieren. Zu Fuß hatte er praktisch keine Chance, aber mit dem Auto konnte er erst mal Abstand gewinnen. Natürlich musste er dann sehen, dass er den Wagen loswurde und einen anderen bekam. Denn die Autonummer würde sofort an alle Polizeistreifen durchgegeben werden.

Lautlos öffnete er die Tür, schlich die Treppe hinunter. Er hätte sich gern schneller bewegt, aber er musste vorsichtig sein, um knarrende Dielen zu vermeiden. Er erreichte die Küche. Aus dem Praxisraum konnte er Vivians aufgeregte Stimme hören: »*Hier bei dir?* Oh mein Gott! Harry, der ist gefährlich! Der hat eine Frau umgebracht. Ich habe Nora immer gewarnt, aber sie wollte ja nichts davon wissen. Warum … Harry, wir müssen weg!«

Ryan sah sich in der Küche um. Er konnte den verfluchten Schlüssel nicht sehen. Weder auf der Anrichte noch neben der Spüle noch auf dem kleinen Tischchen, an dem er und Harry noch vor zwei Stunden gefrühstückt hatten.

»Sei doch leise!«, fuhr Harry Vivian an. »Willst du, dass er uns hört?«

»Ich hau ab. Ich bleibe hier keine Sekunde länger. Der Kerl ist zu allem fähig!«

»Jetzt warte doch. Noch hat er nichts gemerkt. Er sitzt oben und denkt, ich behandle irgendeine Patientin. Ich rufe jetzt sofort die Polizei an.«

Ryan konnte den Autoschlüssel noch immer nicht entdecken. Es war zum Wahnsinnigwerden. Vielleicht hatte Harry ihn gar nicht wie sonst in die Küche geworfen. Vielleicht steckte er in seiner Hosentasche.

Die Wohnzimmertür sprang auf, und Vivian, im sehr kurzen geblümten Minikleid, humpelte heraus. Sie hielt ihre Handtasche in der einen Hand, ihre Jeansjacke in der anderen und war deutlich entschlossen, jetzt auf der Stelle das Weite zu suchen, wobei ihr dick geschwollener rechter Knöchel sie stark beim Laufen behinderte. Als sie Ryan sah, der in der Küchentür stand, blieb sie abrupt stehen. Sie starrte ihn aus weit aufgerissenen Augen an und schien schreien zu wollen, brachte jedoch keinen Ton heraus. Für den Moment war sie in der typischen Schockstarre des Kaninchens im Angesicht der Schlange gefangen.

Harry, der so dicht hinter ihr war, als habe er gerade versucht, sie zurückzuhalten, hatte das Telefon in der Hand.

»Ich rufe jetzt die Polizei«, verkündete er erneut. Ihm schien nicht klar zu sein, dass Ryan dies keineswegs einfach würde geschehen lassen.

Noch ehe er die Nummer eintippen konnte, war Ryan an der bewegungsunfähigen Vivian vorbei und hatte Harry den Apparat aus der Hand gerissen. Dann holte er aus und versetzte ihm einen kräftigen Schwinger ins Gesicht. Harry kippte ohne einen Laut um und blieb reglos auf dem Boden liegen.

Vivian schrie auf. Endlich kam Leben in sie, aber ehe sie die Haustür erreichen konnte, hatte Ryan sie gepackt und zerrte sie in die Praxis zurück. Ihre Handtasche fiel dabei zu Boden und blieb im Flur liegen.

»Halt den Mund!« Er brachte sein Gesicht dicht an ihres, um sie noch mehr einzuschüchtern und seinen Worten Nachdruck zu verleihen. »Sei ganz still! Wenn du schreist, geht es dir wie ihm hier!« Er wies auf den bewusstlosen Harry. »Kapiert?«

Sie nickte. Sie war völlig geschockt. Ryan war fast sicher, dass sie auf absehbare Zeit weder einen Mucks von sich geben noch einen Fluchtversuch unternehmen würde, aber trotzdem musste sie unschädlich gemacht werden. Er sah sich hastig um. Auf der Fensterbank entdeckte er Harrys Autoschlüssel – da hätte er natürlich ewig in der Küche suchen können – und daneben ein paar lange Bänder, die wahrscheinlich zu irgendwelchen therapeutischen Übungen benutzt wurden. Er schnappte sie sich und fesselte damit Vivians Hände auf dem Rücken. Dann nötigte er die junge Frau auf den Fußboden, sodass sie mit dem Rücken an das neu aufgebaute Regal gelehnt zu sitzen kam. Er band sie an dem Regal fest und fesselte dann ihre Knöchel, wobei sie leise wimmerte, als er den verletzten Fuß berührte. Zum Schluss zog er seine Schuhe aus und streifte eine Socke ab, knäulte sie zusammen.

»Sorry. Es muss sein!« Er schob sie der entsetzten Vivian in den Mund. Von einer dicken Rolle mit weißem Pflasterklebeband riss er ein Stück ab und pappte es zur Sicherheit noch darüber.

Anschließend kümmerte Ryan sich um Harry, fesselte und knebelte ihn ebenfalls. Er schloss die knarrenden Läden vor dem Fenster und der Gartentür, damit niemand – spielende Kinder womöglich, die durch fremde Gärten streiften – die beiden Gefangenen entdecken konnte. Er nahm den Autoschlüssel und das Telefon an sich und verließ den Raum, schloss die Tür hinter sich ab. Er griff Vivians Handtasche und stellte sie auf der untersten Treppenstufe ab. Dann ging er in die Küche und sank dort auf einen Stuhl, überließ sich minutenlang ohne Gegenwehr dem Zittern, das seinen Körper befiel.

Hatte er richtig gehandelt? Auf jeden Fall hatte er kaum eine Wahl gehabt. In der Eile wäre er nicht an ein Auto gekommen, und Harry war drauf und dran gewesen, die Polizei zu verständigen. Nein, er hatte getan, was er tun musste.

Und was jetzt?

Denk nach, Ryan. Denk in aller Ruhe nach. Tu nichts Un-
überlegtes! Jeder weitere Schritt ist jetzt von Bedeutung!

Er nahm ein Glas aus dem Abtropfkorb, ließ es mit Wasser volllaufen, trank es in einem Zug leer. Er starrte aus dem
Fenster. Die Frau von gegenüber machte sich gerade auf
den Weg zum Einkaufen, wie immer um diese Zeit.

Denk nach!

8

Die Polizei hatte Matthew noch am späten Samstagabend informiert, dass man die sterblichen Überreste eines
Menschen, mutmaßlich einer Frau, im Pembrokeshire
Coast National Park gefunden hatte und dass alle Anzei-
chen dafür sprächen, es handele sich dabei um Vanessa.
Am Sonntag waren DI Morgan, DS Jenkins und ein psy-
chologischer Betreuer in meiner Wohnung erschienen, wo
Matthew und ich das Wochenende verbrachten. Sie zeigten uns einen Ring und eine Armbanduhr, die man bei der
Toten gefunden hatte, und Matthew identifizierte beides
als Vanessas Schmuck. Danach informierte man uns sehr
vorsichtig über die näheren Umstände: Die Person, bei der
es sich höchstwahrscheinlich um Vanessa handelte, war in
einer Kiste eingeschlossen und in einer Höhle versteckt gewesen, ausgestattet mit einer Taschenlampe, Essensvorrä-
ten und Wasserflaschen. Wir hörten erstmals den Namen
Ryan Lee, erfuhren, dass es sich um einen seit vielen Jahren
immer wieder mit dem Gesetz in Konflikt geratenen jungen

Mann handelte, der einer Freundin gegenüber gestanden hatte, Vanessa damals auf dem abgelegenen Parkplatz entführt und dann eingesperrt zu haben, weil er Matthew um eine erhebliche Geldsumme hatte erpressen wollen. Wegen einer anderen Straftat war er verhaftet worden, noch ehe er Kontakt hatte aufnehmen können, und war für zweieinhalb Jahre ins Gefängnis gewandert. Da er sofort nach seiner Festnahme in Untersuchungshaft gekommen war, hatte er Vanessa nicht mehr freilassen können. Er hatte es nicht gewagt, sich irgendjemandem anzuvertrauen, nicht einmal seinem Anwalt.

An dieser Stelle war Matthew klar geworden, wie Vanessa gestorben war. Er war aufgestanden und hatte das Zimmer verlassen, gefolgt von Max. Der Mann von der psychologischen Opferbetreuung wollte ihm folgen, doch ich hielt ihn zurück. Ein bisschen kannte ich Matthew inzwischen.

»Lassen Sie ihn. Er will jetzt allein sein.«

Am Montagabend bekamen wir Bescheid, dass es sich bei der Toten zweifelsfrei um Vanessa handelte. Sie war anhand ihres Gebisses identifiziert worden.

Jetzt war Dienstag. Der 12. Juni. Mein Geburtstag. Aber niemand hatte daran gedacht, auch Matthew nicht, obwohl wir einander irgendwann einmal unsere Geburtsdaten genannt hatten. Aber Männer können sich so etwas ohnehin schlecht merken, und Matthew stand natürlich völlig unter Schock. Ehrlich gesagt, sogar ich hatte es vergessen. Erst als mir morgens in der Redaktion die Kollegen gratulierten, fiel es mir ein. Zum Glück wussten durch die Zeitungen alle, was los war. Niemand erwartete, dass ich groß feierte oder wenigstens den obligatorischen Sekt ausgab, wie es sonst üblich war. Man behandelte mich wie ein rohes Ei. Ich schleppte mich irgendwie durch die Stunden, aber am frühen Nachmittag ging ich zu der stellvertretenden Chefredakteurin und bat sie, mir für den Rest des Tages und den Rest der Woche freizugeben.

»Ich kann mich kaum konzentrieren. Und ich habe das Gefühl, jede Minute für meinen Freund da sein zu müssen.«

Sie verstand das völlig. »Natürlich. Wir kommen hier schon klar.«

Im Prinzip kamen sie überhaupt nicht klar, seitdem Alexia fehlte, aber das hing nicht von meiner Anwesenheit ab. Alexia hatte den Laden zusammengehalten, ohne sie bröckelte alles auseinander. Ich hoffte und wünschte, dass dies auch Ronald Argilan auffallen würde. Möglicherweise nützte das Alexia nichts mehr, aber wenigstens begriff er vielleicht im Nachhinein, wie bitter unrecht er ihr getan hatte.

Ich eilte sofort nach Hause, weil ich bei Matthew sein wollte. Auch er ging vorerst nicht zur Arbeit. Aber als ich in meiner Wohnung ankam, fand ich nur einen Zettel vor, der auf der Küchentheke lag.

Ich bin daheim. Wir telefonieren, ja? Alles Liebe, Matthew.

Ich wollte nicht mit ihm telefonieren. Ich wollte zu ihm.

Ich duschte rasch und zog mich um. Als ich gerade fertig war, klingelte es an der Haustür. Es war Inspector Morgan, die zu Matthew wollte, einfach nur, um nach ihm zu sehen, und ich erklärte ihr, dass er in seinem Haus in Mumbles sei.

»Ich möchte auch zu ihm«, sagte ich. »Ich habe das Gefühl, er sollte jetzt nicht allein sein.«

»Kommen Sie«, sagte DI Morgan, »ich fahre Sie dorthin.«

Im Auto fragte ich sie, ob es etwas Neues gebe, vor allem auch im Hinblick auf Alexia. Sie zögerte. »Leider gibt es noch immer keine Spur von Ryan Lee. Wir fahnden jetzt landesweit nach ihm, und er geht uns garantiert demnächst ins Netz, aber ...«

»...aber ob das schnell genug ist für Alexia...«, vollendete ich den Satz.

»Zwei Polizisten vernehmen ständig die junge Frau, bei der Lee nach seiner Haftentlassung gewohnt hat«, sagte Morgan. »Die Frau, der gegenüber er alles zugegeben hat und die daraufhin die Höhle gesucht und Dr. Willard gefunden hat. Jede Kleinigkeit, an die sie sich vielleicht erinnern kann, ist wichtig. Sie liebt Ryan Lee, aber sie ist dermaßen entsetzt über das alles, dass sie mit uns absolut kooperiert. Lee hat ihr gegenüber mehrfach beteuert, nichts mit Alexia Reece zu tun zu haben. Er konnte sich selbst nicht erklären, weshalb die Umstände ihres Verschwindens seine eigene Tat offenbar kopierten. Er fasste das alles als eine Art Verschwörung gegen sich auf.«

»Eine Verschwörung?«, wiederholte ich verwirrt.

Morgan warf mir einen kurzen Blick zu. »Lee stand unter erheblichem Druck. Dieser Kredithai, der Geld von ihm wollte, war nach seiner Entlassung aus dem Gefängnis wieder an ihn herangetreten.«

Sie hatte uns davon bereits berichtet. Als sie uns darauf vorbereitete, dass man Vanessa wahrscheinlich gefunden hatte, dass sie das Opfer einer Entführung geworden war.

»Wieso?«, hatte Matthew gefragt. »Wer hat Vanessa entführt? Und warum?«

Es war ein besonderer Schlag für ihn gewesen zu hören, dass sie ein Zufallsopfer gewesen war. Eines Kleinkriminellen, dem von einem Zinswucherer die Daumenschrauben angesetzt worden waren und der irgendwie an einige zigtausend Pfund kommen musste. Der einfach in der Gegend herumgefahren war und sich Vanessa nur deshalb geschnappt hatte, weil sie sich mutterseelenallein auf dem Parkplatz aufhielt, weil das Auto neben ihr nach Geld aussah, weil ihre Kleidung ihm teuer erschien. Es war so banal.

Das hatte uns beide fassungslos gemacht. Die Banalität hinter der Tragödie.

»In Lees Umfeld hatten sich in der letzten Zeit seltsame Dinge ereignet«, fuhr Morgan fort, »und deswegen war er auch schon wieder bei uns auf dem Radar – ohne dass wir natürlich eine Verbindung zu dem Fall Willard herstellen konnten. Seine ehemalige Lebensgefährtin – eine der beiden Frauen, die jetzt Vanessa gesucht und gefunden haben – ist im März nachts am Hafen überfallen worden. Lees Mutter, die oben in Yorkshire lebt, wurde entführt und irgendwo in der Einsamkeit der Hochmoore ausgesetzt. Lee begann zu glauben, dass dies Hinweise an ihn sein sollten. Von diesem Gangster, dem er das Geld schuldet. Offenbar ist das durchaus die gängige Sprache, derer er sich bedient, um andere Menschen einzuschüchtern.«

Mir schwirrte der Kopf. »Dann könnte es doch sein, dass dieser Kerl auch etwas mit Alexia zu tun hat?«

Morgan seufzte. »Alexia gehört aber nicht zu Lees Umfeld. So wie seine Mutter und seine Exfreundin. Lediglich die Tatumstände stellen die Verbindung her. Das würde aber bedeuten, dass Lees Peiniger wusste, dass Lee etwas mit Vanessa Willards Verschwinden zu tun hatte. Laut der Aussage seiner Bekannten hielt Lee das für ausgeschlossen. Deshalb war in ihm zuletzt der Gedanke erwacht, Vanessa Willard könnte sich womöglich seinerzeit aus ihrem Gefängnis befreit haben und nun einen Rachefeldzug gegen ihn führen. Was ja leider nicht der Fall war.«

»Aber trotzdem«, beharrte ich, »muss man diesen Kerl verhaften. Diesen Geldverleiher, oder was er ist. Kennen Sie ihn?«

Morgan machte ein grimmiges Gesicht. »Oh ja. Er ist allgemein polizeibekannt. Aber sehr findig darin, sich nichts nachweisen zu lassen.«

»Aber…«

Sie legte mir beschwichtigend ihre Hand auf den Arm. »Wir haben ihn festgenommen. Es gibt die Aussage, dass er Ryan Lee massiv bedroht hat, und das können wir erst einmal als Grund verwenden. Natürlich sagt er überhaupt nichts. Und sein Anwalt läuft Sturm. Wir arbeiten unter Hochdruck, ihm die Überfälle auf Lees Freundin und auf seine Mutter nachzuweisen oder ihn zumindest in eine Verbindung damit zu bringen, denn nur dann haben wir die Möglichkeit, ihn länger festzuhalten. Wir müssen ihn sonst spätestens heute Abend freilassen, aber keine Sorge, auch dann bleiben wir an ihm dran.«

Ich musste wohl sehr verzagt und hoffnungslos dreingeblickt haben, denn sie fuhr tröstend fort: »Wir tun, was wir können. Hundertschaften der Polizei durchkämmen den Coast Park auf der Suche nach einem Versteck, in dem Alexia Reece möglicherweise gefangen gehalten wird. Wir suchen nach Garrett Wilder, denn trotz allem, was geschehen ist, dürfen wir nicht die Möglichkeit außer Acht lassen, dass wir es mit zwei ganz verschiedenen Fällen zu tun haben. Der Schwerpunkt unserer Fahndung aber liegt auf Ryan Lee. Kollegen der Yorkshire Police bewachen rund um die Uhr das Haus seiner Mutter, im Falle, dass er dort unterzutauchen versucht. Er hat kein Geld, er hat keine Papiere, er hat kein Auto. Er kann das nicht lange durchhalten.«

»Er ist ein Gewaltverbrecher«, sagte ich. »Er kann sich das alles beschaffen. Geld. Ein Auto. Er schlägt einfach irgendjemanden tot.«

»Dann ist er in einem gestohlenen Auto unterwegs. Und damit kommt er auch nicht weit.«

Wir waren vor Matthews Haus in Mumbles angekommen, und Inspector Morgan bremste. »Hier sind wir. Ich denke, ich muss mich jetzt nicht blicken lassen, Sie sind ja bei ihm. Rufen Sie mich an, wenn Sie meinen, er braucht doch jemanden von der Opferbetreuung, ja?«

Ich stieg aus. »Das mache ich. Danke fürs Fahren, Inspector. Sie halten mich auf dem Laufenden?«

»Selbstverständlich. Ach, übrigens«, sie lehnte sich über den Beifahrersitz, »herzlichen Glückwunsch zum Geburtstag. Trotz allem!«

Ich lächelte. Sie kannte inzwischen natürlich meine Personalien. Und Frauen merken sich so etwas eben.

Matthew saß in seinem Esszimmer und starrte hinaus in den Garten. Das Gras dort stand hoch, er hatte sich in den letzten Wochen, in denen er hauptsächlich bei mir wohnte, nicht mehr darum gekümmert. Auf dem Tisch lag in kleinen Stapeln die Post, die die Haushälterin in seiner Abwesenheit hereingeholt hatte. Das Haus wirkte kalt und unbewohnt. Dunkel und irgendwie tot.

Max, der neben seinem Herrchen gelegen hatte, sprang auf und begrüßte mich freudig. Ich drückte mein Gesicht tief in sein langes Fell. Es war so gut, dass es ihn gab. Ich konnte spüren, wie wichtig er für Matthew war.

Matthew erhob sich ebenfalls, kam auf mich zu und schloss mich in die Arme. Wir verharrten lange so, schweigend, eng aneinandergepresst. Ich konnte seinen Herzschlag spüren und hoffte, dass er auch meinen spürte, dass er daraus etwas Kraft schöpfen würde. Und Trost. Schließlich löste er sich von mir und trat einen Schritt zurück. Ich forschte in seinem Gesicht nach den Spuren des Horrors, den er gerade durchlebte, aber er sah aus wie immer. Sehr müde. Aber das war nichts Neues.

»Die Universität hat mich angerufen«, sagte er. »Sie planen eine große Trauerfeier nächste Woche. Sie haben mich gebeten, ihnen dafür noch ein paar Sachen zukommen zu lassen, Fotos von Vanessa vor allem. Als Kind, als Studentin. Wenn möglich ein Bild von unserer Hochzeit. Ich bin hierhergefahren, um danach zu suchen, aber dann... Ich hatte plötzlich keine Energie dafür. Ich konnte hier nur sitzen. Bis du eben gekommen bist, habe ich mich, glaube ich, seit Stunden nicht bewegt.«

»Ich denke, es ist nicht gut, wenn du jetzt in alten Bildern kramst«, sagte ich verärgert über dieses Ansinnen. Wie konnte man einen Mann in seiner Lage um so etwas bitten? »Das kannst du später immer noch tun. Und außerdem können die ihre Trauerfeier auch ohne Fotos abhalten.«

»Das stimmt«, pflichtete mir Matthew bei. »Die Dame, die mit mir sprach, meinte, die halbe Stadt würde wahrscheinlich kommen. Es herrsche unglaubliches Entsetzen unter den Leuten.«

Das hatte ich auch von ein paar Kollegen gehört. Die Brutalität dieses Verbrechens schockierte jeden, ob ihm der Fall noch präsent gewesen war oder nicht. Zudem trug die Geschichte einen erschreckenden Aspekt in sich: Es hätte jeder sein können. Nicht eine völlig abgehoben lebende Millionärin war gekidnappt worden, mit der sich niemand identifizieren konnte. Sondern eine normal verdienende Universitätsdozentin, Ehefrau eines zwar etwas überdurchschnittlich verdienenden, aber keineswegs klotzig reichen Softwareexperten. Gehobene Mittelklasse mit schönem Haus in Mumbles, aber doch meilenweit entfernt von den oberen Zehntausend des Landes.

»Ob ich es schaffe, zu der Feier zu gehen, weiß ich allerdings nicht«, fuhr Matthew fort. »Im Moment kann ich es mir kaum vorstellen.«

»Du musst da nicht hin. Jeder kann verstehen, wenn dir das zu viel wird«, sagte ich. »Das kannst du spontan entscheiden.«

Da ich überzeugt war, dass er seit dem Frühstück nichts mehr gegessen und wahrscheinlich nicht einmal etwas getrunken hatte, ging ich in die Küche und setzte Teewasser auf. In einem Schrank fand ich Teebeutel und ein paar Kekspackungen. Nicht gerade eine vollwertige Mahlzeit, aber besser als nichts. Ich ordnete die Kekse auf einem Teller an, trug sie dann zusammen mit der Kanne und den Bechern ins Wohnzimmer hinüber. Matthew trank wie ein Verdurstender, aß aber kaum etwas. Dann sah er mich an, und an seinem Blick erkannte ich, dass das, was jetzt kam, nicht zu diskutieren sein würde. Er hatte einen Plan, von dem er sich nicht würde abbringen lassen.

»Ich möchte dorthin fahren«, sagte er, »zusammen mit Max.«

»Wohin?«

»Nach Pembrokeshire. Zu der ... Stelle, wo es passiert ist.«

»Das halte ich für keine gute Idee«, sagte ich.

Er zuckte mit den Schultern. »Ich muss es tun. Ich will an den Ort, an dem sie gestorben ist. Ich möchte dort Abschied nehmen.«

Irgendwie verstand ich ihn, aber ich hatte Angst, dass er zusammenbrechen würde. Wir hatten von dem kleinen, einsam gelegenen Tal gehört. Von der Höhle. Von der Holzkiste. Ich hätte mir das um keinen Preis ansehen wollen, und ich hatte Vanessa nicht einmal gekannt. Wie sollte er das aushalten?

»Wahrscheinlich ist dort doch alles abgesperrt«, sagte ich, »und man darf gar nicht hin.«

»Das ist mir egal. Ich *werde* dorthin gehen.«

»Dann lass mich mitkommen.« Es war ein großes Zugeständnis von mir, denn mir graute wirklich vor der Situation. »Du solltest dabei nicht allein sein.«

»Ich habe ja Max.«

»Vielleicht brauchst du aber auch jemanden zum *Reden*.«

Er schüttelte den Kopf. »Jenna, ich möchte dich nicht verletzen. Aber dieser Abschied von Vanessa, von dem gemeinsamen Leben mit ihr... Das ist etwas, das ich allein tun muss. Es ist meine Vergangenheit, die ich abschließe. *Nur meine Vergangenheit.* Du hingegen bist die Zukunft.«

Schöner hätte er es nicht sagen können, trotz allem. Ich hörte auf zu insistieren.

»In Ordnung«, stimmte ich zu.

Damit war alles besprochen. Ich brachte das Geschirr in die Küche und spülte es rasch ab, während Matthew nach oben ging und ein paar Sachen für die geplante Übernachtung in irgendeinem *Bed & Breakfast* zusammenpackte. Er bot an, mich nach Hause zu fahren, aber das wäre ein solcher Umweg für ihn gewesen, dass ich ablehnte.

»Ich fahre ganz gerne im Bus. Mach dir keine Gedanken. Konzentriere dich auf das, was jetzt ansteht.«

Wir verabschiedeten uns in der Auffahrt seines Hauses voneinander. Mehr als vorhin im Zimmer fiel mir draußen im Tageslicht auf, wie fahl seine Haut war. Er sah sehr elend aus, erschöpft und verzweifelt. Innerlich betete ich, dass er durchstehen würde, was er vorhatte.

Ich fuhr nicht gleich nach Hause, sondern stieg ein ganzes Stück früher aus, um den Rest der Strecke am Meer entlangzuwandern. Der wolkenverhangene Tag lockte wenige Menschen nach draußen, ich war zeitweise fast allein am Strand. Ich zog Schuhe und Strümpfe aus und lief ein langes Stück im Wasser entlang. Flach und schaumig spülten die Wellen über meine Füße. Ich sammelte ein paar Muscheln und Steine, nur um sie dann wieder ins Wasser zu werfen. Schließlich blickte ich auf die Uhr: Es war fast sieben. Ich legte mich in den Sand, wartete, bis meine

Füße getrocknet waren, zog dann meine Schuhe wieder an. Es gab eine kleine Kneipe gleich jenseits der Uferstraße. Dort ging ich hin und setzte mich an den Tresen. Auch hier herrschte wenig Betrieb. Ich bestellte einen Sherry, dann noch einen, dann noch einen.

»Ich hoffe, Sie müssen nicht mehr Auto fahren, Lady«, sagte der Wirt, ein Jüngling mit flaumigem, blondem Oberlippenbart, besorgt. Ich kippte das dritte Glas hinunter. »Nein. Aber ich habe heute Geburtstag, wissen Sie. Ich will mir irgendetwas Gutes tun.«

»Oh, herzlichen Glückwunsch!« Der Junge spendierte mir einen weiteren Drink und nahm sogar selbst einen, um mit mir anzustoßen. Vermutlich tat ich ihm leid. Eine junge Frau, die Geburtstag hat und so einsam ist, dass sie sich in einer Strandkneipe allein betrinken muss.

Und tatsächlich fühlte ich mich sehr allein. Das war mir den ganzen Tag über nicht so gegangen, aber jetzt packte mich doch die Traurigkeit. Ich musste an meine Mutter denken, die ich damals Hals über Kopf verlassen hatte, die ich nie eine Adresse oder Telefonnummer von mir hatte wissen lassen. Hätte *sie* mich sonst heute angerufen? Ich hoffte es, aber ich war mir nicht sicher, und bei diesem Gedanken wäre ich fast in Tränen ausgebrochen.

»Wenn Sie später noch Lust auf Gesellschaft haben, ich habe bis zehn Uhr hier Dienst, dann werde ich abgelöst!« Der junge Barkeeper sah mich hoffnungsvoll an, bereit, mich über den Abend und sicher auch die ganze Nacht hinweg zu trösten. Er sah nicht schlecht aus. Früher hätte ich sein Angebot angenommen und wäre am nächsten Morgen in einer fremden Wohnung, in einem fremden Bett neben einem fremden Mann, dessen Namen ich mir nicht hätte merken können, aufgewacht. Aber diese Zeiten waren vorbei. Es gab Matthew in meinem Leben. Und Max. Und ich würde studieren. Ich musste nur erst meine Freundin Alexia finden. Beinahe hätte ich erneut losgeheult, konnte es aber gerade noch abwenden. Wenn der Junge gemerkt hätte, *wie* schlecht es mir ging, wäre ich ihn überhaupt nicht mehr losgeworden.

Ich verließ die Kneipe um neun Uhr, ziemlich betrunken nach etlichen weiteren Gläsern Sherry. Mir war schwindelig. Außer den paar Keksen bei Matthew hatte auch ich seit dem Morgen nichts gegessen. Und dann der ganze Sherry… Zweimal musste ich innehalten und mich auf einer Bank ausruhen, wobei ich jedes Mal beinahe eingeschlafen wäre. Verdammt, ich hatte es wirklich übertrieben.

Es war fast halb zehn, als ich zu Hause ankam. Ich schloss die Haustür auf und machte mich an den Aufstieg, der mir viel steiler vorkam als sonst. Oben angekommen erstarrte ich und fragte mich, ob ich tatsächlich so besoffen war, dass ich schon Halluzinationen hatte: Rosen, überall Rosen. Ein ganzes Meer. Wilde, bunte Rosen, in allen Farben. Wie ich sie so sehr liebte. Es mussten an die hundert Stück sein. Als gewaltiger Strauß steckten sie in einer altertümlichen grauen Zinkbadewanne, die vermutlich mit Wasser gefüllt war.

»Matthew?«, fragte ich verwirrt. Aber das konnte nicht sein. Matthew war in seiner eigenen Mission unterwegs.

Ein Mann, der an meine Tür gelehnt auf dem Boden gekauert hatte, erhob sich. Ich sah ihn zunächst nur als dunklen Schatten.

»Himmel, Jenna, ich warte seit Stunden! Wo hast du gesteckt?«

»Garrett?«

Garrett kam hinter der lächerlichen Zinkwanne hervor. »Jenna! Herzlichen Glückwunsch zum Geburtstag, meine Süße!«

Er zog mich an sich und zuckte dann gleich zurück. »Liebe Güte! Hast du im Alkohol *gebadet*?«

»Was tust du hier?«, fragte ich, nicht sehr geistreich, denn eigentlich war es offensichtlich.

»Was ich hier tue? Ich bin gekommen, um deinen Geburtstag mit dir zu feiern! Ich habe meine Ferien in der Provence abgebrochen deswegen. Seit sechs Uhr bin ich hier. Die Frau, die unter dir wohnt, hat mich zum Glück ins Haus gelassen, und sie hat mir auch diese elegante Vase«, er wies auf die Wanne, »zur Verfügung gestellt. Sonst wären die Blumen längst verwelkt.«

»Ach Gott, Garrett!« Er war so ziemlich der letzte Mensch, den ich jetzt sehen wollte. Ich sehnte mich nach meinem Bett. Nach einem tiefen, traumlosen Schlaf. Nach dem völligen Vergessen – wenigstens für ein paar Stunden.

»Pass auf, du ziehst dich rasch um, und dann nichts wie los!«, schlug Garrett vor. Er schien munter wie ein Fisch im Wasser zu sein. »Wir essen irgendwo, und danach denke ich an eine schöne Bar, mit Pianospieler, wir tanzen ... Wie es deines Geburtstages würdig ist!«

Er hatte keine Zeitung gelesen. Er hatte von nichts eine Ahnung.

»Ich muss ins Bett«, sagte ich. »Ich falle gleich um. Und du solltest jetzt auch nicht durch die Kneipen ziehen, Garrett. Die Polizei sucht dich. Verdacht auf Kidnapping, vielleicht Mord. Gleich morgen früh musst du dich stellen!«

Soweit ich das bezeugen kann, ist Garrett noch nie sprachlos gewesen. Im Gegenteil, gerade in kritischen Momenten labert er normalerweise jeden um den Verstand. Aber jetzt starrte er mich entgeistert an, öffnete den Mund, schloss ihn wieder.

Er brachte keinen Ton hervor.

Wer hätte gedacht, dass ich das noch einmal erleben würde?

9

Bis zum späten Abend hatte er einen Plan. Riskant, aber aus seiner Situation gab es keinen Ausweg, der nicht riskant gewesen wäre. Während der endlosen Stunden in Harrys Küche hatte er alles durchgespielt, und ihm war klar geworden, dass es für ihn nur die Möglichkeit gab, England zu verlassen. Sie fahndeten unter Hochdruck nach ihm, wegen Vanessa Willard natürlich, aber vor allem auch wegen Alexia Reece. Er stand im Verdacht, auch mit ihrem Verschwinden etwas zu tun zu haben, und nachdem nun bekannt war, wie er mit Vanessa verfahren war, sah sich die Polizei im Fall Reece in einem Wettlauf gegen die Zeit. Sein Bild war in allen Zeitungen, davon war er überzeugt, die Fahndungsaufrufe im Fernsehen wurden wahrscheinlich landesweit gezeigt. Am Mittag hatte er die Morgenzeitung aus dem Abfalleimer gefischt und durchgeblättert, und schon von der zweiten Seite hatte ihm sein Bild entgegengeblickt. In der Bildunterschrift wurde er als *hochgefährlich* und *skrupellos* bezeichnet.

Er hatte auch den Artikel gelesen, und seitdem kapierte er nicht mehr recht, was eigentlich geschehen war. Zwei Frauen, hieß es darin, hätten Vanessa Willards Leiche in einer zugeschraubten Kiste, versteckt in einer Höhle, im Pembrokeshire Coast National Park gefunden. Sehr seltsam. Vor einer knappen Woche hatte Nora die Polizei informiert, oder? Ryan war überzeugt gewesen, daraufhin hätten die Bullen nach Vanessa gesucht und sie schließlich entdeckt. Wieso sollten nun zwei Frauen am vergangenen Wochenende in die Höhle vorgedrungen sein? Fast eine Stunde vergeudete er damit, über diese Ungereimtheit nachzugrübeln, dann riss er sich zusammen. Unerheblich. Er hatte jetzt weiß Gott andere Probleme.

Im Grunde wäre er am liebsten in diesem Haus geblieben und hätte sich nicht gerührt, denn hier fühlte er sich weitgehend sicher. Niemand vermutete ihn hier. Manchmal war es das Schlauste, sich in einer gefährlichen Situation einfach nicht zu bewegen und zu warten, bis sich die Umstände geändert hatten oder zumindest etwas günstiger geworden waren. Er konnte hier ziemlich lange ausharren, vorausgesetzt, er hielt seine beiden Gefangenen unter Kontrolle. Es gab ein gut bestücktes Tiefkühlfach im Eisschrank und ganze Stapel von Dosen mit Fertiggerichten in einem Regal. Unerwünschter Besuch stand nicht zu erwarten. Er war hinaufgegangen in Harrys Schlafzimmer, wo sich auch dessen Schreibtisch befand, und hatte den ominösen Terminkalender in Augenschein genommen. Nichts, niemand, die ganze Woche über, und auch kein Eintrag für die nächste. Am heutigen Dienstag war ein *V.* notiert, dahinter: *10 Uhr*. Ansonsten gähnende Leere.

Das V., Vivian, stellte natürlich ein Risiko dar. Irgendjemand würde sie irgendwann vermissen. Zum Glück hatte sie offenbar keinem ihrer Arbeitskollegen Bescheid gesagt, dass sie zu Harry wollte, wie sie selbst verkündet hatte. Aber natürlich gab es auch ein Privatleben. Von Nora wusste Ryan, dass Vivian etwas unstet war, was Männerbeziehungen anging, nun aber schon seit einigen Wochen mit einem Freund fest zusammenlebte. Diesem würde die Sache recht bald seltsam vorkommen.

Auf dem Schreibtisch fand Ryan auch Harrys Pass, und damit begann der Gedanke in ihm zu keimen, der sich langsam zu einem Plan entwickelte. Wenn er das Land verlassen wollte, brauchte er Papiere und eine neue Identität. Als Ryan Lee durfte er sich an keiner Grenze blicken lassen, aber als Harry Vince sah die Sache anders aus.

Er nahm den Pass mit hinunter in die Küche und studierte das Foto. Harry trug darauf einen Bart und sehr kurze Haare. Er war ein Jahr jünger als Ryan, also fast gleichaltrig, das war kein Problem. Ähnlich sahen sie einander nicht, absolut nicht, eine Tatsache, die Ryan unter normalen Umständen sehr begrüßt hätte. Andererseits war das Bild ziemlich alt, der Pass würde Ende des Jahres ablaufen. Auch der echte Harry sah inzwischen ziemlich verändert aus. Aber würde man ihm, Ryan, abnehmen, der Mann auf dem Bild zu sein? So oder so musste er etwas mit seinem Aussehen machen, schließlich wurde überall nach ihm gefahndet. Wenn er sich die Haare kurz schor und einen Bart wachsen ließ? Dabei würde ihm zugutekommen, dass er nicht Hals über Kopf aufbrechen musste. Er konnte noch ein paar Tage verstreichen lassen und sich in Ruhe mit seiner Typveränderung beschäftigen. Er würde England durch den Eurotunnel verlassen, das erschien ihm am sichersten. Die Kontrollen an den Flughäfen bargen viel zu hohe Risiken, und auf einem Schiff musste er sich unter andere Reisende mischen, was ebenfalls nicht ratsam war. Im Zug unter dem Meer konnte er in seinem Auto – in Harrys Auto, das er sich zu diesem Zweck aneignen würde – sitzen bleiben. Ryan war Mitte der neunziger Jahre einmal mit seiner Mutter auf diesem Weg nach Frankreich gereist, um Ferien an der Atlantikküste zu verbringen, daher kannte er sich aus. Er entsann sich des großen Ansturms von Reisenden auf die Züge und der eher oberflächlichen Passkontrollen.

Das Ganze kostete eine Stange Geld, aber natürlich würde er sich großzügig an Harrys Erbschaft bedienen – er zweifelte nicht daran, dass Harry ihm seine Geheimzahl verraten und damit sein Konto zugänglich machen würde, wenn er ihn ein wenig unter Druck setzte. Da er nicht wollte, dass seine Gefangenen elend starben – um Gottes willen, nicht noch einmal ein solches Drama! –, würde er, kaum drüben in Calais angekommen, einen anonymen Anruf bei der Polizei tätigen, Harrys Adresse nennen und darauf hinweisen, dass dort zwei Menschen auf ihre Befreiung hofften. Danach war Harrys Pass natürlich nichts mehr wert. Auch das Auto musste er loswerden. Wie es dann weitergehen sollte, wusste er noch nicht, aber er hoffte, dass sich ein Weg auftun würde. Er würde doppelt auf der Flucht sein: vor der Polizei, denn sie würden natürlich Interpol auf ihn ansetzen. Und vor Damons Leuten. Wenn er darüber genauer nachdachte, wurde ihm flau im Magen, daher schob er diese Gedanken erst einmal zur Seite. Er musste Ruhe bewahren.

Das Handy in Vivians Handtasche, die noch immer auf der Treppe stand, klingelte mehrmals am frühen Nachmittag. Ryan hütete sich natürlich, die Anrufe entgegenzunehmen, aber er hörte hinterher die Mailbox ab, um zu erfahren, ob jemand wusste, wo sie sich aufhielt. Doch offenbar hatte er in diesem Punkt Glück. Der erste Anrufer war ein Friseursalon in Pembroke, wo man erstaunt war, dass sie zu ihrem vereinbarten Termin nicht erschienen war. Danach hatte zweimal ein Mann namens Adrian angerufen, von dem Ryan annahm, es handele sich um den Lebensgefährten. Adrian wunderte sich, dass sich Vivian nicht wie sonst zwischendurch bei ihm meldete, und fragte scherzhaft, ob sie dermaßen im Shoppingrausch sei, dass sie die Welt um sich herum vergaß. Bei seinem zweiten Anruf war er schon deutlich ungeduldiger, auch nervöser. *Verdammt, Vivian, wo steckst du? Du bist nicht beim Friseur gewesen, ich habe dort angerufen. Deine Kollegen wissen auch nicht, was du sonst noch vorgehabt haben könntest. Ruf mich doch bitte mal zurück, ja?*

Okay, Adrian hatte keine Ahnung, das war gut, aber er klang hektisch und würde spätestens am Abend oder am nächsten Morgen Gott und die Welt mit der Suche nach Vivian behelligen und dabei womöglich auf jemanden treffen, der doch in ihren Termin bei Harry eingeweiht war. Am Ende ging Adrian sogar zur Polizei. Ryan spähte durch das Küchenfenster hinaus auf die Straße, wo Vivians Auto direkt vor Harrys Haus parkte. Am liebsten hätte er es irgendwohin gefahren, weit weg, aber dann hätte er durch die Siedlung zurücklaufen müssen, und das wollte er nicht, nachdem vermutlich jeder hier am Morgen sein Bild in der Zeitung gesehen hatte. Ihm ging auf, dass Harrys Haus doch keine so sichere Burg darstellte, wie er zuerst geglaubt hatte. Er durfte nichts überhasten, aber auch keine Zeit verschwenden. Und er musste alles bedenken: Zum Beispiel konnten ihm im Augenblick die Nachrichten auf Vivians Handymailbox noch wertvolle Auskunft über den Stand der Dinge geben, aber bevor er schlafen ging, musste er das Telefon unbedingt ausschalten, damit Vivians Aufenthalt nicht zu orten war. Da sie ihren Code nicht preisgeben würde, konnte er es anschließend kaum mehr aktivieren, daher würde er den Moment, da er sich von dieser Informationsquelle trennte, möglichst weit hinausschieben. Er durfte bloß nicht zu lange warten.

Am frühen Abend ging er zu seinen Gefangenen in das dunkle Zimmer. Er knipste das Licht an, und beide blinzelten heftig mit den Augen. Harry war inzwischen aufgewacht und gab dumpfe Laute unter seinem Knebel von sich. Seine Hose war nass. Ryan hatte überhaupt nicht daran gedacht, dass die beiden auch zur Toilette mussten. Er zögerte, entschied dann aber, dass Harry leider weiterhin keine Alternative hatte. Ihn auf einen Eimer zu setzen und diesen später auszuleeren hätte ihn zu sehr geekelt, und ihn so weit zu befreien, dass man ihn die Treppe hinauf ins Bad bringen konnte, erschien ihm zu riskant. So mager er war, Harry besaß doch die kräftigen Arme eines ausgebildeten Physiotherapeuten, der von morgens bis abends Körper massierte und Muskeln knetete. Auch wenn er mangels Patienten etwas aus der Übung sein dürfte, hatte er sicher noch nicht so weit abgebaut, dass er keine Gefahr darstellte.

Bei Vivian machte er sich weniger Sorgen. Sie übte denselben Job aus wie Harry, aber sie war eine Frau. Er ging davon aus, dass er im Zweifelsfall mit ihr fertigwerden würde.

Auch Vivian versuchte verzweifelt, sich unter dem Knebel verständlich zu machen, und rollte dazu wild mit den Augen. Ryan ging zu ihr hin, riss das Pflaster ab und nahm ihr die Socke aus dem Mund. Er sah, dass ihre Lippen geschwollen und aufgesprungen waren.

»Wasser«, stieß sie hervor, »oh Gott, Wasser!«

Er lief in die Küche und kehrte mit einer Flasche Mineralwasser zurück, die er ihr an den Mund setzte. Sie trank, als ginge es um ihr Leben. Als sie fertig war, sagte sie: »Ich muss dringend zur Toilette, bitte!«

»Wenn du irgendwelche Probleme machst, dann war das das letzte Mal«, warnte er sie. »Dann lasse ich dich in deinem Dreck liegen wie Harry. Verstanden?«

Sie wirkte vollkommen eingeschüchtert. »Ja. Verstanden.«

Er band sie von dem Regal los, befreite sie von ihren Fesseln um die Knöchel und half ihr auf die Füße. Während der ersten zwei Minuten konnte sie kaum stehen. Das verletzte Gelenk war stark angeschwollen, viel schlimmer als am Morgen. Als sie sich schließlich in der Lage sah, im Zeitlupentempo aus dem Zimmer zu humpeln, wusste Ryan, dass sie tatsächlich keine große Gefahr darstellte. Sie hatte Schmerzen und konnte sich nur schwer bewegen.

Oben bekam sie eine Krise, als ihr klar wurde, dass Ryan nicht vorhatte, sie im Bad allein zu lassen.

»Ich kann nicht auf die Toilette gehen, wenn jemand dabei ist«, sagte sie entsetzt, aber Ryan blieb unnachgiebig. Die Badezimmertür besaß auf der Innenseite einen Riegel, und der Raum hatte ein Fenster zur Straßenseite hin. Ryan konnte nicht ausschließen, dass Vivian den Moment nutzen und auf das kleine Vordach über der Haustür springen oder sich zumindest hinauslehnen und die ganze Siedlung zusammenbrüllen würde.

Sie fing an zu weinen und verlegte sich aufs Betteln, aber schließlich begriff sie, dass es keine Chance gab. Sie saß schluchzend auf der Toilette, während Ryan wenige Schritte von ihr entfernt wartete, sich dabei jedoch halb zur Seite drehte, damit sie nicht glaubte, er starre sie an. Sie tat so, als bereite es ihm ein perverses Vergnügen, einer halb nackten Frau beim Pinkeln zuzusehen, dabei konnte er sich Schöneres vorstellen, und Vivian ließ ihn sowieso völlig kalt. Die einzige Emotion, die er für sie übrighatte, war Abneigung, und daran würde sich auch nichts mehr ändern.

Endlich war sie fertig und schlich wieder nach unten. Sie weinte immer noch.

»Warum?«, fragte sie auf der Treppe. »Warum tust du mir das an?«

»Ich tue dir gar nichts an«, erklärte er, »und dir wird auch nichts passieren. Ich werde abhauen, und wenn ich in Sicherheit bin, rufe ich die Polizei an. Man wird euch bald hier rausholen.«

Sie konnte nicht aufhören zu heulen. »Mein Fuß tut schrecklich weh.«

»Sieht auch nicht gerade gut aus«, musste Ryan zugeben, »aber im Moment kann ich nichts daran ändern.«

»Wäre ich bloß nicht zu Harry gegangen! Ich bin einfach zu gutmütig. Nur weil ich weiß, dass er hier sitzt und niemand zu ihm kommt… Ich wollte ihm einen Gefallen tun…«

»Das alles hier wird gut für dich ausgehen.«

Sie wischte sich die Tränen ab, starrte ihn an. »Du hast diese Frau umgebracht. Willard, oder wie sie hieß.«

»Ich wollte es nicht. Das Ganze ist… mir entglitten.«

»Und was ist mit der anderen? Die sie wie verrückt suchen? Diese Journalistin?«

Vehement schüttelte er den Kopf. »Nein. Ich kenne sie nicht, und ich habe keine Ahnung, was mit ihr passiert sein könnte. Jemand hat die Situation von damals nachgestellt.«

In ihren Augen lag Zweifel. Derselbe Zweifel, den er auch bei Nora gesehen hatte.

»Ich schwöre es«, sagte er heftig, während er sich gleichzeitig über sich selbst ärgerte. Hatte er es nötig, sich dieser Zicke Vivian gegenüber zu rechtfertigen? Irgendetwas zu beteuern, zu schwören? Sie würde ihm ohnehin nicht glauben.

Sie kamen unten in der Praxis an. Harry hob den Kopf und gurgelte wild.

»Er braucht unbedingt auch etwas zu trinken«, sagte Vivian. Sie starrte auf ihren Fuß. »Musst du mich fesseln? Das ist wirklich schlimm für das Gelenk!«

»Tut mir leid. Aber ich muss mich absichern.«

Sie nickte. Ihr Blick schweifte durch den Raum. »Aber könnte ich mich dann wenigstens auf die Behandlungsliege legen? Dann kann ich das Bein ausstrecken, und außerdem liegt der Fuß dann erhöht.«

Ryan betrachtete die Liege. Am Fußende gab es einen Aufsatz, der den verletzten Fuß abstützen konnte. Er überlegte, ob sich ein Trick hinter Vivians Bitte verbarg, aber er konnte keine Möglichkeit für einen Hinterhalt erkennen.

»Okay«, willigte er ein. Vivian bekam noch etwas zu trinken, dann kletterte sie bereitwillig auf die Liege. Er fesselte ihre Arme und Beine gründlich. Ohne fremde Hilfe würde sie sich nicht fortbewegen können. Sie fing erneut an zu weinen, als er mit dem Knebel kam. »Bitte nicht! Bitte, bitte nicht!«

Sie tat ihm leid, aber was sollte er tun? Dies hier war ein Reihenhaus. Wenn sie plötzlich anfing zu schreien, hörte man es nebenan, und dann hatte er ein Problem. Er stopfte ihr die Socke in den Mund und klebte das Pflaster darüber. Dann wandte er sich Harry zu. Er befreite ihn von dem Knebel und gab ihm etwas zu trinken. Harry war völlig fertig. Er zitterte vor Angst, schwitzte, hyperventilierte zwischendurch.

»Ryan, ich habe dir nichts getan! Im Gegenteil, ich bin dein Freund, ich wollte dir helfen. Bitte mach mich los. Ich verspreche dir, dass ich ...«

Ryan knäulte ihm die Socke wieder in den Mund. Das Gewinsel widerte ihn an. Harry war ein so furchtbarer Schlappschwanz. Er würde es zu nichts bringen im Leben, und irgendwie war das auch gerecht so.

Aber als ob ich es zu etwas gebracht hätte, dachte Ryan müde.

Er ließ die Gefangenen allein. In der Küche öffnete er eine Konserve mit Hackbällchen in scharfer Soße und machte sich das Gericht auf dem Herd warm. Er aß an dem kleinen Tisch, trank dazu ein Bier. Er hatte ein schlechtes Gewissen, aber er hätte es jetzt nicht über sich gebracht, noch einmal hinüberzugehen und Vivian und Harry zu füttern, sich dabei ihren Tränen, ihrem Gejammer, ihren scheinheiligen Versprechungen auszusetzen. Ein Tag ohne Essen würde die beiden nicht umbringen. Am nächsten Morgen sollten sie ein Frühstück bekommen, das war natürlich klar. Er war kein Sadist. Er empfand die ganze Situation als bedrohlich und furchtbar.

Den Abend verbrachte er im Bad. Mit Harrys elektrischem Rasierer schor er sich seine welligen, unordentlichen Haare zu Stoppeln, was ihn zu seiner Verwunderung stärker veränderte, als er gedacht hatte. Wenn er sich jetzt noch einen Dreitagebart dazu vorstellte... Er probierte einige von Harrys Klamotten an, eine karierte Bundfaltenhose, dazu ein kobaltblaues Poloshirt. Die Sachen saßen ziemlich eng, weil Harry ja so mager war; vor allem das Shirt spannte extrem an den Schultern, aber für eine Weile würde es gehen. Ryan fand, dass er ein ganz neuer Typ war und nicht mehr so ohne Weiteres anhand seines Fahndungsfotos identifiziert werden konnte. Dennoch graute ihm vor dem Moment, da er nach draußen musste. Er machte sich nichts vor: Das ganze Unternehmen war hochgefährlich, und die Wahrscheinlichkeit, dass sie ihn schnappten, war größer als die, dass er davonkam.

Aber er hatte keine Wahl.

Bevor er ins Bett ging, schaute er noch einmal nach den Gefangenen. Es herrschte Ruhe in dem Raum, sie schienen zu schlafen. Das Beste, was sie tun konnten. Er hörte ein letztes Mal Vivians Handy ab, um herauszufinden, ob Adrian oder wer auch immer Vivians Spur nach Morriston bereits im Visier hatte. Adrian hatte weitere fünf Male auf die Mailbox gesprochen, in steigender Unruhe, Angst und Besorgnis. Aber offenbar hatte er noch immer keine Ahnung, dass sie zu Harry gegangen war, dabei hatte er sicherlich bereits ihren gesamten Bekanntenkreis abtelefoniert.

Also hatte sie es wohl tatsächlich eisern für sich behalten. War ihr wahrscheinlich peinlich gewesen, den uncoolen Verlierer aufzusuchen, und das kam Ryan jetzt zugute. Na ja, an irgendeiner Stelle musste er ja auch einmal Glück haben.

Er schaltete das Gerät aus, entfernte vorsichtshalber auch noch SIM-Karte und Akku. Immerhin eine Gefahr weniger.

Es war kurz nach elf Uhr, als er sich in das sogenannte Wohnzimmer im ersten Stock auf seine Couch zurückzog. Er fühlte sich erschöpft, fast erschlagen, gleichzeitig tobte das Adrenalin nur so durch seinen Körper. Immer wieder setzte er sich auf, lauschte, ob sich bei den Gefangenen etwas regte, lauschte, ob auf der Straße irgendetwas Beunruhigendes vor sich ging. Robbte sich bereits eine bewaffnete Einheit an das Haus heran? Schwarz gekleidete Männer, Schnellfeuerwaffen im Anschlag?

Blödsinn. Niemand wusste, dass er hier war. Niemand wusste, dass Vivian hier war. Niemand ahnte, dass sich Harry in Bedrängnis befand. Er musste schlafen. Er musste zusehen, dass seine Nerven stabil blieben. Er hatte viel vor in den nächsten zwei, drei Tagen, und er brauchte seine ganze Kraft dafür. Es war fast halb eins, als es ihm gelang, sich so weit zu beruhigen, dass seine Sinne ihre Alarmbereitschaft wenigstens weitgehend ablegten. Er fiel in einen leichten Schlaf.

Er wusste nicht, was ihn geweckt hatte. Er richtete sich auf, starrte in die Dunkelheit. Der Raum ging zur Gartenseite raus, hier gab es keine Straßenlaternen, und es herrschte schwarze Nacht. Ryan knipste die altmodische Stehlampe neben sich an und schaute auf seine Uhr. Es war Viertel nach drei.

Er war hellwach. Er konnte sich nicht entsinnen, etwas

Schlechtes geträumt zu haben, er entsann sich überhaupt keines Traums. Was hatte ihn derart elektrisiert?

Mit angehaltenem Atem lauschte er in das schweigsame Haus hinein. Da war nichts. Oder war da *etwas gewesen*?

Plötzlich streifte ihn eine Erinnerung. Ein dumpfes Geräusch, ja, ganz kurz nur. So als falle irgendwo etwas um, hier im Haus. Ein Buch vielleicht oder ein Bilderrahmen.

Wieso fiel etwas mitten in der Nacht einfach um?

Oder bildete er es sich im Nachhinein ein? Egal, er musste der Sache auf den Grund gehen. Er war nicht allein im Haus; da waren noch zwei Personen, die sich vielleicht am Abend nur schlafend gestellt hatten, die in Wahrheit ununterbrochen nur darüber nachdachten, wie sie sich befreien konnten. Er hatte keine Ahnung, wie ihnen das gelingen konnte, aber die Vorstellung, Vivian und Harry seien auf irgendeinem obskuren Weg doch ihre Fesseln losgeworden und schlichen gerade die Treppe zu ihm hinauf, erfüllte ihn jäh mit Panik.

Lautlos glitt er von dem Sofa, schlüpfte in Jeans, T-Shirt und Turnschuhe. Gewohnheitsmäßig strich er sich mit der einen Hand glättend über die Haare und erstarrte, als er die kurzen Stoppeln statt der wirren Locken fühlte. Dann fiel es ihm wieder ein. Seine Verwandlung.

Er schaltete kein Licht an und trat an die geöffnete Zimmertür, lauschte ins Treppenhaus. Er konnte nichts hören. Kein leises Tappen, kein unterdrücktes Atmen. Was allerdings nicht hieß, dass sie sich nicht irgendwo dort herumtrieben. Er überlegte, ob er eigentlich nach seiner letzten Kontrolle die Tür zur Praxis wirklich abgeschlossen oder nur hinter sich zugezogen hatte. Er wusste es nicht mehr genau. Wahrscheinlich abgeschlossen, oder? Und dann konnten sie eigentlich aus dem Raum nicht ins Haus kommen. Dann blieb ihnen nur der Weg in den Garten. Aber unmöglich konnten sie die altersschwachen, knarrenden Läden öffnen, ohne dass er es hörte.

Allmählich gewöhnten sich seine Augen an die Dunkelheit. Die Tür zu Harrys Schlafzimmer stand offen, und direkt vor dem Fenster befand sich eine Straßenlaterne, von deren Schein ein wenig Licht auch bis in das Treppenhaus sickerte. Ryan spähte nach unten. Niemand, soweit er das erkennen konnte. Aus der Küche, die dem Treppenaufgang gegenüberlag, vernahm er das gleichmäßige und ziemlich laute Brummen des altertümlichen Kühlschranks.

Am Ende hatte er sich wirklich alles nur eingebildet.

Dennoch, er musste die Gefangenen kontrollieren, sonst fand er keine Ruhe.

Er huschte die Treppe hinunter, vermied die losen Dielen und blieb unten im Gang stehen. Er wünschte, der Kühlschrank wäre leiser, es war schwierig, andere feine Geräusche neben ihm auszumachen. Er bewegte sich langsam auf die geschlossene Tür der Praxis zu.

Und da vernahm er es.

Ein leises Wispern.

»Ja, Ryan Lee. Ganz sicher. Pleasant Street, in Morriston. Ja, er schläft. Bitte, beeilen Sie sich!« Es war unverkennbar Vivian, die diese Worte hauchte. »Ja. Bitte, schnell!«

Wie war die verdammte Schlampe ihren Knebel losgeworden? Und mit wem sprach sie? Wohl kaum mit Harry. Dem würde sie nicht seine eigene Adresse nennen und ihn darüber hinaus bitten, sich zu beeilen. Es gab im Grunde nur eine einzige Erklärung: Vivian informierte soeben die Polizei über die Situation, was bedeutete, dass sie sich nicht nur befreit hatte, sondern auch irgendwie in den Besitz eines Telefons gelangt war. Er hatte den tragbaren Apparat, der zum Festnetz gehörte, an sich genommen, ihr Handy ebenfalls. Woher ...?

Es war nicht der Moment, diese Frage zu klären. Die Polizei würde in spätestens zehn Minuten hier sein. Er schloss die Tür auf – er hatte sie tatsächlich abgeschlossen! –, schaltete das Licht an und blickte in den Raum. Harry lag noch immer gut verschnürt in der Ecke. Aber Vivian stand mitten im Zimmer, sowohl des Knebels als auch ihrer Hand- und Fußfesseln entledigt. Sie hielt ein Handy in der Hand. Ihre schwarzen Haare hingen in wilden, zerzausten Locken über ihre Schultern, und sie starrte Ryan aus flammenden Augen an. Und vielleicht war sogar etwas wie Triumph in ihrem Blick.

Er stürmte zu ihr hin und schlug ihr das Telefon aus der Hand. Es flog durch das ganze Zimmer und rutschte unter einen Stuhl, der in der Ecke stand.

Vivian schrie: »Zu spät, Ryan! Damit änderst du nichts mehr!«, und er beherrschte sich in letzter Sekunde, ihr so kräftig ins Gesicht zu schlagen, dass sie für einige Zeit überhaupt nichts mehr sagen würde. Er hatte kapiert: Harrys Handy. Oh Gott, wie dumm war er gewesen! Hatte Harrys Handy schlicht vergessen, hatte es unterlassen, ihn zu durchsuchen. Er erfasste jetzt die Situation: Unter dem Kopfteil der Liege, auf der Vivian sich unbedingt hatte ausstrecken wollen, befand sich ein scharf gezackter Metallbügel, mit dessen Hilfe man die verschiedenen Höhen einstellen konnte. Daran hingen die Bänder, mit denen er Vivians Handgelenke gefesselt hatte. Es war wahrscheinlich nicht einfach für sie gewesen, sich in eine Position zu bringen, in der sie ihre Fesseln geduldig an den Kanten reiben konnte, aber sie hatte es geschafft, und schließlich waren ihre Hände frei gewesen. Der Rest war ein Kinderspiel: Sie hatte sich den Knebel aus dem Mund gezerrt, ihre Füße befreit und hatte Harrys Hosentaschen durchwühlt, weil sie schlauer war als Ryan und zumindest mit der

Möglichkeit, dort ein Telefon zu finden, gerechnet hatte. Und: Bingo! Bei ihren hastigen Bewegungen in dem dunklen Zimmer war sie allerdings offenbar gegen ein Sideboard gestoßen, auf dem ein gerahmtes Bild von Harrys Oma gestanden hatte, das jetzt am Boden lag. Dieses Geräusch war es vermutlich gewesen, was in Ryans Schlaf gedrungen war. Vivian hatte jedoch noch in aller Seelenruhe die Polizei informieren können. Was ihr nie gelungen wäre, hätte er sie gelassen, wo sie gewesen war, festgezurrt an das Regal und damit völlig unbeweglich.

Er war ein solcher Schwachkopf. Hatte sich von ihrem Jammern und Bitten erweichen lassen und hatte sie vor allem vollkommen unterschätzt. Er hatte Harry als Gefahr angesehen und geglaubt, Vivian gegenüber großzügiger sein zu können. Nur weil sie eine Frau war. In welchem Jahrhundert lebte er eigentlich? Harry war ein Weichei; er hätte wahrscheinlich nicht einmal dann gewagt, Hilfe zu holen, wenn er gegenüber einem Polizeirevier ausgesetzt worden wäre. Vivian hingegen war clever, gerissen und kühn. Und das hätte ihm klar sein müssen.

All diese Gedanken waren in Bruchteilen von Sekunden durch seinen Kopf gerast, denn für eine langwierige Analyse der Lage blieb keine Zeit. Er packte Vivians Arm, so hart, dass sie aufschrie.

»So. Du kommst jetzt mit!«

Sie wehrte sich aus Leibeskräften, aber gegen seine Wut hatte sie keine Chance. Er schleifte sie den Gang entlang, streckte ihr ihre Handtasche entgegen, die noch immer auf der Treppe stand. »Deinen Autoschlüssel! Nimm ihn raus!«

»Das bringt doch nichts, Ryan! Wir kommen doch nicht weit!«

Er riss ihr die Tasche aus der Hand, wühlte selbst darin

herum, hielt gleich darauf den Autoschlüssel in der Hand. Immer noch Vivian mit sich zerrend, lief er in die Küche, schnappte sich ein scharfzackiges Messer, das in einem Messerblock vor dem Fenster steckte.

»So. Damit du nicht auf blöde Gedanken kommst!«

Er war ziemlich überzeugt davon, dass er es nicht fertigbringen würde, ein Messer in lebendes, menschliches Fleisch zu rammen. So bekannt er früher für seine schnelle Gewaltbereitschaft gewesen war, so hatte er doch immer gefunden, dass ein himmelweiter Unterschied zwischen *zuschlagen* und *zustechen* bestand … Egal, Vivian hielt ihn dessen für fähig, und das reichte vorerst für seine Zwecke. Sie wurde deutlich gefügiger, wehrte sich nicht mehr. Jetzt hatte sie richtig Angst. Gut so.

Sie traten hinaus auf die nächtliche Straße. Ryan blickte sich um. Noch war die Polizei nicht zu sehen. Vielleicht vier, höchstens fünf Minuten waren seit Vivians Anruf vergangen. Sie mussten abhauen, so schnell sie konnten.

Er entriegelte den Wagen, zwang Vivian, über den Beifahrersitz hinter das Steuer zu rutschen und setzte sich dann neben sie. Das Messer drückte er gegen ihre Rippen. Er konnte spüren, wie stark sie zitterte.

»Los, jetzt fahr schon!«, herrschte er sie an.

Sie fummelte ein paarmal vergeblich mit dem Schlüssel herum, was er für eine Verzögerungstaktik hielt. Er verstärkte den Druck des Messers, woraufhin der Wagen sofort ansprang.

»Wohin soll ich fahren?«, fragte sie. Sie weinte schon wieder, aber diesmal sicher nicht aus Kalkül. Sie war jetzt wirklich verzweifelt.

»Erst mal raus aus Morriston. Aber nicht Richtung M4.« Die Polizei würde vermuten, dass er die Autobahn zu erreichen versuchte, und womöglich die Auffahrten sperren.

»Und dann?«

»Halt den Mund! Ich sag es dir schon!«

Er hatte nicht die geringste Ahnung.

10

Garrett stieg aus dem Taxi, schlug die Tür hinter sich zu und fühlte sich von einer derart schlechten Laune überfallen, dass er für einen Moment bewegungslos auf dem Gehsteig stehen blieb und sich innerlich zu beruhigen versuchte. Wenn er sich vorstellte, dass er jetzt noch in der sonnigen Provence in einem kleinen Frühstückscafè sitzen, ein Croissant verzehren und dem Leben und Treiben ringsum zusehen könnte … Stattdessen stand er an diesem typisch englischen kühlen, grauen und ziemlich windigen Tag auf einer Straße in Swansea und hatte sich soeben über eine Stunde lang von der Polizei befragen lassen müssen. Nur weil er sentimental genug gewesen war, Jenna unbedingt an ihrem Geburtstag zu besuchen. Worüber sie alles andere als begeistert gewesen war. Weder waren sie toll essen gegangen noch tanzen. Geschweige denn, dass er in ihrem Bett gelandet wäre, was er sich eigentlich vorgestellt hatte. Sie hatte sich am gestrigen Abend mit mehreren Tassen schwarzen Kaffees und einigen Aspirin so weit fit gemacht, dass sie ihm alles hatte erzählen können, was passiert war. Und wie es hatte geschehen können, dass auch er, Garrett, in dieser Geschichte steckte und sogar von der Polizei gesucht wurde. Verrückt. Total idiotisch. Das alles letztlich deshalb, weil sich Jenna mit diesem Matthew Willard, dessen Frau vor Jahren gekidnappt worden war, hatte einlassen müssen. Daraus waren ganz offensichtlich nichts als Probleme entstanden.

Er hatte auf dem Sofa gelegen und kein Auge zugetan und am Morgen beschlossen, gleich nach dem Aufstehen zur Polizei zu gehen und die Dinge richtigzustellen. Es hatte ihn knapp drei Wochen zuvor ganz spontan in die Provence gezogen, und wie es seine Art war, hatte er diesem Wunsch nachgegeben, ohne irgendjemandem Bescheid zu sagen. Er hielt nichts davon, sich an- oder abzumelden. Bei der Eventagentur hatte er sowieso aufhören wollen.

Er hatte mit der leitenden Ermittlerin, Detective Inspector Morgan, gesprochen. Sie war ziemlich erstaunt gewesen, dass er einfach so hereinspaziert kam, noch dazu am frühen Morgen. Sie hatte übernächtigt und gehetzt gewirkt und war während des Gesprächs immer wieder ans Telefon gerufen worden. Der Fall zehrte an ihren Nerven, das war spürbar. Nun gut, Garrett würde ihre Nerven ein wenig entlasten.

Er hatte zum Glück noch die Tickets. Er war mit dem Shuttle hinüber auf den Kontinent gefahren und auf demselben Weg zurück, und für beides hatte er die Belege in der Brieftasche. Im Portemonnaie befanden sich jede Menge Euros, die er noch nicht in britische Pfund hatte zurücktauschen können. Außerdem hatte er mehrere Quittungen von Mautstellen auf den französischen Autobahnen gefunden, die seinen Aufenthalt in Frankreich belegten. Falls die bleiche Polizistin sich nicht einfach von seiner tiefen, makellosen Sonnenbräune überzeugen ließ. So etwas bekam man nicht in England, jedenfalls nicht in diesem durchschnittlichen Sommer. Das sah schon sehr nach Mittelmeer aus, und zwar nach einem längeren Aufenthalt dort.

Er hatte den Eindruck, dass sie ihn höchstens noch schwach verdächtigte. Sie hatte ihm Löcher in den Bauch gefragt und bestimmt dabei versucht, sich ein Bild seines Charakters zu machen. War er die Sorte Mann, die ausrastete, weil die ehemalige Lebensgefährtin einen anderen hatte? Garrett wusste, dass er das ganz klar *nicht* war. Ihm stank die Sache zwischen Jenna und diesem Willard, aber das verursachte keine Kurzschlussreaktion in ihm. Jenna überfallen wollen und stattdessen aus Versehen Alexia erwischen? Mit dieser Version beleidigte sie ja fast schon seine Intelligenz!

Ob er Alexia kannte, hatte sie wissen wollen.

Jetzt, als er vor Jennas Haus stand und dem davonfahrenden Taxi hinterhersah, dachte er über sie nach. Über Alexia Reece. Er kannte sie flüchtig, aus Erzählungen von Jenna natürlich, und von einem gemeinsamen Abendessen einige Jahre zuvor. Alexia und Ken waren in Brighton gewesen und hatten ihn und Jenna besucht. Alexia war mit ihrem dritten Kind schwanger gewesen und hatte so deutlich unmittelbar vor der Niederkunft gestanden, dass Garrett es als Zumutung empfand, in diesem Zustand noch bei anderen Leuten einzufallen. Den ganzen Abend über hatte er gefürchtet, sie werde plötzlich Wehen bekommen und auf seinem Wohnzimmerteppich entbinden. Ken hatte die beiden bereits vorhandenen Kinder beschäftigt und dabei verklärt dreingeblickt. Er gehörte zu diesen modernen Vätern, von denen Garrett immer den Eindruck hatte, dass sie mit der Geburt ihrer Kinder zu Übermüttern mutierten; wenn man beobachtete, wie sie feuchte Augen beim Anblick ihrer Brut bekamen, konnte man meinen, dass sie sie am liebsten selbst stillen wollten. Ken war ein erstklassiges Exemplar dieser Gattung. Und Alexia …

Er hatte es am Vorabend zu Jenna gesagt, und er hatte es jetzt gegenüber Inspector Morgan wiederholt. Er war überzeugt, dass Alexia keineswegs einem Verbrechen zum Opfer gefallen war. Ihre Sicherungen waren durchgebrannt, und sie war ausgestiegen. Aus allem. Hatte eine Szenerie kreiert, die alle auf eine falsche Fährte locken musste, und dann das Weite gesucht.

Seltsamerweise hatte er schon damals, an jenem Abend in Brighton, gedacht, dass Alexia irgendwann austicken würde. Es war genau der Eindruck gewesen, den sie auf ihn machte. Eine Frau, die auf der Überholspur lebte, eine Kerze, die an beiden Enden brannte. Sie war damals noch nicht bei *Healthcare* gewesen, sondern hatte für irgendeine Illustrierte gearbeitet, hatte aber bereits vorgehabt, irgendwann einmal als Chefin eine Redaktion zu leiten. Er hatte ihren Fanatismus gespürt, ihre vollkommene Abhängigkeit von Erfolg, Karriere, Aufstieg. Sie war eine starke, zielstrebige Frau, aber eine entscheidende Fähigkeit besaß sie nicht: Sie wusste nicht, wie man Misserfolge abfederte. Solange sie steil nach oben klettern konnte, ging alles gut. Musste sie drei Stufen zurück auf der Leiter – und auf welchem beruflichen Weg ließ sich das schon vollkommen vermeiden? –, bestand die Gefahr, dass ihr gesamtes System kollabierte. Als Garrett nun erfahren hatte, dass sie praktisch vor dem Aus bei *Healthcare* stand, dass sie seit Monaten drangsaliert wurde und ihre Kündigung nur noch eine Frage der Zeit war, fühlte er sich in seiner Theorie bestätigt.

»Sie würde doch nicht vier Kinder im Stich lassen!«, hatte Jenna gesagt, aber er hatte müde gelächelt. Psychologisch war er einfach versierter als sie. Es war nicht so, dass er Alexia die Liebe zu ihren Kindern absprechen würde, aber auch die Kinder hatten etwas mit ihrem Ehrgeiz zu tun. Alexia wollte beides sein: Karrierefrau *und* Supermutter. Und es reichten nicht ein oder zwei Kinder, nein, gleich vier musste sie in die Welt setzen. Sie schaffte es nicht nur beruflich nach vorn, sie leistete zudem ihren Beitrag, dem besorgniserregenden Geburtenrückgang in der Gesellschaft zu begegnen. Und machte sich noch dazu bei alldem etwas vor. Auch darauf hatte er Jenna hingewiesen, worauf diese ziemlich aggressiv reagiert hatte.

»Wieso macht sich Alexia etwas vor?«

»Meine Güte, Jenna, willst du es nicht sehen? Sie hat es bis zur Chefredakteurin gebracht – na und? Bei einem total überflüssigen Blättchen, dessen Auflagenzahlen beständig im Rücklauf sind. Sie ist unterbezahlt, reibt sich aber total auf und muss als Belohnung dafür seit einiger Zeit ständig mit ihrem Rauswurf rechnen. Nennst du das eine Karriere? Und die vier Kinder funktionieren doch nur, weil sie ihren Mann für diese Aufgabe abgestellt hat. Sie selbst hat doch weder die Zeit noch die Kraft, sich um ihren Nachwuchs zu kümmern. Ich wette, ein normales Familienleben findet dort schon lange nicht mehr statt. Den Kindern dürfte kaum auffallen, dass ihre Mutter verschwunden ist, weil sie sie davor auch praktisch nie gesehen haben!«

Jenna hatte den Mund auf- und wieder zugeklappt. Ihr waren keine Gegenargumente mehr eingefallen.

»Vielleicht ist ihr das auch plötzlich aufgegangen«, hatte er hinzugefügt, »und darüber ist sie durchgedreht. Sie hat ihr Leben als Farce erkannt. Und ist ausgebrochen.«

Inspector Morgan hatte seine Ausführungen durchaus interessant gefunden, das hatte er gemerkt. Offenbar war er der Erste, der Klartext redete. Niemand sonst hatte bislang aussprechen wollen, dass mit Alexia etwas nicht stimmte. Lieber hatten sie sich an der Version *Sie wurde überfallen und entführt* festgeklammert.

Was sollte er jetzt tun? Jenna war, ebenfalls in aller Herrgottsfrühe, zu Ken aufgebrochen, um ihm seelischen Beistand zu leisten, und Garrett hatte ihr sein Auto geliehen. Deshalb hing er jetzt vorerst hier fest. Denn eigentlich wäre er am liebsten abgereist. Dieser ganze Swansea-Trip hatte sich zu einem einzigen Fiasko entwickelt. Keinerlei Entgegenkommen von Jenna, dafür sein Auftritt bei der Polizei. Er hatte ein Vermögen in die Rosen investiert, und alles war für die Katz gewesen. Er fand, dass er wie ein Idiot dastand, und diese Rolle behagte ihm überhaupt nicht.

Jenna hatte ihm einen Zweitschlüssel ausgehändigt, mit dem er in ihre Wohnung kam. Er ging nach oben, packte seine paar Sachen in seine Reisetasche und war im Prinzip startklar. Morgan hatte ihn aufgefordert, Swansea vorerst nicht zu verlassen, aber diesen Wunsch konnte sich die Alte sonst wohin stecken. Sie hatte seine Adresse in Brighton, das musste genügen.

Die Wohnung versank fast in Rosen, der Duft war betörend. Keine Vase, kein Becher, keine Kaffeekanne, nichts, worin sich nicht Blumen befunden hätten. Garrett betrachtete das Meer samtiger Blüten mit einer ihm unvertrauten Wehmut. Er war sich nicht sicher, ob er Jenna geliebt hatte – er war nicht einmal sicher, dass er lieben *konnte* –, aber er hatte das Leben mit ihr gemocht. Er fand sie rasend attraktiv und sexuell ungeheuer aufregend. Als sie gegangen war, hatte er aufgeatmet, weil die Streitereien und Szenen, die sich zuvor unerträglich gehäuft hatten, endlich aufhörten, aber er hatte keine Sekunde daran gezweifelt, dass sie zurückkommen würde. Sein Plan war gewesen, sich und ihr eine Atempause zu gönnen, dann mit dem Finger zu schnippen und neu durchzustarten. Natürlich war er davon ausgegangen, dass es in der Zwischenzeit andere Männer für sie geben würde, sie war einfach zu hübsch, um längere Zeit unbeachtet durch die Welt zu marschieren, aber selbstverständlich würde sie jeden anderen sofort wieder aufgeben, wenn er, Garrett, am Horizont auftauchte.

Es war nun anders gekommen. Er hatte sie verloren, und zwar ganz gleich, ob sich ihre Beziehung zu Willard stabilisierte oder im Sande verlief. Er hatte gestern Abend einer anderen Jenna gegenübergestanden. Diese Jenna ging nach vorn. Nie mehr wieder zurück.

Jenna hatte ihm Kens und Alexias Adresse aufgeschrieben für den Fall, dass er nachkommen wollte. Er beschloss, sich erneut ein Taxi zu nehmen, dorthin zu fahren, sein Auto abzuholen und dann sofort den Heimweg anzutreten. Für sein Selbstwertgefühl war es wichtig, jetzt nicht länger in Swansea herumzuhängen und den Eindruck zu erwecken, er warte noch auf irgendeine mildtätige Zuwendung vonseiten seiner früheren Lebensgefährtin. Es war bitter, als Verlierer zu gehen, aber Garrett wollte wenigstens ein würdiger Verlierer sein. Was in diesem Fall bedeutete: erhobenen Hauptes den Rückzug anzutreten.

Eine halbe Stunde später stand er vor Alexias Zuhause. Naserümpfend betrachtete er die Gegend, die er als spießig und ärmlich empfand. Wenn dieses Häuschen in dieser Umgebung alles war, was sich die Karrierefrau Alexia leisten konnte, wunderte es ihn noch weniger, dass sie den Ausstieg gesucht hatte. Alexia konnte sich doch nur als Versager auf ganzer Linie gefühlt haben: versagt im Beruf, versagt als Mutter. Denn vermutlich sagten ihre Kinder schon eher zu der Putzfrau *Mummie* als zu ihrer richtigen Mutter. Falls sich die Reeces eine Putzfrau leisten konnten. Was Garrett allerdings bezweifelte.

Er sah sich um, konnte aber nirgends sein Auto entdecken, was ihn vermuten ließ, dass Jenna und Ken damit weggefahren waren. Er hoffte, dass sie nur einfach ein paar Besorgungen erledigten und bald zurück sein würden. Dennoch läutete er an der Tür, aber erwartungsgemäß rührte sich nichts. Da er wenig Lust hatte, wie ein vergessener Koffer vor dem Haus herumzustehen, schaute er sich nach einer Möglichkeit um, in den Garten zu gelangen, und entdeckte den wie immer unverschlossenen Durchgang an der Küchenseite. Er fand sich auf der unordentlichen Terrasse wieder, die zugemüllt war mit Kinderspielzeug, Gartengeräten und Terrakottatöpfen, in denen undefinierbare Gewächse vertrockneten. Immerhin gab es einen Tisch und ein paar Stühle. Garrett betrachtete angewidert die geblümten Sitzkissen, auf denen die Essensreste von Jahren klebten. Kinder schienen unfähig, einen Löffel zum Mund zu führen, ohne dass die Hälfte dessen, was sich darauf befand, unter ihnen landete. Er wusste, dass sich Jenna Kinder wünschte, es war eines ihrer zahlreichen Dauerdiskussionsthemen gewesen. Wenn er allein die Terrasse der Familie Reece betrachtete, wurde ihm jedoch wieder klar, weshalb er sich diesem Ansinnen so vehement widersetzt hatte.

Er entfernte das Kissen von einem der Stühle, setzte sich und lehnte sich zurück. Die Luft war kühl, aber die Terrasse lag windgeschützt, und er hatte außerdem einen warmen Pullover an und würde es hier draußen aushalten. Eine Tasse Kaffee wäre schön, aber man konnte nicht alles haben.

Er wartete.

11

Ich war ziemlich früh am Morgen bei Ken aufgekreuzt, vor Tau und Tag sozusagen, und das hatte auch etwas damit zu tun, dass ich der Situation, gemeinsam mit Garrett in meiner Wohnung zu sitzen, entkommen wollte. Ich hatte keine Lust auf eine Beziehungsdebatte, ich hatte auch einfach keine Lust, mich in seiner Nähe aufzuhalten. Mit seinem plötzlichen Erscheinen und den vielen Blumen hatte er mich völlig überfordert. Ich war fast froh, dass sich Ken als Ausweg anbot und dass ich außerdem Garrett zur Polizei schicken konnte. Damit war er erst einmal beschäftigt. Er bot mir sein Auto an, oder besser gesagt: Er drängte es mir geradezu auf. Letztlich akzeptierte ich, weil mein Wunsch nach Bequemlichkeit siegte, aber noch während ich auf dem Weg zu Ken war, ärgerte ich mich. Hätte ich am Vorabend nicht einfach zu viel getrunken, hätte mein Kopf besser funktioniert und mir wäre klar geworden, dass Garrett natürlich eine Absicht verfolgte, indem er mir seinen Wagen gab. Nun konnte er nicht weg. Die Hoffnung, ich würde irgendwann in meine Wohnung zurückkehren und kein Zeichen mehr von ihm außer den Rosen vorfinden, war damit hinfällig. Stattdessen würde er nun wahrscheinlich irgendwann auch bei Ken aufkreuzen und erneut an mir kleben. Es sei denn, sie lochten ihn bei der Polizei gleich ein. Was ich allerdings für ziemlich unwahrscheinlich hielt.

Ich hatte zweimal versucht, Matthew zu erreichen, war aber nur an die Mailbox seines Handys geraten. Ich konnte mir nicht vorstellen, dass er noch schlief, aber wahrscheinlich hatte er sein Telefon ausgeschaltet. Er wollte für sich sein.

Ich hatte Ken ein paar Tage lang nicht gesehen und erschrak, als er mir die Tür öffnete. Er wusste natürlich inzwischen auch, was mit Vanessa geschehen war, und wie uns alle ließ ihn das angstvoller und hoffnungsloser sein, wenn er an Alexia dachte. Er sah entsetzlich müde aus, zerquält, gemartert. Er war nicht rasiert und nicht gekämmt, und seine Kleidung wirkte, als habe er sie seit mindestens drei Tagen nicht mehr gewechselt. Was bedeutete, dass er wahrscheinlich keine Nacht mehr ins Bett gegangen war.

Mich überfiel ein schrecklich schlechtes Gewissen. Seit der Entdeckung von Vanessas Leiche war ich nur noch um Matthew gekreist, hatte mich bemüht, ihn zu stützen und aufzubauen. Matthew selbst hatte nicht die Kraft gehabt, nach Ken zu sehen, aber ich hätte es tun müssen. Egal wann und egal wie, ich hätte für ihn da sein müssen.

»Ach, Jenna«, sagte er, »du bist es. Magst du reinkommen?«

Ich trat ein, umarmte ihn. Er erwiderte die Umarmung zaghaft.

»Ken«, sagte ich einfach nur. Wir standen eine Weile so im Eingangsflur und hielten einander fest, dann löste er sich und machte einen Schritt zurück.

»Wie geht es Matthew?«, fragte er.

»Er nimmt Abschied. Dort, wo ... man Vanessa gefunden hat.«

Ken nickte. »Das ist mutig von ihm.«

Es war still im Haus. Die beiden älteren Kinder waren wohl schon zur Schule gegangen, aber wo waren die Kleinen? Siana zumindest ging sicher noch nicht einmal in einen Kindergarten.

»Wo sind die Kinder?«, fragte ich.

Er sah aus, als schäme er sich dafür, etwas Unrechtes getan zu haben. »Ich habe sie zu meiner Mutter gebracht. Alle vier. Ich konnte einfach nicht mehr. Ich hatte Angst, dass ich zusammenbreche und dass sie das mitbekommen.« Er ließ die Schultern hängen. Seine ganze Körpersprache verriet die furchtbare Last, die auf ihm lag. »Ich habe die Großen in der Schule beurlaubt. Die Lehrerin hielt das auch für richtig. Es ist eine ... sehr spezielle Situation.«

»Ja, und ich glaube, du hast das Richtige getan«, sagte ich, aber ich war nicht sicher, ob ich das wirklich meinte. Daher also auch sein äußerer Verfall, die sichtbare Verwahrlosung. Die Kinder hatten ihn angestrengt, aber er hatte sich auch nicht gehen lassen dürfen. Er hatte Mahlzeiten kochen und Wäsche waschen müssen, Schularbeiten kontrollieren und die Küche aufräumen. Jetzt fiel das weg, er musste nicht einmal mehr den Anschein von Normalität und einer halbwegs funktionierenden Struktur aufrechterhalten. Er aß nichts mehr, er duschte nicht mehr, er schlief nicht mehr.

»Weißt du was«, sagte ich spontan. »Du solltest hier mal raus. Es ist nicht gut, dass du nur im Haus herumstreifst. Komm, wir fahren irgendwohin, ans Meer vielleicht, und gehen spazieren. Ich habe den ganzen Tag frei.«

Er blickte mich skeptisch an. »Und wenn genau jetzt die Polizei anruft? Wenn es irgendetwas Neues gibt?«

»Die haben deine Handynummer. Und meine auch. Man kann dich jederzeit erreichen. Aber du wirst verrückt, wenn du immer nur hier wartest und das Telefon anstarrst!«

»Wir haben kein Auto«, erinnerte er mich.

Ich schwenkte den Schlüssel. »Doch. Garretts Auto. Er ist gerade zu Besuch bei mir.«

»Garrett?« Ken wurde plötzlich wacher und aufgeregter. »Aber dachte die Polizei nicht, dass er womöglich …?«

»Er ist schon bei der Polizei. Er ist selbst dorthin gegangen, er will das klarstellen. Er kommt direkt aus Frankreich, wo er Urlaub gemacht hat, und er hat Belege dafür. Ken, er hat garantiert nichts mit Alexias Verschwinden zu tun.«

Ken fiel wieder in sich zusammen. »Okay.«

»Du kommst mit?«

»Ja.« Er öffnete die Haustür. Ganz kurz lag es mir auf der Zunge, ihn darauf hinzuweisen, dass es nichts schaden würde, wenn er vorher duschte oder frische Sachen anzog, aber dann dachte ich, dass das wirklich völlig egal war. Wenn ich ihn jetzt nach oben schickte, überlegte er es sich am Ende noch anders.

»Schön«, sagte ich, »gehen wir.«

Wir verließen Swansea in Richtung Westen. Mir schwebte ein hübscher Strand vor, Langland oder Caswell Bay. An einem gewöhnlichen Mittwochvormittag würde nicht viel los sein. Wir würden die Wellen, die Möwen und den Meeresgeruch ganz für uns haben. Aber am Ende war meine Idee gar nicht so gut gewesen. Ken saß apathisch neben mir, tief in Gedanken versunken. Vielleicht hätte ich ihn ins Bett stecken sollen, anstatt ihn zu einem Spaziergang zu überreden.

Als ich schon dachte, er würde sich überhaupt nicht mehr rühren, richtete er sich plötzlich auf und sah zum Fenster hinaus. »Würde es dir etwas ausmachen, Richtung M4 abzubiegen? Ich würde dir gern etwas zeigen.«

»Natürlich. Wohin möchtest du denn?«

»Nach Cardigan.«

Cardigan. Die Erinnerung an meinen Trip dorthin zusammen mit Matthew überfiel mich jäh und fast schmerzhaft. Es war so schön gewesen. Und es schien so lange her zu sein, obwohl nicht einmal drei Wochen vergangen waren.

»Nach Cardigan? Das ist nicht ganz nah!«

»Trotzdem. Wenn du Zeit hast?«

»Klar habe ich Zeit.« Aber so einfach war das natürlich nicht. Das Auto gehörte mir nicht, und Garrett hatte es mir nicht geliehen, um einen längeren Ausflug zu machen. Er war vielleicht schon fertig bei der Polizei und würde wahrscheinlich zu Ken hinüberfahren. Dort vor verschlossener Tür stehen.

Doch dann verscheuchte ich meine Skrupel. Garrett hätte mich nicht besuchen müssen. Jetzt hatte er eben den Ärger. Das würde ihn hoffentlich davon abhalten, es noch einmal zu tun.

Wir waren über zwei Stunden unterwegs, ehe wir Cardigan erreichten. Das Städtchen sah heute ganz anders aus als an jenem sonnigen Tag, als Matthew und ich dort herumbummelten und schließlich in einem Café einen Eistee tranken. Heute war alles so grau. Ein fast herbstlich wirkender Tag, der Wind wurde immer stärker, die tief hängenden grauen Wolken jagten über den Himmel. Ich dachte an Matthew, der jetzt den Ort aufsuchte, an dem seine Frau einen qualvollen Tod gefunden hatte. Ich fragte mich, ob ich darauf hätte bestehen sollen, ihn zu begleiten. Hier in Cardigan an der Seite von Ken fühlte ich mich plötzlich völlig deplatziert. Aber dann riss ich mich zusammen. Ken war wirklich elend dran, und er war auch wichtig. Er war der Mann meiner besten Freundin. Es war meine Pflicht, mich um ihn zu kümmern.

Wir durchquerten die Stadt und fuhren auf einer schmalen, kurvigen Landstraße in ein Tal hinunter. Der Fluss, der Cardigan durchschnitt, vereinigte sich hier mit einem breiten Meeresarm, der tief ins Land ragte. Ken war ganz aufgeregt. Nichts erinnerte mehr an den in Trostlosigkeit erstarrten Mann, den ich die ganze Zeit über neben mir gehabt hatte.

»Fahr mal langsamer«, bat er, und dann sagte er: »Hier. Hier musst du jetzt links abbiegen.«

Ich bog auf einen unbefestigten Feldweg ein. Er führte direkt auf das Wasser zu. Am Ende des Feldwegs gewahrte ich einen lang gestreckten Schuppen, eher sogar eine Art Lagerhalle aus massivem Holz gebaut. Daneben ein kleines Haus.

»Eine Werft?«, fragte ich.

»Halt an«, sagte Ken. Er stieg aus, kaum dass ich gebremst hatte, und atmete so tief ein, als wolle er alles, was er sah, so nah wie möglich an sich heranziehen.

»Eine Werft«, sagte er. »Meine Werft.«

Auch ich stieg aus. »Ach so.« Ich begriff. »Hier war es!«

»Ja. Hier habe ich gelebt. Hier habe ich gearbeitet.«

Ich kannte die Szenerie aus Alexias Briefen von damals. Den großen Schuppen, in dem die Segelboote gebaut wurden. Das kleine Häuschen daneben mit den niedrigen Zimmern, der altmodischen Küche, dem Bad, in dem man sich beim Umdrehen blaue Flecken holte, so eng war es. Den Blick über das Wasser, auf dem die Männer die Boote probeschwimmen ließen. Den Fußweg nach Cardigan hinauf zum Gemischtwarenladen, in dem Alexia einzukaufen pflegte. Vier Jahre lang. Vier Jahre, in denen ihre Briefe zunächst begeistert geklungen hatten und dann ganz langsam immer schwermütiger wurden. Ich erinnerte mich, wie sie von der Landschaft geschwärmt hatte, davon, wie sie morgens in der Bucht joggen war, direkt aus dem Bett und den Armen ihres kräftigen, gut aussehenden, faszinierenden Bootsbauers kommend. Aber irgendwann hatte sie die Einsamkeit überwältigt. Sie war morgens nicht mehr joggen gegangen, sondern im Bett liegen geblieben und hatte die Decke über den Kopf gezogen. Sie hatte es gehasst, den Männern den Kaffee hinüberzubringen. Sie hatte es gehasst, über das Wasser zu starren und zu warten, dass Ken nach Hause kam. Weder seinen Geruch nach Holz und Leim noch die Farbspritzer auf seinem Hemd hatte sie noch ertragen können. Wenn er über Konstruktionsplänen brütete, war sie vor Verzweiflung die Wände hochgegangen. Wenn die Möwen schrien, hatte sie sich die Ohren zugehalten.

Ich kannte die ganze Geschichte, die die Reeces nach Swansea und Alexia auf den Sitz der Chefredakteurin von *Healthcare* gebracht hatte. Aber die Tragödie dahinter kapierte ich tatsächlich erst in diesem Moment: Als ich hier stand, im Grau dieses Tages, vor der toten Werft und dem aufgewühlten Wasser, und als ich Kens Augen sah und den Schmerz darin. Ich begriff, dass Alexia dies alles hier unter keinen Umständen ein fünftes Jahr lang ausgehalten hätte, aber ich begriff auch, dass sich Ken das Herz aus der Brust gerissen hatte, als er ihrem Drängen nachgab und den einzigen Ort auf der Welt verließ, an dem er leben wollte. Den Beruf verließ, für den er geboren war.

Wir gingen zu dem Schuppen hinüber. Ken rüttelte an der Tür, aber sie war fest verschlossen. Er versuchte, durch eines der Fenster hineinzuspähen, aber durch die blinden Scheiben war nichts zu erkennen.

»Was ist mit deinem Freund?«, fragte ich behutsam. »Du hattest doch einen Freund, mit dem du hier zusammengearbeitet hast und der alles übernommen hat, als du weggingst ... Betreibt er die Werft auch nicht mehr?«

»Sie sind pleitegegangen«, erklärte Ken, »schon vor ein oder zwei Jahren. Keine Ahnung, ob er das Land hier verkauft hat oder ob es ihm noch gehört. Soweit ich weiß, ist er jetzt in London und arbeitet als Ingenieur in einer Schiffsbaufirma.«

»Warum hast du das eigentlich nie getan? Du hättest doch in Swansea mit Sicherheit auch eine solche Stelle gefunden?«

Er schüttelte den Kopf. »Das war nicht das, was ich wollte. Außerdem kamen dann noch zwei weitere Kinder ... und irgendwie musste unser Alltag organisiert werden. Alexia fiel zu hundert Prozent aus, also musste ich einspringen. Ich kam gar nicht so richtig dazu, über eigene Pläne und Möglichkeiten nachzudenken.«

Langsam bewegten wir uns in Richtung Wasser. Ken bückte sich, hob einen flachen Stein auf und warf ihn in die vom Wind aufgewühlten Fluten. Zu unseren Füßen schwappten die Wellen über ein Stück schlickbedeckten Felsen.

»Hattest du jemals Träume im Leben?«, fragte Ken. »Ich meine, Träume, die du unbedingt verwirklichen wolltest, weil du dachtest, nur dann hast du eine Chance, glücklich zu werden?«

Ich wusste, dass er an seinen Traum dachte, Schiffe zu bauen. Meine Träume waren anders gewesen, viel unsteter und weniger zielstrebig.

»Ich wollte so vieles«, sagte ich. »Ich wollte eine berühmte Schauspielerin werden. Eine große Sängerin. Ich wollte rund um die Welt trampen. Letztlich wollte ich, glaube ich, einfach nur weg von meiner Mutter. Ihrer ewig schlechten Laune, der Enge unseres Lebens, der ganzen Spießigkeit entfliehen. Vielleicht habe ich es auch deshalb nicht wirklich zu etwas gebracht.« Gedankenverloren starrte ich zum anderen Ufer hinüber, einem schmalen Sandstreifen, hinter dem sich eine grasbewachsene Anhöhe erhob. »Ich meine, vielleicht konnte ich gar keine *echten* Träume oder Ziele entwickeln. Weil es immer nur darum ging, so weit wie möglich von meiner Mutter wegzukommen.«

Er schaute mich an. »Das klingt traurig.«

»Hm, ja.« Ich zuckte mit den Schultern. Ich wollte um keinen Preis eine sentimentale Stimmung aufkommen lassen. »Als meine Großmutter noch lebte, habe ich manchmal mit ihr über meine Pläne gesprochen. Sie wollte, dass ich etwas Solides mache, studiere, auf eigenen Füßen stehe. In der letzten Zeit kommt sie mir öfter in den Sinn. Deshalb habe ich jetzt auch überlegt, mich an der Uni einzuschreiben. Das hätte ihr gefallen. Und eigentlich lag sie meist richtig mit ihren Ansichten.«

»Gute Idee«, sagte Ken, »das mit der Uni, meine ich.«

Wir schwiegen beide. Ken fing wieder an, Steine zu suchen und in das Wasser zu werfen. Ich dachte an meine Großmutter. Wie wichtig sie für mich war und wie sehr ich es ihr zu verdanken hatte, dass ich mich nicht nur völlig trübsinnig an meine Kindheit erinnern konnte.

Es wäre der richtige Moment gewesen, nach all den schrecklichen Ereignissen der letzten Wochen einmal für eine halbe Stunde wenigstens loszulassen. Hier mit Ken einfach nur am Wasser zu stehen, dem erschöpften Gemüt eine Ruhepause einzuräumen. An Granny zu denken und an nichts sonst. Aber aus irgendeinem Grund gelang es mir nicht. Eine steigende Unruhe erfüllte mich. Etwas stimmte nicht, aber ich kam nicht darauf, was es war. Seitdem ich meine Großmutter erwähnt hatte, versuchte sich eine Erkenntnis in meinem Kopf durchzusetzen, aber sie war so verschwommen, dass ich sie nicht greifen konnte. Etwas passte ganz und gar nicht, aber ich fragte mich, was meine Großmutter, die seit siebzehn Jahren unter der Erde ruhte, damit zu tun haben konnte. Mit Alexias Verschwinden, damit, dass ich hier mit Ken vor der verlassenen Werft stand.

»Wir sollten bald umkehren«, sagte Ken. »Garrett wird sein Auto brauchen, nehme ich an.«

Garrett schäumte wahrscheinlich schon vor Wut. Aber das kratzte mich überhaupt nicht. Ich grübelte noch immer, was ...

»Großmutter!«, sagte ich.

Ken blickte mich überrascht an. »Was?«

Ich kannte mich in Kens Familienverhältnissen nicht aus, deswegen war es mir auch nicht sofort aufgefallen. Aber jetzt war die Erinnerung da. An einen Tag im April. Die Redaktion. Früher Morgen. Eine nervöse, angespannte Alexia, die mir erzählte, dass ihnen ihr Kindermädchen abgesprungen war. Alexia war sehr unglücklich gewesen. *Und wir haben ja nicht einmal mehr Großmütter, die man ab und zu um Hilfe bitten könnte.*

Dass Alexias Mutter schon lange tot war, wusste ich. Aber ihr Satz hatte so geklungen, als lebte auch Kens Mutter nicht mehr.

Wir haben ja nicht einmal mehr Großmütter…

Ich musste schlucken.

Ken hatte seine vier Kinder zu seiner Mutter gebracht.

Das würde sich gleich aufklären. Irgendein dummes Missverständnis. Wieso schienen alle meine Sinne eine Gefahr zu wittern? Wieso war da dieser Kloß in meinem Hals, der mit jedem Moment, der verging, dicker zu werden schien?

»Ken, wo sind die Kinder?«, fragte ich. Ich bemühte mich, es beiläufig klingen zu lassen. »Deine Mutter lebt doch gar nicht mehr. Wo sind die Kinder?«

Er sah mich noch immer an. Aber jetzt glitt ein Schatten über sein Gesicht, legte sich auf seine Züge, verdunkelte und verschloss sie. Ohne dass er es aussprach, wusste ich, dass er mir keine Antwort geben würde.

Von jähem Schrecken gepackt, stellte ich die nächste zwangsläufige Frage.

»Ken, wo ist Alexia?«

12

Ryan hatte nur eine ungefähre Ahnung, wo sie sich befanden, aber er wusste ziemlich genau, dass sie in all der Zeit nicht allzu weit von Swansea weggekommen waren, jedenfalls nicht so weit, wie es ihm vorschwebte. Er hatte Vivian planlos vorandirigiert, weil seine einzige Ambition darin bestanden hatte, Hauptstraßen zu vermeiden und auf keinen Fall der bereits informierten Polizei in die Arme zu laufen, und offensichtlich waren sie im Kreis gefahren.

Stundenlang hatten sie außerdem in einem Waldstück verharrt, weil Ryan glaubte, eine Polizeisirene zu hören, und darüber fast die Nerven verloren hatte. Vivian hatte den Beamten am Telefon seinen Namen genannt, und die Fahndung lief unter Hochdruck. Die Beamten würden in Harrys Haus eindringen, sie würden Harry vorfinden, und er würde ihnen sagen, dass Ryan mit Vivian als Geisel geflohen war. Ziemlich rasch würde sich herausstellen, dass sie in Vivians Auto unterwegs waren, und im Nu würde man Fahrzeugtyp und Kennzeichen wissen. Ryan rechnete mit Straßensperren und Verkehrskontrollen. Sie jagten ihn wegen Vanessa Willard, aber sie glaubten zudem, das Leben einer vierfachen Mutter hinge davon ab, dass man ihn zu fassen bekam. Es gehörte nicht viel Vorstellungskraft dazu, sich klarzumachen, dass ein ungeheures Polizeiaufgebot hinter ihm her war.

Es war ihnen geglückt, Morriston zu verlassen, ohne gesehen oder verfolgt zu werden, und er hatte sich ausgerechnet, dass sie ein wenig Vorsprung hatten, weil die Polizisten nicht einfach so in das Haus stürmen konnten. Sie mussten davon ausgehen, dass sich darin ein Geiselnehmer mit zwei Geiseln verschanzt hielt, deren Leben sie nicht gefährden durften. Es würde etwas Zeit vergehen, ehe sie festgestellt hätten, dass der Vogel ausgeflogen war, und bis dahin mussten Ryan und Vivian ein gutes Stück vorankommen.

Das Problem war, er hatte überhaupt keinen Plan, wohin es gehen sollte, und er kannte sich in der Gegend schon bald nicht mehr aus. Von Vivian war keine Kooperation zu erwarten. Sie weinte die meiste Zeit über, tat aber sofort alles, was er sagte, tief eingeschüchtert von dem Messer, das er noch immer an ihre Rippen hielt. So gefügig sie sich auch zeigte, sie würde doch die erste Gelegenheit zur Flucht nutzen, davon war Ryan überzeugt. Und er würde irgendwann schlafen müssen. Sie würden irgendwann eine Tankstelle brauchen. Ganz zu schweigen von Wasser oder etwas Essbarem.

Als der Tag anbrach, waren sie beide erschöpft und am Ende ihrer Kräfte, aber Ryan zwang Vivian weiterzufahren. Sie jammerte vor Durst und Müdigkeit, aber er fuhr sie an: »Hör auf zu quengeln! Du hast uns in diese Situation gebracht, mit deinem idiotischen Anruf bei der Polizei. Ich war drauf und dran abzuhauen. Ins Ausland. Ich hätte euch zurückgelassen und dann die Polizei darüber verständigt, wo sie euch finden. Euch wäre nichts passiert!«

Sie fing schon wieder an zu weinen. »Du hast eine Frau ermordet! Woher sollte ich wissen, dass du mit uns nicht auch etwas Furchtbares vorhast?«

»Das mit der Frau war ein Versehen. Ein schreckliches Unglück. Ich bin kein gewissenloser Killer!« Aber er spürte, dass er sie mit diesen Worten nicht erreichte. Für sie war er das verkörperte Böse. Und sie fragte sich wahrscheinlich die ganze Zeit voller Entsetzen, wie sie, um Himmels willen, in einem solchen Alptraum hatte landen können.

Je weiter der Vormittag voranschritt, umso mehr neigte sich die Benzinanzeige dem Ende zu. Außerdem lamentierte Vivian schon seit über einer Stunde, weil sie wieder dringend auf die Toilette musste. Er hatte das zunächst kaltherzig ignoriert – wer so skrupellos trickste wie sie, musste sich nicht wundern, wenn der andere kein Risiko mehr einging –, aber inzwischen war ein Punkt erreicht, an dem zielloses Weiterfahren nichts mehr brachte. In absehbarer Zeit würde der Motor mangels Treibstoff schlappmachen.

Sie befanden sich auf einer Landstraße in einer einsamen Gegend. Ryan vermutete, dass sie dabei waren, den Brecon-Beacon-Nationalpark zu umrunden, den dritten und jüngsten der drei großen walisischen Nationalparks. Das Gute war, dass er Versteckmöglichkeiten bot. Das Schlechte war, dass es ihnen nichts brachte, irgendwo unterzutauchen, weil sich die Situation nicht verbesserte und weil sie dringend Nahrung brauchten. Außerdem wurde der Park vom SAS, dem Special Air Service, zu Übungszwecken genutzt. Die Eliteeinheit der Armee wurde zur militärischen Aufklärung herangezogen, aber auch zur Terrorbekämpfung innerhalb Großbritanniens eingesetzt und hatte sich zudem einen Namen mit spektakulären Geiselbefreiungen gemacht.

Es waren weiß Gott nicht die Leute, deren Nähe Ryan ausgerechnet jetzt gesucht hätte.

Dennoch, im Moment wirkte alles menschenleer und friedlich, und Ryan dirigierte Vivian in einen schmalen Feldweg, der schon bald darauf am Gatter einer Weide endete. Sie stiegen beide aus, und an der Art, wie Vivian wild hin und her blickte, erkannte Ryan, dass sie tatsächlich zu jeder einzelnen Sekunde über Flucht nachdachte. Er durfte in seiner Wachsamkeit nicht nachlassen.

Er erlaubte ihr, sich an eine Hecke zu kauern und zu pinkeln, und zum Glück machte sie diesmal keinen Aufstand mehr, weil er dicht neben ihr stehen blieb.

»Ich habe schrecklichen Durst«, sagte sie, als sie fertig war.

»Falls du nicht zufällig einen Vorrat an Wasserflaschen in deinem Auto herumfährst, haben wir aber nichts zu trinken«, entgegnete Ryan genervt. »Also hör auf zu jammern. Setz dich wieder ans Steuer.«

Er ließ sie erneut über den Beifahrersitz auf ihren Platz rutschen und blieb dabei dicht hinter ihr, damit sie nicht plötzlich einfach ohne ihn losfahren konnte. Sie wollte den Motor starten, aber er bedeutete ihr, es zu unterlassen.

»Ich muss erst nachdenken«, sagte er.

Sie lehnte sich zurück, schloss sekundenlang die Augen. »Ryan, du kannst das hier nicht gewinnen«, sagte sie dann. »Man sucht uns. Man kennt unser Auto. Wir können nirgendwohin, wo man uns nicht finden wird. Wir brauchen Sprit. Wir brauchen Essen und Trinken. Wir haben nicht einmal Geld, geschweige denn, dass wir es riskieren können, eine Tankstelle anzusteuern oder einfach in einen Supermarkt zu schlendern. Sie werden uns schnappen. Über kurz oder lang. Es wird womöglich einen Crash mit dem Auto geben. Ryan, ich habe niemandem etwas getan. Ich will noch nicht sterben!« Sie fing wieder an zu weinen. Inzwischen waren ihre Augen völlig verschwollen von den vielen Tränen, und ihre Haut war rot und fleckig. Sie sah bei Weitem nicht mehr so hübsch aus wie sonst.

»Und ich«, sagte Ryan, »gehe nie wieder ins Gefängnis.«

Sie schniefte, wischte sich mit dem Handgelenk die Tränen aus dem Gesicht. »Vielleicht kommst du mit einer kurzen Haftstrafe davon. Ich meine, du sagst ja, das mit dieser Frau war ein Unglück, das du nicht wolltest, und am Ende...«

»Glaubst du mir das?«, unterbrach Ryan. »Dass es ein Unglück war und ich kein kaltblütiger Mörder bin?«

»Ja«, sagte sie, aber ihre Augen verrieten so deutlich, dass sie log, dass Ryan fast gelacht hätte.

»Du glaubst mir kein Wort«, stellte er fest, »und weshalb sollte es dem Richter anders gehen?«

Sie legte so viel Aufrichtigkeit in ihren Blick, wie es ihr unter den gegebenen Umständen nur möglich war. »Ich würde für dich aussagen. Ganz ehrlich. Dass du anständig warst zu mir, dass du mir nichts getan hast. Es stimmt ja auch. Du bist kein schlechter Kerl, Ryan. Sonst hätte sich ja auch Nora nie mit dir eingelassen. Nora wird bestimmt auch aussagen, dass du...«

»Jetzt sei endlich still«, befahl er. »Ich muss wirklich nachdenken.«

Das Wichtigste war, dass sie ein anderes Auto bekamen. Und Geld. Und dann mussten sie so weit wie möglich nach Norden. Möglichst bis Schottland. Unter Umständen unterwegs noch ein- oder zweimal das Auto wechseln. Was natürlich einfacher klang, als es war. Ryan hatte zwar früher öfter Autos geklaut, aber es war etwas anderes, ob man es allein tat und dabei nicht unter Druck stand, das Wagnis also jederzeit einfach abbrechen konnte. Oder ob man gerade von der Polizei des ganzen Landes gesucht wurde und noch dazu eine Geisel bei sich hatte, die man scharf bewachen musste. Wahrscheinlich würde er Vivian irgendwann unterwegs loswerden müssen. Solange er sich in Wales befand, nutzte sie ihm, vielleicht auch noch bis in die Midlands hinein. Aber dann würde er sie irgendwo aussetzen, wo sie zwar nicht sofort Hilfe rufen konnte, jedoch mit Sicherheit irgendwann entdeckt werden würde. Er wollte nicht, dass sie zu Schaden kam. Er konnte sie nicht leiden, aber es stimmte, was er sagte: Er war kein Mörder.

Obwohl das Vanessa Willards Angehörigen sicher anders sehen würden.

»Okay«, sagte er. »Wir fahren weiter.«

Vivian ließ den Motor an und starrte auf die Benzinanzeige. »Wir kommen höchstens noch vierzig Meilen weit. Einschließlich der Reserve.«

»Ich weiß. Deshalb werden wir uns auch ein anderes Auto besorgen. Lass mich nur machen.« Er fühlte sich nicht einmal halb so selbstbewusst, wie er tat. Ihm schwebte irgendein größerer Parkplatz vor, neben einem Bahnhof vielleicht, an dem die Pendler ihre Autos stehen ließen. Dort konnte man relativ sicher sein, um diese Tageszeit nicht plötzlich von dem zurückkehrenden Autobesitzer überrascht zu werden. Die vielen Wagen boten zudem einen gewissen Sichtschutz. Trotzdem machte er sich nichts vor: Es konnte verdammt schiefgehen, und dann wäre alles zu Ende.

Sie bogen wieder auf die Landstraße. Ryan betrachtete Vivian von der Seite. Ihr verheultes Gesicht schien ihm ein klein wenig entspannter, nicht ganz so verzweifelt und verängstigt wie zuvor, und das war ein schlechtes Zeichen. Es hieß, dass Vivian endgültig begriffen hatte, wie prekär sich die Situation ihres Entführers zuspitzte und dass dieser Umstand für sie eine Chance darstellte. Den Versuch, ein Auto zu stehlen, würde sie für sich zu nutzen versuchen, das war ganz klar.

Am liebsten hätte Ryan das getan, was seine Begleiterin seit Stunden immer wieder tat: einfach losgeheult. Was natürlich nicht in Frage kam, denn das hätte ihn in ihren Augen noch mehr geschwächt, obwohl es vielleicht eine Erleichterung für seine Nerven gewesen wäre. Er musste stark bleiben, er würde stark bleiben.

Nie wieder Gefängnis. Das war alles, worum es jetzt ging.

13

Eine Stimme in meinem Kopf hatte mir die ganze Zeit über zugeflüstert, dass es ein Fehler war, erneut mit Ken ins Auto zu steigen, ihm sogar das Steuer zu überlassen. Die Stimme hatte mich beschworen, das Weite zu suchen, einfach zu sehen, dass ich wegkam. Aber ich hatte dagegengehalten: Ich wollte wissen, was aus Alexia geworden war.

Ken hatte meine Frage nicht beantwortet, stattdessen nur gesagt: »Komm mit.« Und am Klang seiner Stimme, am Ausdruck seines Gesichts hatte ich gemerkt, dass es sich nicht um eine Bitte handelte, der ich Folge leisten konnte oder auch nicht. Es war ein Befehl, den er aussprach. Ich wusste nicht, was passieren würde, wenn ich *nein* sagte, aber ich hatte den sicheren Eindruck, keine Wahl zu haben.

Wir fuhren immer tiefer in die Einsamkeit. Ich schwebte in Gefahr, dieser Umstand wurde mit jeder Minute greifbarer für mich, aber was hätte ich tun sollen? Mich aus dem fahrenden Auto werfen und davonrennen? Ich hätte mich verletzt, und Ken hätte mich auch sofort wiedergehabt. Auch unten an der Werft hatte ich keine Chance gehabt. Wir hatten ganz allein an dem Meeresarm neben dem verlassenen Bootshaus gestanden. Wenn ich mich geweigert hätte, in Garretts Auto zu steigen, wenn ich um Hilfe gerufen hätte: Wer hätte mich gehört?

Er hielt an, als der Wiesenweg, über den wir zuletzt gefahren waren, immer holpriger wurde und schließlich auch kaum noch zu erkennen war. Ich blickte mich um. Wiesen ringsum, Mauern, Weidezäune. Vereinzelt konnte ich Schafe grasen sehen. Ein Stück weiter vorn schien die Wiese in flache Felsplatten überzugehen. Die Steilküste, vermutete ich. Wir befanden uns hoch über dem Meer. Weitab von jeder menschlichen Behausung.

Ken wandte sich zu mir. »Du hättest heute nicht vorbeikommen sollen«, sagte er. »Du hast alles vermasselt. Was für ein Mist!«

Ich hatte Angst, aber ich bemühte mich, das nicht zu zeigen. »Ich wollte dir helfen. Ich wollte bei dir sein. Ich wollte ...«

»Warum konntest du mich nicht einfach in Ruhe lassen?«

»Weil ...« Es klang jetzt so seltsam, so unpassend, aber

ich sprach es doch aus: »Weil du ein enger Freund bist. Und ich dachte, es geht dir schlecht.«

»Es geht mir auch schlecht. Es geht mir beschissen, um genau zu sein.« Er trommelte mit den Fingern auf dem Lenkrad herum, nervös und ärgerlich. »Aber nicht erst jetzt. Sondern seit Jahren. Und das hat ja auch keiner von euch gemerkt!«

Mir war klar, was er meinte. Alexia und ihre beruflichen Pläne. Ihr Wunsch, Karriere zu machen. Ken hatte die Werft verlassen müssen. War nach Swansea gezogen und hatte sich von da an um die Kinder gekümmert, deren Zahl sich stetig vermehrte.

Ich hatte das toll gefunden. Jeder, mit dem ich darüber sprach, hatte es toll gefunden. So modern. Endlich ein Mann, der über Gleichberechtigung nicht nur redete, sondern sie wirklich praktizierte. Der sich nicht zu schade war, Windeln zu wechseln, Grießbrei zu kochen, Fläschchen warm zu halten, Spielzeug aufzuräumen, Schulbrote zu schmieren und Streitereien zu schlichten. Während seine Frau zur Chefredakteurin aufstieg und das Geld nach Hause brachte.

Und zudem schien es sich um eine große Liebesgeschichte zu handeln: Er hatte das alles *für sie* getan. Für Alexia, die Liebe seines Lebens.

»Wir haben tatsächlich nicht gemerkt, dass es dir schlecht ging«, sagte ich, »aber wir haben dich bewundert. Keiner, der euch kennt, fand es selbstverständlich, was du tust. Du warst der Mann, von dem jede Frau träumt.«

Jetzt glitt ein kurzes zynisches Lächeln über sein Gesicht. »Tatsächlich? Ach, dann träum weiter, Jenna! Ich bin der Mann, von dem Frauen *behaupten* zu träumen. In Wahrheit findet ihr Männer wie mich komplett unerotisch. Eben keine Männer. Ihr braucht jemanden, der euch den Rücken freihält, damit ihr euch verwirklichen könnt, aber ins Bett geht ihr dann am liebsten mit irgendeinem Macho, der euch zeigt, wo es langgeht. So läuft das Spiel doch in Wahrheit!«

Wie viel Verbitterung sprach aus ihm! Nie zuvor hatte ich ihn so erlebt. Immer war er der freundliche, verständnisvolle, nette, unkomplizierte Ken gewesen. Bittere, giftige Gedanken hätte ich ihm niemals zugetraut.

Er war ein Fremder. Jemand, den ich nicht kannte.

»Hat denn Alexia je mit einem anderen Mann…?«, fragte ich vorsichtig. Es schien mir unvorstellbar, aber am Ende hatte Alexia ihre Kinder bei Ken gelassen, ihren Job erledigt und sich nebenher mit anderen Männern herumgetrieben? Aber hätte sie mir das nicht erzählt?

Er schüttelte den Kopf. »Nicht dass ich wüsste. Nein, Alexia bekam einfach vier Kinder, weil sie sich das irgendwann einmal so vorgestellt hatte, drückte sie mir aufs Auge und zog los, eine atemberaubende Karriere zu starten. Die dann auf dem Chefsessel dieses völlig unbekannten Medizinblättchens endete, wo sie jede Menge Arbeit hatte, schlecht verdiente und ständig mit ihrer Kündigung rechnen musste. Großartig! Ich muss schon sagen, dafür haben sich wirklich alle Opfer gelohnt.«

»Ich kann verstehen…«, begann ich, aber er unterbrach mich schroff: »Nichts. Gar nichts verstehst du. Du bist doch all die Jahre genauso auf diese ganze verdammte Show hereingefallen wie alle anderen!«

Wenn er Alexia und ihre Karriere meinte, so stimmte das nicht ganz. Spätestens seit ich selbst bei *Healthcare* arbeitete, hatte ich einen Einblick in die gesamte Problematik bekommen. Alexias beruflicher Weg hatte sie nicht an die Stelle gebracht, die sie angestrebt hatte. Dass es der Familie finanziell nicht besonders gut ging, war ebenfalls nicht zu übersehen gewesen.

»Ich wusste sehr wohl, wie Alexia kämpfte«, sagte ich. »Und dass sie frustriert war und Angst hatte, wusste ich auch.«

»Ja, na ja«, sagte er unbestimmt. Nie hatte ich ihn mit einem so düsteren Gesichtsausdruck gesehen. In dem zugleich eine ungeahnte Entschlossenheit lag. Ein Begriff ging mir durch den Kopf, der mir in dieser Situation plötzlich Angst machte: ein Mann, der nichts mehr zu verlieren hat.

Immer hatte ich geglaubt, dass Alexia sich in all ihrem Stress, bei all dem Druck, dem sie ausgesetzt war, auf ihren Mann verlassen konnte. Die Liebe und der Zusammenhalt ihrer Familie, die Fürsorge ihres Mannes würden Alexia auffangen, davon war ich überzeugt gewesen. Ken stand hundertprozentig hinter ihr, ganz gleich, was geschah.

Ken, der für sie zu jedem Opfer bereit war.

Ich wartete und ahnte, was kommen würde. Ken würde die Wut schildern, die Frustration, die ihn zu beherrschen begonnen hatten. Er hatte seinen Lebenstraum aufgegeben, nur um dann zuzuschauen, wie sich seine Frau mehr schlecht als recht abmühte und es nicht schaffte, etwas auf die Beine zu stellen, das die Familie wirklich voranbrachte. Alexia hatte beständig durch Abwesenheit geglänzt, ohne dass sich dies wenigstens in materieller Hinsicht positiv für ihren Mann und ihre Kinder ausgewirkt hätte. Neben allen anderen häuslichen Belastungen hatte Ken auch noch verzweifelt rechnen müssen, um die Bedürfnisse der Kinder zu erfüllen und die Schulden auf dem Haus zu tilgen. Während er hier in Cardigan vergleichsweise sorgenfrei leben und gut für seine Familie hätte sorgen können.

Mir fiel das alles nun wie Schuppen von den Augen, und ich fragte mich, wie ich die ganze Zeit so blind hatte sein können. Wie hatten wir alle, die wir die Reeces kannten, so blind sein können? Auch Matthew als Kens Freund hatte nichts gemerkt. Dabei hätte es uns klar sein müssen. Ken wäre ein Übermensch gewesen, hätte er die ganze Situation einfach und gut gelaunt weggesteckt. Er hatte sich mit Gleichmut und gelassener Freundlichkeit getarnt, hatte den liebevollen Vater und treuen Ehemann abgegeben. Hinter der Fassade war er in eine tiefe Depression geschlittert. Unbemerkt, weil sein Schauspiel tatsächlich so überzeugend gewesen war.

»Ken«, sagte ich. Ich streckte die Hand aus, berührte kurz seinen Arm. »Ken, ich fange an zu begreifen, aber …«

Er sah mich an. Ich erschrak, weil sein Blick so kalt war. »Jede Wette«, sagte er, »dass du überhaupt nichts begreifst?«

»Dann erklär es mir«, sagte ich.

Statt zu antworten, packte er meinen Arm mit festem Griff, stieß die Autotür auf, stieg aus und zerrte mich hinter sich her, wobei es ihm völlig egal war, dass ich mich an der Handbremse stieß und mir an einem der Pedale die Haut am Knöchel blutig schrammte. »Ken«, japste ich, aber er reagierte nicht, sondern machte sich daran, das letzte steile Stück des Weges zu bewältigen, wobei er mich mit einer Kraft und Entschlossenheit nachzog, die ich ihm nie zugetraut hätte. Insgeheim sandte ich ein Stoßgebet nach dem anderen zum Himmel: Konnte nicht irgendein Wanderer vorbeikommen? Oder, noch besser, eine ganze Wandergruppe? Menschen, die sich wundern würden, dass eine Frau von einem Mann ganz offensichtlich gegen ihren Willen an den Rand der Klippen geschleift wurde? Konnte mir nicht, verdammt noch mal, *irgendjemand* zu Hilfe kommen? Aber weit und breit ließ sich niemand blicken. Ein paar Schafe schauten interessiert zu uns herüber. Es gab nichts als die Hochebene, die Felsen, den Himmel und das Meer.

Und den Wind, der uns fast umblies.

Noch etwas quälte mich: der Gedanke an Alexia. Was war mit ihr geschehen? Lebte sie überhaupt noch? Und wo waren die Kinder?

Ken blieb schwer atmend stehen, direkt am Rand des Plateaus. Unmittelbar vor seinen Füßen ging es steil hinunter. Ich konnte das winzige halbrunde Stück Sandstrand am Fuße der Klippen erkennen. An etlichen Stellen der Küste gab es diese kleinen Buchten, die bei Flut völlig verschwanden, bei Ebbe aber recht einladend und idyllisch aussahen. Ich hatte gehört, dass sie nicht ganz ungefährlich waren, weil sie sich sehr schnell mit Wasser füllten, während gleichzeitig der Aufstieg von unten schwierig war. Man durfte dort nicht die Zeit vergessen und im goldenen Sand einfach einschlafen. Es kam immer wieder vor, dass Menschen hier ertranken, weil sie die Tücken der Küste und des Meeres unterschätzten.

»Wir steigen da jetzt runter«, befahl Ken.

Mir stockte der Atem. »Das geht nicht. Hier kann man überhaupt nicht runtersteigen.«

Er warf mir einen verächtlichen Blick zu. »Ich kenne mich hier aus. Siehst du das dort? Stufen. Eine Treppe. Da kommen wir runter.«

Mein Blick folgte seinem ausgestreckten Finger. Das, was ich dort sah, als *Stufen* oder gar als *Treppe* zu bezeichnen erschien mir äußerst kühn. Tatsächlich aber fiel dort der Fels nicht so steil, sondern vergleichsweise schräg nach unten, und es gab etliche natürliche Kerben und Vorsprünge, die man unter Umständen benutzen konnte, um nach unten und wieder hinaufzugelangen. Ken, der schon als Junge hier gelebt hatte und zusammen mit seinen Freunden wahrscheinlich tagaus, tagein auf den Felsen herumgeklettert war, mochte das harmlos erscheinen; mich hingegen erfüllte die Vorstellung, wie eine Fliege dort an den Steinen zu kleben und mich millimeterweise nach unten zu hangeln, mit haarsträubender Angst. Wenn man abstürzte, landete man entweder auf dem Sandstreifen und brach sich alle Knochen, oder man fiel ins Wasser und zerschellte auf einem der zahllosen der Küste vorgelagerten Felsen, die teilweise aus den Wellen ragten, teilweise auch unter ihnen verborgen waren. Und noch etwas erkannte ich, während ich voller Entsetzen auf die ganze Szenerie starrte: Die Flut kam. Ganz eindeutig. Der Sandstreifen wurde kleiner. In flach auslaufenden Wellen floss das Wasser schon über die ganze Bucht; es würde nicht lange dauern, bis es sie völlig verschluckt hatte.

»Ken, die Flut! Wir können da nicht runter!«

»Komm mit«, sagte er.

Ich blieb stehen, wo ich war. »Warum?«, fragte ich. »Warum denn nur, Ken?«

»Du hättest heute nicht vorbeikommen sollen«, sagte er noch einmal. »Warum musst du bloß deine Nase in die Angelegenheiten anderer Leute stecken, Jenna?«

»Ich steige da nicht hinunter«, sagte ich.

Er trat dicht an mich heran. Nie, nie, nie hätte ich geglaubt, dass ich einmal ausgerechnet Ken als Bedrohung empfinden würde.

»Du kommst jetzt mit mir da hinunter«, sagte er, »oder ich befördere dich über den Klippenrand in die Tiefe. Du kannst es dir aussuchen.«

»Warum?«

»Steig hinunter.«

Ich bezweifelte nicht, dass er seine Drohung wahr machen würde. Ich biss die Zähne zusammen. Ich begann den Abstieg.

Zum Glück trug ich meine Turnschuhe mit dem dicken Profil, sodass ich einigermaßen Halt fand. Ich versuchte, meinen Körper so eng wie möglich an den Fels zu pressen und keinesfalls zwischen meinen Armen hindurch nach unten zu schauen, aber auch nicht nach oben in den Himmel. Ich bin nicht schwindelfrei, ich kann in den oberen Stockwerken von Hochhäusern nicht einmal auf den Balkon treten. Ich starrte verbissen auf das kleine Stück Felswand, das sich jeweils unmittelbar vor meinen Augen befand. Manchmal war Ken, der mir folgte, so dicht über mir, dass ich auch seine Schuhe sah. Weiße Turnschuhe mit einem blauen Rand ringsum und blauen Schnürsenkeln. Ken war ungeduldig, ihm ging das alles zu langsam. Es war deutlich, dass er diesen Abstieg gut kannte, denn er bewegte sich ohne die geringsten Probleme, ohne zögerndes Tasten oder vorsichtiges Ausprobieren der Haltbarkeit einzelner Steine. Aber er konnte nicht an mir vorbei, und ich sah nicht ein, dass ich ihm die Dinge leichter machen sollte. Ich konnte allerdings leider umgekehrt auch nicht *an ihm* vorbei. Es gab für mich nur den Weg nach unten. Und obwohl ich wusste, dass die Flut kam und dass die Sicherheit in der Bucht trügerisch und nur für sehr kurze Zeit gegeben war, wünschte ich, die sich endlos dehnenden Minuten des Abstiegs wären endlich vorbei. Alles schien besser als diese Felswand.

Endlich spürte ich Sand unter den Füßen. Nassen, schlickigen Sand zwar, keineswegs festen Grund, aber ich war tatsächlich unten angekommen. Ich war nicht abgestürzt.

Ken sprang hinab und kam neben mir auf. Seine Lippen waren zusammengepresst, eine dünne, weiße Linie hatte sich ringsum gebildet. Ich hatte Ken nie zuvor angespannt erlebt, nie so nervös und mühsam beherrscht wie jetzt, und trotz meiner prekären Lage fand ich noch Zeit zu denken, dass ich nicht nur blind, sondern auch taub und völlig hirnlos gewesen sein musste in all den Jahren. Mir hätte sonst klar sein müssen, dass etwas nicht stimmen konnte mit einem Menschen, der immer ausgeglichen war, immer ruhig, immer gelassen, immer vorsichtig abwägend, immer freundlich und gut gelaunt. Mir hätte auffallen müssen, dass Ken eigentlich keine Emotionen zeigte – ausgenommen vielleicht jenen einen Moment, als wir einander in seinem Garten küssten –, sondern eine Maske trug, die so ansprechend gestaltet war, dass man nicht darauf kam, sie zu hinterfragen. Man lebte zu gut mit dieser Maske, als dass man sich von ihr hätte irritieren lassen wollen.

»So, hier lang jetzt«, sagte er mit dieser neuen Stimme, die keinen Widerspruch duldete. Ich stolperte hinter ihm her. Das Wasser strömte über unsere Füße, und wenn es sich zurückzog, schien es den Sand mitnehmen und uns zum Fallen bringen zu wollen. Ich konnte das Donnern hören, mit dem sich die Wellen an den vorgelagerten Felsen brachen. Noch erreichten sie uns nur in ihren Ausläufern, was aber nicht mehr lange der Fall sein würde.

Ich erkannte, wohin Ken strebte. Vor uns befand sich eine Höhle im Felsen, nicht sehr groß und schon gar nicht tief, eher handelte es sich um eine Einbuchtung, wie es sie hier ebenfalls häufig gab. Ihr Boden war mit Sand bedeckt, den aber ebenfalls bereits das Wasser erreicht hatte, und an den Wänden schichteten sich nach vorn ragende Felsplatten übereinander, die so etwas wie natürliche Bänke bildeten. Auf eine davon kletterte Ken mit der Gewandtheit einer Gemse und zog mich hinterher. Der Stein unter meinen Füßen war jetzt trocken, nur in tieferen Kerben und Mulden stand noch das Wasser der letzten Flut. Ich gab mich keiner Illusion hin: Man konnte hier zwar bis unter das Dach der Höhle klettern, aber letzten Endes würde die gesamte Höhle vollständig geflutet sein.

Ich merkte, dass ich zitterte, während ich mich auf die Felsplatte kauerte. Was hatte Ken vor? Wollte er uns beide einem schrecklichen Tod durch Ertrinken aussetzen?

Er starrte finster vor sich hin. Als ich ihn zuletzt nach Alexia gefragt hatte, im Tal neben der stillgelegten Werft, hatte er mir keine Antwort gegeben. Ich versuchte es erneut.

»Wo ist Alexia, Ken?«, fragte ich. »Was hast du mit ihr gemacht?«

Er hielt den Kopf weiter gesenkt.

»Sie ist tot«, sagte er.

Irgendwie hatte ich es geahnt, aber mich schockierte der Gleichmut, mit dem er das sagte. Unwillkürlich schaute ich mich blitzschnell in der Höhle um, als erwartete ich, ihren leblosen Körper hier irgendwo zu entdecken, obwohl das unmöglich war: Schon die erste Flut hätte sie geholt, und sie wäre irgendwann später an einer ganz anderen Stelle an Land gespült worden.

Ken, obwohl er scheinbar nur auf den Boden starrte, hatte meinen Blick bemerkt.

»Nein, hier ist sie nicht«, sagte er, und dann lachte er plötzlich, ein widerliches, krankes, gekünsteltes Lachen.

»Ich bin ein solcher Versager, Jenna«, sagte er, »ein furchtbarer Versager. Du hast ja keine Ahnung!«

Dann lachte er wieder, und ich begriff, dass ich mit einem völlig gestörten Mann in dieser verdammten Höhle festsaß.

Und das Wasser stieg.

14

Er konnte Vivian kaum noch überzeugend vormachen, dass er die Situation im Griff hatte. Er war inzwischen so nervös, dass sein rechtes Augenlid zuckte und die Haut an seinen Handgelenken juckte. Seit der kurzen Rast am Rande einer Weide waren sie nun schon wieder seit fast vierzig Minuten unterwegs, die Benzinanzeige vermeldete, dass sie jetzt auf Reserve fuhren, und noch immer hatte sich keine Gelegenheit ergeben, das Auto zu tauschen. Sie waren eine Ewigkeit, wie es Ryan schien, durch völlige Einsamkeit gefahren, dann hatten sie zwei Dörfer passiert, in denen zwar entlang der Hauptstraße einige Autos geparkt standen, aber da gleichzeitig auch etliche Menschen unterwegs waren, bot sich nicht die Gelegenheit, unauffällig eines davon zu knacken. Ryan begriff, dass er in seinem Bemühen, den Polizeikontrollen zu entgehen, viel zu weit in ein kaum besiedeltes Gebiet geraten war. Er musste unbedingt eine größere Stadt erreichen, hatte aber keine Ahnung, ob er sich auf einer Straße befand, die ihn an ein solches Ziel bringen würde. Er hatte Vivian gefragt, ob sie eine Karte oder einen Autoatlas im Wagen hatte, und sie hatte verneint. Er hatte das natürlich nicht einfach geglaubt, sondern die gesamte Ablage, das Handschuhfach, die Fächer in den Türen durchsucht, sich nach hinten geneigt und sogar in den Fußraum der Rücksitze gespäht. Nichts. Es gab tatsächlich keine Möglichkeit, sich auch nur ansatzweise zu orientieren.

Vivian weinte nicht mehr und fuhr unbeirrt geradeaus, ohne zu jammern oder mit ihm wegen ihrer Freilassung zu verhandeln. Klar, jede Meile, die sie zurücklegte, arbeitete für sie. Sie wusste, dass die Fahrt nun sehr bald zu Ende sein würde. Sie wusste, dass Ryan dabei war, die Kontrolle zu verlieren. Vielleicht hoffte sie, dass er aufgeben würde, ehe sie sich zu Fuß weiter durchschlagen würden.

»Okay«, sagte er, »bei der nächsten Möglichkeit biegen wir Richtung Norden ab. Wir kommen zu weit wieder in westliche Richtung, und wir müssen weg von diesem idiotischen Nationalpark.«

Sie fuhren eine schmale Landstraße entlang, die durch dichten Wald führte. Auf beiden Seiten drängten sich die Bäume bis unmittelbar an den Asphalt heran. Immer wieder führten dunkle Wege in das Dickicht hinein, Wanderwege zum Teil, aber manchmal auch nur Trampelpfade, auf denen das Wild kreuzte. Nichts, wohin man mit dem Auto abbiegen und in eine dicht besiedelte Gegend gelangen konnte.

Ryan fing an zu schwitzen. Immer wieder wollte er sich hektisch mit der Hand durch die Haare fahren, und jedes Mal war er wieder irritiert, wenn er die Stoppeln fühlte. Als könne er sich jetzt schon nicht mehr daran erinnern, wie er in Harrys Bad gestanden und sich den Kopf rasiert hatte, dabei waren seitdem keine vierundzwanzig Stunden vergangen. Er hatte einen wirklich guten Plan gehabt, und es hätte funktionieren können.

Aber wahrscheinlich, dachte er, gehen bei geborenen Verlierern eben sogar Erfolg versprechende Pläne am Ende schief.

Die Straße führte nun bergauf. Ryan fragte sich, was jenseits der Kuppe lag, die sie gleich passieren würden. Vielleicht der Blick auf eine Stadt? Er war dicht davor zu beten, dass es so sein möge. Dass diese furchtbare Straße nun nicht endlos durch Wälder wie diese führen würde.

»Also, ich schätze, in ungefähr zehn Minuten bleiben wir stehen«, sagte Vivian. »Selbst die Reserve ist jetzt fast aufgebraucht.«

»Glaub nicht, dass ich dich dann laufen lasse«, warnte Ryan. »Notfalls schlagen wir uns zu Fuß durch, und das wird verdammt anstrengend für dich!«

»Ich kann kaum laufen. Mein Fuß …«

»Eben«, sagte Ryan, »deshalb solltest du hoffen, dass wir eine andere Möglichkeit finden.«

Vivian erwiderte nichts mehr. Er sah ihrem Gesicht an, dass er sie eingeschüchtert hatte. Gut so. Ihre wachsende Selbstzufriedenheit ging ihm langsam auf die Nerven.

Sie erreichten die Kuppe.

Und vor Überraschung und Schreck trat Vivian mit aller Kraft in die Bremse, so jäh, dass das Auto ein ganzes Stück weit mit quietschenden Reifen die Straße entlangschlitterte und beide Insassen in ihre Gurte geschleudert wurden. Es war keine Stadt, die auf sie wartete, auch nicht die eintönige Einsamkeit der letzten Stunde.

Sondern eine Polizeisperre.

Ryan starrte die vielen Polizeifahrzeuge an, die entlang der Straße parkten, er sah die Menge an Beamten, und ihm war sofort klar, dass sie nicht in eine zufällige Geschwindigkeitskontrolle geraten waren, sondern dass dieser Aufmarsch hier Teil der Fahndung nach ihm war. Um ein paar Raser zu schnappen, stellten die nicht acht oder zehn Leute ab.

Und noch etwas begriff er: Wenn die sich hier in dieser Abgeschiedenheit postierten, dann hatten sie erst recht in und um die größeren Städte herum Stellung bezogen, und zwar weiträumig.

Vivian nestelte hektisch an ihrem Gurt herum, schaffte es jedoch mit ihren zitternden Händen nicht, ihn zu öffnen. Ryan drückte ihr das Messer in die Seite.

»Du bleibst!«, befahl er.

Sie gab ihre nutzlosen Bemühungen auf und fing nun

doch wieder an zu weinen. »Es ist aus, Ryan. Sie werden schießen. Sie haben mit Sicherheit eine bewaffnete Einheit angefordert. Sie werden ...«

»Niemand wird schießen. Sie wissen, dass du mit im Auto bist, also können sie nichts tun!« Er überlegte fieberhaft. Die Beamten hatten das so plötzlich abgebremste Auto natürlich gesehen. Zwei von ihnen kamen näher.

»Dreh um! Dreh sofort um!«

»Das bringt doch nichts!«

»Dreh um!«

Der Motor lief noch. Vivian wendete den Wagen und fuhr an. Ryan riskierte einen kurzen Blick zurück. Zwei Polizeiwagen hatten sich bereits in Bewegung gesetzt. Er würde sie nicht abhängen können, und sie würden ihn spätestens dann stellen, wenn das Benzin versiegte.

Ich will nicht in den Knast. Ich will nicht. Ich will nicht!

»Fahr schneller!«, herrschte er Vivian an.

Sie trat das Gaspedal durch, schluchzend vor Angst, weil sie das Messer in der Seite spürte. Mit überhöhter Geschwindigkeit schossen sie durch den Wald. Ein anderes Auto kam ihnen entgegen, der Fahrer hupte, weil Vivian fast auf seine Seite der Fahrbahn hinübergeschleudert wäre. Die Polizei folgte ihnen jetzt mit eingeschaltetem Blaulicht. Sie kamen immer näher. Ryan schätzte, dass es eine Frage von Minuten war, bis sie ihn und Vivian überholen und zum Anhalten zwingen würden.

Einzige Chance: der Wald. Dieser schwarze, endlose, undurchdringliche Wald.

Ich gehe niemals wieder ins Gefängnis.

»Bieg ab«, schrie er, »bieg in den nächsten Waldweg ab!«

Er würde hinausspringen, Vivian sich selbst und den Bullen überlassen und sehen, dass er im Dickicht untertauchte und sich dann irgendwohin durchschlug, egal wohin. Sie würden den Wald in langen Ketten durchkämmen, aber er musste schneller sein, entschlossener, cleverer…

»Hier! Hier rein!«

Unvermittelt war ein grasüberwachsener Pfad aufgetaucht, der nach wenigen Metern schon wieder von den Bäumen und dem wuchernden Gebüsch verschluckt wurde. Vivian riss das Steuer herum, aber bei ihrer Geschwindigkeit war es Wahnsinn, was Ryan befohlen hatte, und es funktionierte nicht. Der Wagen geriet ins Schleudern, weil Vivian gleichzeitig wild bremste, und schoss in den Wald hinein, aber nicht in die schmale Lücke, die Ryan in seiner Verzweiflung als Weg gedeutet hatte, sondern gegen den nächsten Baum. Laut schreiend, in einem hässlichen, lang gezogenen, schmerzhaft quietschenden Geräusch schoben sich die Metallteile des Autos ineinander.

Ryans Kopf schleuderte nach vorn und gleich darauf nach hinten gegen die Sitzstütze, und der Schlag, den er dabei empfand, war das letzte körperliche Gefühl, das er bewusst wahrnahm. Er dachte nur noch eines – *ich muss hier raus und weg* –, aber kein Muskel, kein Gelenk seines Körpers ließ sich bewegen.

Er verlor nicht die Besinnung, aber jedes Gefühl.

Er fragte sich, ob er tot war, und er hätte es begrüßt, wenn es der Fall gewesen wäre.

Ich gehe nicht mehr ins Gefängnis, dachte er.

15

In der Höhle stieg das Wasser, und Ken erzählte aus seinem Leben. Zum Glück hatte er nicht noch einmal so wild und krank gelacht wie zuvor, aber dafür strahlte er jetzt eine fast gespenstische Ruhe aus. Er schien nicht zu bemerken, dass unsere Situation immer prekärer wurde. Der Sand der kleinen Bucht war bereits vollständig unter dem Meer verschwunden, von oben würde man schon gar nicht mehr erkennen können, dass es dort ein Stück Strand gab. Unsere sogenannte Höhle war bis zur ersten Steinplatte gefüllt. Wir kauerten auf der nächsthöheren, aber es würde nicht lange dauern, und wir mussten ein Stück nach oben klettern, wollten wir nicht im kalten Wasser sitzen. Immer wieder spähte ich nach draußen und fragte mich, ob man wohl die fragwürdigen Stufen, die nach oben führten, noch erreichen konnte. Man würde durch mindestens hüfthohes Wasser waten müssen.

Ken machte sich zumindest nach außen hin keinerlei Sorgen. Seine Finger spielten mit ein paar Muschelschalen, die hier überall herumlagen.

Versager hatte er sich genannt.

Dass er sich mir gegenüber so bezeichnete und mir dann auch noch alles erklärte, stimmte mich nicht gerade hoffnungsfroh, was meine Überlebenschancen anging. Ich war für ihn jemand, dem man sich öffnen konnte, dem man über Jahrzehnte sorgfältig verborgene, streng gehütete Geheimnisse anvertrauen durfte, ohne noch darauf achten zu müssen, mit wenigstens einem Rest an Ansehen daraus hervorzugehen. Das konnte nur bedeuten, dass ich in seinen Augen nicht mehr lange zu leben hatte. Ich würde nichts von dem, was er mir sagte, noch unter die Leute bringen können. Er hätte das alles genauso gut dem toten Gestein ringsum erzählen können. Ich war nichts anderes. Ich war so gut wie tot.

»Ihr habt mich also bewundert?«, fragte er. Ihm schien das komisch vorzukommen, denn er zeigte ein fast trauriges Grinsen. »Weil ich Alexia so toll in ihren Karriereplänen unterstützt habe? Ken, der Traumvater. Ken, der Traumehemann. Ken, der wirklich kapiert hat, wie das so läuft mit der Emanzipation. Der seine Werft und sein Leben aufgegeben hat, damit seine Frau ihre Selbstverwirklichung bis zum Wahnsinn betreiben kann. Schön wär's. Ich würde mir diese Lorbeeren gern anheften, Jenna, ehrlich!«

»Aber?«, fragte ich. Im Grunde interessierte mich das alles im Augenblick überhaupt nicht, ich dachte bloß fieberhaft darüber nach, wie ich hier herauskommen konnte, ehe die Flut mir keinen Raum mehr ließ. Ein Instinkt sagte mir jedoch, dass es gut war, Ken reden zu lassen. Solange ich im Gespräch mit ihm blieb, konnte ich ihn vielleicht erreichen.

»Die Werft«, sagte er langsam. Ein Flackern war in seinen Augen, die unruhig umherschweiften. »Du hast sie ja gesehen. Tot. Leer.«

»Ja, du sagtest…«

»Vergiss, was ich sagte. Willst du die Wahrheit wissen? Tatsache ist, wir haben Pleite gemacht, als ich noch dort war. Keine Ahnung, warum, ich fand die Schiffe toll, die wir gebaut haben. Vielleicht waren wir nicht fleißig genug, vielleicht war die Konkurrenz zu groß. Ich musste die Leute entlassen, weil ich keine Löhne mehr zahlen konnte, und dann ging alles ganz schnell. Insolvenz, Auflösung der Firma. Wir gingen nach Swansea, weil Alexia nun arbeiten *musste*, um die Familie durchzubringen. Wir hatten bereits zwei Kinder, und irgendwie musste es weitergehen…«

»Das… tut mir leid«, sagte ich unbeholfen. Die Geschichte hörte sich so ganz anders an als die, die ich bislang kannte. Dennoch zweifelte ich nicht, dass Ken die Wahrheit sagte. Seine Stimme verriet es und auch sein Gesichtsausdruck.

»Ja, so war das. Wir vereinbarten, nichts davon zu erwähnen. Wobei ich sogar derjenige war, der lockerer damit hätte umgehen können. Ich allein hätte davon erzählt, ich empfand diese Pleite nicht gerade als ein Ruhmesblatt, aber auch nicht als ewige Schande. Alexia wollte, dass auf gar keinen Fall irgendjemand etwas davon erfuhr. Alexia musste ja immer unbedingt erfolgreich und strahlend sein, immer eine Siegerin. Sie wäre nicht damit zurechtgekommen, wenn alle Welt gewusst hätte, dass sie ausgerechnet beim Heiraten einen riesengroßen Fehler gemacht und sich einen Versager geangelt hat.«

Ich fragte mich unwillkürlich, wie offen Alexia ihren Mann mit Begriffen wie *Versager* oder *Verlierer* konfrontiert hatte. Ich wusste, dass sie von brutaler Direktheit sein konnte.

»Tja, und dann das Nächste«, fuhr Ken fort. »Du hast gefragt, weshalb ich nicht eine Arbeit in einem Schiffsbauunternehmen angenommen habe. Erfolgreicher Absolvent eines Schiffsbauingenieurstudiums, der ich war!«

»Wegen der Kinder«, sagte ich, mutmaßte aber bereits, dass das nicht der Grund gewesen war.

Er lachte. »Nein. Weißt du, das ist die nächste bittere Wahrheit: Ich bin überhaupt kein Schiffsbauingenieur.«

»Nicht?« Das Wasser hatte den Felsen erreicht, auf dem wir saßen. Es schwappte über die Steine, gelangte aber noch nicht bis an die Wand, an der ich lehnte.

»Nein. Ich habe mein Studium mittendrin abgebrochen. Irgendwie war mir die ganze Lernerei zu viel, und meine

Noten wurden immer schlechter. Somit war es schwierig mit einer festen Anstellung: Ich hatte keinen Abschluss, und mein kleines Unternehmen hatte ich in die Insolvenz geführt. Insgesamt keine wirklich guten Voraussetzungen.«

»Und Alexia wollte auch nicht, dass dein abgebrochenes Studium die Runde macht, schätze ich.« Was richtete es in einem Mann an, der von seiner Frau vergattert wurde, eine Lebenslüge nach der anderen aufzubauen, weil sie die Wahrheit blamabel und rufschädigend fand?

»Nein, das wollte sie um keinen Preis«, bestätigte Ken. An ihm begann das Wasser bereits zu lecken, aber er schien es nicht zu bemerken. »Auf meinen angeblichen Ingenieur war sie ja so rasend stolz. Also zogen wir einfach eine andere Geschichte hoch: Wir bekamen noch mehr Kinder, ich wurde der Supermann, der für die Familie lebt, und Alexia startete die Traumkarriere!« Bei diesem letzten Wort verzog er verächtlich das Gesicht.

Ich erhob mich und hangelte mich eine Etage weiter nach oben. Schon jetzt würde es äußerst schwierig sein, die Stufen, die hinaufführten, noch zu erreichen. »Ken, wir sollten …«, begann ich, aber er unterbrach mich: »Im Grunde hatten sich einfach zwei Versager gefunden. Wir hatten dieses popelige und viel zu kleine Häuschen gekauft und schafften es kaum, die monatlichen Zinsen zu bezahlen. Alexias große Karriere war ein besserer Witz, und wir fingen an, immer mehr und immer öfter zu streiten. Unsere glückliche Ehe war genauso eine Fassade wie alles Übrige: Sie stimmte von vorn bis hinten nicht. Und wir waren unausweichlich in ihr verfangen: vier Kinder, ich ohne Job, Alexia zu ihrer schlecht bezahlten Arbeit nur in der Lage, weil ich das kostenlose Kindermädchen spielte … Wir hätten uns nicht trennen können. Wie hätte das funktionieren sollen?«

Ich erwiderte nichts. Was sich vor mir entrollte, war das Bild eines einzigen großen Desasters, eines Dramas, das umso explosiver und gefährlicher erschien, als die Beteiligten eine unvorstellbar große Energie darauf hatten verwenden müssen, ihrer Umwelt eine heile Welt vorzugaukeln, die es nicht einmal ansatzweise gegeben hatte. Und sie waren perfekt darin gewesen: Ich hatte nichts gemerkt. Niemand hatte etwas gemerkt.

»Und dann eskalierte alles«, sagte Ken. Er saß jetzt in einer Pfütze, aber das machte ihm offenbar nichts aus. »An diesem Freitagabend, an dem du die SMS geschickt hast...«

Ich schluckte. Ich hoffte, er würde mir jetzt nicht gleich erzählen, dass ich der Auslöser für die finale Tragödie gewesen war.

Er ahnte wohl, was ich dachte, denn er sagte: »Nein, nein, du warst nicht schuld. Wir steckten bereits im schönsten Zoff. So war es praktisch jeden Abend. Alexia kam aus der Redaktion und begann zu trinken, weil sie mit dem Druck nicht klarkam, und ich trank, weil mich meine Situation krank machte, und dann fingen wir an, einander zu beschimpfen, weil jeder den anderen für den ganzen Ärger verantwortlich machte und weil wir beide überzeugt waren, in diesem Irrsinn nur deshalb zu stecken, weil wir irgendwann so blöd gewesen waren, uns mit dem falschen Partner einzulassen. Wir hassten einander dermaßen... Dann kam deine SMS, und Alexia las sie vor und machte irgendeine gehässige Bemerkung in der Art: *Wäre ja ein Wunder, wenn sie tatsächlich am Sonntag hier auftaucht. Wenn sie mal am Vögeln ist, findet sie erfahrungsgemäß kein Ende.* Und ich sagte: *Nur kein Neid!* Denn Alexia platzte fast vor Neid auf dich, das war kaum auszuhalten.«

»Auf mich?« Ich war vollkommen perplex. Wie sehr

hatte ich Alexia immer bewundert und, ja, auch beneidet! Und nun sollte es andersherum gewesen sein?

»Klar«, sagte Ken, »aus ihrer Sicht hattest du alles, was sie nicht mehr hatte: Freiheit. Unbeschwertheit. Jugend und Schönheit. Und nun auch noch einen richtig tollen Mann!«

»Mit dem sie mich zusammengebracht hatte!«

»Ja, aber das heißt nicht, dass man es ertragen kann, wenn plötzlich das große Glück ausbricht. Alexia hat dich gehasst, Jenna. Sie hat zum Schluss jeden gehasst, dem es besser ging als ihr.«

Ich würde nicht mehr herausfinden können, ob es stimmte, was er sagte. Die Vorstellung, dass es die Wahrheit sein könnte, erfüllte mich mit Traurigkeit.

»Es kam dann eines zum anderen«, sagte Ken. »Sie schrieb dir zurück, und dann begann sie, mir zu erklären, dass Matthew ein wirklich guter Typ sei, das komplette Gegenteil von mir natürlich, und dass sie nicht mehr verstehen könne, was sie einmal in mir gesehen hatte. Eigentlich war es genauso wie immer. Dieselben Verletzungen, Anklagen, Beleidigungen. Zwischendurch machte ich das Abendessen für die Kinder, brachte sie dann ins Bett. Die Zeit nutzte sie, um noch mehr zu trinken. Sie wurde noch aggressiver. Als ich herunterkam, ging es weiter, und schließlich eskalierte alles. Sie ging mit erhobenen Fäusten auf mich los, ohrfeigte mich, schlug auf mich ein … Ich versuchte zunächst nur, sie abzuwehren, ihren Fäusten irgendwie zu entgehen … Aber dann … Alles schwemmte mit einem Mal hoch, verstehst du? Alles, was gewesen war in den Jahren zuvor, mein unaufhaltsamer Abstieg, mein trostloser Alltag, meine zu einem Nichts zusammengeschmolzene Selbstachtung, alles eben. Und nun stand ich in unserem unordentlichen, überfüllten, nicht abgezahlten Wohnzimmer, und meine Frau schlug auf mich ein und nannte mich den größten Verlierer unter der Sonne, und auf einmal… brannten meine Sicherungen einfach durch …« Er sprach jetzt sehr leise. Sein Blick war hoffnungslos. Er durchlebte jene Minuten noch einmal.

»Ich schlug zurück. Mit aller Kraft. Ich traf sie mit der Faust an der Schläfe. Sie kippte einfach um und war still. Endlich still.«

Die Worte, obwohl so leise gesprochen, dröhnten sogar über das Rauschen der Flut hinweg.

Sie kippte einfach um und war still. Endlich still.

Meine Alexia. Egal, ob sie mich gehasst hatte am Ende, sie blieb meine Alexia. Die so viel von mir wusste. Mit der ich so viele fröhliche Erlebnisse geteilt hatte, endlose Gespräche, ewiges Gekicher, Liebeskummer, tolle Eroberungen, einfach alles. Wir hatten über Figurprobleme geredet und über Mode, über Männer und Sex, über Niederlagen und Erfolge, geheime Träume und tief verwurzelte Ängste.

Alexia war tot.

Und ich saß hier mit dem Mann, der sie getötet hatte.

Es war nicht der Moment zu trauern. Zu grübeln.

»Ken«, sagte ich, »wir müssen hier raus!«

»Ich war vollkommen geschockt, als sie da plötzlich lag, ohne Puls, ohne Herzschlag, und ich begriff, was passiert war. Ich hatte das nicht gewollt, aber ich hatte sie mit einem einzigen Faustschlag umgebracht. Ich wusste: Irgendwie muss die Situation geklärt sein, ehe es Morgen wird und die Kinder herunterkommen. Es war etwa neun Uhr, und zum Glück schliefen sie bereits. Ich entsann mich des Planschbeckens, das Evan kaputt gemacht hatte und das ich sowieso entsorgen wollte. Ich wickelte Alexia darin ein und schleifte sie zum Auto, das Gott sei Dank in der Garage stand. Es war verdammt schwer, sie hineinzuwuchten, und ich war schweißgebadet hinterher. Dann hievte ich noch mein Motorrad ins Auto. Inzwischen war mir die Idee gekommen, die Szenerie des Verschwindens von Vanessa nachzustellen in der Hoffnung, damit eine erstklassige falsche Fährte zu legen. Aber das bedeutete, ich würde für den Rückweg kein Auto haben. Deshalb die Honda.«

Ziemlich kaltblütig und durchdacht. Aber vermutlich hatte Ken unter Schock gestanden und einfach weiter rational funktioniert. Der Zusammenbruch kommt immer erst, wenn sich der Schock löst.

»Ich verstehe«, sagte ich. Ein dämlicher Kommentar, aber mir fiel kein anderer ein. Wie sollte man auch mit alldem umgehen, was ich in der letzten Stunde erfahren hatte?

»Ich wartete bis elf Uhr, als es endlich richtig dunkel war, dann fuhr ich los. Ich würde heute die Stelle, an der ich Alexia mitsamt dem Planschbecken aus dem Wagen gezerrt habe, selbst nicht mehr finden. Irgendwo in der Wildnis, am Rande eines Steinbruchs. Sie rollte dort hinunter, und soweit ich das erkennen konnte, tauchte sie in dem Teppich aus Gräsern und Brennnesseln unter, der sich auf dem Grund gebildet hatte. Dann suchte ich den berühmten Rastplatz auf. Vor zwei Jahren sind Alexia und ich einmal mit Matthew dort gewesen, deshalb wusste ich ungefähr, wo er sich befand, aber ich verfuhr mich trotzdem. Die Zeit verrann… Ich musste rechtzeitig wieder zu Hause sein, und zwar ehe es wieder hell sein würde. Die Nächte sind um diese Jahreszeit ziemlich kurz.«

»Aber du hast es geschafft«, stellte ich fest. Denn alles hatte ja offensichtlich geklappt. Alexia war spurlos verschwunden, das Auto hatte auf dem Parkplatz gestanden und Ken rechtzeitig sein Zuhause erreicht. Ich sah ihn auf seiner kleinen Honda Dax durch die Nacht tuckern. Er musste zu Tode erschöpft gewesen sein, als er endlich daheim ankam. Dann hatte er irgendwann die Kinder geweckt, das Frühstück gemacht und begonnen, die Geschichte zu verbreiten, dass Alexia selbst zu Recherchearbeiten aufgebrochen sei. Spät am Abend hatte er mich angerufen und mir vorgeheuchelt, welche Sorgen er sich mache, weil sie nicht zu Hause sei und nichts von sich hören ließe.

Mir fiel plötzlich etwas ein.

»Aber das Auto«, sagte ich. »Eine Nachbarin hat doch Alexia an jenem Samstagmorgen davonfahren sehen!«

»Da kam mir wirklich der Zufall zu Hilfe«, sagte Ken, »und zwar in unglaublich bedeutungsvoller Weise. Weil man glaubte, Alexia sei erst um sieben Uhr morgens daheim aufgebrochen, hatte ich das sichere Alibi. Die Kinder konnten meine Anwesenheit bestätigen, und dieser Gemüsehändler auch. Ich *konnte* nichts mit ihrem Verschwinden zu tun haben.«

»Aber...«

»Am Ende der Straße«, erklärte Ken, »gibt es eine Familie, die einen Vauxhall Movano fährt. Mir ist es schleierhaft, wie man ihn mit unserem Bedford verwechseln kann, aber beides sind Kastenwagen, beide sind weiß. Die alte Dame glaubte, unser Auto zu sehen, aber es muss das andere gewesen sein. Da sich das so perfekt mit meinen Angaben deckte, hat niemand an ihrer Aussage gezweifelt.«

Schlagartig kam mir eine Erinnerung: ein Aprilabend, ich war bei Matthew gewesen und hatte hinterher das Bedürfnis gehabt, Alexia zu sehen. Ich stand vor ihrer Haustür, niemand reagierte auf mein Klingeln, und noch während ich wartete, war ein Kleinbus um die Ecke gekommen, den ich im ersten Moment für das Auto der Reeces gehalten hatte. Ich hatte meinen Irrtum rasch erkannt, und der Wagen war in einer anderen Einfahrt verschwunden. Eine alte Dame, die wahrscheinlich schlechtere Augen hatte als ich und sich noch weniger mit Automarken auskannte, konnte die beiden Autos jedoch leicht verwechselt haben.

»Aber genau das ist der Grund, weshalb ich …«, fuhr Ken fort und stockte dann.

»Ja?«, fragte ich.

Seine Stimme wurde kälter und distanzierter. »Das ist der Grund, weshalb ich beschlossen habe, abzuhauen«, sagte er. »Heute. Ja, genau heute. Und alles war vorbereitet. Alles war perfekt. In meiner Garage steht ein Mietwagen, mit dem ich wegfahren wollte. Aber dann musstest du ins Haus getrampelt kommen. Verdammt nochmal, Jenna, konntest du nicht einfach bleiben, wo der Pfeffer wächst?«

Ich starrte ihn an. »Du wolltest weg?«

»Denk doch mal nach«, sagte er. »Wie lange dauert es wohl noch, bis die Polizei dahinterkommt, dass es in derselben Straße ein ziemlich ähnliches Auto gibt und dass die Zeugin, was Autotypen angeht, nicht gerade zuverlässig ist? Wie lange kann es noch dauern, bis irgendjemand über Alexias Leiche stolpert? Es ist ein Wunder, dass das jetzt drei Wochen lang nicht passiert ist, und liegt wohl nur daran, dass sie dort, wo sie gelandet ist, von Brennnesseln förmlich zugewuchert wird. Aber der Herbst wird kommen, die Vegetation wird sich verändern. Irgendwann wird Alexia dort wie auf dem Präsentierteller liegen und unser Planschbecken auch. Mit meinen Fingerabdrücken darauf. Jenna, die kriegen mich, wenn ich einfach nur weiterhin daheim herumsitze und gemütlich warte, bis sie genügend Indizien gegen mich haben. Jetzt sind sie hinter dem Kerl her, der Vanessa auf dem Gewissen hat, und das lenkt sie komplett von mir ab, aber was, wenn dieser Mann für den Zeitpunkt der Tat an Alexia ein hieb- und stichfestes Alibi hat? Dann wenden sie sich wieder anderen Verdächtigen zu. Die müssen nur einmal Leichenspürhunde auf unser

Auto ansetzen oder auf unser Haus ... Nein. Ich werde vorher weg sein.«

Verzweiflung und Angst stürzten mich fast in Panik. Gegen alle Vernunft hatte ich gehofft, irgendwie mit heiler Haut aus dieser Situation herauszukommen, aber nun begriff ich die Ausweglosigkeit meiner Lage. Ken würde mich nicht am Leben lassen, weil ich der Mensch war, der seine Flucht vereiteln konnte. Er war entschlossen, sich in Sicherheit zu bringen, sich dem Zugriff durch die Polizei zu entziehen.

»Was ist mit den Kindern?«, fragte ich.

»Sie schlafen«, lautete seine gleichmütige Antwort.

Mir stockte der Atem. »Sind sie tot?«

»Sie schlafen, habe ich gesagt!«, fuhr er mich an. Er richtete sich auf. Seine Hose war klatschnass.

»Zeit, diesen Ort zu verlassen«, sagte er. Mit bewundernswerter Geschmeidigkeit bewegte er sich über den schmalen Fels, war mit einem eleganten Sprung auf dem Grat neben mir. Er kannte diese Küste, die Klippen, die Höhlen wie seine Westentasche. Deshalb hatte er auch so lange warten, das Steigen der Flut ruhig verfolgen können. Er wusste genau, wie lange er zögern durfte.

»Leider«, sagte er, »musst du hier unten bleiben.«

In der nächsten Sekunde, jäh und absolut unvorhersehbar, schoss seine Hand auf mich zu. Ich dachte an Alexia. Dieser Mann hatte mit seinen eigenen Händen Schiffe gebaut. Er konnte mit seiner Faust töten.

Ich duckte mich blitzschnell, spürte aber dennoch einen Schlag an meinem linken Wangenknochen.

Dann versank ich in tiefer Finsternis, vielleicht sogar in den Wellen des Meeres; ich wurde verschlungen von Kälte und Dunkelheit und wusste, ich würde sterben.

16

Der Arzt blieb hart. »Mr. Lee wird gerade auf seine OP vorbereitet. Es ist absolut unmöglich, dass Sie mit ihm sprechen!«

»Nur ein paar Worte. Es ist wirklich wichtig«, bat Inspector Morgan. »Das Leben einer Frau könnte davon abhängen.«

»Tut mir leid. Wenn er aus der Narkose erwacht und sich einigermaßen stabilisiert hat, geben wir Ihnen Bescheid. Vorher darf ich nicht zustimmen.«

Morgan, die zusammen mit DS Jenkins in das Morriston Hospital geeilt war, kaum dass sie von Ryan Lees Autounfall und seinem Abtransport im Krankenwagen gehört hatte, nickte resigniert. »Okay, Doktor. Und was ist mit Vivian Cole?«

»Fünf Minuten«, entgegnete der Arzt. »Aber gehen Sie sehr vorsichtig mit ihr um. Sie steht noch immer unter Schock.«

Sie fanden Vivian in einem kleinen Krankenzimmer, wo sie auf dem Bett saß und die Hand eines jungen Mannes hielt, der einen Stuhl dicht an sie herangezogen hatte und so aussah, als habe er seit mindestens vierundzwanzig Stunden nicht mehr geschlafen. Vivian trug ein sehr kurzes geblümtes Sommerkleid, das fleckig und zerknittert war. Um ihr linkes Knie war ein Verband gewickelt, ebenso um ihr linkes Handgelenk. Auf ihrer Stirn klebte ein großes Pflaster. Im Wesentlichen schien sie mit Schrammen und Zerrungen davongekommen zu sein, aber ihre Psyche würde lange mit dem Erlebten zu kämpfen haben. Inspector Morgan konnte das an ihren starren Augen mit den übergroßen Pupillen erkennen.

»Mrs. Cole? Ich bin Detective Inspector Morgan. Mein Kollege Detective Sergeant Jenkins.«

»Guten Tag«, sagte Vivian leise.

Morgan wandte sich an den jungen Mann. »Sie sind …?«

Er erhob sich und streckte ihr die Hand hin. Sie zitterte etwas. »Newland. Adrian Newland. Ich bin Vivians Freund. Sie hat mich angerufen, kaum dass sie hier im Krankenhaus war. Ich bin von Pembroke Dock gekommen, gerast wie der Teufel.« Auch seine Stimme zitterte jetzt. »Ich war außer mir vor Sorge. Ich konnte sie nicht erreichen …«

»Das waren zwei furchtbare Tage für Sie beide«, sagte Morgan mitfühlend, »und ich hoffe sehr, dass es Ihnen bald gelingt, diesen Schrecken zu verarbeiten.«

»Wie geht es Harry?«, fragte Vivian.

»Mit ihm ist alles in Ordnung«, beruhigte Morgan. »Er wurde befreit und in die Ambulanz gebracht, aber er konnte sie bald schon wieder verlassen. Ich habe mit ihm bereits gesprochen. Er ist natürlich auch noch sehr geschockt, aber ansonsten geht es ihm gut.«

»Und … Ryan?«, fragte Vivian leise.

»Sie bereiten ihn gerade auf eine Operation vor. Er hat sich alles Mögliche gebrochen, aber er schwebt wohl nicht in Lebensgefahr.«

»Wir sind gegen diesen Baum gekracht«, sagte Vivian. »Ich habe die Kurve nicht geschafft. Die Polizei war hinter uns, und Ryan wollte, dass ich in den Wald abbiege, aber ich war zu schnell, deshalb ist der Wagen geschleudert …« Sie fing an zu weinen.

»Sie sind eine sehr gute Autofahrerin«, tröstete Morgan, »und Sie haben Großartiges geleistet. Sie beide haben den Unfall überlebt und werden wieder gesund. Sie können stolz darauf sein, wie sehr Sie bei alldem die Nerven bewahrt haben.«

»Von mir aus hätte der Typ gerne sein beschissenes Leben verlieren können«, sagte Adrian wütend. »Hoffentlich bleibt ihm wenigstens eine schöne Querschnittslähmung oder etwas in der Art!«

»Adrian!«, mahnte Vivian. Sie wischte sich die Tränen ab. »Es ist so viel passiert«, flüsterte sie.

»Ich weiß«, sagte Morgan. »Und wir lassen Sie auch gleich wieder in Ruhe. Aber es gibt da ein großes Problem. Sie wissen, dass Ryan Lee in Verdacht steht, eine Frau entführt zu haben, zum zweiten Mal nach drei Jahren, und es gibt die Hoffnung, dass diese Frau noch lebt. Wir müssen sie finden, damit sie nicht dasselbe Schicksal erleidet wie Vanessa Willard. Verstehen Sie?«

Vivian nickte. »Ja.«

»Ich kann Lee jetzt nicht vernehmen, deshalb muss ich an Sie appellieren: Können Sie sich erinnern, ob Ihnen Ryan Lee während Ihrer gemeinsamen Flucht oder auch schon vorher in jenem Haus irgendeinen Hinweis gegeben hat, wo sich das Versteck dieser Frau befinden könnte? Vielleicht war es eine ganz beiläufige Bemerkung?«

Vivian schüttelte den Kopf. »Er hat mehrfach gesagt, dass er mit dieser zweiten Entführung nichts zu tun hat. Vanessa Willard damals hat er gekidnappt, aber er wollte nicht, dass sie stirbt. Es war ihm wichtig klarzustellen, dass er kein kaltblütiger Killer ist.«

Adrian gab einen verächtlichen Laut von sich. »Welch eine Heuchelei!«

»Nein«, sagte Vivian, »das war keine Heuchelei.«

»Sie halten seine Aussagen für wahr?«, fragte Morgan interessiert.

»Irgendwie schon. Ich meine … ich habe Nora immer geraten, sich auf keinen Fall mit ihm einzulassen, und letztlich hatte ich damit recht, aber …«

»Ja?«, fragte Morgan, als sie stockte.

»Er ist kein schlechter Mensch«, sagte Vivian, und es war deutlich, dass sie ihren Freund dabei nicht anzusehen wagte. »Ich glaube nicht, dass er ... eines vorsätzlichen Mordes fähig wäre.«

Adrian neigte sich zu Inspector Morgan hin. »Stockholm-Syndrom«, flüsterte er.

Morgan verließ sich jedoch lieber auf ihren eigenen psychologischen Instinkt. »Sie meinen also, dass er tatsächlich nicht weiß, wo sich Alexia Reece befindet?«

»Ich glaube, er würde eine Tragödie wie die von Vanessa Willard nicht noch einmal riskieren«, sagte Vivian.

»Das ist ganz schön gefährlich, was du da von dir gibst«, sagte Adrian verärgert. »Gefährlich für Alexia Reece, die womöglich auch irgendwo in einer Holzkiste liegt und darum betet, dass jemand kommt, der sie befreit!«

»Aber Sie haben sich von ihm bedroht gefühlt?«, fragte Morgan, ohne auf Adrians Einwurf zu achten.

Vivian überlegte. Sie schien sich tatsächlich größte Mühe zu geben, alle Fragen so wahrheitsgemäß wie möglich zu beantworten. »Ja. Schon. Und zuerst dachte ich auch, er lügt, wenn er den Mund aufmacht. Ich dachte, er will sich nur reinwaschen. Klar behauptet er, er wollte nicht, dass Vanessa Willard stirbt. Klar streitet er ab, mit Alexia Reece etwas zu tun zu haben. Aber ...«

»Ja?«

Sie hob hilflos beide Schultern. »Ich kann es nur wiederholen. Es ist das Bild, das ich von ihm habe, das Gefühl, das sich irgendwann während dieser langen Stunden für mich herauskristallisiert hat: Er ist kein schlechter Mensch. Er ist kein Mörder. Alles das, was geschieht ... will er im Grunde gar nicht.«

»Also, dass du nach deiner Freundin Nora nun auch noch

auf diesen Schwerkriminellen abfährst, finde ich wirklich das Letzte«, blaffte Adrian. Er hatte einen roten Kopf bekommen vor Wut. »Ich würde wirklich mal gerne wissen, womit er euch Frauen alle einwickelt!«

Vivian fing wieder an zu weinen. Sie war am Ende ihrer körperlichen und seelischen Kräfte.

»Ich kann nur sagen, was ich fühle«, schluchzte sie.

»Das ist völlig in Ordnung«, sagte Morgan, »Sie haben uns sehr geholfen, Mrs. Cole.«

Aber über Vivians gesenkten Kopf hinweg warf sie DS Jenkins einen Blick voller Frustration und kaum verhohlenem Ärger zu. Nichts, nichts, nichts. Praktisch keinen Schritt weiter hatten sie Ryan Lees Festnahme und der Besuch im Krankenhaus gebracht. Ryan war auf absehbare Zeit gar nicht zu vernehmen, und von Vivian wussten sie nur, dass sie ihn im Falle Reece für unschuldig hielt. Was stimmen konnte oder auch nicht. Und falls die junge Frau damit richtiglag, hieß das auch bloß, dass man von vorn anfangen musste. Denn welcher echte Verdächtige blieb ihnen, wenn Lee aus dem Rennen war?

DS Jenkins' Handy piepste, und er verließ rasch den Raum. Unmittelbar darauf streckte er jedoch schon wieder den Kopf zur Tür herein. »Inspector! Kommen Sie bitte mal?«

Morgan nickte Vivian und Adrian zu und trat hinaus auf den Gang, schloss die Tür hinter sich. »Ja?«

»Die haben auf der Wache einen Anruf bekommen. Von Garrett Wilder. Sie wissen, der Exfreund von …«

»Ich weiß, wer er ist. Und?«

»Er hat eine ziemlich verworrene Geschichte von sich gegeben. Er ist im Haus der Familie Reece, und irgendetwas Schreckliches ist mit den Kindern. Mit Alexia Reece' Kindern. Und er macht sich größte Sorgen um Jenna Robinson.«

Morgan setzte sich sofort Richtung Ausgang in Bewegung. »Sind unsere Leute …?«

»…auf dem Weg zu den Reeces, ja«, sagte Jenkins und bemühte sich, mit ihr Schritt zu halten.

Morgan stieß die Schwingtür am Eingang des Krankenhauses auf. »Ich fahre. Sie sind immer so langsam, Sergeant!«

Er seufzte. Wenn Morgan so drauf war, hieß *fahren* bei ihr eigentlich *tief fliegen.*

Und er hasste es.

17

Garrett, der in der Nacht zuvor auf Jennas unbequemem und für ihn zu kurzem Sofa so gut wie überhaupt nicht geschlafen hatte, war irgendwann eingenickt. Als er aufwachte, wusste er im ersten Moment nicht, wo er sich eigentlich befand, und außerdem tat ihm jeder Knochen weh. Er richtete sich aus seiner völlig verkrampften Haltung auf und unterdrückte dabei einen Schmerzenslaut. Er saß auf einem wackeligen Gartenstuhl aus Metall, und es war ihm ein Rätsel, wie er auf einem so unbequemen Teil hatte einschlafen können. Er erhob sich und versetzte dem Stuhl einen kräftigen Tritt.

Ihm fiel ein, wo er sich befand: im Garten der Reeces, genauer gesagt auf der Terrasse. In Swansea. Wohin es ihn verschlagen hatte, weil er die Beziehung zu Jenna neu hatte aufleben lassen wollen.

Schwachsinn!

Der Stuhl bekam den nächsten Tritt und rutschte über die Steine.

Garrett blickte auf seine Uhr. Es war fast zwölf Uhr. Gegen neun war er hier angekommen und hatte sich auf dieser hässlichen Veranda niedergelassen, und inzwischen waren mehr als drei Stunden vergangen, aber ganz offensichtlich ließ sich niemand hier blicken. Das war ungewöhnlich – ungewöhnlich für Jenna.

Er verließ den Garten durch den Durchgang und schaute die Straße hinauf und hinunter, aber er entdeckte keine Spur von seinem Auto. Es sah Jenna nicht ähnlich, mit einem geliehenen Auto so lange unterwegs zu sein und sich nicht darum zu scheren, dass der Eigentümer buchstäblich auf der Straße stand und wartete. Es konnten immer unvorhergesehene Dinge passieren, aber dafür gab es Telefone. Garrett zog sein iPhone aus der Hosentasche und kontrollierte das Display, aber es war kein Anruf eingegangen. Jenna hatte nicht versucht, ihn zu erreichen. Er gab ihre Nummer ein, landete aber auf der Mailbox. Aha, Madame ging zurzeit nicht ans Telefon.

»Jenna, hier ist Garrett. Ich warte auf mein Auto. Melde dich!« Er merkte, wie schroff seine Stimme klang, aber das war gut so. Jenna konnte ruhig wissen, dass er stocksauer war.

Er überlegte, was er nun am besten tun sollte. Ein Taxi ordern, zurück in Jennas Wohnung fahren und dort warten? Aber wer wusste, wann sie dort aufkreuzen würde? Am Ende erschien dort noch dieser Matthew Willard, ihr neuer Lover, und Garrett hatte absolut keine Lust, diesem Traummann zu begegnen. Es tat weh genug, Jenna verloren zu haben, er brauchte sich nicht auch noch Salz in die Wunde zu streuen.

Wenn er wenigstens irgendwie ins Haus gelangen

könnte! Dort gab es Bücher, einen Fernseher und sicher etwas zu essen und zu trinken im Kühlschrank. Probeweise rüttelte er am Garagentor und war erstaunt, dass es sich ganz einfach öffnen ließ. Noch erstaunter war er über den kleinen weißen Peugeot, der in der Garage geparkt stand. Das Zweitauto der Familie? Warum, verflucht noch mal, waren Ken und Jenna dann in *seinem* Auto unterwegs?

Das war alles sehr merkwürdig.

Es gab eine Verbindungstür zwischen Garage und Haus, aber die war leider verschlossen. Garrett gab es auf, verließ die Garage, begab sich durch den Durchgang wieder in den hinteren Garten. Er war so wütend, dass er hätte platzen können. Am liebsten hätte er sich von einem Taxi nach Brighton zurückfahren lassen und Jenna dann die Rechnung geschickt, zusammen mit der Aufforderung, ihm auf irgendeine Weise sein Auto zu bringen, wie auch immer.

Er trat noch einmal gegen den Gartenstuhl. Und gleich darauf hörte er das eigenartige Geräusch.

Es kam aus dem Haus. Ein Weinen? Eher ein Wimmern, ein leiser, lang gezogener Klagelaut. Wie das Maunzen eines jungen Kätzchens. In der nächsten Sekunde war es verstummt, und Garrett war sich ziemlich sicher, dass er sich getäuscht hatte.

Da hörte er es wieder. Es klang, als sei jemand verletzt, völlig verzweifelt oder habe Schmerzen.

Garrett sagte sich, dass das nicht sein konnte, denn im Haus hielt sich niemand auf. Manchmal verursachte auch der Wind komische Geräusche, im Schornstein zum Beispiel, und es war wirklich windig heute. Wieder klang das Weinen an sein Ohr. Jetzt meinte er, dass es sich um ein Kind handeln könnte. Ein Kind, das jedoch nicht nur einfach schluchzte, trotzig oder aggressiv oder auch traurig. Es klang so … leidend. So schmerzerfüllt.

Aber das konnte nicht sein, oder? Ken, der Superdaddy, ließ nicht vier Kinder völlig allein in einem hermetisch verschlossenen Haus über viele Stunden zurück? Garrett überlegte kurz: Das Älteste musste sieben oder acht, das Jüngste konnte keine zwei Jahre alt sein. So etwas würde auch Jenna niemals zulassen. Irgendetwas stimmte hier nicht.

Garrett beschlich ein eigentümliches Gefühl. Die ganze Zeit über war er wütend gewesen, entrüstet und zudem tief gekränkt. Jetzt begann er sich Sorgen zu machen. Und er begriff, dass die Sorgen schon seit Stunden in ihm lauerten, weil das alles nicht zu Jenna passte.

Das Wimmern war verstummt, setzte aber nach einer Weile erneut ein. Es war jetzt sehr deutlich als ein menschlicher Laut zu identifizieren.

Das Klügste wäre vermutlich, die Polizei anzurufen, aber Garrett zögerte. Immerhin bestand die Gefahr, dass er sich lächerlich machte, weil sich das Geräusch als etwas herausstellte, das nur in seiner Einbildung existierte. Außerdem hatte er so verdammt wenig Lust auf eine erneute Begegnung mit den Bullen. Am frühen Morgen hatte er mit Inspector Morgan gesprochen, weil man ihn absurderweise mit Alexia Reece' Verschwinden in Verbindung gebracht hatte, und nun lungerte er vor deren Haus herum und rief die Polizei, weil er eigenartige Laute zu vernehmen glaubte? Sein Instinkt sagte ihm, dass sich das irgendwie nicht gut machte. Es rückte ihn erneut in einen Fokus, in den er nicht wieder geraten wollte.

Aber einfach weggehen mochte er auch nicht. Garrett hatte nichts übrig für Kinder, hätte einem Kind aber niemals Schaden zugefügt, und unterlassene Hilfeleistung war nichts anderes. Er musste irgendwie in dieses Haus hineingelangen. Herausfinden, was los war, und dann die nächsten Schritte überlegen.

Es war klar, dass er weder an der Haustür noch an der Verandatür hinten seinen Einbruchsversuch starten konnte, denn in beiden Fällen war das Risiko zu groß, dass er beobachtet wurde. Noch schlimmer, als selbst die Polizei zu rufen, wäre die Variante, dass die Polizei von anderen Leuten verständigt wurde, weil er gerade in das Haus einer Frau einzudringen versuchte, nach der seit Wochen verzweifelt und unter Hochdruck gesucht wurde. Einen Moment lang überkam ihn die Versuchung, alles auf sich beruhen zu lassen. Sich davonzumachen, wohin auch immer, und unter keinen Umständen das Risiko einzugehen, erneut in diese ganze unheilvolle Geschichte hineingezogen zu werden.

Aber wenn ein Kind in echter Not war…

Er betrat den Durchgang, spähte durch die Glasscheibe der Tür in das Innere der Küche. Gott, wie konnte man nur in so einer Unordnung hausen! Schmutziges Geschirr in Stapeln auf der Spüle, Bücher, Zeitschriften, Kataloge und DVDs auf sämtlichen Stühlen verteilt, Kinderspielzeug in allen Ecken, Kleidungsstücke in einem Wäschekorb, den man aus unerfindlichen Gründen auf dem Herd abgestellt hatte. Garrett verzog das Gesicht. Ken mochte als das leuchtende Beispiel in Sachen praktizierte Partnerschaft gelten, im Griff hatte er die ganze Sache jedenfalls nicht.

Er zog seinen Pullover über den Kopf, umwickelte seine rechte Faust damit, zerschlug die Glasscheibe. Es war ziemlich laut, als die Splitter auf den Küchenboden krachten. Er hielt den Atem an. Falls das einer der Nachbarn gehört hatte, wusste er das Geräusch hoffentlich nicht einzuordnen.

Er griff durch die entstandene Öffnung, drehte den Schlüssel um und trat ein. Er mochte den Geruch nicht, der in diesem Haus herrschte. Er mochte auf Anhieb gar nichts an diesem Haus, so wenig, wie er Alexia und Kendal Reece je gemocht hatte. In selbstkritischen Momenten früher hatte er sich gesagt, dass er natürlich alles andere als objektiv war. Jenna hatte zu oft von dem vollkommenen Glück dieser Freunde geschwärmt, ihn zu oft auf mehr oder weniger subtile Weise wissen lassen, dass auch sie sich ein solches Leben wünschte, mit Heirat und vielen Kindern und einem Häuschen am Stadtrand – alles Dinge, bei denen es Garrett kalt den Rücken hinunterlief, wenn er daran dachte. Die Ursache des Anfangs vom Ende seiner Beziehung zu Jenna war im Grunde die Familie Reece gewesen, genau genommen Jennas Bewunderung für deren Lebensmodell. Aber jetzt, in dieser Küche, in diesem schmuddeligen Chaos eines Hauses, das von zu vielen Menschen bewohnt und zu selten gelüftet wurde, begriff Garrett, dass er die Reeces nicht nur deshalb abgelehnt hatte, weil sie das ohnehin komplizierte Gefüge zwischen ihm und Jenna endgültig destabilisiert hatten. Er fand, dass ihnen etwas Krankes anhaftete, und er hatte das schon damals bei seiner ersten und einzigen Begegnung mit ihnen gespürt. Sie waren nicht die netten Chaoten, deren Leben im fröhlichen Trubel dahinplätscherte. Sie waren Menschen, die ihr Leben von Grund auf nicht in den Griff bekamen, die ihrer Umwelt aber ein völlig anderes Bild zu vermitteln suchten. Garrett war sich sicher. Es verwunderte ihn, dass Jenna auf diesem Auge stets so blind gewesen war.

Er durchquerte die Küche und trat in den Flur hinaus. An der Garderobe hingen dermaßen viele Mäntel und Jacken und Regencapes übereinander, dass es ihm Probleme bereitete, daran vorbeizukommen. Abgesehen davon, dass man über unzählige Schuhe stolperte, die über den Boden verstreut lagen. Garrett blieb an der Treppe stehen und lauschte nach oben. Er hörte nichts.

Sicherheitshalber blickte er in das Wohnzimmer und in

das Esszimmer hinein, aber dort war niemand. Leise rief er: »Jenna?«, aber er erwartete nicht wirklich eine Antwort. Es würde ihm nichts übrig bleiben, als nach oben zu gehen und nachzusehen, ob alles in Ordnung war. Er hatte wenig Lust dazu, aber er hatte sich bereits zu weit vorgewagt, um jetzt noch einen Rückzieher machen zu können.

Langsam stieg er die Treppe hinauf. Hier oben gab es ebenfalls einen schmalen Flur, von dem vier Türen abgingen. Zwei standen offen. Garrett blickte in die Räume. Er hatte das Badezimmer vor sich – Baujahr 1950, wie er schätzte, und einfach nur unhygienisch – und daneben offenbar das Elternschlafzimmer. Die Vorhänge waren zugezogen, ließen aber dennoch etwas Tageslicht durch. Ein dicker roter Teppichboden, der nicht so aussah, dass Garrett es gewagt hätte, barfuß darüberzulaufen, ein ungemachtes Doppelbett, in dem etliche Stofftiere herumlagen – seitdem Mummie verschwunden war, hatten die Kinder offenbar begonnen, Daddys Bett zu okkupieren –, ein kleiner Fernseher auf der Fensterbank, drei randvoll gefüllte Wäschekörbe unter dem Fenster. Die Reeces schienen die Angewohnheit zu haben, ihre gewaschenen Sachen in solchen Körben aufzubewahren, anstatt sie in die Schränke zu räumen. Keine Zeit, keine Lust, oder sie hatten vor der Menge an Wäsche in einem Sechs-Personen-Haushalt kapituliert. Vielleicht war es dieses Wort, was das Haus nach Garretts Empfinden am lautesten schrie: Kapitulation! Dicht gefolgt von: Verzweiflung!

Er gewahrte das aufgeklappte Bügelbrett neben dem Bett und stellte sich vor, wie Alexia dort jeden Morgen die Kleidungsstücke, die sie zuvor aus einem der Körbe gekramt hatte, in Windeseile bügelte, um sich dann als gut angezogene, ordentliche Chefredakteurin in ihrem Büro präsentieren zu können. Aus diesem ganzen Wirrwarr und all der

Überforderung kommend, hatte sie es tatsächlich jeden Tag geschafft, das Bild der erfolgreichen, gut organisierten Karrierefrau abzugeben. Es musste sie viel Kraft gekostet haben.

Er hörte das leise Wimmern wieder und fuhr zusammen. Diesmal gab es keinen Zweifel, es handelte sich um die Klagelaute eines Kindes. Und sie kamen aus nächster Nähe.

Die Tür des Nebenzimmers war abgeschlossen, aber der Schlüssel steckte. Garrett wappnete sich innerlich für alles, was ihn erwarten mochte, und schloss auf.

Dunkelheit empfing ihn, als er die Tür öffnete. Eine völlig blickdichte Markise war vor dem geschlossenen Fenster heruntergezogen, weder Licht noch Luft drangen in den Raum. Es roch schrecklich – vorherrschend nach Urin und nach Erbrochenem. Obwohl es draußen kein heißer Tag war, stand die Luft hier drinnen, unangenehm und stickig. Er hörte leises Atmen… er überwand seine Furcht und knipste den Lichtschalter an.

Ein Kinderzimmer. Berge von Spielsachen, die im nun schon vertrauten Chaos herumlagen. Waschkörbe mit Kinderklamotten. Zwei Gitterbettchen, über denen sich Mobiles im leisen Luftzug, der durch die geöffnete Tür entstanden war, zu drehen begannen. In einem der beiden Betten richtete sich eine Gestalt auf. Garrett sah in ein verängstigtes, kalkweißes Gesicht. Riesengroße Augen. Verstrubbelte blonde Haare.

»Hallo«, flüsterte er.

Jetzt stand das Kind aufrecht im Bett. Ein kleines Mädchen, vielleicht sieben Jahre alt. Das musste die Älteste sein – wie hieß sie noch? Garrett durchforstete sein Gehirn. Irgendein keltischer Name. Kayla. Wenn er sich richtig erinnerte.

»Kayla?«

Das Mädchen nickte. »Mir ist so schlecht«, klagte sie leise. »Ich habe mich übergeben.«

Garrett trat näher an das Bett heran. Er sah, dass der Schlafanzug des Kindes von oben bis unten mit Erbrochenem verschmiert war. Vor allem aber entdeckte er ein weiteres Kind in dem Bett. Das Kleinste der Familie, das fast noch ein Baby war. Es rührte sich nicht.

»Daddy«, jammerte Kayla.

»Wo ist euer Daddy?«, fragte Garrett. Er bemühte sich, flach zu atmen. Der Gestank war erstickend.

»Ich weiß nicht. Daddy ist weg.«

Garrett überwand seinen Ekel und beugte sich tief über das vollgekotzte Bett. Er berührte das Kleinkind. Es bewegte sich nicht. Er war nicht sicher, ob es atmete.

Rasch wandte er sich dem anderen Bett zu. Wie er befürchtet hatte, lagen dort die beiden anderen Kinder, auf einer Matratze, die sich vollgesogen hatte mit Urin. Immerhin atmeten sie gleichmäßig. Sie reagierten nicht, als er sie vorsichtig schüttelte.

»Ich muss mal«, sagte Kayla. Sie versuchte, aus dem Gitterbett zu steigen, was ihr wahrscheinlich unter normalen Umständen durchaus gelang, aber in diesem Augenblick war sie so benommen und zittrig, dass sie es nicht schaffte, ein Bein über die Barriere zu schieben.

Garrett widerstand dem drängenden Impuls, einfach nur fluchtartig dieses stinkende Zimmer voller halb toter Kinder zu verlassen. Er nahm Kayla hoch, hob sie aus dem Bett. In seiner Panik und Verwirrung klammerte sich das Mädchen wie ein kleiner Affe an ihn und verteilte den Inhalt seines Magens dabei großflächig über Garretts Hemd und teilweise über seine Jeans. Er bemühte sich krampfhaft, diesen Umstand zu ignorieren und vor allem das Kind nicht einfach wie ein lästiges Insekt abzuschütteln. Da Kayla nicht bereit war, ihn loszulassen, musste er sie in das versiffte Bad tragen, dort ihre Ärmchen von seinem Hals lösen, ihr die Schlafanzughose herunterstreifen und sie auf die Toilette setzen. Er begann sich zu fragen, ob der Alptraum dieses ganzen idiotischen Abenteuers in Swansea eigentlich noch schlimmer werden konnte.

»Weißt du, wo Jenna ist?«, fragte er.

Kayla schüttelte den Kopf. »Wo ist Daddy?«, fragte sie stattdessen.

»Er kommt bald«, versicherte Garrett völlig gegen seine Überzeugung. Er zog sein Telefon aus der Jeanstasche und tippte dreimal die Neun ein. Es half jetzt alles nichts. Er musste die Polizei verständigen. Und den Notarzt.

Hier war etwas Schlimmes geschehen, und irgendwie hing es mit Ken zusammen. Und Jenna war mit Ken unterwegs, seit Stunden überfällig und nicht erreichbar.

Er hatte noch nie so große Angst um sie gehabt.

18

Ich glaube, es war mein Unterbewusstsein, das mir keine Ruhe ließ. Unablässig wollte es mich zwingen, die Augen aufzuschlagen, wach zu werden, einen klaren Kopf zu bekommen. Ebenso hartnäckig wehrte ich mich dagegen. Ich hatte solche Schmerzen, ich bekam schlecht Luft, in meinem Kopf war ein Dröhnen, und die Haut in meinem Gesicht brannte wie Feuer. Ich wollte schlafen. Einfach nur schlafen und vergessen. Bei aller Benommenheit war mir klar, dass Aufwachen bedeutete, mich in einer bedrohlichen, gefährlichen, am Ende sogar ausweglosen Situation wiederzufinden. Ich wollte mich dem nicht stellen. Ich wollte in dem Dämmerzustand verharren, der mir alles Unangenehme fernhielt.

Mir war kalt, und um mich herum war alles nass. Wasser schwappte gegen mein Kinn, gegen meinen Mund. Ich bettete meinen Kopf auf meinen Arm, damit er höher zu liegen kam und ich mich nicht am Wasser verschluckte. Ich lag in einer großen Badewanne, die zu voll und außerdem längst erkaltet war, aber ich konnte sie nicht verlassen. Der Rand war zu hoch. Außerdem war es schön, in dieser Wanne zu schlafen.

Das Wasser erreichte mein Gesicht nach kurzer Zeit erneut, und das war der Moment, da ich mich nicht länger dem Traum von der Badewanne hingeben konnte. Wasser drang mir in Mund und Nase, eisiges, salziges Meerwasser, ich hustete und spuckte und setzte mich auf.

Mach, dass du wegkommst!, zischte mein Unterbewusstsein.

Ich befahl ihm nicht länger, doch bitte endlich Ruhe zu geben. Ich begriff, dass es womöglich recht hatte.

In meinem Kopf hämmerte der Schmerz, und mein linkes Auge ließ sich nicht öffnen, schien völlig verschwollen und verklebt zu sein. Die ganze linke Gesichtshälfte war taub, aber nur an der Oberfläche. Unter der Haut fühlte es sich an, als sitze kein Knochen mehr an seinem Platz. Mir fiel Kens Faustschlag ein. Langsam kehrten die Bilder zurück, und ich erinnerte mich an mein blitzschnelles Wegducken, das mir vielleicht das Leben gerettet hatte. Trotzdem war ich erwischt worden, und zwar mit einer Heftigkeit, dass ich die Besinnung verloren hatte. Es schien allmählich zu Kens Angewohnheit zu werden, Frauen, die ihm nicht passten, tot oder bewusstlos zu schlagen.

Ich hob vorsichtig die Hand, tastete über meine Wange. Ob etwas gebrochen war, konnte ich nicht feststellen, verschwollen, wund und blutverkrustet war mein Gesicht auf jeden Fall. In Verbindung mit dem zugekleisterten Auge sah ich wahrscheinlich ziemlich ramponiert aus.

Was allerdings nicht meine Hauptsorge war.

Ich schaute mich um. Die Höhle hatte sich inzwischen fast vollständig mit Wasser gefüllt, nach oben hin blieb nur noch wenig Raum. Vom Wind noch zusätzlich aufgepeitscht tobten die Wellen mit einer Macht gegen die Felsen, die mir klarmachte, dass es sinnlos wäre zu versuchen, mich schwimmend zu retten. Ich würde nicht von der Küste wegkommen. Ich würde gepackt und gegen die Klippen geschmettert werden. Die Flut hatte eine ungeheure Kraft, und ich war chancenlos dagegen.

Ich kauerte auf der obersten Felsplatte innerhalb dieses höhlenähnlichen Gebildes, aber das Wasser stieg an mir hinauf, schwappte jetzt im Sitzen bereits an meine Taille. Aufrecht stehen konnte ich hier oben nicht, so viel Platz war nicht mehr da, ehe die schroff gezackte Decke begann. Ich wusste nicht, wie lange es noch dauern konnte, ehe das Wasser die Höhle komplett ausfüllte, aber klar war, dass mir nicht viel Zeit blieb.

Ich drehte mich vorsichtig um, sehr langsam, weil der Schmerz in meinem Kopf zu heftig war, als dass er rasche Bewegungen gestattet hätte. Ich zuckte vor dem Tageslicht zurück, das den Eingang der Höhle oberhalb des dunklen, bedrohlich gurgelnden Wassers füllte. Die Helligkeit tat so weh, dass ich sekundenlang auch mein unversehrtes Auge schließen musste. Wie ein kleiner, blinder Maulwurf hockte ich auf meinem Felsen und spürte, wie das Wasser stieg. Die Verzweiflung drohte mich zu überwältigen. Ich würde es nicht schaffen. Der Rückweg war versperrt, die Flut zu stark. Ich würde hier oben sitzen, solange es ging. Dann würde ich ertrinken. Qualvoll und bei vollem Bewusstsein.

Es wäre besser gewesen, Ken hätte mich gleich getötet. Es wäre einfach schneller gegangen. Ich hätte nicht ausweichen sollen.

Ken ist hier irgendwie rausgekommen, und zwar vor nicht allzu langer Zeit, also schau, ob es eine Möglichkeit gibt, meldete sich die Stimme in meinem Inneren wieder, *was er geschafft hat, schaffst du auch!*

Ich war da nicht allzu optimistisch. Ken kannte sich hier aus, ich nicht. Außerdem war das Wasser inzwischen erheblich gestiegen. Vielleicht würde es selbst Ken jetzt nicht mehr gelingen, sich aus dieser tödlichen Falle zu retten.

Dennoch öffnete ich mein Auge wieder und robbte ein Stück auf den Ausgang zu. Mehrfach spritzte die Gischt über mich hinweg. Ich war völlig durchnässt, deshalb fror ich auch so. Immer wenn das Wasser sich ein Stück zurückzog, um neuen Anlauf zu nehmen, krabbelte ich rasch weiter. Wenn die nächste Welle kam, duckte ich mich, presste meinen Körper eng an die Wand, hielt meinen Kopf mit beiden Händen umklammert und versuchte nicht, mich durch das hochschießende Wasser hindurch weiter nach vorn zu arbeiten. Dafür war meine Lage zu riskant; ich hätte die Orientierung verlieren und von meiner Felsplatte stürzen können, halb blind und benommen, wie ich war, oder die Kraft des hochspritzenden Wassers hätte mich herabgerissen. Langsam, quälend langsam, gelangte ich an den Ausgang der Höhle. Vor mir war nur Meer. Nichts mehr zu sehen von dem kleinen Stück Sandstrand, das wir vorhin noch zu Fuß überquert hatten. Es schien nie da gewesen zu sein. Die Flut hatte es gefressen. Wie sie jetzt die Höhle fraß.

Mich sollte sie nicht bekommen.

Vorsichtig spähte ich hinaus. Weit und breit keine Spur von Ken, was nicht verwunderlich war, er hatte sich längst in Sicherheit gebracht. War wahrscheinlich mit Garretts Auto unterwegs … Wohin? Er musste sehen, dass er England verließ. Was war aus seinen Kindern geworden? Er hatte für den heutigen Tag seine Flucht geplant, und er brauchte genügend Vorsprung, ehe aufflog, dass er sich aus dem Staub gemacht hatte. Das hieß, er hatte die Kinder in irgendeiner Form ruhigstellen müssen, damit er weit fort war, ehe sie heulend zu den Nachbarn liefen, weil sie Hunger oder Angst oder beides hatten. *Sie schlafen*, hatte er gesagt. Ich hoffte zutiefst, dass das stimmte. *Schlafen* konnte auch ein Synonym für Schlimmeres sein. Ich traute Ken inzwischen alles zu.

Denk über die Kinder später nach, Jenna. Du kannst ihnen nicht helfen, wenn du hier absäufst. Du musst jetzt die verflixte Steilwand hoch!

Ich hatte gehofft, zu der sogenannten Treppe vordringen zu können, die wir vorhin heruntergekommen waren. Sie war steil und schlimm genug, aber sie stellte eine echte Chance dar, wieder festen und vor allem sicheren Boden unter den Füßen zu finden. Aber nun sah ich, dass es nicht möglich sein würde. Die *Treppe* befand sich direkt gegenüber der Höhle, die Wand dazwischen war glatt, ohne Vorsprünge oder Kerben, ohne irgendetwas, worauf man seinen Fuß setzen, woran man sich festhalten konnte. Weiter unten, dort, wo jetzt längst das Wasser rauschte, mochte es auch oberhalb des Stückchens Strand noch Möglichkeiten gegeben haben, die überflutete Bucht zu überqueren. Inzwischen waren sie in den Wellen verschwunden.

Auf wackeligen Beinen richtete ich mich auf. An dieser Stelle ragte die Felsplatte, auf der ich stand, bereits ins Freie, sodass ich keine Begrenzung mehr über mir hatte.

Krampfhaft hielt ich mich an den Unebenheiten der Wand fest, vermied es angestrengt, in das Meer unter mir zu blicken. Für einen Menschen, der zeitlebens mit dem Problem zu kämpfen gehabt hatte, nicht schwindelfrei zu sein, stellte die Situation einen geradezu grotesk anmutenden Horror dar. Hätte man mich gefragt, was ich mir als die denkbar schlimmste Situation, in die ich geraten könnte, vorstellen würde, so hätte ich diese Szene genannt: auf diesem schmalen Felsgrat im wadenhohen Wasser zu stehen, unter mir tosende Wellen, über mir ein stürmischer Himmel, vor mir eine steile Felswand. Selbst im topfitten Zustand wäre ich überzeugt gewesen, hier nicht lebend herauszukommen. So war ich aber noch zusätzlich schwer angeschlagen: Nach wie vor konnte ich nur mit dem rechten Auge sehen, trieben mich Kopf- und Gesichtsschmerzen fast in den Wahnsinn. Mir war übel, meine Beine wollten mich nicht richtig tragen, meine Arme zitterten. Ich verspürte quälenden Durst. Mir war es noch nie vorher körperlich so schlecht gegangen. Und ausgerechnet in diesem Zustand sollte ich versuchen, eine steile Felswand zu erklimmen? Ohne Rettungsseil, ohne irgendetwas, das mich sicherte?

Ich sank auf die Knie, ließ den Schaum der nächsten Welle fast teilnahmslos über mich spritzen. Ich würde hier sterben. Am Tag nach meinem dreiunddreißigsten Geburtstag.

Ich fing an zu weinen. Besser gesagt, mein rechtes Auge weinte. Mein linkes konnte nicht. Es begann nur mörderisch zu brennen. Selbst das Heulen tat zu weh, als dass ich mich ihm hingeben konnte.

Ich schluckte die Tränen hinunter. Dann hob ich den Kopf, spähte nach oben. Die Wand über mir war ausgesprochen steil, aber sie war nicht glatt. Die anstürmende See hatte den Felsen schroff und rau werden lassen, hatte ihn mit Kerben und Einschnitten versehen. Allerdings konnte ich keine einzige Stelle entdecken, von der ich den Eindruck gehabt hätte, dort einigermaßen sicher stehen zu können. Ich konnte nur Stellen finden, die vielleicht die Möglichkeit boten, meine Zehen irgendwo abzustützen und gleichzeitig meine Finger in einen Minispalt zu graben.

Die nächste Flutwelle kam mit einer Wucht heran, dass sie mich um ein Haar umgerissen hätte. Es wurde zu gefährlich, noch länger hier zu verharren. Wenn ich ins Wasser fiel, würde ich zerschmettert werden. Ich musste zu klettern beginnen, ohne mir eine Route zurechtgelegt zu haben. Abgesehen davon gab es ohnehin keine Route. Ich würde jeden einzelnen Moment neu entscheiden müssen, wie es weitergehen sollte.

Ich begann den Aufstieg.

Seitdem ich mit achtzehn Jahren gewissermaßen über Nacht mein Elternhaus verlassen hatte und auf Nimmerwiedersehen verschwunden war, hatte ich meiner Mutter jedes Jahr zwei Karten geschickt – ohne darauf zu verraten, wo ich mich aufhielt oder wie sie mich erreichen konnte. Es ging nur darum, ihr ein Lebenszeichen zukommen zu lassen, damit sie nicht glaubte, mir sei irgendetwas Schlimmes zugestoßen oder ich sei längst tot. Ich schrieb immer, dass es mir gut gehe und sie sich keine Sorgen machen solle. Eine Karte schickte ich ihr jeweils im Dezember zu ihrem Geburtstag – damit deckte ich dann auch gleich Weihnachten ab –, die andere schickte ich zu meinem Geburtstag im Juni. Das hatte ich wegen all der sich überschlagenden Ereignisse in diesem Jahr vergessen. Während ich mich langsam, in Millimeterarbeit, tastend und jeden Stein sorgfältig ausprobierend, nach oben arbeitete, fragte ich mich, ob sie das Ausbleiben meiner Geburtstagskarte bereits bemerkt hatte und ob es sie nervös machte. Wenn ich meine Mutter in wenigen Worten zu charakterisieren hätte, würde ich sagen: verbittert, gefühlsarm, kalt, streng. Ich konnte mir nicht vorstellen, dass sie in Verzweiflung geriet, nur weil das Lebenszeichen von mir ausblieb, aber letztlich hatte ich auch immer nur ihre Fassade gesehen. Vielleicht verbarg sich ein anderer Mensch dahinter – die Frau, die sie möglicherweise gewesen war, ehe sie viel zu jung zur Witwe wurde und mit einer Tochter zurückblieb, die ihren Vorstellungen und Wünschen in nichts entsprach. Meine Mutter hatte so wenig von sich preisgegeben, dass ich sie eigentlich gar nicht richtig kannte. Darüber hinaus wusste ich nicht, wie es ihr ging. Vielleicht war sie längst tot, vielleicht vegetierte sie schwer krank irgendwo dahin. Vielleicht waren meine Karten ihr einziger Halt. Vielleicht waren sie ihr aber auch völlig gleichgültig.

Ich schwor mir, ihr sofort zu schreiben, sollte ich das hier überleben. Ihr mitzuteilen, wo ich war, und sie zu fragen, ob wir einander sehen könnten. Es war seltsam, aber während ich mich Stück um Stück nach oben schob, es krampfhaft vermied, nach unten zu blicken, mit zusammengebissenen Zähnen meine Schmerzen und meine wachsende Kraftlosigkeit zu ignorieren suchte, hielt ich mich an meiner Mutter fest. Ich hatte mich immer bemüht, nicht an sie zu denken, fünfzehn Jahre lang, weil es unweigerlich wütende und böse Gedanken wurden, wenn ich es doch tat. Mir fielen zu viele Kränkungen ein, die sie mir zugefügt hatte, und zu viele Momente, in denen sie mich zurückgewiesen und meinen Bedürfnissen nicht das geringste Verständnis entgegengebracht hatte. Ich hatte ihr die Karten geschrieben und damit mein Gewissen beruhigt und ansonsten jeden weiteren Gedanken an sie sofort verscheucht.

An dieser verdammten Steilwand klebend, verletzt, entkräftet und von geringer Hoffnung, jemals oben anzukommen, wusste ich jedoch instinktiv, dass ich mich gedanklich mit irgendetwas beschäftigen musste, weil ich abstürzen würde, wenn ich mich zu sehr auf die Realität einließ. Die Realität war, dass ich keinerlei Erfahrung im Klettern hatte, dass dies meine erste Klippenbesteigung war, dass unter mir das Meer wütend gegen die Küste donnerte, dass Windböen an mir zerrten. Wenn ich es diesen Tatsachen erlaubte, Kontrolle über mein Denken zu erlangen, würde ich den Halt verlieren. Dass ich auf der Suche nach einer Ausweichthematik ausgerechnet bei meiner Mutter gelandet war, konnte kein Zufall sein: Man mochte gegen sie sagen, was man wollte, aber sie war meine Mutter. Auf ihre Art hatte sie für mich gesorgt, hatte mich großgezogen, hatte hart gearbeitet, um uns beide zu ernähren und mir wenigstens gelegentlich einen Wunsch erfüllen zu können – neue Buntstifte oder ein Buch, später dann eine angesagte Jeans oder ein Paar Schuhe, das mich begeisterte. Sie hatte die Wirkung solcher Geschenke immer dadurch verdorben, dass sie mir zwar die Geldscheine über den Tisch schob, gleichzeitig aber meine Gier und meine Genusssucht in harten Worten angriff. Trotzdem, irgendwie war es ihr wichtig gewesen, dass ich nicht zu sehr hinter den anderen Kindern oder Teenagern zurückstand. Vielleicht, um unsere Armut nicht zu offensichtlich werden zu lassen. Vielleicht hatte es aber auch irgendwo in ihrem Herzen einen Winkel gegeben, der sich freute, meine Augen aufleuchten zu sehen.

Vielleicht.

Auf jeden Fall suchte ich in dieser extremen Situation Hilfe bei ihr, und sei es nur, indem ich sie und mich und unsere Beziehung analysierte und Pläne für unser Wiedersehen schmiedete. Ich schien trotz allem Vertrauen in sie zu haben. Das Vertrauen, dass mich die Gedanken an sie nach oben bringen würden.

Gelegentlich trat ich kleine Steine los, die dann hinunterrollten. Jedes Mal brach mir der Schweiß sofort am ganzen Körper aus, ich hielt inne und presste mich, so eng ich konnte, gegen den Fels. Auch die Innenflächen meiner Hände wurden nass, und ich musste warten, bis sie halbwegs trocken waren, ehe ich nach dem nächsten Halt tastete, um den ich meine Finger schließen konnte. Tatsächlich gab es immer etwas, einen Vorsprung, eine Felsnase, einen schmalen Absatz, auf dem meine Füße Platz fanden.

Schließlich kam ich in einer Mulde zu stehen, die sich ziemlich breit und tief in der Wand gebildet hatte und sogar mit Moos ausgekleidet war, und ich fühlte mich sicher genug, einen Blick hinunterzuwerfen, um zu sehen, wie weit ich schon gekommen war. Mir wurde sofort dermaßen schwindelig, dass ich mein verbliebenes funktionstüchtiges Auge schließen und einen Anfall wildesten Herzrasens über mich ergehen lassen musste. Aber ich hatte herausgefunden, dass ich tatsächlich eine große Strecke zurückgelegt hatte. An diesem Punkt würde mich die Flut längst nicht mehr erreichen, allerdings konnte ich dennoch nicht hier stehen bleiben. Mein Hauptproblem war, dass meine körperlichen Kräfte rasant abnahmen. Ich war dehydriert und durch die Verletzung, die Ken mir zugefügt hatte, zusätzlich geschwächt. Ich hatte kurz überlegt, hier in dieser Mulde zu verharren, bis die Ebbe kam, mich dann wieder langsam nach unten zu arbeiten und zu versuchen, über die *Treppe* den gesamten Anstieg zu bewältigen. Aber es würde viele Stunden dauern, bis der Strand unten wieder begehbar wäre, und ich fürchtete, dass ich diese Zeit nicht überstehen würde.

Ich wagte einen Blick nach oben. Es waren nur noch ein

paar Meter, die mich vom Rand der Klippen trennten, jedoch würde dieses letzte Stück am schwierigsten werden. Die Felswand wölbte sich nach innen, ehe sie sich schwungvoll wieder nach außen schob und zum Klippenrand wurde. Sie war stark zerklüftet, stärker als auf der gesamten bisherigen Strecke, bot also gute Möglichkeiten für Füße und Hände. Würde mich aber zwingen, sekunden- oder minutenlang praktisch mit dem Rücken nach unten über dem Abgrund zu hängen, ehe ich es hoffentlich schaffte, mich über den Rand nach oben zu ziehen. Wobei ich oben nichts haben würde, woran ich mich festhalten konnte. Ein Grasbüschel vielleicht.

Das aller Wahrscheinlichkeit nach mein Gewicht nicht würde halten können.

Der Schweißausbruch überschwemmte diesmal auch mein Gesicht, überzog meine Haut mit einem feinen kalten Film.

Das schaffe ich nicht. Das kann ich nicht schaffen.

Ich schaute hinüber zur *Treppe*. Wenn mir hier oben gelang, was unten nicht zu machen gewesen war, nämlich die Stufen zu erreichen, konnte ich vergleichsweise komfortabel das letzte Stück zurücklegen. Es war gewagt, aber wahrscheinlich etwas weniger riskant als die andere Option.

Gut, Jenna, okay, verliere jetzt bloß nicht die Nerven. Du bist ganz schön gut gewesen bisher. Verdammt gut. Du schaffst auch den Rest.

Genau in diesem Moment nahm ich es wahr. Für den Bruchteil einer Sekunde, so kurz, dass ich gleich darauf schon glaubte, einer Einbildung erlegen zu sein: Zigarettenrauch. In dem eigentlich alles andere überlagernden Geruch nach Meerwasser und Algen, nach Feuchtigkeit und Salz glaubte ich, den Rauch einer Zigarette zu riechen.

Quatsch. Denk gar nicht darüber nach. Das hast du geträumt.

Im nächsten Moment flog sie direkt an mir vorbei. Eine Zigarette. Eine Kippe eigentlich, noch glühend. Sie hätte mich fast getroffen, verfehlte mich aber und verschwand Richtung Meer.

Diesmal wusste ich, dass ich mich nicht getäuscht hatte.

Da oben stand jemand.

Jemand, der eine Zigarette geraucht hatte.

Mein allererstes spontanes Gefühl war unbändige Erleichterung. Ein Wanderer, der mir helfen würde. Ich war nicht mehr allein in dieser Einöde und in dieser grauenhaften Situation. Da oben war ein *Mensch*. Der Hilfe holen konnte, die Feuerwehr, die Polizei, die Seewacht, wen auch immer.

Ich öffnete bereits den Mund, um laut schreiend auf mich aufmerksam zu machen. Im letzten Moment klappte ich ihn wieder zu. Ein Instinkt, das fast überwältigende Gefühl einer plötzlichen Gefahr stoppte mich.

Was, wenn es Ken war?

Ken, der auf Nummer sicher gehen wollte. Dem es nicht gereicht hatte, mich niederzuschlagen und in der Höhle liegen zu lassen. Der sich vergewisserte, dass ich ihm wirklich nicht mehr gefährlich werden konnte.

Ken, der dort oben wartete, bis die Höhle vollständig geflutet war, und der kontrollierte, dass ich es nicht irgendwie bis zur *Treppe* geschafft hatte. Wenn es so war, dann konnte ich Gott danken, dass mir der Weg über die Treppe verwehrt geblieben war. Dort hätte er mich längst gesehen, und er hätte Gegenmaßnahmen ergriffen. Wäre mir entgegengekommen und hätte mich mit einem gezielten Tritt nach unten befördert. Völlig am Ende meiner Kräfte, wie ich war, hätte ich ihm nichts entgegenzusetzen gehabt.

Ich konnte es nicht riskieren, einen Laut von mir zu geben. Grauen überkam mich bei der Vorstellung, ich wäre arglos weiter nach oben geklettert und plötzlich in sein Sichtfeld geraten. Hier, wo ich mich gerade befand, konnte er mich nur schwer entdecken, er hätte sich sehr weit über den Klippenrand nach vorn lehnen müssen. Wahrscheinlich aber vermutete er mich gar nicht an dieser Stelle. Er behielt die *Treppe* im Auge.

Wie lange würde er das tun?

Nicht ewig, so viel war klar. Er musste weg. Allerdings war ihm im Augenblick noch niemand wirklich auf der Spur. Garrett war der einzige Mensch, der wusste, dass ich zu ihm gefahren war, und er würde zwar wütend sein, weil wir ihm sein Auto so lange vorenthielten, aber er würde kein Verbrechen vermuten, dessentwegen er sich an die Polizei wenden würde.

Blieben die Kinder. Was hatte Ken mit ihnen gemacht? Konnten sie zu einer Gefahr für ihn werden? Ich konnte es nur hoffen.

Vielleicht hatte er die Kippe weggeworfen und sich dann zum Gehen gewandt.

Vielleicht stand er aber auch noch dort.

Das Tosen der Brandung war so laut, dass ich nichts hören würde, wahrscheinlich nicht einmal, wenn er niesen musste oder hustete.

Ich würde es auch nicht hören, wenn das Auto startete. Dafür stand es zu weit weg.

Starr vor Angst und Grauen kauerte ich mich in die winzige moosbewachsene Kuhle. Ich zitterte am ganzen Körper, aus Furcht, aus Schwäche und vor Kälte. Wie lange sollte ich warten?

Wie lange würde *er* warten?

19

Bran Davies hatte eine Abneigung gegen Fremde, die in die Cardigan Bay kamen, überall herumtrampelten, laut waren und, am allerschlimmsten, Coladosen oder Zigarettenkippen irgendwohin in der Gegend entsorgten. Seine Frau sagte ihm oft, er solle nicht so viel schimpfen und meckern, denn viele ihrer Nachbarn lebten vom Tourismus, arbeiteten entweder in Hotels oder vermieteten Zimmer an Reisende. Trotzdem, Bran stand ihnen misstrauisch gegenüber. Er fand, dass die Menschen insgesamt Stil, gutes Benehmen und den Sinn für angemessenes Verhalten verloren, und er würde nicht aufhören, ihnen zu misstrauen. Egal, was seine Frau sagte.

Er hatte den Mann schon von Weitem gesehen, und er gefiel ihm nicht. Das war nichts Ungewöhnliches, da ihm tatsächlich die meisten Menschen nicht gefielen, aber dieser Typ löste ein Gefühl in ihm aus, das über seine übliche Aversion gegen Fremde hinausging. Er hatte etwas an sich … Bran hätte, wäre er sich nicht lächerlich vorgekommen, gesagt: Er hatte etwas Gefährliches an sich. Zumindest etwas Unheimliches.

Er stand seit geraumer Zeit ziemlich weit vorn an den Klippen, trotzte dem starken Wind und rauchte in hektischen Zügen. Soweit Bran das erkennen konnte, wirkte er ziemlich abgemagert, *abgerissen* fast, schlampig gekleidet, irgendwie schmuddelig. Er starrte auf einen Punkt, der sich unterhalb von ihm befinden musste. Es war etwas Merkwürdiges an seiner Haltung und an seinem Benehmen, aber Bran hätte nicht genau benennen können, woran das lag. Es standen oft Menschen an den Klippen, Wanderer, die über das Meer schauten, häufig in der Hoffnung, Wale zu entdecken, die manchmal weiter draußen vorbeizogen. Touristen ruhten sich auf dem Hochplateau aus, warteten, dass die Ebbe kam und sie hinuntersteigen und schwimmen konnten. Bran hatte schon Gruppen gesehen, die da vorn picknickten, und natürlich war er, als sie verschwunden waren, zu der Stelle gegangen und hatte argwöhnisch kontrolliert, ob sie Essensreste, Plastiktüten, Bierdosen und Pappteller einfach ins Gras geworfen hatten. Mehr als einmal war das vorgekommen. Er fragte sich, was solche Leute in ihrer Kindheit eigentlich gelernt hatten.

Aber dieser Mann ... Das war kein Wanderer. Er hoffte auch nicht, Wale zu sehen. Er genoss nicht das Schauspiel der herandonnernden Flut, das Farbenspiel des Wassers oder überhaupt die Weite und Großartigkeit der Natur ringsum. Selbst auf die Entfernung kam es Bran vor, als könne er seine Anspannung, seine Nervosität spüren. Der Kerl war total durch den Wind, weshalb auch immer. Und wieso glotzte er so beharrlich nach unten?

Er warf seine Kippe über den Klippenrand, zündete sich die nächste Zigarette an, was ihm erst nach mehreren Anläufen gelang. Wegen des Windes, aber auch weil seine Hände zitterten. Bran meinte das jedenfalls zu erkennen.

»Mit dem stimmt irgendetwas nicht«, sagte er zu Robby, seinem braunweiß gescheckten Jagdhund, der neben ihm saß und ihn aufmerksam anblickte. »Hoffentlich plant der nicht den Abflug!«

Robby wedelte mit dem Schwanz.

Einen Selbstmörder hatte Bran noch nie auf den Klippen gesehen, daher wusste er nicht, wie ein solcher sich wohl verhalten würde. Vermutlich *seltsam*. So wie dieser Mann.

Bran beschloss, sich näher an ihn heranzuwagen.

In einiger Entfernung hatte er ein geparktes Auto entdeckt, einfach mitten auf dem Wiesenweg abgestellt. Gehörte vielleicht diesem Sonderling.

Robby hob den Kopf und bellte. Der Mann an den Klippen zuckte zusammen und sah sich um. Er hatte offenbar bis zu diesem Moment nicht bemerkt, dass er nicht völlig allein hier draußen war. Er starrte Bran an, dann warf er seine eben erst angezündete Zigarette über den Klippenrand und wandte sich um. Bran fühlte sich bestätigt, dass mit diesem Kerl etwas faul war. Warum sonst verließ er die Klippen fast fluchtartig, nur weil er in einiger Entfernung einen alten Mann mit seinem Hund kommen sah?

Er sah ihn in Richtung Auto davongehen. Aha, er hatte sich nicht getäuscht. Der Typ war hierhergefahren und wahrscheinlich nicht nur deshalb, um dann eine halbe Stunde lang an den Klippen zu stehen, zu rauchen und wie gebannt nach unten zu starren. Etwas musste ihn dort sehr beschäftigt haben ... Bran wartete, bis er sah, dass das Auto wendete und losfuhr. In ziemlich überhöhter Geschwindigkeit. Der Fremde hatte es plötzlich verdammt eilig, hier wegzukommen.

Bran begab sich neugierig zu der Stelle, wo der Mann gestanden hatte. Er kannte sich hier aus wie in seiner Westentasche, denn er hatte sein ganzes Leben in Cardigan verbracht, und er war jeden Tag bei Wind und Wetter mit seinen verschiedenen Hunden über die Hochebene gestreift. Er wusste, dass es hier eine Abstiegsmöglichkeit gab und dass man unten eine kleine Bucht vorfand, in der man auch baden konnte. Als Junge und junger Mann hatte er das manchmal getan. Jetzt würde er seinen steifen Knochen den steilen Ab- und Aufstieg nicht mehr zumuten.

Er trat an den Rand der Klippe. Robby blieb dicht neben ihm. Seine Nackenhaare sträubten sich. Er knurrte leise.

»Ruhig. Sei ganz ruhig! Was hast du denn?« Vielleicht

mochte der Hund die Witterung des Fremden nicht. Er
war ja auch wirklich richtig unheimlich gewesen.

Bran betrachtete die steinernen Stufen, die nach unten
führten. Er konnte nichts entdecken, was die Aufmerksamkeit des seltsamen Mannes so gefesselt haben sollte. Felsen.
Ein paar Blumen, die dazwischen wuchsen. Moos, das sich
in die Spalten schmiegte. Unten das Meer. Die Flut hatte
ihren Höhepunkt erreicht. Die Gischt spritzte in gelblichen
Fontänen nach oben. Das Wasser hatte die graue Farbe des
wolkigen Himmels.

Er beugte sich etwas weiter vor. Von dem Sandstreifen
unten war erwartungsgemäß nichts zu sehen.

Robby knurrte wieder, dann begann er zu bellen. Bran
kannte ihn lange genug, um zu wissen, dass er nie ohne
Grund bellte.

»Schon gut, Robby. Dich stört hier irgendetwas, ja?«

Der Hund bellte lauter. Er schien äußerst erregt. Sein
Schwanz ging wild hin und her.

Bran beugte sich noch weiter über den Klippenrand, so
weit er es sich erlauben konnte, ohne zu riskieren, dass er
abstürzte. Die Felsen schoben sich hier ziemlich weit nach
vorn, ehe sie sich zurückbildeten und als Steilwand hinunter in die kleine Bucht stürzten. An dieser Stelle war es
unmöglich, hinabzusteigen. Jeder Versuch wäre lebensge-
fährlich gewesen.

Er meinte plötzlich, etwas zu sehen. Etwas Rotes, das
er sich nicht erklären konnte. Irgendetwas war da unten
an der Steilwand. Er legte sich kurz entschlossen flach auf
den Boden und neigte sich dann erneut über den Klippenrand. Diese Haltung erlaubte es ihm, sich weiter nach vorn
zu schieben, als er es stehend hätte verantworten können.
Robby bellte inzwischen unaufhörlich.

»Das gibt es doch nicht!« Bran meinte, seinen Augen

nicht trauen zu können. Er sah eine Frau. Eine Frau in Jeans und rotem T-Shirt. Sie kauerte auf einem winzigen Vorsprung, auf dem sie wahrscheinlich nur deshalb Halt fand, weil sich in seiner Mitte eine Vertiefung befand, in der sie ihre Füße hatte unterbringen können. Sie presste sich eng gegen den Felsen. Sie starrte zu ihm herauf.

Wie, um Himmels willen, war sie *an diese Stelle* gekommen?

»Ma'm?«, rief er, und weil ihm nichts anderes einfiel, fügte er hinzu: »Sind Sie in Ordnung?«

Sie antwortete nicht, aber er meinte zu erkennen, dass sie nickte. Hatte der unheimliche Kerl sie vorhin hinabgestoßen? Bran wusste allerdings nicht, wie sie es dann hätte schaffen sollen, auf diesem winzigen Vorsprung aufzukommen.

Vorsichtig wandte er den Kopf. Der Kerl war womöglich hochgefährlich, und er mochte nicht plötzlich hinterrücks von ihm überrascht werden.

Aber weit und breit war niemand zu sehen.

Bran wandte sich wieder der Frau zu. »Ich helfe Ihnen nach oben!«, rief er. Ihm war nur noch nicht klar, wie das funktionieren sollte. Er hatte kein Handy, weil er diesen *neumodischen Mist* ablehnte. Er konnte also keine Rettung herbeitelefonieren.

»Ich werde Hilfe holen!«, rief er. »Ich bräuchte etwa dreißig Minuten bis Cardigan. Halten Sie so lange durch?«

»Nein.« Zum ersten Mal hörte er jetzt ihre Stimme. Sie klang schwach. »Nein. Bitte helfen Sie mir. Ich habe kaum noch Kraft.«

»Okay. Okay!« Er zog sich zurück und wischte sich den Schweiß von der Stirn. Robby hatte aufgehört zu bellen. Er saß im Gras und schaute Bran erwartungsvoll an.

Er stand auf und ging hinüber zu den Stufen. Die einzige Möglichkeit, die er sah, die Frau zu befreien, war, ein Stück weit die Stufen hinunterzusteigen, bis er sich mit ihr auf einer Höhe befand. Dann musste sie versuchen, sich zu ihm herüberzuhangeln. Auf halber Strecke würde sie dann hoffentlich seine ausgestreckte Hand ergreifen können. Es war gefährlich, schien ihm aber weniger riskant, als wenn er sie ermuntern würde, weiter nach oben zu steigen, um dann von ihm über den weit nach vorn ragenden Vorsprung gezogen zu werden. Dabei stürzten sie wahrscheinlich beide ab.

Für sein Alter, fand er, kam er noch ganz gut nach unten. Natürlich war es von Vorteil, dass er früher hier so oft geklettert war. Er blieb auf einem breiten, trittfesten Felsen stehen. Er befand sich jetzt auf derselben Höhe wie die Frau.

Sie erkannte, was er vorhatte, und richtete sich auf. Er konnte sie nun besser erkennen: Sie zitterte am ganzen Körper, ihre Kleidung schien klatschnass zu sein, und irgendetwas war mit ihrem Gesicht passiert. Sie hatte ein komplett zugeschwollenes Auge, angeschwollene Wangen. An ihrer Nase klebte Blut.

»Sind Sie von unten hochgeklettert?«, fragte er.

Sie nickte.

Bran blickte schaudernd auf die Strecke, die sie überwunden haben musste. Diese Frau hatte zweifellos mehr als einen Schutzengel.

»Bleiben Sie ganz ruhig«, sagte er. »Versuchen Sie, sich jetzt langsam in meine Richtung zu bewegen. Nur ein paar Schritte, dann kann ich Sie greifen.«

Sie wandte den Blick wieder nach oben. »Ist er weg?«

Sie meinte den unheimlichen Kerl. »Der ist mit dem Auto weggefahren. Und unbemerkt kommt er nicht zurück, keine Sorge. Da oben sitzt mein Hund. Er hat Sie entdeckt, und er wird uns auch warnen, falls Ihr Mann wieder auftaucht.«

»Er ist nicht mein Mann«, erklärte sie. Sie drehte ihren Körper mit der Bauchseite zum Felsen und begann sich sehr vorsichtig zu bewegen. Es fiel ihr sichtlich schwer, den Vorsprung, der ihr ein Mindestmaß an Sicherheit gegeben hatte, zu verlassen, aber sie überwand sich. Vorsichtig mit den Füßen nach dem jeweils nächsten Halt tastend, schob sie sich millimeterweise auf Bran zu.

Er streckte den Arm aus. »Wenn Sie meine Hand greifen können, halten Sie sich bitte trotzdem weiterhin an der Felswand fest«, warnte er, »sonst fallen wir beide. Verstanden?«

Sie nickte. Sie war jetzt dicht genug an ihm dran, dass er sehen konnte, wie verheerend sie zugerichtet war. Lieber Himmel! Entweder war sie mit dem Gesicht auf einen Felsen gekracht. Oder der Typ, der ihr nach dem Leben trachtete, hatte sie übel zusammengeschlagen.

»Hier ist meine Hand. Sie können sie jetzt fassen.«

Sie brauchte einen Moment, ehe sie es wagte, ihre linke Hand von der Felswand zu nehmen. Mit der rechten krallte sie sich weiterhin fest. Bran spürte ihre eiskalten Finger. Die Frau musste vollständig ausgekühlt sein.

»Sie machen das großartig«, lobte er. »Nur noch ein ganz kleines Stück. Sie sind nicht mehr allein. Ich habe Sie schon.«

Sie erreichte die Stufe, auf der er stand, und sank zitternd in die Knie. Zum Glück hatte er damit gerechnet, dass ihre Kräfte in dem Moment, da sie halbwegs sicheren Boden unter den Füßen hatte, versiegen würden, und war gewappnet, ihr ganzes Gewicht abfangen zu müssen. Er hielt sie eisern fest, und sie kam auf der Stufe gleich neben ihm zu sitzen. Sie zitterte so, wie er noch nie einen Menschen hatte zittern sehen.

Unbeholfen strich er ihr über die Haare. »Das war großartig. Ganz großartig. Sie sind in Sicherheit. Wir müssen jetzt noch ein Stück nach oben, aber das wird ein Kinderspiel.«

Sie wollte etwas sagen, aber sie brachte keinen Ton heraus. Sie barg ihr zerschundenes Gesicht in beiden Händen und konnte nicht aufhören zu zittern.

»Wir haben Zeit«, sagte er. Er zog seine Jacke aus und hängte sie ihr über die Schultern. Die Frau brauchte warme Decken und heißen Tee und einen Arzt. Aber zuerst musste sie wieder einigermaßen auf beiden Beinen stehen können.

Er kauerte sich neben sie. »Wie heißen Sie?«

»Jenna.«

»Jenna, Sie haben Unfassbares geleistet. Ruhen Sie sich jetzt aus. Wenn Sie nicht mehr so zittern, steigen wir den Rest hinauf. Okay?«

Er versuchte, ihr so viel Ruhe zu vermitteln, wie er nur konnte. Ruhe brauchte sie fürs Erste mehr als alles andere.

Robby spähte zu ihnen hinunter und wedelte mit dem Schwanz.

Ein brillanter Hund. Ohne sein beharrliches Bellen hätte er die Frau nicht entdeckt. Und er war auch stolz auf sich: Seine Menschenkenntnis hatte ihn nicht getrogen.

Mit dem Kerl hatte etwas ganz und gar nicht gestimmt.

20

Wir gingen in meine Wohnung, weil Matthew der Anteilnahme seiner Nachbarn daheim unbedingt ausweichen wollte. Wir waren ein seltsames Trio: Matthew, Garrett und ich. Die Männer in schwarzen Anzügen, ich in dem unpassenden schwarzen Kleid, das nun schon zum zweiten Mal innerhalb kurzer Zeit für einen traurigen Anlass herhalten musste, das ich aber diesmal mit einem adretten Blazer darüber etwas tauglicher gestaltet hatte. Wir waren bei der Trauerfeier gewesen, die die Universität für Vanessa veranstaltet hatte, aber wir hatten uns noch vor dem offiziellen Ende davongestohlen. Matthew hatte den Gottesdienst und die vielen Reden, die im Anschluss daran gehalten wurden, zwar durchgestanden, aber er mochte hinterher mit niemandem mehr sprechen. Er spürte im Verhalten vieler Menschen, die während der vergangenen Tage seine Nähe gesucht hatten, eine gute Portion Voyeurismus, und das machte ihn rasend. Teilweise lag er damit richtig, es gab tatsächlich Menschen, die offenbar ein prickelndes Grauen genossen, während sie mit dem Mann einer auf so grausame Weise ums Leben gekommenen Frau sprachen, und einige hatten sogar versucht, noch ein paar schaurige Details von ihm zu erfragen. Viele aber waren meiner Ansicht nach aufrichtig erschüttert und wollten ihn ihrer Anteilnahme versichern, und es tat mir leid, wenn er sie schroff zurückwies. Sicher war es die beste Entscheidung, wenn er zunächst allem und jedem aus dem Weg ging. Wir hatten beschlossen, am Tag nach der Trauerfeier wegzufahren, ziellos irgendwohin, und dann in der tiefsten Einöde, die wir würden finden können, zehn Tage zu verbringen. Nur Matthew, ich und Max. Matthew hatte Urlaub genommen, und ich war noch krankgeschrieben, hatte aber sowieso vor, bei *Healthcare* zu kündigen. Was sollte ich dort noch ohne Alexia? Außerdem stand mein Plan fest: Ich würde im Herbst ein Studium beginnen.

Garrett würde endlich nach Brighton zurückkehren. Er war die ganze Zeit über in Swansea geblieben, ohne einen richtigen Grund dafür benennen zu können außer dem, dass er vorhatte, an der Trauerfeier für die ihm völlig unbekannte Vanessa Willard teilzunehmen. Ich mutmaßte, dass er sich in Wahrheit einfach noch ein wenig in seinem Ruhm sonnen wollte. Er war der Held des Tages, weil er beherzt in ein fremdes Haus eingedrungen war und vier Kinder vor dem sicheren Tod gerettet hatte – so stellte er es jedenfalls dar, und mit der Zeit glaubte es jeder, obwohl die drei Ältesten laut Aussage der Ärzte überlebt hätten. Ken hatte ihnen allen eine hohe Dosis Schlafmittel in ihr Frühstück gemischt, um einen komfortablen Vorsprung für seine Flucht zu haben, und die kleine Siana wäre tatsächlich daran gestorben, hätte sie nicht schnelle Hilfe erhalten. Garrett gab Zeitungsinterviews und ließ sich fotografieren. Während wir anderen geschockt und noch ziemlich desorientiert versuchten, die Geschehnisse der letzten Wochen zu verarbeiten, schwebte er auf Wolken, auch wenn er sich bemühte, diesen Umstand zu verbergen. Ich schaffte es nicht, ihm deswegen böse zu sein. Garrett war eben Garrett. Er blieb sich in jeder Lebenslage treu.

»Ich weiß nicht, wie es euch geht«, sagte er, als wir meine Wohnung betraten und von Max, den wir dort am Morgen bereits hingebracht hatten, so heftig begrüßt wurden, als seien wir Monate fort gewesen, »aber ich brauche jetzt einen doppelten Whisky.«

Es war mitten am Tag, aber weder Matthew noch ich widersprachen. Die Trauerfeier hatte uns ziemlich geschafft. Matthew war kreideweiß im Gesicht. Ich hoffte, der Whisky würde wenigstens einen Hauch von Farbe auf seine Wangen zaubern.

Ich nahm meine riesige Sonnenbrille ab, hinter der ich mein noch immer verschwollenes Gesicht und mein inzwischen in allen Farben schillerndes Auge verborgen hatte.

Ich sah auch eine knappe Woche danach wirklich übel aus, aber zum Glück war das linke Auge, das ich zunächst überhaupt nicht mehr hatte öffnen können, nicht im Inneren geschädigt worden. Meine Blessuren würden alle verheilen, ich lebte, ich war gesund. Das war ein Wunder, wie mir mein Retter Bran Davies an jenem furchtbaren Tag immer wieder versichert hatte, ein absolutes Wunder.

Ich trat hinter meine Küchentheke, nahm drei Gläser aus dem Schrank, gab Eiswürfel hinein und schenkte großzügig den Whisky aus. Matthews Handy klingelte, er nahm den Anruf an und verschwand im Schlafzimmer. Er telefonierte nicht gern in Anwesenheit anderer, das kannte ich schon an ihm.

Garrett kam an die Theke, nahm sein Glas in die Hand, schwenkte die Eiswürfel herum. »Und?«, fragte er.

»Was meinst du?«, fragte ich zurück.

»Du bist also wild entschlossen, dein weiteres Leben mit ihm«, er machte eine Kopfbewegung in Richtung Schlafzimmer, »zu verbringen? Ohne Wenn und Aber?«

Er gab nicht auf. Ich lächelte. »Keine Ahnung, was aus uns wird«, sagte ich, »aber jetzt fahren wir erst einmal zusammen weg. Im Herbst beginne ich mein Studium. Ich werde mir eine billigere Unterkunft suchen. Er wird sein Haus verkaufen. Und wir werden sehen, wie wir beide miteinander und mit den neuen Umständen zurechtkommen.«

Ich war keineswegs so vernünftig und kühl, wie ich mich gab, aber Garrett war der Letzte, dem ich meine wahren Gefühle offenbart hätte. Ich wusste, es konnte sein, dass Matthew und ich einander erneut verloren. Vanessas Schicksal war geklärt, aber auf seine jahrelangen Fragen hatte Matthew nun Antworten bekommen, die kaum zu ertragen waren, die schwer zu verarbeiten sein würden. Dass es ihm psychisch sehr schlecht ging, war nicht zu übersehen. Er hatte mir nichts von seinem Aufenthalt an dem Ort, an dem Vanessa gestorben war, erzählt, hatte nur gesagt, dass er tatsächlich dort gewesen war. Ich hatte sofort gespürt, dass ich nicht fragen und drängen durfte. Aber genau das bereitete mir Sorgen: Er kapselte sich ab. Er versuchte, die Dinge mit sich allein auszumachen. Das konnte funktionieren und ihn irgendwann seinen Frieden finden lassen. Es konnte ihn aber auch einfach nur noch weiter allen Menschen und vor allem mir entfremden.

»Er ist schwer traumatisiert«, sagte Garrett, »und wahrscheinlich auf absehbare Zeit kaum beziehungsfähig.«

»Garrett«, sagte ich mit Nachdruck, »das ist *mein* Problem. Nicht *deines*.«

Er hob beschwichtigend die Hände. »Schon gut!«

Wir tranken unseren Whisky. Ich genoss das Gefühl, das sich langsam in mir ausbreitete: Alles verschwamm ein wenig, die Gedanken wurden unschärfer, die Probleme rückten ein Stück in den Hintergrund. Zum Glück, denn so vieles bedrängte mich, vor allem auch das Schicksal von Alexias Kindern. Vier Kinder, deren Mutter tot war, deren Vater für viele Jahre im Gefängnis sitzen würde. Soweit ich wusste, gab es keine anderen Angehörigen, also würden sie in staatliche Fürsorge kommen. Das bedeutete ein Leben in einem Heim; wenn sie Glück hatten, die Aufnahme in eine – hoffentlich liebevolle – Pflegefamilie.

Ken war am zweiten Tag nach seiner Flucht verhaftet worden. In Weymouth hatte er versucht, auf die Fähre nach Guernsey zu kommen, von dort wollte er weiter nach Frankreich. Er ließ sich widerstandslos festnehmen und saß nun in Untersuchungshaft. Er musste mit einer Verurteilung zu mindestens fünfzehn Jahren Gefängnis rechnen, vielleicht würde er bei guter Führung etwas eher entlassen werden. Bei dem Gedanken, dass Alexias Mörder und mein

Peiniger schwer bestraft werden würde, konnte ich keine Genugtuung empfinden. Dafür war es zu schrecklich und zu quälend, was aus dieser zumindest scheinbar einst glücklichen Familie geworden war.

»Tja«, sagte Garrett, »dann werde ich also erst einmal nach Brighton zurückkehren. Wir bleiben aber in Kontakt, ja?«

»Natürlich«, versicherte ich.

Matthew kam aus dem Schlafzimmer. »Das war Detective Inspector Morgan. Sie haben Alexia gefunden.«

Ich musste schlucken.

»In dem Steinbruch?«, fragte ich.

Er nickte. »Ken konnte ja nur sehr vage Angaben über den Ort machen, aber gestern Abend haben sie sie endlich gefunden. Es war alles so, wie Ken es beschrieben hatte.«

»Auf Alexia«, sagte Garrett und hob sein Glas.

Alexia. Meine beste Freundin. Ich würde immer so an sie denken: als an eine Freundin. Auch wenn Kens Behauptung womöglich stimmte und sie mich am Ende gehasst hatte. Alexia war am Leben zerbrochen. Vielleicht vor allem an den Anforderungen, die sie an sich selbst stellte.

»Gibt es etwas Neues von Ryan Lee?«, fragte ich.

Matthew schüttelte den Kopf. »Er ist immer noch im Krankenhaus. Kommt aber wieder auf die Beine. Inspector Morgan lässt es mich rechtzeitig wissen, wann der Prozess gegen ihn beginnt.«

Matthew wollte dem Prozess unbedingt beiwohnen. Er wollte Lee sehen. Er wollte hören, was er zu sagen hatte. Ich konnte das verstehen, aber es würde erneut eine schwere Zeit werden.

Garrett schenkte sich noch einmal nach und leerte schwungvoll das zweite Glas. »Also, ich breche dann auf!«, verkündete er. Natürlich hatte er eindeutig zu viel getrunken, um Auto zu fahren, aber ich kannte ihn: Er würde es trotzdem tun.

»Du solltest nicht fahren«, sagte ich dennoch pflichtschuldig, aber er lachte nur. Seitdem er offiziell ein Held war, schien er sich noch weniger angreifbar zu fühlen als vorher.

»Und ihr beide zieht euch also dann morgen von der Welt zurück?«, vergewisserte er sich, und aus seinem Mund hörte es sich fast so an, als planten wir irgendetwas Obszönes. Garrett hätte in keiner Lebenslage Stille und Abgeschiedenheit gesucht.

»Ja«, sagten Matthew und ich im Chor, und dann, zum ersten Mal seit Tagen, grinste Matthew schwach und wies mit seinem Glas in meine Richtung. »Schauen Sie sie an! So wie sie im Moment aussieht, kann man mit dieser Frau nur in die tiefste Einsamkeit flüchten.«

Auch ich versuchte ein Grinsen. Es geriet ziemlich schief. Mein Gesicht schmerzte einfach noch zu sehr.

Matthew, Max und ich brachten Garrett zu seinem Auto. Er nahm mich zum Abschied in die Arme, und ich konnte spüren, dass sich wirklich etwas verändert hatte: Ich mochte ihn. Er war ein guter Freund. Ich wünschte mir, ihn ein Leben lang als Freund zu behalten. Alles Quälende, was früher zwischen uns gewesen war, hatte sich in Luft aufgelöst. Es gab keine Bitterkeit mehr. Es klang für mich selbst theatralisch, aber ich hatte ihm vergeben. Wirklich und aus freiem Herzen. Deshalb konnten wir jetzt tatsächlich Freunde werden.

Die beiden Männer verabschiedeten sich relativ kurz und kühl voneinander. Dann stieg Garrett in sein Auto. Ich winkte ihm, bis er an der nächsten Straßenecke verschwunden war. Matthew wartete unterdessen an der Haustür auf mich. Max buddelte im Vorgarten ein Loch.

»Kommst du?«, fragte Matthew.

Ich nickte. Gedankenverloren schaute ich in meinen Briefkasten, der neben der Tür hing. Ich zog den Brief heraus, der darin steckte, blaues, dünnes Papier, mit einer ziemlich wackeligen, unbeholfenen Schrift bedeckt. Ich riss den Umschlag auf.

Und dann begann ich zu weinen. Ich stand auf den Stufen vor dem Haus, im Licht des sonnigen Tages, und konnte überhaupt nicht mehr aufhören. Die Tränen stürzten nur so aus mir heraus. Ich heulte und heulte. Die Tränen von Jahren.

»Was ist denn? Um Gottes willen, was ist denn?«

Ich vernahm Matthews Stimme wie aus weiter Ferne. Ich spürte, wie sich seine Arme um mich schlossen. »Jenna, was ist denn los?«

Ich konnte kaum sprechen.

»Er ist … er ist von meiner Mutter«, sagte ich schließlich. Ich hatte ihr geschrieben. Gleich am Tag nach meiner Rettung, wie ich es mir an der Felswand geschworen hatte.

»Von deiner Mutter?«

»Sie hat sofort geantwortet. Matthew, sie will mich sehen. Sie will, dass ich sie besuche!«

Er schaute mich verwirrt an.

Ich wischte mir die Tränen ab. »Matthew, könnten wir etwas tun? Bevor wir uns in der Einsamkeit vergraben … Könnten wir über Coventry fahren? Und meine Mutter besuchen? Bitte!«

»Natürlich«, sagte Matthew. »Wir haben ja sowieso kein Ziel. Also fahren wir einfach zunächst zu deiner Mutter.«

Er schien immer noch etwas durcheinander. Mir ging dabei auf, dass ich ihm nie Näheres von meiner Mutter, von der Art unserer Trennung, von der jahrelangen Funkstille zwischen uns erzählt hatte. Eigentlich wusste er wenig über mich.

»Lass uns nach oben gehen«, sagte ich. »Max gräbt sonst

den gesamten Vorgarten um, und der Vermieter wirft mich raus, noch ehe ich etwas anderes gefunden habe.«

Etwas anderes. Ein Zimmer im Studentenwohnheim oder irgendetwas zur Untermiete. Es gab vieles, was ich meiner Mutter erzählen wollte, aber als Erstes würde ich ihr berichten, dass ich mich an der Universität eingeschrieben hatte. Im Augenblick erschien es mir als das Allerwichtigste.

Es war nicht so, dass ich glaubte, zwischen uns würde nun plötzlich die große Harmonie ausbrechen. Meine Mutter war der Mensch, der sie war, wie ich auch, und sobald wir beide uns zusammen in einem Raum aufhielten, war dieser angefüllt mit einer unangenehmen und hochexplosiven Spannung. Es war unwahrscheinlich, dass sich daran etwas geändert hatte, nur weil wir einander viele Jahre lang nicht gesehen hatten, obwohl wir sicher zunächst versuchen würden, sehr höflich und vorsichtig miteinander umzugehen. Trotzdem: Eine Tür, die ich hinter mir zugezogen hatte, öffnete sich wieder, und das fühlte sich gut an.

Und ich war unglaublich gespannt auf das Gesicht meiner Mutter, wenn sie hörte, dass ich endlich mein Leben in Ordnung bringen würde.

21

Sie erkannte Corinne sofort unter all den Menschen, die aus dem Fahrstuhl stiegen und durch die Empfangshalle des Morriston Hospitals Richtung Ausgang strebten. Sie hatte sie auf einem Foto damals in Yorkshire gesehen: eine kleine, freundliche, etwas unscheinbare Frau mit braunen

Haaren. Auf dem Bild allerdings hatte sie gelächelt. Jetzt sah sie sorgenvoll aus, bekümmert. Ihre Schultern waren ein wenig nach vorn gebeugt. Sie trug eine schwere Last, das drückte sich in ihren Schritten, in ihrer Kopfhaltung, in ihren fest zusammengepressten Lippen aus.

Sie stand auf und trat ihr in den Weg. »Mrs. Beecroft?«

Corinne blieb stehen. »Ja?«

Sie hat Ryans Augen, dachte Nora, diese klaren, rein-blauen Augen.

»Ich bin Nora Franklin.«

Fast unmerklich wich Corinne ein Stück zurück. »Oh – Miss Franklin. Ja, ich weiß, wer Sie sind.«

Das klang frostig. Nora seufzte. Sie war verzweifelt, so verzweifelt, dass sie sich fragte, wie sie es bloß schaffte, jeden einzelnen Tag zu überstehen. Abends nach der Arbeit fuhr sie die ganze Strecke von Pembroke Dock nach Morriston in der Hoffnung, mit Ryan sprechen zu können. Vor seiner Zimmertür saß ein Polizist, und wahrscheinlich würde er auch während eines Gesprächs dabei sein, aber das war Nora egal, wenn sie nur eine Chance bekäme, ihm alles zu erklären. Sie hatte den Polizisten bekniet, sie hineinzulassen, aber der hatte sie darauf hingewiesen, dass sie zuerst bei der Staatsan-waltschaft eine Besuchserlaubnis beantragen musste.

»Das ist ein Schwerverbrecher, Madam«, hatte der Be-amte gesagt, und Nora hatte den Eindruck gehabt, er mus-tere sie mitleidig. »Ich an Ihrer Stelle würde …« Er hatte den Satz nicht zu Ende gesprochen und nur etwas wie *geht mich ja nichts an* gemurmelt.

Nora hatte über Inspector Morgan die Genehmigung erwirkt, Ryan besuchen zu dürfen, aber dann war alles an Ryan selbst gescheitert. Der Beamte hatte Nora angekün-digt, war wieder aus dem Zimmer gekommen und hatte den Kopf geschüttelt. »Er will Sie nicht sehen. Tut mir leid.«

Sie hatte mit den Tränen gekämpft. »Akzeptiert er überhaupt Besuch?«

»Mr. Craig ist oft da, sein Anwalt. Und seine Mutter. Sonst hat sich ohnehin niemand gemeldet.«

Es war für Nora immerhin ein Trost zu wissen, dass wenigstens Debbie nicht an seinem Bett saß und seine Hand hielt, aber eigentlich hätte ihr das klar sein müssen. Debbie war weiter gegangen als sie selbst, sie hatte die Kiste in der Höhle geöffnet und auf Vanessa Willards sterbliche Überreste geblickt. Sie würde Ryan in diesem Leben nicht mehr sehen wollen.

»Mrs. Beecroft«, sagte sie nun, »wie geht es Ryan?«

Corinne strich sich mit der Hand über die Stirn. Sie schien unendlich erschöpft. »Er kann sich noch kaum bewegen. Es waren ja so viele Knochen gebrochen... aber er ist stabil. Es wird nichts zurückbleiben, meint der Arzt.«

»Gott sei Dank«, sagte Nora.

»Was nützt es ihm?«, fragte Corinne. »Er wird für zwanzig oder mehr Jahre ins Gefängnis gehen. Er ist über fünfzig, bis er rauskommt. Was hat er dann noch vom Leben? Er wird ein zerstörter Mensch sein.« Sie biss sich auf die Lippen. Nora konnte sehen, dass sie darum rang, die Fassung zu wahren und nicht in Tränen auszubrechen.

»Er will mich nicht sehen«, sagte sie.

»Wundert Sie das?«, fragte Corinne.

»Bitte«, sagte Nora verzweifelt, »bitte, Mrs. Beecroft, versuchen Sie doch zu verstehen...«

Corinne ging an ihr vorbei, und Nora fürchtete schon, sie würde einfach ohne ein weiteres Wort das Krankenhaus verlassen, aber sie ließ sich auf eine Bank im Wartebereich fallen und stützte den Kopf in die Hände.

»Ich kann nicht mehr«, flüsterte sie. »Ich kann einfach nicht mehr.«

»Möchten Sie einen Kaffee, Mrs. Beecroft?«

Corinne nickte schwach. Nora stürzte los und holte zwei Milchkaffee aus dem Automaten, kehrte dann zu der Bank zurück, setzte sich neben Corinne und schob ihr den heißen Pappbecher zwischen die Finger. »Hier. Trinken Sie. Das wird Ihnen guttun.«

Dankbar nippte Corinne an dem Getränk. »Es ist so furchtbar«, murmelte sie, »so furchtbar und so hoffnungslos.« Und dann fügte sie den Satz hinzu, den viele Mütter, vielleicht die meisten, in ihrer Lage gesagt hätten: »Er war immer ein guter Junge. Ich weiß nicht, wie das alles …« Ihre Stimme verlor sich.

»Er ist nicht schlecht«, sagte Nora, »auch heute nicht.«

Corinne blickte auf. »Warum haben Sie ihn verraten? Er hat Ihnen vertraut.«

Da war er, der Vorwurf, den auch Nora sich von morgens bis abends machte. Und nachts, wenn sie sich schlaflos im Bett wälzte. »Beim ersten Mal, also als die Polizei in den Copyshop kam und Ryan die Flucht antrat – das war ich nicht. Er war anderen Leuten in meinem Auto aufgefallen, als er sich verdächtig verhielt, deshalb wollte ihn die Polizei überprüfen. Ich wurde selbst davon überrascht.«

»Aber als Sie … als Sie und Debbie …«

Der grauenvolle Fund im *Tal des Fuchses*. Eine Sekunde lang war Nora versucht, sich reinzuwaschen. *Ich wollte Debbie davon abhalten, zur Polizei zu gehen, ich habe überlegt, ob es nicht einen anderen Weg gibt …* Aber sie tat es nicht. Weil Debbie richtig gehandelt und weil Nora das letzten Endes auch eingesehen hatte.

»Vanessa Willards Mann musste Klarheit bekommen«, sagte sie. »Er durfte nicht noch länger in dieser Ungewissheit leben. Er konnte jetzt seine Frau endlich beerdigen. Er kann versuchen, in ein normales Leben zurückzufinden.«

»Aber Sie haben Ryans Namen bei der Polizei genannt!«

»Weil es noch diese andere Frau gab. Alexia Reece. Es hätte doch sein können, dass Ryan…«

Blitze schossen aus Corinnes bis dahin so stillen, traurigen Augen. »Wie konnten Sie das glauben? Wie konnten Sie denken, dass Ryan etwas damit zu tun hat? Das mit… das mit Vanessa Willard war ein schreckliches Missgeschick. Er hätte so etwas nie wiederholt!«

»Er stand mit dem Rücken zur Wand. Er brauchte ganz schnell sehr viel Geld.«

»Trotzdem, er hätte nie… und er *hat nicht*. Es war der Ehemann, wie sich ja herausgestellt hat. Für Alexia Reece' Verschwinden und ihren Tod war Ryan nicht verantwortlich.«

»Ich weiß«, sagte Nora. Sie starrte in ihren Kaffeebecher. »Aber damals dachten Debbie und ich… Oh Gott, Mrs. Beecroft, wir konnten doch nicht ein solches Risiko eingehen! Stillschweigen wahren und am Ende vielleicht mitschuldig werden, wenn eine andere Frau dasselbe Schicksal erleidet wie Vanessa Willard. Sie haben diese Höhle nicht gesehen! Sie haben diese Kiste nicht gesehen! Sie können sich nicht vorstellen, wie…«

»Ich will es mir nicht vorstellen«, unterbrach Corinne scharf. »Hören Sie? Ich *will* nicht. Ich will *nichts davon hören*!«

»Okay«, sagte Nora, »okay.«

Vielleicht war das alles zu viel für eine Mutter. Corinne hatte eine Menge mitmachen müssen in all den langen Jahren, seitdem ihr Sohn auf die schiefe Bahn geraten war. Und in den letzten Tagen war die absolute Hölle über sie hereingebrochen. Schlimmer, als sie es sich hätte ausmalen können. Es war verständlich, dass sie sich bei alldem auch zu schützen versuchte.

Beide Frauen schwiegen eine Weile, tranken ihren Kaffee. Um sie herum herrschte der allabendliche Betrieb des Krankenhauses. Viele Besucher kamen jetzt, am Ende ihres Arbeitstages, um Angehörige zu besuchen.

»Hat sich etwas wegen Damon ergeben?«, fragte Nora. »Hat man ihm nachweisen können…?«

»Dass er für die Überfälle auf mich und Debbie verantwortlich ist?« Corinne schüttelte den Kopf. »Typen wie ihm lässt sich wohl selten etwas nachweisen. Inspector Morgan sagt, sie ist fest überzeugt, dass er damit zu tun hat. Aber sie hat noch keine Beweise. Auch nicht dafür, dass er Ryan erpresst und bedroht hat. Sie mussten ihn gehen lassen. Sie will dranbleiben, das hat sie mir versprochen, aber wer weiß?« Sie zuckte mit den Schultern. »Dieser Damon wird straffrei ausgehen, Nora, da bin ich fast sicher. Letztlich hat er alles, was geschehen ist, verschuldet. Aber er zieht seinen Kopf aus der Schlinge. Hat Zeugen und Alibis und alles Mögliche. Geschmiert vermutlich, aber Geld spielt ja keine Rolle bei ihm. Und mein Ryan muss ins Gefängnis. Es ist so grausam und so ungerecht.« Die Tränen, die sie die ganze Zeit über zurückgehalten hatte, schimmerten jetzt in ihren Augen.

»Irgendwann kriegen sie ihn«, sagte Nora, aber sie glaubte es nicht. Damon würde immer da sein. Er würde wahrscheinlich noch da sein, wenn Ryan irgendwann, endlose Jahre später, aus seiner Zelle kam. Damon war nicht der Mann, der eine Beute aufgab, nur weil ihm die Zeit zu lang wurde. Er würde auf Ryan warten, mit einer Geldforderung, die dann astronomische Höhen erreicht hatte, er würde sich einen Spaß daraus machen, ihn zu verfolgen und einzuschüchtern, er würde vielleicht sogar wieder seine bösartigen, perversen Spiele treiben und Menschen verletzen und demütigen, die Ryan nahestanden. Alles würde von vorn losgehen.

Aber sie hatten einen Aufschub gewonnen. Das Makabre an der ganzen Situation war, dass Ryan nun zum zweiten Mal durch das Gefängnis in letzter Sekunde vor Damon gerettet wurde.

»Wir müssen die fünfzigtausend Pfund auftreiben«, sagte Nora, »so schnell wie möglich. Damit Ryan eine Chance auf ein normales Leben hat, wenn er … rauskommt.«

»Vor der Polizei hat Damon abgestritten, dass es diese Forderung überhaupt gibt«, sagte Corinne.

Nora schnaubte. »Es gibt sie, glauben Sie mir. Ich habe nicht so viel Geld, aber ich werde alles tun, *alles*, um zu helfen, es zusammenzubekommen. Vielleicht schaffen wir es irgendwie.«

Corinne sah sie nachdenklich an. »Sie wollen ihm wirklich helfen, nicht?«

Nora schloss für eine Sekunde die Augen. Seiner Mutter würde sie sagen, was sie ihm nie hatte sagen dürfen. »Ich liebe ihn, Mrs. Beecroft. Und das wird sich nicht ändern, auch wenn er mich jetzt nicht sehen will. Ich würde alles für ihn tun. Wenn er es zulässt, besuche ich ihn im Gefängnis. Und ich warte auf ihn, bis er rauskommt.«

»Sie sind eine so junge Frau. Warum tun Sie das?«

»Das habe ich ja gerade gesagt«, antwortete Nora.

Corinne nickte. Alle Feindseligkeit war von ihr abgeglitten. Sie war jetzt nur noch müde und traurig. »Ich werde mit Ryan reden, Nora. Ich werde ihm Ihren … Verrat erklären. Ich will sehen, dass ich sein Verständnis für die Situation wecke, in der Sie steckten. Ich kann Ihnen nichts versprechen, aber ich tue, was ich kann.«

»Danke«, sagte Nora, »vielen Dank.«

Corinne trank den letzten Schluck Kaffee und stand dann auf. »Auf Wiedersehen, Miss Franklin.«

Auch Nora erhob sich. »Wohnen Sie in einem Hotel

in der Nähe?«, fragte sie, und als Corinne nickte, fügte sie hinzu: »Können wir uns treffen? Am Wochenende? Nur so. Zum Reden?«

»Gern«, sagte Corinne. Sie nickte Nora zu und ging dann davon. Ihre Schritte waren noch immer schleppend. Eine alte Frau, die nur wenig Hoffnung hatte, dass die Dinge besser werden würden.

Nora setzte sich wieder. Sie würde noch eine Weile bleiben. Hier in diesem Krankenhaus war sie wenigstens in Ryans Nähe, und das war besser als nichts. Als Nächstes musste sie Corinne für den Gedanken erwärmen, dass Bradley eine Hypothek auf sein Häuschen nehmen könnte. Es würde nicht einfach werden, aber Nora war zuversichtlich. Natürlich tat es weh, am Ende einem skrupellosen Verbrecher eine Menge Geld in den Rachen zu schieben, aber wenn die Polizei es nicht schaffte, ihm das Handwerk zu legen, musste man eigene Maßnahmen ergreifen. Wichtig war nur Ryan. Ryans Zukunft.

Corinne würde ihr den Weg zu Ryan bereiten. Vielleicht nicht Noras wegen, aber sie würde es für Ryan tun. Denn sie wusste, dass Ryan einen Menschen brauchte, der fest an seiner Seite stand, wenn er die Jahre im Gefängnis und die Zeit danach psychisch überleben wollte, und Corinne konnte nicht sicher sein, wie lange sie selbst noch die Kraft dafür haben würde. Corinne würde begreifen, dass Nora ein Geschenk des Himmels für Ryan war, und sie würde alles tun, die beiden jungen Leute wieder zusammenzubringen.

Es war ein Hoffnungsschimmer. Endlich ein Licht am Ende des Tunnels.

Nora dachte an die Jahre, die kommen würden. Sie lächelte.

Immerhin, sie hatte Ryan für sich.

Für sich ganz allein.